ALESSANDRO DE GIULI
CARLO GUASTALLA
CIRO MASSIMO NADDEO

NUOVO
magari

con attività video

C1/C2

CURSO DI LINGUA E CULTURA ITALIANA

DI LIVELLO INTERMEDIO E AVANZATO

MATERIALI EXTRA SUL SITO DEDICATO A NUOVO MAGARI SU WWW.ALMAEDIZIONI.IT

Redazione: **Euridice Orlandino**, **Chiara Sandri** e **Marco Dominici**

Consulenza didattica: **Giuliana Trama**

Progetto grafico e impaginazione: **Andrea Caponecchia**

Progetto copertina: **Lucia Cesarone**

Illustrazioni interne: **Clara Grassi**

Foto di copertina: Venere Esquilina, Musei Capitolini, Roma

Desideriamo ringraziare tutti gli insegnanti che hanno sperimentato i materiali e in particolare:
Roberto Aiello, Filomena Anzivino, Ippolita Conestabile, Katia D'Angelo, Giulia De Savorgnani,
Filippo Graziani, Anita Lorenzotti, Daniela Pecchioli, Alessandra Vitali.
Vogliamo ringraziare anche tutti quelli che hanno prestato la voce per i brani audio, e in particolare: Carolina
Cateni, Daniele Varsano, Tiziana Sinibaldi, Teresa Fallai, Vanni Cassori e la compagnia ZAUBERTEATRO.

Printed in Italy

ISBN 978-88-6182-284-9

© **2013 Alma Edizioni**

Prima edizione: marzo 2013

Alma Edizioni
Viale dei Cadorna, 44
50129 Firenze
tel +39 055476644
fax +39 055473531
alma@almaedizioni.it
www.almaedizioni.it

Ringraziamenti
Un grazie agli amici de "La Cittadina" per la gentile ospitalità in un
momento importante della stesura del libro.   *Alessandro*

Ringrazio dal profondo del cuore Katia D'Angelo per i consigli sempre
preziosi e per avermi sopportato quotidianamente. Un grazie di cuore anche
a Christopher Humphris, soprattutto per la passione contagiosa. Grazie a
mio fratello per i consigli, e a mio padre per l'attesa. Grazie davvero, a zia
Anna.   *Carlo*

Desidero dedicare questo libro a Giuliana, Marco e Valerio (che ancora non
c'era quando abbiamo iniziato a scriverlo). Un sincero grazie ad Andrea per
la pazienza infinita e per il contributo inestimabile, a Giovanna Rizzo per i
consigli come al solito preziosi, a Chiara ed Euridice per essere arrivate a dar
man forte nel momento in cui non ne avevamo più.   *Massimo*

introduzione

▶ *Cos'è Nuovo Magari*

Nuovo Magari è un corso di lingua italiana per stranieri rivolto a studenti di livello intermedio e avanzato (dal **B2** al **C2** del Quadro Comune Europeo). È particolarmente indicato per quegli studenti che, già in possesso di una discreta conoscenza dell'italiano, vogliano "**rinfrescare**" e **perfezionare** le loro competenze arrivando a un livello molto alto (C2).

▶ *Perché Nuovo?*

In questa nuova edizione, il corso è stato riorganizzato in due volumi divisi per livello (vol. 1: B2 - vol. 2: C1/C2). Ogni volume include le attività per la classe e gli esercizi.
Alcune unità sono state sostituite con altre **completamente nuove** e inoltre tutti i materiali sono stati rivisti e, dove necessario, aggiornati.
Ogni unità è ora accompagnata da una sezione di attività **Video**, che offrono numerosi spunti per entrare in contatto con la dimensione sociale e culturale italiana. I video sono disponibili sul **sito** dedicato a *Nuovo Magari* (www.almaedizioni.it/minisiti/nuovomagari), insieme a numerosi altri materiali da utilizzare in classe. Infine, sono state aggiunte due **sezioni di attività su brani letterari**, una alla fine del livello C1 e una al termine del C2, per confermare e rafforzare ulteriormente la vocazione culturale di questo corso.

▶ *Un manuale che si legge come una rivista*

La particolarità del testo sta nel proporsi non solo come un manuale per studiare e riflettere sulla lingua e sui suoi molteplici aspetti, ma anche come una sorta di "**rivista da leggere**", un rotocalco in cui lo studente interessato ad approfondire la conoscenza della società, della cultura, della storia italiana potrà trovare - come appunto in un periodico illustrato - notizie, commenti, box informativi, schemi, immagini, che lo aiuteranno a costruirsi un'idea ricca e articolata sull'Italia di ieri e di oggi.

▶ *La grafica*

Un ruolo importante in questa prospettiva riveste la **grafica**, che richiama lo stile della rivista riccamente illustrata, piena di stimoli visivi e di suggestioni cromatiche, con spazi per la riflessione e l'approfondimento e altri per lo svago, la curiosità, la sintesi, in un'alternanza di testi brevi e lunghi, schede riassuntive, rimandi, note, pillole di storia, arte, letteratura, a creare dei percorsi intrecciati e sovrapposti, da seguire in base ai propri gusti, interessi, bisogni.

▶ *Il metodo*

Trattandosi di un manuale per studenti intermedio-avanzati, le riflessioni proposte richiedono un **livello di indagine più complesso e approfondito**. Una volta raggiunto un livello intermedio si tratta di mettere in discussione le classificazioni semplicistiche di quando si era principianti, di affrontare a viso aperto la lingua nelle sue varie articolazioni. Si tratta di riprendere in considerazione argomenti più elementari e già noti, inquadrandoli da un diverso punto di vista.
Nuovo Magari lo fa a partire da un approccio fortemente testuale, presentando la lingua scritta in una prospettiva di **analisi dei generi testuali e del discorso** e la lingua orale in una dimensione di **analisi conversazionale e pragmatica**.
Un importante rilievo è inoltre dato allo studio del lessico che è basato sul concepire la lingua non più come un insieme di sistemi separati (lessico e grammatica) da analizzare quindi in modo distinto, ma come un sistema integrato da affrontare nella sua totalità e complessità.

▶ *Com'è strutturato*

Per finire, un breve accenno alla struttura del corso. Il livello B2 di *Nuovo Magari* comprende 9 unità didattiche e sezioni video, il livello C1-C2 si compone di 12 unità didattiche e sezioni video più due ricche sezioni di attività su brani letterari. Tutte le unità sono raggruppate in cinque macro-aree tematiche (**Geografia, Società, Arti, Lingua, Storia**). Entrambi i volumi presentano a corredo dell'opera una ricca sezione di esercizi, test di autovalutazione, bilanci e una grammatica che approfondisce i temi morfosintattici presentati nelle unità. Alla fine del volume sono disponibili le soluzioni degli esercizi e dei test.

Buon lavoro

Gli autori

indice

Livello C1

indice

Livello C2

unità	grammatica e lessico	testi scritti e audio	temi cultural
21. LINGUA Lingua e dialetti pag. 157	- aggettivi e pronomi indefiniti - i nessi correlativi - la dislocazione del congiuntivo - significato delle espressioni *pur, appunto, man mano, assai, anzi, a tale proposito* - vari significati di *addirittura*	- articolo: *Lingua e dialetti* - scheda: la situazione linguistica in Italia - canzone *Pizzicarella mia* - lettura di un brano in tre dialetti	- tradizioni: la pizzica e la taranta - breve storia della lingua italiana - l'Italia, i dialetti e le lingue minori - personaggi: gli Arakne Mediterranea, Gian Luigi Beccaria

	testi letterari	grammatica e lessico
EXTRA Due pag. 169	**Andrea De Carlo** da "Treno di panna" (1988)	- *finire* e i verbi transitivi / intransitivi
	Primo Levi da "La tregua" (1963)	- forme personali e indefinite

indice

storia

ROMA ANTICA

1 Introduzione

Cosa sai degli antichi Romani? Fai delle ipotesi e segna quali affermazioni secondo te sono vere e quali false. Poi confrontati con un compagno.

	Vero	Falso
1. Alla fine di un combattimento tra gladiatori, il pubblico decideva se il vincitore doveva uccidere o lasciar vivere il suo avversario, abbassando o alzando il pollice della mano destra.	☐	☐
2. Nell'antica Roma non c'erano solo i combattimenti tra gladiatori uomini, ma anche quelli tra donne (gladiatrici).	☐	☐
3. Di solito i Romani non portavano la toga, che era un abito per le occasioni speciali e riservato solo agli uomini.	☐	☐
4. Durante i banchetti, i Romani avevano l'abitudine di vomitare per poi ricominciare a mangiare.	☐	☐
5. Le ultime parole di Giulio Cesare prima di morire sono state "Anche tu Bruto, figlio mio".	☐	☐
6. Bruto era figlio di Giulio Cesare.	☐	☐
7. L'imperatore Nerone ordinò di bruciare Roma.	☐	☐

nuovo magari C1/C2

Ora leggi il testo e verifica le tue scelte.

Antichi Romani:
verità e falsi miti

Per tante persone, l'immagine dell'Impero romano più che sui libri di storia o nei musei, si è formata principalmente attraverso i film. Per noi gli antichi Romani sono prima di tutto quelli visti in televisione o al cinema, in film come *Il gladiatore*, *Spartacus*, *Ben Hur* e via dicendo. Tuttavia questi film non presentano una reale descrizione della vita ai tempi dei Romani, ma una versione inautentica, spesso illogica e antistorica. Ecco alcuni dei più famosi (falsi) miti sui Romani.

Il pollice verso - Contrariamente a quanto si crede, l'Imperatore non alzava il pollice verso l'alto o verso il basso per dare al gladiatore il segnale di uccidere il suo sfortunato avversario. L'Imperatore (e solo lui, non il pubblico) usava il sistema "mano aperta / mano chiusa": mano aperta significava "risparmia la sua vita", mano chiusa "uccidilo". Se il gladiatore disubbidiva all'ordine e uccideva il suo nemico prima di questa autorizzazione, l'Imperatore poteva decidere di condannarlo a morte.

I gladiatori - I gladiatori non erano solo uomini. Infatti esistevano anche le *gladiatrices* (al singolare la *gladiatrix*). Gli spettacoli con le gladiatrici erano molto frequenti, fino a quando, nel 200 d. C., tra la disapprovazione generale l'imperatore Settimio Severo decise di vietare i combattimenti tra donne. Il

Dire che i romani usavano la toga è come dire che noi oggi usiamo sempre la giacca e la cravatta o lo smoking.

divieto tuttavia si rivelò poco efficace, perché ci sono testimonianze di spettacoli con gladiatrici anche dopo quella data. Secondo alcuni addirittura non sarebbe vera neanche l'idea di morte e violenza che ha sempre accompagnato l'immagine del gladiatore: in realtà si trattava di combattimenti non violenti tra uomini disarmati e allenati per colpire senza uccidere, come nel moderno wrestling. Insomma, non un vero combattimento ma una simulazione.

La toga - Quando pensiamo ai cittadini romani, li immaginiamo sempre in toga. Ma in realtà la toga era un abito estremamente formale, usato solo nelle grandi occasioni. Dire che i romani usavano la toga è come dire che noi oggi usiamo sempre la giacca e la cravatta o lo smoking. Normalmente i romani indossavano delle modeste tuniche. Invece la toga era un abito così importante che potevano indossarla esclusivamente i cittadini maschi (né gli schiavi, né le donne).

I banchetti - La leggenda dice che i romani avevano l'abitudine di vomitare durante i loro celebri e lussuosi banchetti, per poter ricominciare a mangiare. Questa credenza si deve al fatto che effettivamente a Roma sono stati trovati dei locali chiamati *vomitoria*, un nome che

La morte di Cesare ◥

ha fatto pensare a dei luoghi dove i romani andavano a vomitare dopo aver mangiato. In realtà i *vomitoria* erano dei corridoi dentro gli anfiteatri che servivano per il passaggio delle persone in occasione di manifestazioni particolarmente affollate (come gli spettacoli teatrali o i combattimenti con i gladiatori).

"Anche tu Bruto, figlio mio." - Le ultime parole di Giulio Cesare, rivolte verso il suo assassino Bruto, sono diventate uni-

versalmente famose grazie a Shakespeare. Secondo la tradizione Cesare avrebbe detto, in latino: "Tu quoque, Brute, fili mi". Ma lo storico Svetonio riporta la frase esatta, in greco, che era "Kai su teknon". Sì, in greco, perché Cesare era bilingue (latino e greco) e il greco era una lingua comunemente parlata a Roma. Le parole potrebbero avere senz'altro un altro significato, cioè non esprimerebbero sorpresa da parte di Cesare, ma minaccia: "Anche tu Bruto sarai ucciso, tu sarai il prossimo" (previsione in parte giusta, perché nel 42 a. C, due anni dopo la morte di Cesare, Bruto si suicidò). Un'altra falsa leggenda è quella che vuole Bruto "figlio" di Cesare: si trattava in realtà del suo migliore amico. Probabilmente la leggenda è dovuta al fatto che Cesare era innamorato della

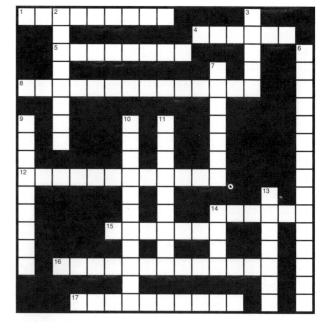

◥ Nerone

madre di Bruto, Servilla.

Nerone - Nerone, che guidò l'Impero dal 54 al 68 d. C., è passato alla storia come il simbolo di un potere folle, immorale, irragionevole. A lui sono state attribuite le azioni più terribili, tra cui quella di aver bruciato Roma. Ma secondo gli storici moderni, Nerone non era a Roma quando scoppiò l'incendio che la distrusse. Il 18 luglio 64, giorno della tragedia, l'Imperatore si trovava al mare, ad Anzio, e quando arrivò la notizia che la città stava bruciando corse immediatamente a Roma a organizzare le operazioni di soccorso. Successivamente la popolazione cominciò a indicare Nerone come colpevole, ma si trattava di voci create dai Cristiani, che erano da lui perseguitati e avevano interesse a diffondere l'immagine di un Imperatore folle, incapace di governare e nemico del popolo. ■

da *www.magnaroma.it*

3 Cruciverba

Completa il cruciverba con le parole del testo del punto 2 (tra parentesi è indicato il paragrafo in cui si trova la parola).

Orizzontali →

1 Comandare, amministrare. *(Nerone)*

4 Gente, nazione. *(Nerone)*

5 Avvertimento. *(Anche tu Bruto, figlio mio.)*

8 Permesso, licenza. *(Il pollice verso)*

12 Opprimere, cacciare. *(Nerone)*

14 Il vestito che gli antichi Romani indossavano tutti i giorni. *(La toga)*

15 Proibizione. *(I gladiatori)*

16 Dichiarazione, prova. *(I gladiatori)*

17 Il capo dell'Impero. *(Il pollice verso)*

Verticali ↓

2 Far uscire il cibo dalla bocca. *(I banchetti)*

3 Punizione che prevede l'eliminazione del condannato: condanna a _____. *(Il pollice verso)*

6 Critica, opposizione. *(I gladiatori)*

7 Il primo dito della mano. *(Il pollice verso)*

9 Responsabile di un'azione immorale. *(Nerone)*

10 Non rispettare un ordine. *(Il pollice verso)*

11 Abitante di una città o di una nazione. *(La toga)*

13 Proibire, non permettere. *(I gladiatori)*

14 Il vestito che gli antichi Romani indossavano nelle occasioni importanti. *(La toga)*

4 Analisi grammaticale

4a *Leggi queste frasi tratte dal testo dell'attività ? In ognuna è stata cambiata una parola rispetto all'originale Senza guardare il testo, prova a trovare le parole cambiate. Aiutati con i prefissi della lista, come nell'esempio.*

 dis- ~~anti-~~ in- ir- s-

1. …questi film non presentano una reale descrizione della vita ai tempi dei Romani, ma una versione inautentica, spesso illogica e ~~storica~~. *antistorica*

2. …l'Imperatore non alzava il pollice verso l'alto o verso il basso per dare al gladiatore il segnale di uccidere il suo fortunato avversario.

3. Se il gladiatore ubbidiva all'ordine e uccideva il suo nemico prima di questa autorizzazione, l'Imperatore poteva decidere di condannarlo a morte.

4. Nerone, che guidò l'Impero dal 54 al 68 d. C., è passato alla storia come il simbolo di un potere folle, immorale, ragionevole.

5. …avevano interesse a diffondere l'immagine di un Imperatore folle, capace di governare e nemico del popolo.

4b *A squadre, scrivete il contrario o la forma base delle parole e completate la tabella. Quando avete finito, chiamate l'insegnante. Vince la squadra che per prima completa la tabella in modo corretto.*

forma base	contrario	forma base	contrario
	irreale	autorizzare	
autentico		violento	
logico		armato	
storico			falso
	basso		informale
fortunato		primo	
	chiuso		peggiore
ubbidire		morale	
amico		ragionevole	
approvazione			disinteresse
	inefficace	capace	

Cronologia dell'antica Roma

4c *Per fare il contrario di un aggettivo, di un nome o di un verbo in italiano si usano molti prefissi. Completa la regola sulla formazione dei contrari.*

esempio	prefisso
fortunato → *sfortunato*	s-
ubbidire →	___
approvazione →	
storico →	___
autentico →	___ Questo prefisso può diventare:
previsto →	**im-** con le parole che iniziano con "p" o "m";
morale →	
logico →	**il-** con le parole che iniziano con "l";
ragionevole →	**ir-** con le parole che iniziano con "r".
vero →	In molti casi non si usano prefissi ma la parola cambia completamente.
primo →	
violento →	Quando non si può usare un prefisso, in alcuni casi si usa la negazione "non".

Articoli e preposizioni con le date

Senza rileggere il testo, in gruppo con alcuni compagni, prova a rispondere alle domande.

1. Quale preposizione è usata prima di un anno preciso? (_____ 200 d. C., l'imperatore Settimio Severo decise di vietare i combattimenti tra donne)

2. Quali preposizioni sono usate per delimitare un periodo di tempo? (Nerone, che guidò l'Impero _____ 54 _____ 68 d. C., è passato alla storia come il simbolo di un potere folle)

3. Quale articolo è usato prima di una data precisa? (_____ 18 luglio 64, giorno della tragedia, l'Imperatore si trovava al mare)

Tu quoque

In italiano si usano moltissimi modi di dire in lingua latina o tradotti dal latino.

Tu quoque: letteralmente significa *Anche tu!*, dalle parole pronunciate prima di morire da Giulio Cesare contro Bruto. Oggi si usa in senso ironico, per esprimere sorpresa

quando qualcuno fa qualcosa di inaspettato e di imprevedibile.

Carpe diem: è una frase di Orazio, che invita a non lasciarsi sfuggire le occasioni che possono capitare solo una volta nella vita. Significa *Cogli l'attimo fuggente*, goditi la vita senza pensare troppo al futuro.

Alea iacta est (in italiano: *Il dado è tratto*): è la frase pronunciata da Giulio Cesare prima di attraversare il fiume Rubicone e marciare verso Roma. Si usa per dire che si è fatta una scelta decisiva e non si può più tornare indietro.

5 Ascoltare

5a *Ascolta e rispondi alla domanda.*

Quali imperatori romani sono passati alla storia per la loro pazzia?

☐ Caligola   ☐ Svetonio

☐ Commodo   ☐ Tacito

☐ Macro   ☐ Tiberio

☐ Nerone

◀ Caligola

5b *Ascolta di nuovo e rispondi alla domanda. Poi confrontati con un compagno.*

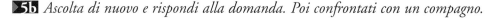

Secondo lo storico, Caligola era pazzo?

5c *Ricostruisci le accuse a Caligola collegando le parti di frase nelle due colonne, come nell'esempio. Quali di queste accuse sono sicuramente false? Se necessario riascolta.*

Voleva essere onorato come	a prostituirsi
Uccise	con i condannati
Ordinò al suocero	di suicidarsi
Ebbe rapporti sessuali con	eccessivamente lussuoso
Obbligò le sorelle	gladiatore
Stuprò	il fratello Tiberio
Uccise	il prefetto Macro
Ordinò di uccidere	il suo cavallo
Era molto crudele	le mogli dei senatori
Ebbe rapporti sessuali con	le sorelle
Amava vivere in modo	*molti senatori*
Introdusse	tasse straordinarie
Si esibì come	un dio
Nominò senatore	uomini e donne

5d *In gruppo con alcuni compagni, chiarisci il significato delle varie espressioni del punto c.*

Obtorto collo: letteralmente significa *Con il collo storto*. Fare una cosa obtorto collo significa farla contro la propria volontà, costretti da qualcuno o qualcosa.

Verba volant scripta manent: letteralmente significa *Le parole volano, gli scritti rimangono*. Quindi: è meglio scrivere quello che si è detto, per non dimenticarlo.

In vino veritas: la frase è attribuita allo scrittore Plinio il vecchio e significa che quando si beve un po' troppo si inizia facilmente a parlare.

Ipse dixit: questo modo di dire era molto usato nel medioevo per riferirsi

a qualche insegnamento del filosofo Cicerone. Oggi si usa per riferire una frase detta da qualcuno di importante.

Mens sana in corpore sano: secondo il poeta Giovenale bisogna migliorare la salute del corpo se si vuole far lavorare bene la propria mente.

6 Parlare

6a *Ogni studente sceglie un personaggio tra quelli della lista (possibilmente ogni studente un personaggio diverso) e si prepara ad interpretarlo, raccogliendo mentalmente o su un foglio tutte le informazioni che ricorda su di lui e che possono essergli utili.*

6b *Si formano gruppi di 3-4 studenti (ognuno corrispondente a un diverso personaggio). Ogni studente si presenta e interpreta il proprio personaggio rispondendo alle domande e alle curiosità degli altri. Le domande possono essere di tutti i tipi: cosa è veramente successo, cosa ha pensato quel personaggio in quella certa situazione, perché ha fatto qualcosa, è vero quello che si racconta, ecc. Dopo qualche minuto si formano altri gruppi e la conversazione riprende.*

Tutankhamon

Buddha

Giulio Cesare

Leonardo da Vinci

Cristoforo Colombo

Napoleone

Karl Marx

John Lennon

Steve Jobs

Che Guevara

7 Analisi grammaticale

7a *Osserva gli avverbi* **evidenziati** *nelle frasi e indica se servono a definire meglio il significato del* **verbo** *o dell'***aggettivo***, come nell'esempio.*

riga	verbo	aggettivo
1. Per tante persone, l'immagine dell'Impero romano più che sui libri di storia o nei musei, *si è formata* **principalmente** attraverso i film.	✗	☐
2. Ma in realtà la toga era un abito **estremamente** formale…	☐	☐
3. …la toga era un abito così importante che potevano indossarla **esclusivamente** i cittadini maschi…	☐	☐
4. In realtà i *vomitoria* erano dei corridoi dentro gli anfiteatri che servivano per il passaggio delle persone in occasione di manifestazioni **particolarmente** affollate.	☐	☐
5. Le ultime parole di Giulio Cesare, rivolte verso il suo assassino Bruto, sono diventate **universalmente** famose grazie a Shakespeare.	☐	☐
6. …quando arrivò la notizia che la città stava bruciando corse **immediatamente** a Roma.	☐	☐
7. Gli spettacoli con le gladiatrici erano **molto** frequenti…	☐	☐
8. Il divieto tuttavia si rivelò **poco** efficace…	☐	☐

7b *Che posizione occupano di solito gli avverbi nella frase? Riguarda le frasi del punto* **a** *e completa la regola.*

Di solito gli avverbi che si riferiscono ai verbi vanno (***prima del/dopo il***) _____ verbo, mentre gli avverbi che si riferiscono agli aggettivi vanno (***prima dell'/dopo l'***) _____ aggettivo.

7c *Sai come si forma la maggior parte degli avverbi? Osserva le prime 6 frasi del punto* **a** *e completa la regola.*

Molti avverbi si formano dal (***maschile/femminile***) _____ dell'aggettivo aggiungendo il suffisso -_____.
Se l'aggettivo finisce con -***le*** o con -***re***, l'avverbio _____.

8 Esercizio - Studente A

*Lavora con un compagno. A turno, prima ascolta la domanda di **B**, scegli una risposta dalla tua lista di destra, formando l'avverbio e inserendolo al posto giusto nella frase. Poi scambiatevi i ruoli: fai una domanda dalla tua lista di sinistra, **B** deve scegliere una risposta nella sua lista e rispondere formando l'avverbio e inserendolo al posto giusto nella frase.*

Le istruzioni per lo studente **B** sono a pagina **18**.

Esempio

domanda dello studente B	risposta dello studente A
- Ti è piaciuto?	- Sì, moltissimo. È un libro bello. *(incredibile)* ➝
	- Sì, moltissimo. È un libro **incredibilmente** bello.

domande	risposte
- Hai mai visto la nuova ragazza di Fabio?	- Ho un po' di mal di stomaco, credo di aver mangiato. *(troppo)*
- Sei riuscito a parlare con Anna?	- ~~Sì, moltissimo. È un libro bello. *(incredibile)*~~
- Che ne pensi del nuovo Presidente?	- No, per favore parla più, non capisco l'italiano. *(lento)*
- Come faccio a ritirare il certificato?	- Fossi in te non lo farei. È un tipo irritabile. *(facile)*
- Perché non stai più attento a quello che dici? Mi hai fatto fare una figuraccia!	- Non lo so, di solito è puntuale, ma oggi è in ritardo. *(strano)*
- ~~Siamo sicuri che questo posto è tranquillo?~~	- Non ci crederai, ma sono d'accordo con te. *(totale)*

9 Analisi del discorso

9a *Riordina le frasi della prossima pagina, come nell'esempio qui sotto.*

_3_ SECONDO GLI STORICI MODERNI, NERONE NON ERA A ROMA QUANDO SCOPPIÒ L'INCENDIO

_2_ MA

_1_ A LUI SONO STATE ATTRIBUITE LE AZIONI PIÙ TERRIBILI, TRA CUI QUELLA DI AVER BRUCIATO ROMA

_____ TUTTAVIA

_____ PER NOI GLI ANTICHI ROMANI SONO PRIMA DI TUTTO QUELLI VISTI IN TELEVISIONE O AL CINEMA, IN FILM COME _IL GLADIATORE_, _SPARTACUS_, _BEN HUR_ E VIA DICENDO

_____ QUESTI FILM NON PRESENTANO UNA REALE DESCRIZIONE DELLA VITA AI TEMPI DEI ROMANI

_____ A QUANTO SI CREDE

_____ L'IMPERATORE NON ALZAVA IL POLLICE VERSO L'ALTO O VERSO IL BASSO PER DARE AL GLADIATORE IL SEGNALE DI UCCIDERE IL SUO SFORTUNATO AVVERSARIO

_____ CONTRARIAMENTE

_____ QUANDO PENSIAMO AI CITTADINI ROMANI, LI IMMAGINIAMO SEMPRE IN TOGA

_____ LA TOGA ERA UN ABITO ESTREMAMENTE FORMALE, USATO SOLO NELLE GRANDI OCCASIONI

_____ MA IN REALTÀ

_____ IN REALTÀ

_____ A ROMA SONO STATI TROVATI DEI LOCALI CHIAMATI _VOMITORIA_, UN NOME CHE HA FATTO PENSARE A DEI LUOGHI DOVE I ROMANI ANDAVANO A VOMITARE DOPO AVER MANGIATO

_____ _I VOMITORIA_ ERANO DEI CORRIDOI DENTRO GLI ANFITEATRI

▶**9b** _Osserva le espressioni che si usano per introdurre qualcosa in opposizione a un'altra._

Tuttavia   Ma in realtà   Contrariamente a (quanto si crede)

In realtà   Ma

10 Scrivere

Scrivi un breve articolo sui falsi miti o sulle false credenze che esistono sul tuo Paese o sull'Italia.
Cerca di usare le espressioni del punto 9b.

8 Esercizio - Studente B

Lavora con un compagno. A turno, prima fai una domanda dalla tua lista di sinistra ad A. A deve scegliere una risposta nella sua lista di risposte, formando l'avverbio e inserendolo al posto giusto nella frase. Poi scambiatevi i ruoli: ascolta la domanda di A, scegli la risposta nella tua lista di destra e rispondi formando l'avverbio e inserendolo al posto giusto nella frase.

Esempio

domanda dello studente A	risposta dello studente B
- Siamo sicuri che questo posto è tranquillo?	- Non preoccuparti, qui puoi parlare, nessuno ci ascolta. *(libero)* ➡ - Non preoccuparti, qui puoi parlare **liberamente**, nessuno ci ascolta.

domande

- Allora, che mi consigli: gli posso dire quello che penso?

- È tutto chiaro?

- Come mai Aldo non è ancora arrivato?

- ~~Ti è piaciuto?~~

- Luca non ha apprezzato il mio discorso. E tu che ne pensi?

- Qualcosa non va?

risposte

- No, si trova nel deserto, in una zona raggiungibile dal telefono. *(difficile)*

- No, ma lui mi ha parlato di lei che mi sembra di conoscerla. *(tanto)*

- Deve venire, oppure inviare qualcuno con una delega scritta. *(personale)*

- ~~Non preoccuparti, qui puoi parlare, nessuno ci ascolta. (libero)~~

- Credimi, sono dispiaciuto per quello che è successo, la mia gaffe è stata davvero imperdonabile. *(sincero)*

- Non condivido le sue idee, ma devo riconoscere che è una persona intelligente. *(straordinario)*

1 Introduzione

1a *Rilassati, chiudi gli occhi e ascolta. Ora non sei più in classe, ma nei luoghi della registrazione. Vola con l'immaginazione.*

1b *Lavora in coppia e scambia le tue sensazioni con un compagno. In quale luogo vi siete sentiti meglio? Perché? Che cosa avete immaginato?*

2 Ascoltare

2a *Chiudi il libro e ascolta l'intervista a Mauro Corona. Cerca di capire chi è e di cosa parla. Poi consultati con un compagno.*

2b *Leggi e completa la scheda su Mauro Corona. Se necessario, riascolta più volte l'intervista. Dopo ogni ascolto consultati con un compagno.*

▶ Mauro Corona

Mauro Corona ha __5__ anni ed è noto al grande pubblico soprattutto come autore di romanzi e racconti che hanno per soggetto la natura e la montagna.
Nel suo ultimo libro, dal titolo "_____", Corona ripercorre la tragedia del Vajont, da lui vissuta in prima persona: il 9 ottobre __19__ , a causa della costruzione di una diga sul fiume Vajont, in Friuli Venezia Giulia, una frana si staccò dalla montagna e pre-

cipitò nel lago artificiale creato dalla diga, provocando un'onda gigantesca che travolse i paesi della zona, tra cui _____ (luogo di nascita di Corona e paese in cui è ambientato il libro). I morti furono circa duemila.
Come racconta Corona, questo disastro segnò la fine di un'intera civiltà montana, con le sue case, le sue abitudini, le sue tradizioni e la sua cultura.
Il libro, a metà tra il romanzo e il libro di _____, è diviso in _____ parti, ognuna delle quali porta il nome di una _____.

L'ultimo capitolo del libro si svolge in _____ e termina con l'arrivo dell'autore in un luogo simbolico: il _____ del paese.
Non solo scrittore, Mauro Corona è anche boscaiolo e alpinista, oltre ad essere uno dei più importanti scultori del legno in Europa. Come scalatore ha aperto valichi importanti sulle Alpi e ha scalato in molte zone del mondo, in particolare in _____, _____, _____ e _____.

3 Leggere

3a *Formare due gruppi, 1 e 2. All'interno dei due gruppi, formare delle coppie. Ogni coppia del **gruppo 1** lavora sul **Foglio 1** di pagina 177, ogni coppia del **gruppo 2** sul **Foglio 2** di pagina 179. Nei due fogli sono elencati alcuni suggerimenti sulle precauzioni da prendere quando si va in montagna. Alcuni paragrafi sono incompleti. Ogni coppia legge il proprio foglio e cerca di completare le parti mancanti, ipotizzando dei possibili suggerimenti.*

3b *Formare nuove coppie: ogni studente del **gruppo 1** lavora con uno studente del **gruppo 2**. A turno, i due studenti chiedono al compagno se i suggerimenti che hanno ipotizzato corrispondono a quelli del testo originale. Il compagno controlla sul suo foglio. Se l'ipotesi corrisponde al testo (è sufficiente indovinare il tipo di suggerimento, non la forma esatta in cui è scritto), chi ha indovinato guadagna un punto.*

3c *Leggi il testo completo.*

Andare in montagna

1 **Q**uali sono le precauzioni da prendere quando **si fa** un'escursione in montagna? Ecco alcuni consigli.

5 La preparazione fisica

Le escursioni vanno affrontate in condizioni fisiche adeguate, scegliendo percorsi che non siano al di sopra delle proprie possibilità ed evitando accuratamente di 10 strafare. Se non **si è** allenati, è consigliabile migliorare la propria forma fisica facendo un po' di sport.

Va considerato inoltre che non **si dovrebbe** mai tornare distrutti da un'escursione. 15 Stanchi, certo, ma non spossati. L'escursione non deve essere una sofferenza, deve rappresentare invece un'esperienza di benessere.

20 Il tempo

Le condizioni meteorologiche sono uno dei fattori più importanti da considerare quando **si programma** un'escursione. In estate i temporali costituiscono un pericolo 25 serio, perché in montagna il rischio di venir colpiti da fulmini, con esito assai spesso mortale, è molto alto. Se dunque sono previsti temporali è meglio rinviare l'escursione. Se poi **si viene sorpresi** dal 30 temporale, alcuni accorgimenti possono risultare utili. Bisogna tenere presente che i fulmini sono attratti da oggetti a punta ed elevati, quindi alberi o spuntoni di roccia. Di conseguenza sarà bene evitare di 35 sostare vicino a oggetti del genere, o di essere l'oggetto più alto della zona. Se tuttavia questo non è possibile e **si avvertono** i segnali dell'imminenza del fulmine (capelli che **si drizzano**, metalli che crepi-

tano), bisogna assumere una posizione ad 40 uovo, con la testa rannicchiata fra le ginocchia. È bene anche sapere che gli oggetti metallici che **si hanno** con sé, costituiscono un ulteriore fattore di pericolo. È utile 45 ricordare poi che l'acqua è ottima conduttrice di elettricità, per cui non **si deve** sostare su un terreno bagnato dalla pioggia. Se **si riesce** a raggiungere l'automobile, **ci si** 50 **può** rifugiare al suo interno, dove **si è** al sicuro.

Un altro fattore di rischio da non sottovalutare è il freddo. In una situazione di notevole stanchezza fisica l'esposizione al 55 freddo diventa infatti una complicazione rilevante. Al freddo intenso è legato anche il ghiaccio, insidiosa trappola nelle escursioni invernali. Se perciò non **si è** attrezzati adeguatamente (cioè con piccozza e 60 ramponi), non **ci si deve** azzardare a metter piede sul ghiaccio.

L'equipaggiamento

Come **si veste** e quali oggetti porta un 65 escursionista che va in montagna? Evidentemente questo dipende dalla stagione e dalla natura dei luoghi. Qualche consiglio:
- evitare di lasciare la pelle troppo scoperta, 70 soprattutto ad alta quota, dove i danni causati dai raggi ultravioletti sono maggiori;
- tenere le gambe coperte, perché così **si è** meno esposti ai morsi delle vipere;
- riparare la testa dal sole con un cappello 75 e difendere la vista con occhiali;
- poiché in montagna **si possono** trovare temperature piuttosto basse anche d'estate, mettere nello zaino un capo che difen-

80 da dal freddo;
- non deve mancare neppure un paio di guanti, preziosi quando ci si trova a dover effettuare qualche fuori percorso, soprattutto nei boschi;
85 - una torcia elettrica diventa decisiva quando si deve camminare al buio o segnalare la propria presenza ad eventuali soccorritori;
- il telefonino, quando prende, naturalmente è molto utile; è meglio, comunque,
90 lasciar sempre detto dove si va, mettendo magari per iscritto l'itinerario che si intende effettuare;
- anche carta, altimetro e bussola sono strumenti preziosi per l'orientamento.
95

Mangiare e bere
Si beve e si mangia, in montagna? Ovviamente sì. Qualche consiglio:
100 - bisogna bere non appena si ha sete, perché in montagna si perdono molti liquidi; evitare gli alcolici, anche perché l'alcool - contrariamente a quanto si crede - non favorisce il riscaldamento, ma la dispersio-
105 ne del calore;
- quanto al mangiare, sono consigliabili alimenti semplici ed energetici, come la cioccolata, qualche frutto o anche qualche zolletta di zucchero; da evitare invece il più
110 possibile i cibi salati o peggio ancora piccanti, perché inducono ulteriore sete.

L'orientamento
L'orientamento è uno degli aspetti più
115 importanti legati all'escursione. Una buona lettura della carta permette infatti di preparare adeguatamente l'escursione a tavolino, soprattutto quando si devono percorrere sentieri poco frequentati e non
120 segnalati. La sua consultazione, infine, diventa più chiara e utile se si possiedono un altimetro ed una bussola.
Un altro alleato prezioso sono le informazioni di chi conosce i luoghi. Ci sono itine-
125 rari che non è del tutto consigliabile percorrere se non si è accompagnati da persone che li conoscono. In certe zone perdere il sentiero significa girare a vuoto senza riuscire a scendere a valle. Non ci si può
130 fare un'idea adeguata di questo se non lo si prova. Ma naturalmente è meglio non provarlo!
Terzo alleato sono le segnalazioni sul terreno, i segnavia. Quando si praticano sen-
135 tieri difficili ma segnalati, si presti molta

attenzione a non saltare alcun segnavia: perderne anche uno solo potrebbe significare andare fuori dal tracciato.
Quarto alleato è la nostra prudenza, unita
140 ad un buono spirito di osservazione. Se si sta dunque salendo nel bosco su un sentiero poco battuto e per noi nuovo, si deve fare molta attenzione a osservare bene la natura dei luoghi, memorizzando punti di
145 riferimento preziosi, e lasciando anche qualche segno sul percorso.
E se ci si perde? Non bisogna cedere alla tentazione di scendere a tutti i costi; è preferibile ricercare, con calma e attenzione,
150 la traccia. Se si sono seguite le avvertenze sopra esposte, la si ritroverà. Se la ricerca è inutile e se il telefonino ha campo, non si esiti a chiedere aiuto, senza aspettare che l'arrivo della notte renda più problematica
155 la ricerca. Se si è in più di uno, ci si divida nella ricerca, rimanendo però sempre a portata di voce.

Infortuni ed incidenti
160 Quanto alle situazioni ed ai luoghi intrinsecamente pericolosi, bisogna ricordare che:
- quando si cammina
165 su un terreno reso scivoloso da terriccio e sassi mobili si deve fare attenzione non solo a non scivolare,
170 ma anche a non far cadere sassi su coloro che si trovano più a

valle; se dovesse partire un sasso, anche se non si vede nessuno giù a valle, si deve gridare per avvertire del pericolo; 175
- quando si sale nel bosco o ci si arrampica, non ci si fidi troppo di rami o tronchi, che potrebbero spezzarsi proprio quando ci si attacca ad essi;
- la discesa di per sé non è pericolosa, ma 180 lo diventa se affrontata in condizioni di notevole stanchezza e distrazione;
- il ghiaccio è sempre un'insidia da cui stare alla larga, se non si è adeguatamente attrezzati e preparati; 185
- infine in luoghi molto assolati, vicino a corsi d'acqua, nelle pietraie e nell'erba si può nascondere l'insidia delle vipere; se si procede con passo pesante, si batte a terra con un bastone e si evita di posare le 190 mani in luoghi dove la vegetazione nasconde il terreno, si riducono al minimo i rischi.

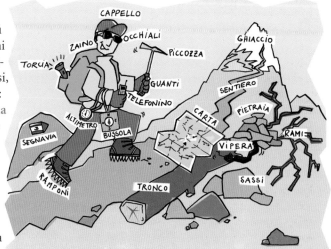

4 Analisi lessicale

Ognuna delle espressioni tratte dal testo è stata usata in quattro frasi. Trova i casi in cui l'espressione viene utilizzata in modo non appropriato.

I. riga 31 - **Bisogna** tenere presente **che i fulmini sono attratti da oggetti a punta ed elevati...**
1. *Tieni presente* che ho avuto pochissimo tempo per studiare. ☐
2. Voglio che tu *tenga presente* anche i miei bisogni, non solo i tuoi! ☐
3. Per favore, puoi *tenere presente* il bambino oggi pomeriggio? Io devo lavorare. ☐
4. Non si preoccupi, La *tengo presente* per quel lavoro. ☐

II. riga 40 - **...bisogna** assumere una posizione **ad uovo...**
1. Secondo me Mario *ha assunto una posizione* troppo rigida. ☐
2. Quella società mi vuole *assumere una posizione*. ☐
3. Quando si sta seduti per molte ore, è consigliabile *assumere una posizione* comoda. ☐
4. Ormai la nostra azienda *ha assunto una posizione* dominante sul mercato. ☐

III. riga 126 - **In certe zone perdere il sentiero significa** girare a vuoto **senza riuscire a scendere a valle.**
1. Giulia non riusciva a dormire e si *girava a vuoto* nel letto. ☐
2. Sono stanco di *girare a vuoto* e non concludere nulla. ☐
3. La macchina non parte, il motore *gira a vuoto*. ☐
4. Oggi non sto bene, mi sento *girare a vuoto* la testa. ☐

IV. riga 146 - **Non bisogna** cedere alla tentazione **di scendere a tutti i costi...**
1. Anche se sono a dieta, ieri sera *ho ceduto alla tentazione* di un gelato. ☐
2. *Ho ceduto* Mario *alla tentazione* di andare in vacanza. ☐
3. Adamo ed Eva *cedono alla tentazione* di mangiare la mela e perdono il Paradiso. ☐
4. La ragazza era bellissima, ma Luigi pensò a sua moglie e riuscì a non *cedere alla tentazione*. ☐

V. riga 183 - **...il ghiaccio è sempre un'insidia da cui** stare alla larga**...**
1. Questa giacca mi *sta alla larga*, non la posso più mettere. ☐
2. Se non vuoi problemi, *stai alla larga* da quella donna. ☐
3. Non *state* troppo *alla larga* con la barca, oggi il mare è agitato. ☐
4. Dopo l'incidente, aveva imparato a *stare alla larga* dalle moto sportive. ☐

5 Analisi grammaticale

5a *Osserva questa frase. Poi rispondi alle domande.*

Quali sono le precauzioni da prendere quando si fa un'escursione in montagna?

1. Secondo te, chi fa l'azione espressa dalla forma verbale *si fa*?
2. In che modo potresti riscrivere la frase esprimendo in modo più esplicito chi fa l'azione?

5b *Secondo te si fa è una forma riflessiva o spersonalizzante? Leggi le due definizioni.*

Forma riflessiva
La forma riflessiva permette di indicare che l'azione del verbo è diretta verso chi la compie.
Esempio:
Mario **lava** i piatti. *(forma non riflessiva)*
Mario **si lava** le mani. *(forma riflessiva)*

Forma spersonalizzante
Il *si* spersonalizzante permette di non indicare esplicitamente chi compie l'azione del verbo. Il *si* corrisponde a un soggetto generico come *la gente, le persone, uno, qualcuno*.
Esempio: Di solito d'estate **si va** al mare. =
Di solito d'estate **la gente** va al mare.

5c *Guarda le forme verbali* **evidenziate** *nel testo dell'attività* **3c***. Quali sono riflessive* (**R**)*, quali spersonalizzanti* (**S**) *e quali riflessive e spersonalizzanti insieme* (**RS**)*? Scrivilo nel testo, come nell'esempio.*

Quali sono le precauzioni da prendere quando si fa un'escursione in montagna? Ecco alcuni consigli.

S

5d *Guarda ancora le forme verbali* **evidenziate** *nel testo dell'attività* **3c***. Poi completa le regole e scrivi per ognuna un esempio del testo.*

regola	esempio del testo
1. "Si" spersonalizzante + verbo (senza oggetto diretto): il verbo va alla III persona *singolare* ☐ / *plurale* ☐. →	_____
2. "Si" spersonalizzante + verbo + oggetto diretto: il verbo *concorda* ☐ / *non concorda* ☐ con l'oggetto diretto. →	**a.** _____ *("si" + verbo al presente + oggetto diretto singolare)* **b.** _____ *("si" + verbo al presente + oggetto diretto plurale)* **c.** _____ *("si" + verbo al passato prossimo + oggetto diretto)*
3. "Si" spersonalizzante + verbo + aggettivo o participio passato (in una costruzione passiva): l'aggettivo o il participio passato va al maschile *singolare (-o)* ☐ / *plurale (-i)* ☐. →	**a.** _____ *("si" + verbo + aggettivo)* **b.** *Se poi si viene sorpresi dal temporale...* *("si" + verbo + part. passato in costruzione passiva)*
4. "Si" riflessivo + "si" spersonalizzante + verbo: si usa il pronome doppio ____ ____ + verbo. →	_____

6 Gioco - Studente A

*Lavora con uno studente **B** (le istruzioni per **B** sono a pag. 29). A turno, uno di voi due deve trasformare una frase della sua lista di sinistra usando il **si** spersonalizzante. Inoltre deve dire per ogni frase trasformata quale regola (o quali regole) dell'attività **5d** ha applicato. Il compagno verifica nella sua lista di destra se la soluzione è giusta. Per ogni frase si guadagna 1 punto se la trasformazione è corretta e ancora 1 punto se la regola, o le regole, sono abbinate correttamente alla frase.*

Es:

In Italia la gente fa molti gesti anche quando parla al telefono.	→	In Italia **si fanno** molti gesti anche quando **si parla** al telefono. *(regola 2 e 1)*

frasi da trasformare

1. *In Italia la gente fa molti gesti anche quando parla al telefono.*
2. In Italia la gente legge pochi libri.
3. Per risparmiare acqua, la gente si dovrebbe lavare meno.
4. Solo se ti iscrivi puoi partecipare al seminario.
5. Se parliamo al cellulare mentre siamo in macchina, rischiamo un incidente.
6. Una volta che hai studiato la mappa, sei più sicuro del percorso.
7. Se uno fa una dieta, in genere non mangia dolci.
8. Quando la gente guida la macchina, dovrebbe essere più educata.

soluzioni frasi studente B

1. *In Italia si mangia spesso la pastasciutta. (2)*
2. Non sempre si scelgono le soluzioni più semplici per risolvere i problemi. *(2)*
3. Gli scienziati non sanno spiegare perché in questa zona si viva più a lungo. *(1)*
4. Quando si soffre di insonnia, ci si sveglia spesso durante la notte. *(1 e 4)*
5. Non ci si dovrebbe sposare se non si è convinti di amare veramente il partner. *(4 e 3)*
6. Dopo che si sono sentite tutte le opinioni, si deve prendere una decisione. *(2 e 2)*
7. Quando si è innamorati, si è disposti a fare follie. *(3 e 3)*
8. Non si può capire chi era veramente Michelangelo se non si leggono anche i suoi scritti. *(1 e 2)*

7 Ascoltare

7a *Chiudi il libro e ascolta il dialogo. Cerca di capire di cosa parlano lei e lui e poi consultati con un compagno.*

7b *Ascolta di nuovo il dialogo, anche più volte se necessario, e rispondi alle domande.*

1. **L'anno scorso:**
   - dove sono andati in vacanza Valeria e Luca?
   - dove sono andati in vacanza lei e lui?

2. **Quest'anno:**
   - dove vogliono andare in vacanza Valeria e Luca?
   - dove vuole andare in vacanza lei?
   - dove vuole andare in vacanza lui?

3. **Quali argomenti:**
   - lei usa per convincere lui?
   - lui usa per convincere lei?

4. **Chi deve andare in agenzia ad annullare la prenotazione:**
   - secondo lei?
   - secondo lui?

8 Parlare

Il giorno dopo i quattro amici vanno all'agenzia di viaggi per discutere delle loro vacanze con l'impiegato dell'agenzia. Trovare un accordo per soddisfare tutti non è facile! Lavora in un gruppo di 5 (lui, lei, Valeria, Luca e l'impiegato dell'agenzia) e immaginate la scena.

9 Leggere

9a *Leggi le frasi qui sotto. Poi rispondi alla domanda.*

Ho sempre pensato che il mondo si divida in due.

Ho iniziato ad andare alle Eolie trentacinque anni fa,

O meglio, ho avuto qualche flirt e qualche avventura extraconiugale, come in qualsiasi matrimonio che si rispetti,

Da quindici anni però mi sono arresa, completamente e per sempre.

Le Eolie, le Sette Sorelle, si trovano nel Tirreno meridionale, a nord della Sicilia, in direzione di Capo Milazzo.

Secondo te da dove sono tratte queste frasi?

Da:

- [ ] un romanzo d'amore
- [ ] una guida turistica
- [ ] un libro di memorie
- [ ] un racconto comico
- [ ] un reportage giornalistico
- [ ] un libro di gastronomia
- [ ] un romanzo poliziesco
- [ ] un romanzo storico

9b *Ora leggi l'inizio completo del testo. Poi rispondi alle domande sotto il testo e confrontati con un compagno.*

Ho sempre pensato che il mondo si divida in due. E non parlo di belli e brutti, di buoni e cattivi, di bianchi e rossi. Parlo di "quelli che amano le isole e quelli che invece no". Ho iniziato ad andare alle Eolie trentacinque anni fa, e da allora non ho mai smesso. O meglio, ho avuto qualche flirt e qualche avventura extraconiugale, come in qualsiasi matrimonio che si rispetti, ho addirittura vissuto periodi di distacco e rifiuto (quando mio padre ha venduto una casa amatissima a Stromboli, e il dolore è stato tale che per qualche anno non ci sono più tornata, quasi che le isole mi avessero tradita e allontanata).

Da quindici anni però mi sono arresa, completamente e per sempre. Ci sono state, è vero, altre isole nella mia vita, ma nulla che possa neanche lontanamente scalfire l'amore che provo per questo strano arcipelago a forma di stella.

Le Eolie, le Sette Sorelle, si trovano nel Tirreno meridionale, a nord della Sicilia, in direzione di Capo Milazzo. Chi c'è stato una sola volta non può dimenticarle. Non dimentica il loro mare di un blu cupo, a tratti quasi nero, né la loro anima di fuoco e le nude rocce scoscese dalle forme bizzarre, non dimentica una natura ardente e selvaggia e allo stesso tempo avvolgente e armoniosa. Non dimentica la loro storia antichissima ricca di miti e leggende. ■

1. Sei ancora della stessa idea?
   ☐ Sì, perché…   ☐ No, perché…

2. Secondo te come continua il testo?
   ☐ L'autrice racconta la storia delle Eolie.   ☐ L'autrice parla dello sviluppo economico delle Eolie.
   ☐ L'autrice racconta un episodio divertente sulle Eolie.   ☐ L'autrice parla del suo rapporto con una delle Isole.

9c *Continua a leggere. Poi rispondi alle domande alla fine del testo e confrontati con un compagno.*

Ciascuno di noi ha nella vita un luogo che elegge a "posto dell'anima". Il mio è Alicudi, anche se per scoprirlo ci ho messo troppo tempo. Alicudi, la vecchia Ericusa, così chiamata per via dell'erice che ancora in primavera la riveste come un mantello, è la più solitaria delle Sette Sorelle. È un'isola fuori mano, distanziata dalle altre non solo geograficamente. È la più difficile da raggiungere e la più scomoda da vivere. Tutto questo fa sì che Alicudi sia di fatto un posto per pochi iniziati, gente un po' particolare che ama stare sola con sé stessa.

Alicudi scatena solo reazioni esagerate: la si ama o la si odia. O addirittura la si ama e la si odia contemporaneamente. Io sono passata attraverso tutti gli estremi per arrivare alla fine a un amore assoluto. Negli anni della giovinezza, quando la mia casa era a Stromboli, ad Alicudi non mi è mai capitato neanche di passarci, d'altronde le due isole sono agli antipodi, una è la più vicina alla terraferma (la Calabria), l'altra è la più lontana.

Allora per me le Eolie non andavano oltre Salina. Quando poi i miei genitori hanno venduto la casa, il dispiacere è stato così forte che per molti anni ho abbandonato le isole.

Poi uno dei miei fratelli comprò un rudere ad Alicudi e lo rimise a posto. ■

1. Sei ancora della stessa idea sul genere del testo?
   ☐ Sì, perché…
   ☐ No, perché…

2. Quali nomi mancano nella cartina delle Eolie? Scrivili al posto giusto.

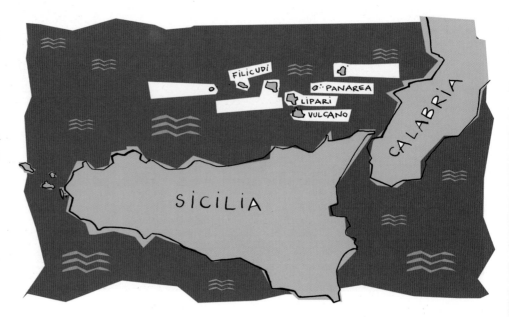

FILICUDI · PANAREA · LIPARI · VULCANO · SICILIA · CALABRIA

3. Secondo te come continua il testo?

☐ L'autrice va a trovare il fratello ad Alicudi e rimane molto delusa.

☐ L'autrice va ad Alicudi e rimane colpita dalla bellezza incontaminata dell'isola.

☐ L'autrice va per la prima volta ad Alicudi ma la trova troppo snob.

☐ L'autrice compra un'altra casa a Stromboli.

▶9d *Continua a leggere. Poi rispondi alle domande alla fine del testo e confrontati con un compagno.*

Alla fine la nostalgia ebbe la meglio. Così, insieme a mio marito e ai miei figli, mi imbarcai sul vecchio traghetto delle Eolie. Erano passati anni ma quello era rimasto identico. Solo che il viaggio questa volta era molto più lungo. Eravamo abituati a scendere alla prima fermata. Adesso ci aspettava l'ultima.

L'isola ci venne incontro scoperta, senza mediazioni, in maniera diretta. Quello che si vedeva era quello che c'era. Prendere o lasciare. E ciò che si vedeva era un panettone roccioso, un sole accecante, cespugli e fichi d'India e poche casette bianche inerpicate sui fianchi della montagna.

L'isola non esibiva nessuna delle astuzie e degli stratagemmi usati dalle sue sorelle per conquistare gli estranei. Le case erano di una semplicità disarmante, intonaci mezzi scrostati e ancora molti ruderi a vista, la natura selvaggia e scomposta, niente giardini ben curati o piante da esposizione. Due negozietti vendevano pane, verdure, sigarette e quel tanto di cui c'era bisogno per campare. Un altro buchetto, chiamato un po' affettatamente "la boutique", vendeva giornali, riviste, souvenir e qualche libro. Una pensione dall'aspetto dimesso fungeva anche da trattoria. Fine delle attrazioni turistiche. Niente bar; niente discoteche, niente ristoranti alla moda.

Di strada, se così vogliamo chiamarla, ce n'è solo una, due o trecento metri che costeggiano la spiaggia e uniscono il molo alla pensione. I negozi succitati sono tutti in basso. A fianco del molo si apre una piccola piazzetta su cui si abbracciano i soli due veri grandi alberi dell'Isola, due giganteschi fichi beniamini.

E poi cominciano le scale, scale che sembrano infinite, scale di pietra che ogni volta che si salgono viene da pensare a chi, sotto un sole inclemente, le ha costruite trascinandosi sulle spalle enormi lastroni.

Chi vive o trascorre le sue vacanze ad Alicudi sa che non ci sono indirizzi, ci sono gradini: chi sta al 100esimo, chi al 500esimo…

Niente mi aveva però preparato all'invito a cena da mio fratello che viveva all'800entesimo gradino! ■

1. Sei ancora della stessa idea sul genere del testo?

☐ Sì, perché… ☐ No, perché…

2. Qual è la piantina che corrisponde alla descrizione del testo?

☐ La piantina A. ☐ La piantina B. ☐ La piantina C.

3. Secondo te come continua il testo?

☐ L'autrice decide di ripartire senza incontrare il fratello.

☐ L'autrice arriva in alto e vive un'esperienza indimenticabile.

☐ L'autrice convince il fratello a scendere e a cenare nella trattoria del paese.

☐ L'autrice arriva in alto e vive un'esperienza molto negativa.

9e *Continua a leggere. Poi rispondi alla domanda sotto il testo e confrontati con un compagno.*

Mentre arrancavo su per le scale maledicevo mentalmente me stessa per essere così fuori forma e mio fratello per quella scelta così estrema. Arrivai su talmente stravolta da riuscire solo a chiedere con voce strozzata e occhi fuori dalle orbite quale fosse stata l'insana follia che lo aveva

spinto a un acquisto così insensato. Lui mi guardava con un piccolo sorriso obliquo. Poi mi spogliai nuda, mi rovesciai addosso un catino d'acqua (tanto per addolcire la situazione la casa non aveva né luce né acqua corrente) e piombai finalmente su una sdraio guardandomi intorno per la prima volta.

Ero su un patio quadrato, una parte del quale era coperta dalla pergola di una vite, l'altra era invece avvitata come un nido d'aquila su uno spuntone di roccia a strapiombo sul mare. Sotto di me, come in un presepe poco illuminato, brillavano fioche le luci delle case in basso. Intorno solo mare, la sagoma scura di Filicudi a sinistra e di fronte, in lontananza, la costa frastagliata della Sicilia. Sopra la mia testa un cielo denso di stelle, la più straordinaria stellata che mi fosse mai capitato di ammirare. Ero rapita dalla pace e dal silenzio intorno, un silenzio talmente intenso da essere quasi rumoroso.

La terrazza era illuminata solo da candele e da qualche lampada a petrolio. Poi ci sedemmo a mangiare. Ciascuno di noi, credo, ha avuto nella vita quelle che io chiamo "estasi sensoriali", quei momenti compiuti in cui ciò che si sta mangiando afferra tutti e cinque i sensi, ricomponendosi per magia in un unicum perfetto. La prima volta che ciò accade, ha qualcosa di miracoloso. È come riconoscere e comprendere l'essenza di quel piatto o di quel cibo. Le mie "epifanie gastronomiche" sono sempre legate a ingredienti.

Quella sera mio fratello aveva preparato un piatto di spaghetti al pomodoro, semplicissimo nella sua banalità: pomodori, basilico e capperi. Il fatto era che si trattava di molto di più che di semplici ingredienti: qui si parlava de "Il Pomodoro", "Il Cappero" e "Il Basilico". Una volta ancora l'aria intorno a me si era caricata di scintille: come la peggiore tra le drogate non riuscivo a fermarmi, avrei voluto ripetere all'infinito quel piccolo miracolo dei sensi.

E di nuovo il merito era di prodotti perfetti. Tutto proveniva dall'isola stessa, compresi l'olio e l'aglio con cui era stato fatto il sugo, e tutto era di un'intensità ormai difficile da trovare altrove. Merito del sole e di quel terreno vulcanico in cui bastava buttare un seme perché ne venissero fuori piante rigogliose.

Un'isola capace di compiere simili magie era un'isola in cui valeva la pena fermarsi. ∎

Ora sai dire da quale genere di testo è tratto il brano che hai letto? Scegli la definizione giusta.

☐ Una guida turistica delle Isole Eolie documentatissima e aggiornata, con informazioni geografiche, politiche, turistiche, culturali, gastronomiche. Tutto quello che bisogna sapere sulle "perle" del Mediterraneo: i trasporti, le spiagge alla moda, dove dormire, dove mangiare, come divertirsi la sera. Indispensabile per chi vuole organizzarsi una vacanza da sogno.

☐ Un divertente ritratto familiare in cui l'autrice racconta la sua storia e quella della sua famiglia, composta di personaggi bizzarri e straordinari. In un crescendo di comicità e di equivoci, cui fa da sfondo lo splendido mare delle Eolie, si succedono amori, passioni, tradimenti, avventure folli e scene surreali. Per chi vuole ridere in modo intelligente.

☐ Un libro di memorie gastronomiche in cui l'autrice ripercorre i suoi numerosi soggiorni nelle amate Isole Eolie. Attraverso un racconto nostalgico e appassionato, si intrecciano i ricordi degli anni passati sulle isole, che forniscono l'occasione per parlare della magica cucina eoliana, in una descrizione sentimentale di piatti e specialità. Non solo ricette.

☐ Un romanzo storico a sfondo poliziesco ambientato alle isole Eolie. Durante una vacanza ad Alicudi, la protagonista viene a contatto con un antico libro di ricette che sembra nascondere un terribile segreto. Cinquecento anni prima il suo autore è stato misteriosamente ucciso e così tutti quelli che nei secoli successivi sono entrati in possesso del libro. Riuscirà la nostra eroina a sconfiggere la maledizione del libro e a risolvere il mistero? Per chi ama gli enigmi e le emozioni forti.

☐ Un ricettario delle Isole Eolie, con schede dettagliate su piatti, ingredienti e modalità di preparazione. Indicato per cuochi professionisti.

☐ Un romanzo d'amore che è anche un racconto di viaggio, tra arte, cultura e sentimenti. Una storia autobiografica in cui l'autrice, originaria delle Isole Eolie, ripercorre gli anni e i luoghi della sua formazione sentimentale. Romanzo per cuori teneri.

10 Parlare e scrivere

10a *Qual è la cosa più buona che tu abbia mai mangiato? In che luogo e in che occasione?*
Prova a descrivere le tue sensazioni. Parlane in gruppo con alcuni compagni.

10b *Scegliete un piatto di cui avete parlato e preparate una scheda per un libro di ricette, spiegando:*
quando si mangia, con cosa si fa, come si prepara, come si mangia.

Il testo dell'attività **9** è tratto da *A tavola con gli dei - memorie e ricette delle Isole Eolie* di Stefania Barzini (Guido Tommasi Editore, Milano, 2006), un bellissimo libro di ricordi e di gastronomia scritto da una delle maggiori autrici di letteratura gastronomica in Italia.
Ecco la ricetta degli spaghetti di quella magica serata:

Spaghetti pomodoro, basilico e capperi

Ingredienti per 6 persone:
700 gr. di spaghetti
800 gr. di pomodorini
60 gr. di capperi sciacquati e dissalati

1 mazzetto di basilico
2 spicchi d'aglio
olio extravergine di oliva

1 peperoncino piccante
sale

Preparazione
Si mettono a soffriggere nell'olio l'aglio intero e il peperoncino. Quando l'aglio diventa lucido, si aggiungono i pomodorini tagliati a pezzi e i capperi. Si fa cuocere tutto fino a ottenere una salsa densa, poi si aggiungono il sale e il basilico. Intanto si mette sul fuoco una pentola con l'acqua per la pasta. Quando bolle, si buttano gli spaghetti. Si devono scolare molto al dente e condire con la salsa. Se si vuole, si può aggiungere anche un po' di olio crudo. Buon appetito!

6 Gioco - Studente B

*Lavora con uno studente **A**. A turno, uno di voi due deve trasformare una frase della sua lista di sinistra usando il **si** spersonalizzante. Inoltre deve dire per ogni frase trasformata quale regola (o quali regole) dell'attività **5d** ha applicato. Il compagno verifica nella sua lista di destra se la soluzione è giusta. Per ogni frase si guadagna 1 punto se la trasformazione è corretta e ancora 1 punto se la regola, o le regole, sono abbinate correttamente alla frase.*

Es:

In Italia la gente mangia spesso la pastasciutta. → In Italia **si mangia** spesso la pastasciutta. *(regola 2)*

frasi da trasformare

1. *In Italia la gente mangia spesso la pastasciutta.*
2. Non sempre la gente sceglie le soluzioni più semplici per risolvere i problemi.
3. Gli scienziati non sanno spiegare perché in questa zona le persone vivano più a lungo.
4. Quando uno soffre di insonnia, si sveglia spesso durante la notte.
5. La gente non dovrebbe sposarsi se non è convinta di amare veramente il partner.
6. Dopo che uno ha sentito tutte le opinioni, deve prendere una decisione.
7. Quando uno è innamorato, è disposto a fare follie.
8. Non puoi capire chi era veramente Michelangelo se non leggi anche i suoi scritti.

soluzioni frasi studente A

1. *In Italia si fanno molti gesti anche quando si parla al telefono. (2 e 1)*
2. In Italia si leggono pochi libri. *(2)*
3. Per risparmiare acqua, ci si dovrebbe lavare meno. *(4)*
4. Solo se ci si iscrive si può partecipare al seminario. *(4 e 1)*
5. Se si parla al cellulare mentre si è in macchina, si rischia un incidente. *(1, 1 e 2)*
6. Una volta che si è studiata la mappa, si è più sicuri del percorso. *(2 e 3)*
7. Se si fa una dieta, in genere non si mangiano dolci. *(2 e 2)*
8. Quando si guida la macchina, si dovrebbe essere più educati. *(2 e 3)*

11 Analisi lessicale

11a *Senza guardare il testo dell'attività **9**, collega ogni verbo di sinistra alle parole di destra e ricostruisci le espressioni. Poi scrivile nella terza colonna.*

verbo	parole	espressione
valere	addosso	_____
avere	agli antipodi	_____
guardarsi	a posto	_____
rimettere	fuori forma	_____
essere	incontro	_____
essere	la meglio	_____
scatenare (solo)	intorno	_____
venire	la pena	_____
rovesciarsi	reazioni esagerate	_____

11b *Nelle frasi qui sotto, estratte dal testo dell'attività **9**, le espressioni che hai ricostruito al punto **11a** sono state sostituite con delle espressioni di significato opposto. Correggi le frasi sostituendo le espressioni **evidenziate** con le espressioni corrette, poi consultati con un compagno.*

Alicudi **lascia completamente indifferenti**: la si ama o la si odia.

...ad Alicudi non mi è mai capitato neanche di passarci, d'altronde le due isole **sono vicinissime**...

Alla fine la nostalgia **ebbe la peggio**.

Poi uno dei miei fratelli comprò un rudere ad Alicudi e lo **lasciò com'era**.

Mentre arrancavo su per le scale maledicevo mentalmente me stessa per **essere** così **allenata** e mio fratello per quella scelta così estrema.

Poi mi spogliai nuda, **riempii** un catino d'acqua (tanto per addolcire la situazione la casa non aveva né luce né acqua corrente) e piombai finalmente su una sdraio **abbassando lo sguardo** per la prima volta.

Un'isola capace di compiere simili magie era un'isola in cui **non era conveniente** fermarsi.

L'isola ci si **allontanò** scoperta, senza mediazioni, in maniera diretta.

12 Gioco a squadre

Formare due o più squadre. L'insegnante ricopia alla lavagna la pagina 31 del libro, con le parole in disordine nel riquadro e quelle ordinate nelle due colonne. A turno uno studente per squadra va alla lavagna e cerca di ricomporre un'espressione del testo, scegliendo una parola del riquadro e abbinandola a una parola delle colonne. Le espressioni sono di due tipi: espressioni semplici e espressioni con preposizione. In quest'ultimo caso oltre ad abbinare nel modo giusto le parole, lo studente deve anche scrivere la preposizione che le unisce. In caso di risposta esatta la parola viene cancellata dal riquadro e scritta nella colonna, in caso di risposta sbagliata la parola resta nel riquadro.
Punteggio: 1 punto per ogni espressione semplice, 2 punti per ogni espressione con preposizione.
Vince la squadra che al termine del gioco realizza più punti.

accecante acqua anima antichissima aquila assoluto bizzarre cena corrente

dimesso disarmante esposizione estrema extraconiugale follia frastagliata

inclemente India insensato lastroni *mano* mare moda montagna obliquo

orbite petrolio pietra pomodoro raggiungere rigogliose roccia scoscese

selvaggia se stessa stella strozzata turistiche vista vivere vulcanico

avventura	_____	scale	_____
a forma	_____	sole	_____
rocce	_____	enormi	_____
forme	_____	invito	_____
storia	_____	scelta	_____
posto	_____	voce	_____
fuori	*mano*	occhi fuori	_____
difficile	_____	insana	_____
scomoda	_____	acquisto	_____
sola	_____	sorriso	_____
amore	_____	catino	_____
fichi	_____	acqua	_____
sole	_____	nido	_____
fianchi	_____	spuntone	_____
semplicità	_____	a strapiombo	_____
ruderi	_____	costa	_____
natura	_____	lampada	_____
piante	_____	spaghetti	_____
aspetto	_____	terreno	_____
attrazioni	_____	piante	_____
ristoranti	_____		

13 Analisi grammaticale

13a *Guarda la tabella della prossima pagina. Nella colonna sinistra hai alcune frasi con i pronomi doppi, nella colonna destra ci sono i loro riferimenti grammaticali (in disordine). Quattro di questi sono già inseriti. Ascolta il dialogo dell'attività 7a e cerca di capire a cosa si riferiscono i pronomi evidenziati nelle frasi della colonna sinistra.*
Attenzione: ascolta il dialogo guardando la tabella, ma per il momento non scrivere!

13b *Senza ascoltare, cerca di completare l'esercizio, come negli esempi. Poi consultati con un compagno.*

13c *Ascolta più volte il dialogo e completa l'esercizio. Dopo ogni ascolto confrontati con un compagno.*
4

frasi del dialogo	**i pronomi sostituiscono**
	a. ~~a me~~
1. **me lo** fai vedere	b. a me
(_a_) (___)	c. a me
2. **me ne** hanno parlato	d. a te
(___) (___)	e. ~~tu~~
3. **te lo** ricordi	f. a Luca
(_e_)(_p_)	g. Luca
4. **te lo** dico	h. a Valeria e a Luca
(___) (___)	i. all'agenzia
5. **me l'**avevi promesso	l. all'agenzia
(___) (___)	m. in montagna
6. chi **glielo** dice adesso	n. ~~che non andiamo più al mare ma in montagna~~
(___) (_n_)	o. che vengono insieme a noi in montagna
7. **glielo** dico io	p. ~~che siamo stati benissimo~~
(___) (___)	q. il depliant
8. **ce lo** porteresti	r. che annulliamo la prenotazione
(___) (___)	s. che annulliamo la prenotazione
9. chi **glielo** dice	t. che quest'anno al mare non ci vengo
(___) (___)	u. che saremmo andati in montagna
10. **glielo** diciamo insieme	v. della Costa Smeralda
(___) (___)	

13d *Ora inserisci i pronomi del dialogo al posto giusto nelle tabelle.*

			A	B	C	D	E
			III pers. sing. masch.	III pers. sing. femm.	III pers. pl. masch.	III pers. pl. femm.	Partitivo
PRONOMI DIRETTI →			**lo**	**la**	**li**	**le**	**ne**
+ PRONOMI INDIRETTI ↓							
1	I pers. sing.	**mi**					
2	II pers. sing.	**ti**					
3	III pers. sing. masch.	**gli**					*gliene*
4	III pers. sing. femm.	**le**					
5	I pers. pl.	**ci**					
6	II pers. pl.	**vi**		*ve la*			
7	III pers. pl.	**gli**					
+ PRONOMI RIFLESSIVI ↓							
8	I pers. sing.	**mi**					
9	II pers. sing.	**ti**			*te li*		
10	III pers. sing.	**si**					
11	I pers. pl.	**ci**					
12	II pers. pl.	**vi**					
13	III pers. pl.	**si**					
+ LOCATIVO ↓							
14		**ci**				*ce le*	

13e *Insieme a un compagno, osserva questa frase tratta dal testo del punto **9c** e rispondi alle domande. Poi leggete il box a pagina seguente.*

Alicudi scatena solo reazioni esagerate: la si ama o la si odia.

1. A cosa si riferiscono i pronomi doppi **evidenziati**?

2. Che tipo di pronomi sono?

3. Possono essere inseriti nelle tabelle del punto **13d**?

<table>
<tr><td>

Il pronome impersonale *si* in combinazione con altri pronomi

Il pronome impersonale *si* può combinarsi con altri pronomi:

- quando è in combinazione con i pronomi diretti *(lo si, la si, li si, le si)*, indiretti *(mi si, ti si, gli si, le si, ci si, vi si, gli si)* e con il pronome locativo

</td><td>

ci (ci si), è sempre in seconda posizione. In tutti questi casi non ci sono cambi di lettere;
- solo quando si combina con il partitivo *ne* il pronome impersonale *si* è in seconda posizione e cambia l'ultima lettera in *e*: *se ne*;
- come abbiamo visto è possibile anche la combinazione tra il pronome riflessivo *si* e il pronome impersonale *si*: *ci si*.

</td></tr>
</table>

14 Gioco a squadre

*Formate due squadre. Ogni squadra completa le tabelle del punto **13d** con i pronomi mancanti. Poi a turno ogni squadra sceglie dalle tabelle un pronome che non nominerà ma indicherà con una sigla di numeri e lettere (ad es. B6 corrisponde al pronome "ve la", E3 al pronome "gliene"). L'altra squadra dovrà indovinare il pronome e comporre una frase o un minidialogo (per es. domanda e risposta) usando quel pronome. Se il pronome è giusto guadagnerà un punto e se la frase è corretta altri 2 punti. Vince la squadra che per prima raggiunge 15 punti.*

15 Scrivere

Descrivi il tuo "posto dell'anima".

16 Analisi della conversazione

▶ **16a** *Dividetevi in gruppi di tre: due attori e un regista. Gli attori di ogni gruppo escono dalla classe e a coppie provano il dialogo. I registi restano in classe e ascoltano più volte il dialogo, facendo attenzione a intonazione, pause, accenti.*

Lei - Sì ma come facciamo con… con Valeria e Luca, scusa. Chi glielo dice adesso?
Lui - A Luca glielo dico io questa sera al calcetto, intanto…
Lei - Sì, ma che cosa gli dici?
Lui - Gli dico che… che.. che… che vengono insieme a noi in montagna.
Lei - Sì, Luca… tu ce lo porteresti Luca in montagna?
Lui - Sì.
Lei - Ma è pigro!
Lui - Ma no… ma dai… adesso perché lo vedi così… ma… secondo me invece… nooo… no…
Lei - Eh sì, e con l'agenzia come facciamo? Chi glielo dice?
Lui - All'agenzia glielo diciamo insieme. Domani andiamo…
Lei - No no no, lo fai tu. Basta, io ho provato a organizzare una cosa…
Lui - No, ci andiamo insieme.
Lei - …come vedi ho sbagliato, allora ci pensi tu per favore.
Lui - No, hai prenotato tu e domani glielo diciamo insieme. Ci andiamo insieme, ti vengo a prendere dall'ufficio. Dai… Su…
Lei - No, no… Va bè… Comunque decidi sempre tu. Non cambia mai.
Lui - Ma figurati!

▶ **16b** *Gli attori rientrano in classe e raggiungono il loro regista. Davanti a lui, provano la scena. Il regista li corregge, dando le indicazioni necessarie per rendere la recitazione degli attori il più possibile simile al dialogo originale.*

▶ **16c** *I gruppi recitano davanti alla classe. Infine tutti insieme riascoltano il dialogo originale.*

1 Introduzione

Quali tra questi posti, secondo te, è in periferia e perché?
Discutine con un compagno.

Centro

Periferia

2 Leggere

2a *L'articolo che leggerai parla di Corviale, un quartiere della periferia di Roma.*
Leggi l'inizio dell'articolo e individua qual è la foto di Corviale tra quelle dell'attività 1.

> « Chi abita a Roma sud-ovest lo conosce con il nome di "Serpentone". Percorrendo
> la Portuense verso il mare, appare proprio così: un serpente grigio-bianco,
> lungo un chilometro, disteso placidamente al sole in cima a una collina. »

2b *Leggi il testo completo su Corviale.*

Vita e miracoli di un incubo urbano

Barbara Romagnoli

1 Chi abita a Roma sud-ovest lo conosce con il nome di "Serpentone". Percorrendo la Portuense verso il mare, appa-
5 re proprio così: un serpente grigio-bianco, lungo un chilometro, disteso placidamente al sole in cima a una collina. I giornali e gli studiosi, invece, lo conoscono con il nome di "Corviale" o "Nuovo
10 Corviale". Comunque lo si chiami il serpente è un immenso blocco in cemento armato e pannelli di gesso prefabbricati, di proprietà dello Iacp (Istituto autonomo case popolari): un'unica palazzina
15 lunga 958 metri, larga 200 e alta 30, che sta sdraiata sul crinale di una collina al confine tra metropoli e mare, sull'antica Via Portuense. La consegna delle case in questo villaggio monovolume avvenne
20 nell'82 e nell'83.
Una leggenda metropolitana racconta che nacque come carcere, ma era edilizia popolare: 1202 alloggi in un unico, immenso fabbricato. Nove piani, otto di
25 abitazioni, uno centrale per servizi: negozi, studi medici, laboratori artigiani, spazi assembleari e conviviali, con tanto di tavoli rossi stile pic nic. Una geometria quasi perfetta, fantascientifica per chi ha
30 ribattezzato il serpente la "navicella spaziale" di Corviale. E poi, ancora, le sale condominiali, una sala riunioni e perfino un anfiteatro all'aperto (ora decorato con i graffiti al posto delle scenografie),
35 un intero piano intermedio, il quarto, immaginato per i negozi.
"Gli abitanti del Corviale", dice Giuseppe, un autista di autobus che è

> **Una leggenda metropolitana racconta che nacque come carcere, ma era edilizia popolare: 1202 alloggi in un unico, immenso fabbricato.**

anche l'anima del comitato
40 inquilini, "nei primi anni '80 erano impreparati a quello che rappresentava questo chilometro di appartamenti: mia figlia, allora adolescente,
45 fuggì in lacrime quando lo vide. Fu solo la gentilezza di altri inquilini, arrivati qualche mese prima di noi, che ci accolsero, le parlarono, descrissero la loro
50 vita, a convincerla a entrare".
"Tutto quello che c'è oggi ce lo siamo conquistato", interviene Sergio, "il centro anziani è pieno di attività: la scuola di ballo, le scuole medie serali, il centro di
55 ascolto musica, le gite organizzate con l'aiuto delle sovvenzioni comunali, così tutti possono partecipare. Quando lo

abbiamo messo su era in condizioni veramente disastrate, abbiamo tolto il sangue dai muri, perché erano locali 60 abbandonati e ci venivano i drogati di tutta la zona. Adesso è un giardino con centinaia di iscritti". Oggi si può vivere a Corviale anche per chi, come Giorgio, ricorda che "è stato traumatico, 65 venivo dalla Trionfale, abitavo in una piccola palazzina e avevo tutto sotto casa". "Per me è stato meglio", ribatte Paolo, "in sei dentro quaranta metri quadrati a 70 Borgata Focaccia non ci si entrava più". Nel corso degli anni le iniziative sono state tante, da *Acquario '85*, che lavora con i tossicodipendenti, a *La camera rossa*, asso- 75 ciazione teatrale.
I più giovani sono un po' meno soddisfatti degli adulti e cercano vie di fuga: "Prova a fare una passeggiata. Dove vai?", interviene Sonia, diplomata al liceo classico, 80 che da anni lavora in un bar. "Quando sono arrivata avevo 11 anni e non è stato facile. I primissimi anni era pericoloso uscire sia di giorno che di sera. Io sono stata fortunata perché mia madre si è 85 subito mobilitata con altre donne per sostenere noi più piccoli, per molte sere le mamme hanno fatto le ronde vicino ai luoghi di spaccio. Adesso è più tranquillo, molti di noi lavorano, fanno una vita tran- 90 quilla…ma è difficile scrollarsi di dosso la sensazione di vivere in ghetto, mi sono vergognata per molto tempo di dire dove abitavo, ora non più, ma se posso cercherò di vivere altrove". ∎ *da Carta* 95

2c *Lavora con un compagno e provate insieme a rispondere alla domande senza guardare il testo.*
Poi rileggetelo per verificare le vostre risposte.

1. Perché Corviale viene chiamato da qualcuno la "navicella spaziale"? | **2.** Cosa pensano gli abitanti di Corviale?

3 Analisi lessicale

*Guarda le due frasi estratte dal testo dell'attività **2b**. Secondo te perché l'autore, dopo il verbo "abitare", ha usato prima la preposizione **a** e poi la preposizione **in**? Discutine con un compagno.*

> Chi abita **a** Roma sud-ovest lo conosce con il nome di "Serpentone".

> Abitavo **in** una piccola palazzina.

4 Gioco

*Gioca con un compagno. Lo studente **A** tira il dado per scegliere un luogo nella colonna dello "studente A".*
Poi costruisce una frase possibile con uno dei verbi e una preposizione (che potrebbe essere articolata).
*Lo studente **B** decide se la frase è giusta o no. Poi il turno passa allo studente **B**. Vince chi realizza più frasi giuste.*

		studente A		studente B
Abitare Andare Stare	**IN** **A**	1. Trastevere 2. periferia 3. scuola 4. Sicilia 5. montagna 6. parco		1. Italia 2. Corviale 3. ufficio 4. città 5. mare 6. teatro

5 Analisi grammaticale

5a *Scegli per ognuna delle due frasi estratte dal testo dell'attività **2b** la funzione del **che**. Poi sottolinea nel testo tutti i **che** con funzione di pronome relativo.*

frasi	funzione del *che*
1. …interviene Sonia, diplomata al liceo classico, **che** da anni lavora in un bar.	**a.** Serve ad unire le due frasi e sostituisce un sostantivo della prima frase: è un pronome relativo.
2. Una leggenda metropolitana racconta **che** nacque come carcere.	**b.** Serve ad unire le due frasi: è una congiunzione.

1. _____ 2. _____

5b *Sottolinea nel testo tutti i **chi**, poi discuti con un compagno per cercare di capire la differenza tra il pronome relativo **che** e **chi**.*

5c *Leggi il box grammaticale sul **chi** nella prossima pagina, poi trasforma le tre frasi qui sotto usando, al posto di **chi**, la sequenza "pronome dimostrativo + **che**".*

Chi abita a Roma sud-ovest lo conosce con il nome di "Serpentone".	➡
Una geometria quasi perfetta, fantascientifica per **chi** ha ribattezzato il serpente la "navicella spaziale" di Corviale.	➡
Oggi si può vivere a Corviale anche per **chi**, come Giorgio, ricorda che "è stato traumatico".	➡

5d *Trova nel testo una sequenza "pronome dimostrativo o indefinito + **che**" e cerca di capire perché non è stato usato **chi**. Quando pensi di averlo trovato e di avere la soluzione al problema posto chiama l'insegnante.*

Il pronome relativo doppio *chi*

Chi è un "pronome relativo doppio". Si usa solo con riferimento a esseri animati e sostituisce un pronome dimostrativo *(colui, quello, colei, quella)* o indefinito *(qualcuno, uno…)* + *che*. Ad esempio, nel proverbio **Chi** *va con lo zoppo impara a zoppicare*, il *chi* può essere espresso con un pronome indefinito + *che*: **Uno che** *va con lo zoppo impara a zoppicare*.

Se il riferimento è al plurale, il *chi* trasforma sempre la frase relativa al singolare. La frase **Coloro che** *abitano a Roma sud* diventa quindi **Chi** *abita a Roma sud*.

Se è necessario enfatizzare la pluralità è comunque sempre possibile usare un pronome dimostrativo + *che*, soprattutto accompagnati dall'aggettivo *tutti*. Ad esempio la frase *Voglio ringraziare tutti quelli che mi hanno scritto* risulterà più forte e "personale" rispetto alla più generica *Voglio ringraziare chi mi ha scritto.*

---

6 Ascoltare

6a *Conosci la piazza rappresentata nella foto 1? C'è qualcosa di simile nel progetto della foto 2? Parlane con un compagno, poi provate insieme a rispondere alle domande sotto alle foto.*

1 - Piazza dei Miracoli

2 - Piazza del nuovo Millennio

1. Dove si trova Piazza dei Miracoli?

2. Quando è stata costruita Piazza dei Miracoli? ☐ secoli XII-XIII ☐ secoli XVI-XVII ☐ secolo XIX

3. Piazza dei Miracoli è al centro città o in periferia?

4. Secondo voi Piazza del Nuovo Millennio verrà costruita nel centro città o in periferia?

6b *Ascolta l'intervista radiofonica e rispondi alle domande discutendo con un compagno.*

6

1. Chi è la persona intervistata?

2. Che relazione c'è tra le due piazze rappresentate al punto **6a**?

3. Perché si vuole fare Piazza del Nuovo Millennio?

6c *Ora ascolta ancora l'intervista tutte le volte necessarie a capire meglio le ragioni del progetto. Tra un ascolto e l'altro consultati con un compagno.*

6

7 Parlare

Parla con un compagno. Cosa servirebbe di più per migliorare la vita nelle vostre città e, secondo quanto ne sapete, nelle città italiane? Fate una classifica, dagli interventi più importanti a quelli meno rilevanti. Aiutatevi con la lista qui sotto e aggiungete tutto quello che ritenete necessario.

strade migliori	più cinema e teatri	più ospedali	più case	più polizia	più chiese	più campi sportivi
più verde	più centri commerciali	meno sporcizia	case più vivibili	più opere architettoniche	più arte	più negozi

8 Analisi grammaticale

8a *Rimetti in ordine una delle frasi dell'intervista all'architetto Benini, poi consultati con un compagno. Fai attenzione alla punteggiatura.*

Non ci sarà solo la torre:

ci saranno

tutta la Piazza dei Miracoli

riprodotta,

quindi altri due edifici delle stesse dimensioni

del Duomo e del Battistero:

sarà

37 e 38 metri d'altezza

Non ci sarà solo la torre: _____

_____

_____

_____.

La torre pendente

Il problema (e il mistero) della pendenza della torre di Pisa è quello che più di ogni altro ha affascinato ed incuriosito, nel corso del tempo, visitatori, appassionati d'arte e studiosi e che ha reso celebre ovunque questo monumento.

La torre, concepita come un edificio dritto, fu costruita tra il 1173 e il 1360. Fin dalle prime fasi dei lavori si verificarono dei cedimenti a causa della natura argillosa del terreno. Tuttavia l'oscillazione fu minima fino al 1838, quando fu deciso, per esigenze di natura storica ed estetica, di liberare la base del campanile dallo strato di terra che la copriva da secoli. Questo intervento fece perdere l'equilibrio acquisito alla torre, che da quel momento subì una considerevole accelerazione nel movimento di pendenza che durò alcuni anni e che poi fortunatamente si assestò nella misura di circa un millimetro l'anno. Dopo alcuni anni di chiusura, dal 2001 chi vuole può di nuovo tentare l'impresa e sfidare la strettissima scala a chiocciola composta da 294 gradini.

8b *Trasforma in* **scissa implicita** *la frase del testo che hai appena ricostruito (su questa forma vedi* **Nuovo Magari B2**, *Unità* **6** *Attività* **8**). *Scegli quale parte modificare e riscrivi il brano qui sotto. Poi consultati con un compagno. Quando avete finito ascoltate il brano sul CD.*

Non ci sarà solo la torre: _____

_____.

8c *Guarda le tre possibili costruzioni della stessa frase e completa la tabella.*

costruzione	semplice	scissa esplicita	scissa implicita
Esempio	*Sarà riprodotta tutta la Piazza dei Miracoli.*	*È tutta la piazza dei Miracoli che sarà riprodotta.*	*Sarà tutta la piazza dei miracoli ad essere riprodotta.*
Numero frasi	*1*		
Modo e tempo del verbo nella frase principale	*Indicativo futuro*		
Modo e tempo del verbo nella frase dipendente		/	*"a" + infinito*

8d *Studia il box sulla frase scissa della prossima pagina e trasforma le frasi qui sotto da semplici a scisse e viceversa facendo attenzione ai tempi verbali.*

▶ frase semplice	▶ frase scissa esplicita	▶ frase scissa implicita
La torre sarà ricostruita.	È la torre che sarà ricostruita.	Sarà la torre ad essere ricostruita.
Abbiamo rifatto la Piazza dei Miracoli.	Siamo noi che abbiamo rifatto la Piazza dei Miracoli.	
Una nuova torre farà compagnia alla Torre di Pisa.		
	È la nuova torre che sarà alta come quella pendente.	
		È sempre stata la torre pendente ad essere il simbolo di Pisa.
Tutti e tre gli edifici saranno realizzati nelle stesse dimensioni degli originali.		

9 Gioco - Studente A

*Dividetevi in studenti **A** e **B**. Le istruzioni per lo studente **B** sono a pag. 43. Individualmente, preparate le seconde battute di questi possibili dialoghi seguendo l'esempio. Poi confrontatevi con un altro studente **A**. Infine mettetevi faccia a faccia con uno studente **B**. **A** legge una prima battuta dicendo il numero. **B** formula la seconda battuta usando il nome corrispondente nella sua lista in basso. **A** verifica se la risposta è grammaticalmente e logicamente corretta. Poi è il turno di **B** di leggere una prima battuta per **A** e così di seguito. Vince il primo che risponde correttamente a tutte le domande.*

Esempio

prima battuta	seconda battuta
Ti ringrazio. ➡	**(Io) No, sono io che ti ringrazio / a ringraziare te.**

	▶ prima battuta	
esempio	*Ti ringrazio*	*(Io)*
1	Il tuo ragazzo è proprio uno stupido!	*(Sua sorella)*
2	Ho sentito che Roberto voleva andare in Spagna.	*(Franco)*
3	L'Inter vincerà lo scudetto!	*(La Roma)*
4	Il gatto ha mangiato tutto il pesce.	*(Il cane)*
5	Sei andato a Corviale ieri?	*(Marta)*

1. Roma	2. Mio fratello	3. Io	4. Luisa	5. Mia madre

La frase scissa

Nella frase scissa **esplicita** il tempo del primo verbo (frase principale) è generalmente al presente mentre il secondo verbo (frase secondaria) è nel tempo dell'azione che si vuole indicare.

Costruzione scissa esplicita		
Tempo dell'azione	**Frase principale**	**Frase secondaria**
presente	*È tutta la piazza dei Miracoli (presente)*	*che è riprodotta. (presente)*
futuro	*È tutta la piazza dei Miracoli (presente)*	*che sarà riprodotta. (futuro)*
passato	*È tutta la piazza dei Miracoli (presente)*	*che è stata riprodotta. (passato)*

Nella frase scissa **implicita** invece il tempo del primo verbo (frase principale) esprime il tempo dell'azione, mentre il secondo verbo (frase secondaria) è all'infinito preceduto dalla preposizione "a".

Costruzione scissa implicita		
Tempo dell'azione	**Frase principale**	**Frase secondaria**
presente	*È tutta la piazza dei Miracoli (presente)*	*ad essere riprodotta. ("a" + infinito)*
futuro	*Sarà tutta la piazza dei Miracoli (futuro)*	*ad essere riprodotta. ("a" + infinito)*
passato	*È stata tutta la piazza dei Miracoli (passato)*	*ad essere riprodotta. ("a" + infinito)*

10 Leggere

▶10a *Guarda queste tre immagini e cerca, discutendo con un compagno, di intuire cosa possano rappresentare.*

■10b *Leggi l'articolo. Quale delle opere descritte è rappresentata nelle foto alla pagina precedente?*

A Roma la grande architettura arriva in periferia

Opere e progetti della Capitale a cavallo del nuovo millennio

Ferruccio Pedri

1 Roma da qualche anno vive una stagione felice per l'architettura. L'inizio del nuovo Millennio è stato infatti salutato dall'avvio di grandi opere
5 architettoniche, alcune già completate ed altre in via di realizzazione.

A parte alcuni progetti che riguardano il centro della città, come il Museo dell'Ara Pacis di Richard Meier da poco inaugurato,
10 la "Città dei giovani" che sorgerà nell'area degli ex mercati generali e il nuovo Museo di arte Contemporanea (MAXXI) vicino a Piazza del Popolo, la maggior parte delle iniziative architettoniche tocca quartieri
15 che fino a pochi anni fa erano poco più che sobborghi degradati e che oggi, grazie anche alla riqualificazione urbana, stanno acquisendo una nuova immagine agli occhi dei loro abitanti e dell'intera città.
20 L'esempio più lampante di questa nuova tendenza sono tre scuole, per la progettazione delle quali sono stati interpellati alcuni dei migliori architetti romani e che saranno costruite in quartieri di periferia
25 per divenire nuovi centri di aggregazione.

Non solo, molti altri più ambiziosi progetti hanno toccato e toccheranno le periferie della Capitale: nel quartiere dell'EUR è in costruzione il nuovo Palazzo dei Congressi
30 di Massimiliano Fuksas, mentre già da alcuni anni è stato realizzato un progetto molto controverso, l'imponente Auditorium - Parco della musica di Renzo Piano edificato sulla Via Flaminia.
35 Ma se Roma è la città delle 1000 chiese, non poteva che essere una **chiesa** a meritare la palma di progetto più discusso degli ultimi anni. Progettata dall'architetto di origine ebraica Richard Meier, vincitore del concor-

La chiesa è un valido esempio di come un'opera architettonica possa riqualificare degnamente le periferie dei grandi agglomerati urbani...

40 so cui hanno partecipato i maggiori nomi dell'architettura *high tech*, la *Dives in misericordia* è una piccola struttura, un gioiello dell'architettura contemporanea, che mai ci aspetteremmo di trovare incastonata tra le
45 **palazzine** del quartiere romano di Tor Tre Teste, in un'area periferica così lontana dalla Roma monumentale.

Visitata già durante la costruzione da circa 7000 architetti ed ingegneri provenienti da
50 tutto il mondo, l'opera ha suscitato polemiche fin dalla fase di progettazione per molti aspetti problematici, tra i quali il più controverso era la mancanza di una croce esterna, che alcuni avrebbero voluto sopra la
55 **maggiore** delle **tre vele**, alta 26 metri. Nonostante i ripetuti inviti del Vaticano, Meier non ha mai acconsentito a modificare il progetto originario che a suo dire sarebbe stato stravolto dall'ag-
60 giunta della croce all'esterno dell'edificio.

Comunque sia la nuova chiesa c'è. La croce no. Almeno fuori, perché
65 al suo interno c'è un **crocifisso ligneo** del 1600.

Ciò non toglie che la *Dives in miseri-*
70 *cordia* sia un'opera

di altissima architettura e simbolismo, interamente realizzata con cemento, vetro e legno e illuminata esclusivamente dalla luce del giorno che passa attraverso un grande **lucernario**. Ma non basta: per ottenere 75 un'altissima resistenza e conservare nel tempo l'aspetto originario delle vele, è stato brevettato un tipo di cemento che si autopulisce sotto la luce - è quasi il caso di dire: miracolosamente - mantenendo così più a 80 lungo l'aspetto originario, il che rappresenta una novità assoluta nel campo dell'architettura. La chiesa è un valido esempio di come un'opera architettonica possa riqualificare degnamente le periferie dei grandi 85 agglomerati urbani, luoghi per definizione di "non-architettura" e dominati da un'edilizia priva di carattere. Come afferma Richard Meier: nel caos delle periferie moderne "responsabilità dell'architetto è 90 creare un senso di ordine, un senso di spazio e un senso di relazione" a vantaggio della dimensione urbana in cui si inserisce. ■

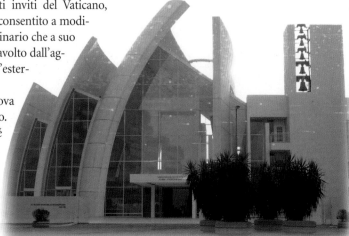

▶ **10c** *Collega le parole* **evidenziate** *nel testo all'elemento che le rappresenta, come nell'esempio. Torna al testo ogni volta che non è chiaro a cosa si riferiscono le parole.*

▶ *chiesa*   ▶ *lucernario*   ▶ *vela maggiore*

▶ *crocifisso ligneo*   ▶ *palazzine*   ▶ *tre vele*

▶ **10d** *Guarda il box sull'architettura contemporanea in Italia a pag. 45. Tra le opere costruite a Roma, qual è in periferia, e quale in centro?*

9 Gioco - Studente B

Individualmente preparate le seconde battute di questi possibili dialoghi seguendo l'esempio. Poi confrontatevi con un altro studente B. Infine mettetevi faccia a faccia con uno studente A. A legge una prima battuta dicendo il numero. B formula la seconda battuta usando il nome corrispondente nella sua lista in basso. A verifica se la risposta è grammaticalmente e logicamente corretta. Poi è il turno di B di leggere una prima battuta per A e così di seguito.
Vince il primo che risponde correttamente a tutte le domande.

Esempio

prima battuta

seconda battuta

Ti ringrazio ➡ **(Io) No, sono io che ti ringrazio / a ringraziare te.**

	prima battuta	
esempio	*Ti ringrazio*	*(Io)*
1	**Milano è la città più grande d'Italia.**	*(Roma)*
2	**Tua sorella è più piccola di te?**	*(Mio fratello)*
3	**Domani sera prenderò la macchina.**	*(Io)*
4	**Sei stata/o bocciata/o all'esame?**	*(Luisa)*
5	**Hai più visto il tuo ex ragazzo?**	*(Mia madre)*

1. Sua sorella	2. Franco	3. La Roma	4. Il cane	5. Marta

11 Analisi grammaticale

11a *Sottolinea nel testo dell'attività **10b** i quattro pronomi relativi differenti da **che**. Poi, lavorando con un compagno, copiateli nella tabella e rispondete alle domanda.*

▶ riga	▶ pronome relativo	▶ si riferisce a...

1. Da quali parole sono formati il primo e il terzo pronome relativo?

☐ articolo + *quale/quali*.

☐ *quale/quali*.

☐ preposizione + articolo + *quale/quali*.

2. Perché il secondo pronome relativo non ha una preposizione?

☐ Perché è un pronome soggetto.

☐ Perché è un pronome oggetto diretto.

☐ È possibile togliere la preposizione ___ prima di *cui*.

11b *Secondo te, la sequenza **il che** alla riga 81 del testo, è un pronome relativo? Prova a spiegarne l'uso e il significato continuando a lavorare con un compagno.*

12 Scrivere

Nel primo episodio del film "Caro Diario" (1993), il regista Nanni Moretti va in giro con la sua Vespa per le strade di Roma. È estate, la città è deserta: il regista può girare per le strade assolate e riscoprire, quartiere dopo quartiere, palazzo dopo palazzo, la sua città. Leggi cosa dice ad un certo punto Moretti guardando i palazzi di Roma.
A te cosa piace guardare quando visiti delle città? Scrivi cosa ricordi di un viaggio che hai fatto.

"La cosa che mi piace più di tutte è vedere le case, i quartieri. Anche quando vado nelle altre città l'unica cosa che mi piace fare è guardare le case".

▶ Nanni Moretti

È uno dei più originali registi italiani degli ultimi tempi. Regista, sceneggiatore, produttore, attore, Nanni Moretti ha conquistato un pubblico via via crescente in Italia, fino ad arrivare alla consacrazione internazionale grazie a *Caro Diario* (Premio per la regia al 47° festival di Cannes) e a *La stanza del figlio* (Palma d'oro sempre a Cannes), che lo hanno reso celebre in Francia e negli Stati Uniti. Per parecchi anni è stato anche coinvolto nella politica, impegno poi sfociato nel suo film più discusso, *Il Caimano*, ambientato negli anni del berlusconismo. Nel 2012, grazie al film *Habemus Papam*, ha ottenuto numerosi riconoscimenti internazionali, tra cui sette Nastri d'argento, compreso quello per il regista del miglior film, e due candidature agli European Film Awards.

L'architettura contemporanea in Italia

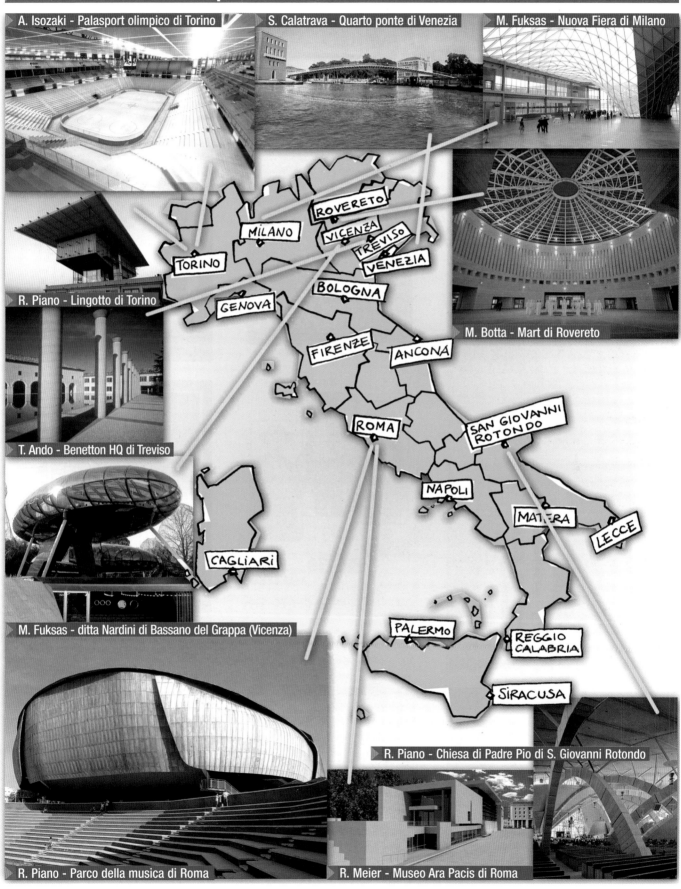

A. Isozaki - Palasport olimpico di Torino

S. Calatrava - Quarto ponte di Venezia

M. Fuksas - Nuova Fiera di Milano

R. Piano - Lingotto di Torino

M. Botta - Mart di Rovereto

T. Ando - Benetton HQ di Treviso

M. Fuksas - ditta Nardini di Bassano del Grappa (Vicenza)

R. Piano - Chiesa di Padre Pio di S. Giovanni Rotondo

R. Piano - Parco della musica di Roma

R. Meier - Museo Ara Pacis di Roma

ROVERETO
MILANO
VICENZA
TREVISO
TORINO
VENEZIA
BOLOGNA
GENOVA
FIRENZE
ANCONA
ROMA
SAN GIOVANNI ROTONDO
NAPOLI
MATERA
LECCE
CAGLIARI
PALERMO
REGGIO CALABRIA
SIRACUSA

arti
CINEMA

1 Introduzione

Quali di questi film sono italiani? Discutine con un compagno.

2 Leggere

2a *In questa pagina ci sono le locandine di alcuni tra i più importanti film italiani. Tutti appartengono a diversi generi e momenti della storia del cinema italiano. Lavora con un compagno. Unite le locandine dei film ai generi e scambiatevi le eventuali informazioni che avete sui film.*

Il cinema d'autore

Il Neorealismo

La commedia all'italiana

Il giallo horror

Lo Spaghetti western

2b *Leggi il testo e inserisci nei giusti spazi le 8 citazioni.*

Storia e generi del

Un viaggio nel cinema italiano, dal dopoguerra ai giorni nostri

1. Il Neorealismo

Gli anni dell'immediato dopoguerra rappresentano il periodo forse più difficile che l'Italia abbia attraversato nella propria storia moderna. Ma fu proprio in quella realtà di disperazione mista a speranza che un gruppo di registi trovò ispirazione: la guerra aveva messo il Paese in ginocchio, ma sembrava a molti che l'Italia avesse ormai superato il peggio e che fosse giunto il momento di parlare del passato più recente e del presente nel modo più diretto possibile e che bisognasse farlo in un linguaggio comprensibile a tutti.

Caratteristica del Neorealismo era infatti il rappresentare la situazione reale del Paese attraverso opere che trattassero principalmente di famiglie povere, con attori non professionisti ripresi dalla vita di tutti i giorni e con una particolare attenzione all'uso della lingua facendo anche ricorso ai dialetti regionali.

Parte della critica riteneva che il Neorealismo non fosse altro che un modo per fare film a basso costo. A loro replicò il maggior regista del movimento, Vittorio De Sica: "▨▨▨▨▨▨▨▨".

L'atto di nascita ufficiale del Neorealismo fu l'uscita di *Roma città aperta*, che era stato girato in condizioni di fortuna nel 1945 da Roberto Rossellini. Raccontò poi il grande regista: "▨▨▨▨▨▨▨▨".

Altre opere fondamentali: R. Rossellini: *Paisà*, *Germania anno zero*; V. De Sica: *Sciuscià*, *Ladri di biciclette*; L. Visconti: *La terra trema*.

▨ In alto: il piccolo Enzo Scaiola, protagonista di *Ladri di biciclette*

2. La commedia all'italiana

Nonostante il successo ottenuto, la stagione del Neorealismo durò solo pochi anni. Con il ritrovato benessere, i toni si attenuarono e, dalla metà degli anni '50, si sviluppò un nuovo genere denominato del *neorealismo rosa*, che di fatto era il progenitore della *commedia all'italiana*, più facile e spensierata.

"▨▨▨▨▨▨▨▨". Sono parole del regista Dino Risi, che mostrano un pregiudizio che accompagnò a lungo la commedia. Ma se c'è un genere che ha rappresentato la colonna vertebrale del cinema italiano, questo è proprio la commedia, che spostò l'asse del Neorealismo dal registro tragico a quello comico, mostrando virtù e (soprattutto) vizi dell'italiano tipo e di un'italianità emblematica di quegli anni.

Una scena di I soliti ignoti

La data di nascita della commedia all'italiana viene fatta risalire al 1958, con *I soliti ignoti* di Mario Monicelli. Erano gli anni del boom economico: mentre il Paese viveva un periodo di impetuosa crescita, il cinema della risata assunse connotati d'amarezza, raccontando i lati oscuri di questo fenomeno: le speranze ma anche gli abbagli e le illusioni. Come disse ancora Dino Risi a distanza di anni da quegli esordi: "▨▨▨▨▨▨▨▨".

Altre opere fondamentali: D. Risi: *Il sorpasso*; M. Monicelli: *La grande guerra*; P. Germi: *Divorzio all'italiana*.

3. Il cinema d'autore

Alla fine degli anni '50 s'imposero all'attenzione anche tre registi che non potevano essere incasellati in alcun filone: Federico Fellini, Michelangelo Antonioni e Pier Paolo Pasolini. Il più famoso e importante, anche per i suoi cinque premi Oscar, è certamente Federico Fellini (1920 - 1993).

Nonostante il successo dei suoi primi film, nel 1960 con *La dolce vita*, Fellini abbandonò gli schemi narrativi tradizionali e approdò ad un universo circense onirico e fantastico, spesso di difficile lettura per il pubblico ma molto amato dalla critica. Disse lui stesso: "▨▨▨▨▨▨".

Conosciuto come il maestro dell'alienazione e dell'incomunicabilità, Michelangelo Antonioni (1912 - 2007, premio Oscar alla carriera nel 1995) produsse, negli anni '60, una trilogia (*L'avventura*, *La notte*, *L'eclisse*) entrata di diritto nella storia del cinema italiano. Con questi film, ma anche con altri capolavori che li seguirono, la sua cinematografia, lenta e riflessiva, divenne proverbiale. A tale proposito disse: "▨▨▨▨▨▨".

Pier Paolo Pasolini (1922 - 1975) è stato senz'altro la più autorevole figura di intellettuale che l'Italia abbia avuto nel dopoguerra. Intellettuale a tutto tondo, fu romanziere, saggista, poeta, drammaturgo, regista. Esordì nel cinema nel 1961 con *Accattone*, che narrava del sottoproletariato che vive nelle periferie delle grandi città senza alcuna speranza per un miglioramento

▨ Federico Fellini

cinema italiano

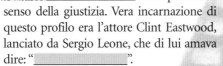

◀ L'attore Ninetto
Davoli, protagonista
di *Accattone*

della propria condizione, a cui non resta che la morte come via di uscita da una condizione disperante. Fin dai suoi inizi dietro la macchina da presa realizzò come il cinema fosse un linguaggio completamente diverso dalle altre arti e in principal modo dalla letteratura: "▬▬▬▬▬▬". Girò oltre venti film, tutti geniali e provocatori, fino alla morte violenta del 1975.

Altre opere fondamentali: F. Fellini: *La strada*, *Le notti di Cabiria*, *8½*, *Amarcord*; M. Antonioni: *Deserto Rosso*, *Zabriskie Point*, *Blow up*. P. P. Pasolini: *Mamma Roma*, *Il vangelo secondo Matteo*.

4. Lo Spaghetti western

Nel 1964, con il film *Per un pugno di dollari*, nacque il genere *Spaghetti western* grazie al regista Sergio Leone, che ne fu interprete così grande da venire acclamato come "Maestro" anche dai maggiori cineasti americani. Inizialmente il termine, nato negli Stati Uniti, indicava pellicole girate in italiano con budget ridotti ed uno stile minimalista, in parte intenzionalmente, in parte come conseguenza dei mezzi limitati. In realtà lo *Spaghetti western*, almeno nelle pellicole più riuscite, si distingueva nettamente dal western americano, non solo per le location (i film erano quasi sempre girati in Europa) ma soprattutto

per i personaggi: il protagonista infatti non è quasi mai un eroe, ma più spesso un antieroe mosso da interesse personale invece che da motivazioni idealistiche. Il western italiano inoltre non è ottimista come quello classico e presenta quasi sempre il denaro come unico vero interesse.

Differentemente dal *cowboy* "originale", quello "italiano" gioca sporco e non ci pensa due volte a sparare per primo, se questo soddisfa il suo personale senso della giustizia. Vera incarnazione di questo profilo era l'attore Clint Eastwood, lanciato da Sergio Leone, che di lui amava dire: "▬▬▬▬▬▬".

Altre opere fondamentali: S. Leone: *Per qualche dollaro in più*, *Il buono il brutto il cattivo*, *C'era una volta il West*.

5. Il giallo horror

Il giallo horror italiano trovò negli anni '70 un regista in grado di portarlo al successo internazionale. Dario Argento ebbe fin dai suoi primi film il merito di stravolgere i canoni narrativi

dell'horror di quei tempi dandogli la tensione tipica del thriller. Il suo *Profondo rosso*, del 1975, era una perfetta fusione di giallo-thriller-horror che si distingueva per alcune caratteristiche originali da quello anglosassone: il mostro non veniva mai esibito in modo esplicito ma rimaneva nell'ombra, la vittima era sempre una donna e, non da ultimo, le storie erano sempre ambientate in una grande città italiana, cosa assolutamente originale che sarà in futuro uno dei marchi di fabbrica di questo genere.

Altre opere fondamentali: D. Argento: *L'uccello dalle piume di cristallo*, *Opera*.

6. Oggi

Una nuova generazione di registi ha contribuito a riportare il cinema italiano a discreti livelli a partire dalla fine degli anni '80. Tuttavia nessuno è riconducibile ad un genere ben definito quanto semmai ad uno stile proprio, unico e ben caratterizzato. Tra i più importanti vanno citati i vincitori di premi Oscar Giuseppe Tornatore, Gabriele Salvatores e Roberto Benigni oltre a Nanni Moretti, Marco Tullio Giordana e Gabriele Muccino. ■

◀ Dall'alto in basso:
Dario Argento, Gabriele Salvatores,
Giuseppe Tornatore

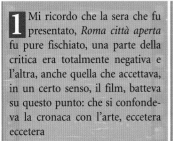

1 Mi ricordo che la sera che fu presentato, *Roma città aperta* fu pure fischiato, una parte della critica era totalmente negativa e l'altra, anche quella che accettava, in un certo senso, il film, batteva su questo punto: che si confondeva la cronaca con l'arte, eccetera eccetera

5 Mi piace perché è un attore che ha solo due espressioni: una con il sigaro e una senza il sigaro

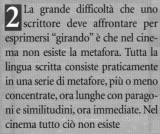

2 La grande difficoltà che uno scrittore deve affrontare per esprimersi "girando" è che nel cinema non esiste la metafora. Tutta la lingua scritta consiste praticamente in una serie di metafore, più o meno concentrate, ora lunghe con paragoni e similitudini, ora immediate. Nel cinema tutto ciò non esiste

6 Perché ostinarsi a dire commedia all'italiana? Quelle che vengono fatte in America non vengono chiamate all'americana

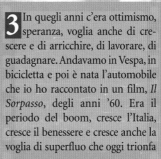

3 In quegli anni c'era ottimismo, speranza, voglia anche di crescere e di arricchire, di lavorare, di guadagnare. Andavamo in Vespa, in bicicletta e poi è nata l'automobile che io ho raccontato in un film, *Il Sorpasso*, degli anni '60. Era il periodo del boom, cresce l'Italia, cresce il benessere e cresce anche la voglia di superfluo che oggi trionfa

7 Sento il bisogno di essere asciutto, di dire le cose il meno possibile, di usare i mezzi più semplici e il minor numero di mezzi

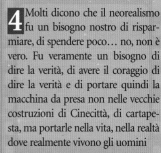

4 Molti dicono che il neorealismo fu un bisogno nostro di risparmiare, di spendere poco… no, non è vero. Fu veramente un bisogno di dire la verità, di avere il coraggio di dire la verità e di portare quindi la macchina da presa non nelle vecchie costruzioni di Cinecittà, di cartapesta, ma portarle nella vita, nella realtà dove realmente vivono gli uomini

8 Il cinema somiglia moltissimo al circo. È probabile che se il circo non fosse esistito, io non avrei mai fatto cinema

3 Analisi lessicale

Scegli, nelle frasi estratte dal testo dell'attività 2b, l'aggettivo più appropriato. Poi consultati con un compagno e se necessario verificate sul testo.

1. Gli anni dell'immediato dopoguerra rappresentano il periodo forse più difficile che l'Italia abbia attraversato nella propria **storia** *moderna/odierna/presente*.
2. Caratteristica del Neorealismo era infatti il rappresentare la **situazione** *vera/reale/sicura* del Paese…
3. Parte della critica riteneva che il Neorealismo non fosse altro che un modo per fare film a *piccolo/poco/basso* **costo**.
4. …se c'è un genere che ha rappresentato la **colonna** *vertebrale/ossea/principale* del cinema italiano, è proprio la commedia…
5. …il cinema della risata assunse connotati d'amarezza, raccontando i **lati** *oscuri/scuri/neri* di questo fenomeno.
6. …esordì nel cinema nel 1961 con *Accattone*, che narrava del sottoproletariato che vive nelle periferie delle *grandi/vaste/larghe* **città**.
7. Inizialmente il termine, nato negli Stati Uniti, indicava pellicole girate in italiano con budget ridotti ed uno stile minimalista, in parte intenzionalmente, in parte come conseguenza dei **mezzi** *limitati/scarsi/modesti*.

4 Parlare

Lavora in coppia con un compagno (Studente di cinema e Vincenzo Mollica) e leggi le istruzioni che ti riguardano. Poi iniziate l'intervista.

Studente di cinema	Vincenzo Mollica
Sei uno studente di cinema. Fai una ricerca sulla storia del cinema italiano e chiami il più popolare critico cinematografico italiano, Vincenzo Mollica, per fargli un'intervista. Hai 15 minuti di tempo per preparare le domande (lavora in gruppo con gli altri "Studenti di cinema"). Se necessario, leggete il box su Vincenzo Mollica e rileggete il testo sulla storia del cinema italiano.	*Sei Vincenzo Mollica (leggi il box). Vieni chiamato da uno studente straniero che vuole farti un'intervista per scrivere un articolo sulla storia del cinema italiano.* *Hai 15 minuti di tempo per prepararti a rispondere (lavora in gruppo con gli altri "Vincenzo Mollica"). Se necessario, rileggete il testo sulla storia del cinema italiano.*

Vincenzo Mollica

È forse il più noto giornalista cinematografico italiano. Ha portato in televisione il genere dell'intervista colloquiale, cercando di mettere in luce i tratti più autentici degli artisti, facendo con loro più delle chiacchierate tra amici che delle vere e proprie interviste. Forse per questo suo modo di porsi è divenuto amico di personaggi come Fellini e Benigni. Quest'ultimo gli ha sempre rilasciato delle esilaranti interviste.

5 Analisi grammaticale

5a *Sottolinea, nel paragrafo 1 (Il Neorealismo) del testo dell'attività 2b, sei verbi al congiuntivo. Poi inseriscili nella tabella qui sotto lavorando con un compagno.*

congiuntivo imperfetto	congiuntivo passato	congiuntivo trapassato

5b *Il congiuntivo passato e il congiuntivo trapassato sono due tempi composti. Come si formano?*
Completa la regola.

> Il **congiuntivo passato** si forma con l'ausiliare *essere* o *avere* al _____ + _____ .

> Il **congiuntivo trapassato** si forma con l'ausiliare *essere* o *avere* al _____ + _____ .

5c *Lavora ancora sul paragrafo 1 del testo. Trova, per ogni frase principale della prima colonna, la frase secondaria corrispondente. Per ogni frase specifica anche il tempo, come negli esempi. Per ora non considerare l'ultima colonna.*

frase principale	tempo della principale	frase secondaria	tempo della secondaria	
Gli anni dell'immediato dopoguerra rappresentano il periodo forse più difficile…	*Indicativo presente*	*…che l'Italia abbia attraversato nella propria storia moderna.*	*Congiuntivo passato*	
… sembrava a molti…				
… sembrava a molti…				
… sembrava a molti…				
Caratteristica del Neorealismo era infatti il rappresentare la situazione reale del Paese attraverso opere…				
Parte della critica riteneva che…				

5d *Ricordi la regola nel box a destra (**Nuovo Magari B2**, Unità **8** attività **7d**)? Osserva la seconda e la quarta colonna del punto **5c**. In quali casi la regola non è valida e perché? Discutine con un compagno. Aiutatevi inserendo nell'ultima colonna le due sigle descritte qui sotto.*

> In genere si usa:
> ● il congiuntivo presente quando il tempo della frase principale è al presente.
> ● il congiuntivo imperfetto quando il tempo della frase principale è al passato.

CONT - L'azione della secondaria è **contemporanea** all'azione della principale.
ANT - L'azione della secondaria è **anteriore** rispetto all'azione della principale.

5e *Ora completa la regola.*

Tempo della principale	Azione della secondaria contemporanea	Azione della secondaria anteriore
Presente	*Congiuntivo PRESENTE*	*Congiuntivo _____ o IMPERFETTO*
Passato	*Congiuntivo _____*	*Congiuntivo _____*

6　Gioco - Studente A

Completa le affermazioni sul cinema italiano con il verbo al tempo giusto, come nell'esempio, e confrontale con un altro studente A. Poi lavora con uno studente B. A turno uno di voi legge una domanda e l'altro risponde scegliendo una delle affermazioni. Se la risposta è grammaticalmente e logicamente corretta, chi ha fatto la domanda scrive la risposta sul libro. Vince il primo che risponde alle cinque domande in modo corretto. Le istruzioni per lo studente B sono in appendice a pagina 178.

> **Esempio**
>
> Perché il Neorealismo si impose come genere cinematografico?
> - *Il Neorealismo si impose perché alcuni registi pensarono che (**giungere**) **fosse giunto** il momento di parlare del passato nel modo più diretto possibile.*

▶ affermazioni

- *Parte della critica nell'immediato dopoguerra riteneva che il Neorealismo (**essere**) _____ solo un modo per fare film a basso costo.*

- *Molti ritengono che il cinema italiano di oggi non (**essere**) _____ riconducibile ad un genere ben definito.*

- *Risi pensava che il nome "commedia all'italiana" (**essere**) _____ dispregiativo.*

- *Molti registi pensarono che gli anni del boom economico (**cambiare**) _____ la società italiana, che ormai guardava solo al presente e al futuro, e che quindi il Neorealismo fosse superato.*

- *Federico Fellini sognava un cinema che (**somigliare**) _____ sempre più al circo.*

▶ domande	▶ risposte
Quale fu il fattore che spinse i registi del Neorealismo a parlare della guerra?	
Qual è il film che potrebbe rappresentare la storia del cinema italiano?	
Pasolini era sia scrittore che regista. Come viveva questo doppio ruolo?	
Antonioni è stato un regista davvero così importante come si dice?	
Cosa pensano in America del genere *Spaghetti western*?	

7　Ascoltare

7a *Ascolta l'inizio di questa intervista (anno 2006). Poi, insieme ad un compagno, cerca di capire chi sono i personaggi che parlano e in quale equivoco cadono. Aiutatevi con i nomi e i titoli dei film qui sotto.*

8

Philippe Noiret

Giuseppe Tornatore

Mario Monicelli

> Facciamo paradiso
>
> Amici Miei atto primo
>
> Amici miei atto secondo
>
> Rossini Rossini
>
> Speriamo che sia femmina
>
> Nuovo cinema paradiso

⑨ ▶7b *Ascolta tutta l'intervista a Monicelli e completa la scheda qui sotto. Se necessario, riascolta più volte.*
9 *Dopo ogni ascolto consultati con un compagno.*

Mario Monicelli

Mario Monicelli è uno dei grandi maestri del cinema italiano. Ha compiuto _____ anni nel 2006, anno in cui esce il suo ultimo film, _____, tratto dal romanzo "Il deserto della Libia" di Mario _____, da cui era già stato tratto un film, _____, per la regia di Dino Risi.

Monicelli dirige il suo primo film nel 1935 e da allora lavora con i maggiori attori italiani, da Totò a Gassman. Tra gli attori stranieri, uno dei preferiti è il francese Philippe Noiret, con cui gira _____ film. Tra questi la fortu-

◤ La grande guerra

nata serie di "Amici miei" e il film forse meno amato dal regista, _____, del _____. Riguardo alle sue opere preferite, ha dichiarato di non averne una in particolare ma almeno _____.

Di carattere burbero e cinico, lontano dai sentimentalismi tipici di molti film, ha affermato di non aver mai detto _____ ad una donna e di non riguardare mai i suoi vecchi film.

Tra il pubblico e la critica Monicelli ha sempre preferito _____, ma questo non gli ha impedito di vincere numerosi premi e di avere ben tre candidature all'Oscar.

Amici miei ◤

"Le rose del deserto" è il film numero _____ (compresi i film a _____) di Mario Monicelli, che è uno dei registi più prolifici e amati del nostro cinema. Muore a Roma il 29 novembre 2010.

◤ Alberto Sordi in
Un borghese piccolo picolo

⑨ ▶7c *Ascolta questo brano tratto dall'intervista e trova l'errore di grammatica commesso da Mario Monicelli.*
10 *Poi consultati con un gruppo di compagni.*

Invece di _____ **avrebbe dovuto usare** _____.

8 Leggere

▶8a *Il testo che leggerai è un racconto in prima persona di Carlo Verdone che ricorda i suoi esordi nel mondo del cinema. Leggi l'inizio del racconto.*

❝ Era il '77, facevo i monologhi in un piccolo teatrino. Fortunatamente ebbi buone critiche e un po' di gente venne a vedermi. Una sera venne una persona, il critico Cordelli, che restò fino alla fine e mi fece un'ottima recensione. Così vennero anche altri critici e mi chiamò la televisione per *Non Stop*. ❞

▶8b *Ora riscrivi il testo inserendo al punto giusto le parole qui accanto.*

Era _____

_____

_____ *Non Stop.*

| il programma | romano | sola | miei | però |

Carlo Verdone

Regista e attore, esordisce nel 1980 con il film *Un sacco bello*. Viene considerato da alcuni come l'erede naturale di Alberto Sordi, per la capacità di interpretare una figura di romano che, in tutte le sue sfaccettature anche contrastanti, rappresenta

l'archetipo dell'italiano medio. Dopo un inizio dedicato prettamente al genere comico, con il passare del tempo si è evoluto verso canoni più aderenti alla classica commedia all'italiana. Tra i suoi maggiori successi *Borotalco* (1982), *Compagni di scuola* (1988), *Il mio miglior nemico* (2006), *Posti in piedi in paradiso* (2012).

8c *Controlla sul primo paragrafo il lavoro svolto al punto 8b e leggi il testo completo.*

Carlo Verdone: l'esordio di un regista

1 Era il '77, facevo i miei monologhi in un piccolo teatrino romano. Fortunatamente ebbi buone critiche e un po' di gente venne a 5 vedermi. Una sera venne una sola persona, il critico Cordelli, che però restò fino alla fine e mi fece un'ottima recensione. Così vennero anche altri critici e mi chiamò la televisione per il programma 10 *Non Stop*.

La seconda puntata di *Non Stop* andò in onda la sera del 4 gennaio 1979. Dopo la seconda puntata il telefono di casa cominciò a squillare. Mi cercavano tutti: produttori, 15 registi, perfino Celentano. Ma io aspettavo che chiamasse una persona di cui mi potessi fidare. Un giorno mio fratello mi disse: "Ti cerca Sergio Leone...". Quando si dice l'alchimia dell'esistenza, 20 l'incontro che ti cambia la vita!

Andai a casa sua e lo trovai con un caftano[1] arabo e una barba lunga. Era enorme. La testa grande come quella del leone sulla porta. Incuteva terrore. E io che credevo 25 di trovare un romano paciaccone[2]. Mi venne la sudarella[3]. A bruciapelo mi disse: "Ancora non riesco a capire per quale motivo mi viene da ridere quando ti vedo". E poi: "Rifammi un po' quello con 30 gli occhi per aria, rifammi quell'altro...". E mica rideva: mi scrutava serissimo.

Leone mi propose di fare solo l'attore in un film che voleva produrre per la regia di Steno, poi mi portò dalla Wertmuller con 35 cui attaccai a lavorare a un eventuale soggetto, finché un giorno, con il suo solito fare risoluto, mi disse: "Ci ho riflettuto sopra, il soggetto devi scrivertelo da solo". Così alla fine gli lascio un soggettino. Ci

40 dovevamo risentire dopo dieci giorni ma mi richiamò dopo tre: "Vieni oggi alle 4". Ah, penso, vuoi vedere che gli è piaciuto. Sulla porta prese il soggetto e me lo lanciò addosso: "Ma non scrivere più queste 45 stronzate... Ora mettiti seduto. Vediamo un po' di fare questo film. Oppure… te lo fai da solo". "Da solo?". "Ma non hai fatto il Centro Sperimentale[4]?". "Si, ma mica lo so se sono capace...".

50 Io smaniavo da anni di fare il regista ma mi prese il panico, volevo mollare tutto.

Le paure mi passarono di botto il giorno in cui Sergio si pre-55 sentò in casa mia e mi disse che da quel preciso momento cominciavano le sue lezioni di regia. Erano le tre del pomeriggio, e restò fino alle undici a spiegarmi di tutto, continuando poi per 60 i due mesi successivi.

Il fatto è che mi aveva dato un ultimatum perché mi aveva detto che il film o lo dirigevo io oppure dovevo trovare un altro produttore. La famiglia mi aveva adottato 65 come un quarto figlio. A colazione, a pranzo, a cena. E Sergio che mi spiegava tutto della psicologia del regista: "Mai dare l'idea di farsela sotto davanti alla troupe.
70 Se no ti sgamano[5] e non ti rispettano più".

Sergio mi ha insegnato tutto ed è 75 stato un produttore fantastico. Tuttavia, la notte precedente al primo giorno di

riprese per *Un sacco bello*, il mio primo film, non riuscivo a dormire. Leone sareb-80 be passato a prendermi alle sei e mezzo del mattino. All'improvviso, all'una di notte, il citofono: era Sergio Leone. Mi prende un colpo. "A Se', che ci fai qui?". E lui: "La notte prima non si dorme mai. 85 Vestiti, andiamo a fare un giro". Una passeggiata meravigliosa, dall'Isola Tiberina a ponte Sisto. E lui, intelligente, parlò di tutto meno che del film. Del carattere dei romani, della tomba che aveva 90 progettato: "A settembre faccio un salto a Pratica di Mare, la voglio là, ci batte bene il sole". Come se fosse una seconda casa... E poi mi raccontava di quando da 95 ragazzino faceva a sassate a Trastevere, di lui aiuto regista in *Ben Hur*…

Il film uscì in sala il 19 gennaio 1980 e da quel momento fu tutto più facile. Il bis lo feci l'anno dopo con *Bianco, rosso* 100 *e Verdone* , ma ormai ero svezzato, ed il "padrino" Sergio doveva pensare al suo *C'era una volta in America*. Padrino, sì: così Leone pretendeva che lo chiamassi… ■ 105

⬛ Verdone e Leone sul set di
Bianco Rosso e Verdone

---

[1] **caftano:** tunica di origine araba, ampia e lunga fino ai piedi.
[2] **paciaccone:** persona buona e tranquilla, anche nell'aspetto (regionale).
[3] **sudarella:** essere così nervosi da sudare (regionale).
[4] **Centro Sperimentale:** la più importante scuola di cinema italiana.
[5] **sgamare:** capire, scoprire (regionale).

9 Analisi lessicale

9a *Evidenzia, alla riga 31 e alla riga 48 dell'attività 8c, la parola **mica**. Cosa significa secondo te? Al posto di quale parola viene usata e perché? Prova a rispondere discutendone con un compagno. Poi esponete le vostre ipotesi al resto della classe.*

9b *Completa il cruciverba con le parole legate al mondo del cinema. Le parole sono tutte utilizzate nel testo dell'attività 2b e 8c.*

Orizzontali →

1 Film grandioso e costoso, generalmente di genere epico e di lunga durata.

3 La somma di denaro a disposizione per fare un film.

5 La persona che ha la responsabilità e la cura di un film.

8 Personaggio con caratteristiche opposte a quelle tradizionalmente eroiche.

10 La macchina da _____ è quella che si usa per fare le riprese di un film.

11 Il nome di Verdone.

14 La persona che mette i soldi per finanziare un film.

16 Quando qualcuno parla da solo fa un _____.

17 Lo è chi recita in un film.

19 Il nome del regista Leone.

20 Tutte le persone che lavorano ad un film.

21 La scrive il critico cinematografico dopo aver visto un film.

22 Genere cinematografico leggero.

Verticali ↓

1 Giornalista cinematografico.

2 Un film di grande qualità.

4 Fare le riprese con la macchina da presa.

6 Lo è l'attore che recita.

7 La storia di un film in poche parole.

9 Può esserlo un grande regista a cui molti si ispirano.

12 I luoghi in cui si girano i film.

13 In quella cinematografica si vedono i film.

15 Il primo film di un attore o di un regista.

18 Tipologia in cui viene raggruppata una serie di film di carattere simile.

10 Analisi grammaticale

10a *Conosci la differenza tra "discorso diretto" e "discorso indiretto"? Parlane con un compagno facendo degli esempi presi dal testo dell'attività 8c.*

10b *Rileggi queste due frasi estratte dal testo dell'attività **8c**. Segna nella tabella quale ha un discorso diretto e quale un discorso indiretto. Poi rispondi alla domanda.*

1. Un giorno mio fratello mi disse: "Ti cerca Sergio Leone".	☐ diretto ☐ indiretto
2. (…) mi disse che da quel preciso momento cominciavano le sue lezioni di regia.	☐ diretto ☐ indiretto

☐ In entrambe le costruzioni c'è una frase principale (che introduce il discorso) e una frase secondaria (che è il vero e proprio discorso diretto o indiretto).
Le due frasi sono unite in modo diverso. Come?

1. Il discorso diretto è introdotto da _____

2. Il discorso indiretto è introdotto da _____

10c *Trova, nel testo dell'attività **8c** per ogni frase principale della prima colonna, la frase secondaria corrispondente. Per ogni frase specifica se è un discorso diretto o indiretto, come negli esempi. Per ora non considerare l'ultima colonna.*

frase principale	frase secondaria	discorso diretto o indiretto	
Un giorno mio fratello mi disse:	*"Ti cerca Sergio Leone".*	☐ Indir. ☒ Dir.	
A bruciapelo mi disse:		☐ Indir. ☐ Dir.	
finché un giorno (…) mi disse:		☐ Indir. ☐ Dir.	
Sergio si presentò in casa mia e mi disse		☐ Indir. ☐ Dir.	
mi aveva detto		☐ Indir. ☐ Dir.	

10d *Nel primo esempio, il verbo "cerca" della frase secondaria è contemporaneo al momento in cui il fratello di Verdone parla ("disse"). Osserva le altri frasi secondarie. Sono **anteriori** o **contemporanee** rispetto alla corrispondente frase principale? Inserisci nell'ultima colonna le due sigle descritte qui sotto, poi confrontati con un compagno.*

CONT - L'azione della secondaria è **contemporanea** all'azione della principale.
ANT - L'azione della secondaria è **anteriore** rispetto all'azione della principale.

▶10e *Guarda come sono stati trasformati i due discorsi diretti qui sotto. Poi leggi il box sui tempi verbali nel discorso indiretto e, lavorando con un compagno, rispondi alle domande.*

1. *Discorso diretto:*
Un giorno mio fratello mi disse:
"Ti **cerca** Sergio Leone".

1. *Discorso indiretto:*
Un giorno mio fratello mi disse che mi **cercava** Sergio Leone.

2. *Discorso diretto:*
...un giorno, con il suo solito fare risoluto, mi disse: "Ci **ho riflettuto** sopra, il soggetto **devi** scrivertelo da solo".

2. *Discorso indiretto:*
...un giorno, con il suo solito fare risoluto, mi disse che ci **aveva riflettuto** sopra e che il soggetto **dovevo** scrivermelo da solo.

1. Perché il presente "**cerca**" diventa l'imperfetto "**cercava**"?
2a. Perché il passato prossimo "**ho riflettuto**" diventa il trapassato prossimo "**aveva riflettuto**"?
2b. Perché il presente "**devi**" diventa l'imperfetto "**dovevo**"?

I tempi verbali nel discorso indiretto

Il **discorso indiretto** generalmente è introdotto da un verbo al presente ("dice", "sta dicendo" o altri verbi simili) o al passato ("ha detto", "diceva" o altri verbi simili).

• Se è introdotto da un verbo al <u>presente</u> (o anche al passato prossimo recente) il tempo della secondaria rimane invariato rispetto al discorso diretto:

Discorso diretto: *Luca: "Non **parlo** molto bene l'inglese."*
Discorso indiretto: *Luca dice / ha detto che non **parla** molto bene l'inglese.*
Discorso diretto: *Luca: "Un anno fa non **parlavo** molto bene l'inglese."*
Discorso indiretto: *Luca dice / ha detto che un anno fa non **parlava** molto bene l'inglese.*

• Se è introdotto da un verbo al <u>passato</u> ("ha detto", "diceva" o altri verbi simili) bisogna vedere se la relazione temporale tra la frase principale e la secondaria è di **contemporaneità**, **anteriorità** o **posteriorità**. Nello schema i verbi usati in caso di anteriorità e contemporaneità. Per la posteriorità vedere l'Unità **17**.

Frase principale al passato	Frase secondaria	
	contemporanea	**anteriore**
Luca **ha detto**...	imperfetto, passato prossimo (o passato remoto) ...che non **parlava** bene inglese. ...che a Londra non **ha parlato** quasi mai inglese.	di solito trapassato prossimo ...che aveva **studiato** l'inglese nella scuola in Italia. ...che da piccolo **era stato** in Inghilterra.

▶10f *Trasforma le frasi del testo dal discorso diretto al discorso indiretto e viceversa. Poi confrontati con lo stesso compagno di prima.*

discorso diretto	discorso indiretto
A bruciapelo mi disse: "Ancora non riesco a capire per quale motivo mi viene da ridere quando ti vedo".	
...un giorno, con il suo solito fare risoluto, mi disse: "Ci ho riflettuto sopra, il soggetto devi scrivertelo da solo".	
	Sergio si presentò in casa mia e mi disse che da quel preciso momento cominciavano le sue lezioni di regia.
	...mi aveva detto che il film o lo dirigevo io oppure dovevo trovare un altro produttore.

▶10g *Guarda la frase qui sotto. In questo caso il discorso indiretto è introdotto da **di** e non da **che**. Perché? Consultati con un compagno e prova a trasformare il discorso indiretto in un discorso diretto.*

Leone mi propose di fare solo l'attore. → *Leone mi propose: "_____".*

11 Analisi della conversazione

11a *Inserisci al posto giusto le battute di Mario Monicelli, poi consultati con un compagno. Alla fine ascolta il dialogo per verificare.*
11

1. **Giornalista 1** – Prima di tutto questo: noi volevamo dedicare qualche minuto, pochi minuti a Philippe Noiret che è scomparso ieri…
2. **Monicelli** – _____
3. **Giornalista 1** – …e che ha partecipato a cinque film di Mario Monicelli.
4. **Monicelli** – _____
5. **Giornalista 1** – Sono cinque. Sì.
6. **Monicelli** – _____
7. **Giornalista 1** – "Rossini Rossini", "Facciamo paradiso", "Amici…
8. **Monicelli** – _____
9. **Giornalista 1** – Allora ho una, una…
10. **Monicelli** – Magari l'avessi fatto!
11. **Giornalista 1** – "Amici miei" atto primo e secondo e "Speriamo che sia femmina". Allora sono quattro. Sono quattro, errore di stampa, errore di stampa, scusa…
12. **Monicelli** – _____
13. **Giornalista 2** – No, quello era "Nuovo cinema paradiso".
14. **Giornalista 1** – Quello era "Nuovo cinema paradiso". "Facciamo paradiso" non è suo?
15. **Giornalista 2** – Guarda che "Facciamo…" sì.
16. **Monicelli** – _____
17. **Giornalista 1** – Io credo di sì. "Facciamo paradiso", 1995.
18. **Monicelli** – _____
19. **Giornalista 1** – Ecco, meno male, pensavo di aver fatto una figuraccia.
20. **Monicelli** – _____
21. **Giornalista 2** – …tende a cancellare.
22. **Giornalista 1** – Ecco. Ha rimosso.

a. Ah, cinque?
b. Ah, sì sì sì sì, "Paradiso"…
c. Beh, ma quello, quello… è un film… non un gran che quindi… mi sono appropriato di quell'altro che invece ha vinto l'Oscar.
d. E quali sono?
e. "Facciamo paradiso"… e qual è?
f. No, "Facciamo paradiso", io non c'entro.
g. Magari l'avessi fatto io, l'ha fatto… oltretutto l'ha fatto Tornatore che ha preso un Oscar e io…
h. Sì, sì, certo.

11b *Lavora con lo stesso compagno. Inserisci negli spazi le espressioni che hanno la funzione spiegata nella terza colonna della tabella, contenute nelle battute del dialogo indicate nella prima colonna.*

battute		funzione
1-6		Esprime sorpresa per un'affermazione fatta in precedenza da qualcun altro.
6-12		Sinonimo di "Sarebbe stato bello se".
10-15		Segnala che la cosa che si sta per dire si aggiunge ad altre e contribuisce alla dimostrazione di una tesi.
14-18		Introduce una frase che contraddice qualcosa che ha detto l'interlocutore.
16-18		Segnala che finalmente si è capito di cosa stava parlando l'altra persona.
16-20		Sinonimo di "per fortuna".
19-22		Sinonimo di "bruttino".

12 Parlare
11

Lavora in un gruppo di quattro studenti. Tre di voi (gli attori) provano a recitare il dialogo dell'attività 11 cercando di esprimere al meglio i caratteri dei personaggi e le implicazioni psicologiche derivanti dall'equivoco. Il quarto (il regista) ascolta più volte il dialogo annotando tutte le sfumature, le sovrapposizioni, le imprecisioni, ecc. Dopo alcuni minuti il gruppo degli attori e il regista si riuniscono e lavorano insieme sulla messa in scena. Quando vi sentite pronti recitate il dialogo davanti alla classe.

13 Esercizio

Trasforma la parte qui sotto del racconto di Carlo Verdone in un discorso indiretto seguendo il modello. Modifica, oltre ai verbi, i pronomi. Fa' anche attenzione ai verbi **andare** *e* **venire**. *Aiutati con il box qui a fianco.*

> ### *Andare* e *venire* nel discorso indiretto
> Il verbo **venire** si usa se c'è un movimento in direzione di chi sta parlando e **andare** se c'è un movimento di allontanamento da lui. Quindi se una persona ha detto *Io sono* **andato** *a Roma*, io, che sono a Roma, dovrò dire: *Lui ha detto che era* **venuto** *a Roma*; se invece io fossi a Milano, dovrei dire: *Lui ha detto che era* **andato** *a Roma*.

Era il '77, facevo i miei monologhi in un piccolo teatrino romano. Fortunatamente ebbi buone critiche e un po' di gente venne a vedermi. Una sera venne una sola persona, il critico Cordelli, che però restò fino alla fine e mi fece un'ottima recensione. Così vennero anche altri critici e mi chiamò la televisione per il programma *Non Stop*. La seconda puntata di *Non Stop* andò in onda la sera del 4 gennaio 1979. Dopo la seconda puntata il telefono di casa cominciò a squillare. Mi cercavano tutti: produttori, registi, perfino Celentano. Io aspettavo.

Verdone racconta che era il '77 quando faceva...

14 Gioco

Unisci i volti con i nomi e i profili dei più importanti attori del cinema italiano.

I volti del cinema italiano

Carlo Verdone (1950) - Nel 1979 Sergio Leone produce il suo primo film, di cui è regista e attore. Da allora ha realizzato numerose commedie comiche e di intrattenimento.

Sofia Loren (1934) - Lanciata dal film di Vittorio De Sica *La Ciociara*, che le valse un Oscar nel 1961, è la più conosciuta attrice italiana nel mondo. Nel 1991 vince il suo secondo Oscar, questa volta alla carriera.

Marcello Mastroianni (1924 - 1996) - Forse il più famoso attore italiano nel mondo, grazie ai capolavori di Fellini, tra i quali *La dolce vita* e *8 1/2*.

Totò (1898 - 1967) - Uno dei più grandi attori comici italiani del Novecento. Gira il suo primo film nel 1930. Fino al 1967, anno della sua morte, ne realizzerà oltre cento.

Anna Magnani (1908 - 1973) - Il volto del Neorealismo. Diviene in breve tempo la musa di De Sica, Visconti, Rossellini. Nel '56 è la prima donna italiana a vincere il premio Oscar.

Roberto Benigni (1952) - Cantante, attore e regista per il cinema, il teatro e la televisione. Diviene celebre con il film *La vita è bella*, per il quale vince tre premi Oscar.

Luigi Lo Cascio (1967) - Il suo primo ruolo cinematografico nel film *I cento passi* lo consacra tra i più interessanti e promettenti attori del nuovo cinema italiano, sicuramente tra i più amati da pubblico e critica.

Alberto Sordi (1920 - 2003) - Popolarissimo attore della commedia all'italiana, ha impersonato in oltre 150 film il tipico italiano medio, quasi sempre romano.

Monica Bellucci (1968) - Inizia giovanissima la carriera di modella ma ben presto passa al cinema. È considerata da molti la più bella e affascinante attrice italiana di oggi.

Nanni Moretti (1953) - Entra nel cinema da autodidatta divenendo presto un regista ed attore di culto per molti giovani. Vince la Palma d'oro a Cannes per *La stanza del figlio*.

storia

COSA NOSTRA

1 Introduzione

1a *Cos'è la mafia? Ricostruisci la definizione collegando le parti di sinistra (in ordine) con quelle di destra.*

1. Mafia è un termine diffuso ormai a livello mondiale	**a.** per indicare una organizzazione criminale nata in Sicilia,
2. Il termine è stato inizialmente utilizzato	**b.** genericamente indicate col termine di "mafie".
3. più precisamente definita come Cosa nostra,	**c.** la cui origine va fatta risalire agli inizi del XIX secolo.
4. Pertanto col nome di "Cosa nostra" si intende esclusivamente	**d.** con cui ci si riferisce alle organizzazioni criminali.
5. (anche per indicare le sue ramificazioni internazionali, specie negli Stati Uniti d'America),	**e.** per distinguerla dalle altre organizzazioni criminali
6. tanto italiane quanto internazionali,	**f.** la mafia siciliana

__1__ /___ - __2__ /___ - __3__ /___ - __4__ /___ - __5__ /___ - __6__ /___

1b *Ascolta il dialogo tratto dal film "I cento passi".*
12 *Insieme a un compagno, cerca di fare ipotesi sulla scena.*

1. Quanti e chi sono i personaggi?
2. Che rapporto c'è tra loro?
3. Cosa stanno facendo?
4. Chi sono gli altri personaggi di cui parlano?

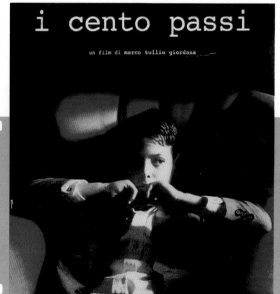

I cento passi
Regia: Marco Tullio Giordana
Anno: 2000

Il film racconta la vera storia di Giuseppe
Impastato, detto Peppino (1948-1978).
Nato a Cinisi, un piccolo paese della Sicilia
vicino Palermo, Giuseppe Impastato è
considerato un personaggio simbolo della lotta
alla mafia. Figlio di un mafioso, il giovane
Peppino decise di ribellarsi al padre e di
combattere la mafia denunciando
l'organizzazione criminale attraverso i microfoni
di una piccola radio, Radio Aut, che in breve
tempo divenne famosa in tutta la Sicilia.
I cento passi sono quelli che separavano la casa
di Peppino da quella del boss mafioso Tano
Badalamenti, che era anche suo zio ("ziu
Tano"). Ripudiato dal padre, che inutilmente
cercherà di fermarlo, e aiutato solo dalla
madre e dal fratello, il coraggioso Peppino
continuerà la sua battaglia fino alla morte: la
mafia, per ordine di Tano Badalamenti, lo
ucciderà in modo brutale, con una forte
carica di esplosivo. I responsabili dell'omicidio
rimarranno per anni senza nome. Per molto
tempo infatti la morte di Peppino Impastato
sarà considerata un suicidio.

Il futuro per parlare del passato
Nel testo della trama del film, i verbi evidenziati sono al futuro, anche se
si riferiscono a fatti accaduti nel passato. Il futuro si può usare per creare
un effetto stilistico efficace in una narrazione. Ci si colloca in un momento
del passato e si vede come futuro tutto quello che succede dopo.

2 Analisi della conversazione

2a *Qui sotto hai il testo della prima parte del dialogo. È stata tolta tutta la punteggiatura (, . ? … ecc.). Prova a rimetterla.*

Giovanni - Peppino dai ora torna dentro va bene *ammunì*[1] lo sai com'è papà

Peppino - No com'è papà

Giovanni - Eh un po' antico ma non è cattivo

Peppino - Non è cattivo è un po' antico ma papà non è cattivo sei andato a scuola sai contare

Giovanni - Come contare

Peppino - Come contare uno due tre quattro sai contare

Giovanni - Sì so contare

Peppino - E sai camminare

Giovanni - So camminare

Peppino - E contare e camminare insieme lo sai fare

Giovanni - Sì penso di sì

Peppino - Allora forza conta e cammina dai uno due tre quattro cinque sei sette otto

Giovanni - Dove stiamo andando

Peppino - Forza conta e cammina

Giovanni - Sshhhh piano

[1]**ammuni:** dialetto siciliano, trad.: Dai.

2b *Riascolta il dialogo e verifica. Poi confrontati con un compagno.*
13

2c *In coppia con lo stesso compagno, provate la scena. Pensate alle pause, agli accenti, all'intonazione, ai gesti e ai movimenti. Alla fine recitate la scena davanti alla classe.*

2d *Riascoltate il dialogo.*
13

3 Leggere

3a *Leggi il testo.*

1. Mafia e Cosa nostra
Mafia è un termine diffuso ormai a livello mondiale con cui ci si riferisce alle organizzazioni criminali. Il termine è stato inizialmente utilizzato per indicare una organizzazione criminale nata in Sicilia, più precisamente definita come Cosa nostra, la cui origine va fatta risalire agli inizi del XIX secolo. Pertanto col nome di "Cosa nostra" si intende esclusivamente la mafia siciliana (anche per indicare le sue ramificazioni internazionali, specie negli Stati Uniti d'America), per distinguerla dalle altre organizzazioni criminali tanto italiane quanto internazionali, genericamente indicate col termine di "mafie".

2. Le attività di Cosa nostra
Le attività nelle quali Cosa nostra è impegnata sono il traffico internazionale di droga, le speculazioni finanziarie ed immobiliari, il riciclaggio del denaro sporco, l'estorsione, lo smaltimento dei rifiuti urbani e industriali ed il traffico di armi.

La sua strategia criminosa è duplice: da una parte cerca di garantirsi il controllo del territorio in cui risiede, attraverso l'imposizione di un pagamento sulle attività commerciali e industriali della zona (il pizzo o *racket*) e la feroce e immediata punizione di chiunque osi opporsi alle sue disposizioni, mentre dall'altra cerca di corrompere il potere politico ed i funzionari dello Stato attraverso l'offerta di denaro e voti, per ottenere l'impunità e relazioni d'affari "privilegiate" con il sistema pubblico.

Entrare a far parte della mafia equivale a convertirsi ad una religione. Ogni membro che accetta di essere introdotto nell'organizzazione, deve sottoporsi al rituale dell'iniziazione.

3. La struttura
La struttura di Cosa nostra è piramidale. Alla base ci sono le famiglie, formate dagli *uomini d'onore*.
La famiglia fa capo ad un unico uomo, il *capofamiglia*, che ha un potere assoluto sugli altri componenti. Ogni famiglia controlla un suo territorio dove niente può avvenire senza il consenso del capo.
Le famiglie si dividono in gruppi di 10 uomini d'onore, le *decine*, comandate da un *capodecina*.
Tre famiglie dal territorio contiguo formano un *mandamento*, al cui comando c'è un *capo-*

mandamento. I vari capimandamento si riuniscono in una commissione o *cupola provinciale*, di cui la più importante è quella di Palermo. Questa commissione provinciale è presieduta da uno dei capimandamento, che prende il titolo di *capo*.

Ancora più sopra c'è la cupola regionale, detta *interprovinciale*. È questo l'organo massimo dell'organizzazione, che dai mafiosi viene chiamata anche la *Regione* e al quale partecipano tutti i rappresentati delle varie province. In cima alla Regione c'è il capo supremo o boss o padrino, che è il capo della cupola provinciale più potente (in genere Palermo).

4. Il giuramento

Entrare a far parte della mafia equivale a convertirsi ad una religione. Ogni membro che accetta di essere introdotto nell'organizzazione, deve sottoporsi al rituale dell'iniziazione. Il candidato viene condotto in una stanza alla presenza del rappresentante della famiglia e di altri semplici uomini d'onore. A questo punto il rappresentante della famiglia espone all'iniziato le norme che regolano l'organizzazione, affermando prima di tutto che quella che normalmente viene chiamata mafia, in realtà si chiama Cosa nostra e comincia ad elencare gli obblighi che andranno rigorosamente rispettati dal nuovo membro: "non desiderare la donna di altri uomini d'onore, non rubare, non sfruttare la prostituzione, non uccidere altri uomini d'onore (salvo in caso di assoluta necessità), evitare la delazione alla polizia, dimostrare sempre un comportamento serio e corretto, mantenere con gli estranei il silenzio assoluto su Cosa nostra…"

Poi il rappresentante invita l'iniziato a scegliersi un padrino tra gli uomini d'onore presenti e comincia la cerimonia del giuramento. Si tratta di domandare al nuovo venuto con quale mano è solito sparare e di incidere sull'indice di questa mano un piccolo taglietto per farne uscire una goccia di sangue con cui viene imbrattata un'immagine sacra. Quindi l'immagine viene bruciata dal rappresentante. L'iniziato dovrà farla passare da una mano all'altra giurando fedeltà, meritando in caso contrario di bruciare allo stesso modo.

Appare chiaro, da tutto questo, come Cosa nostra si fondi su valori molto tradizionali: rispetto dei vincoli di sangue, fedeltà, amicizia e onore. L'onore esige che un mafioso anteponga gli interessi di Cosa nostra a quelli dei suoi familiari.

Un altro aspetto interessante è il ruolo svolto dalla religione nell'universo mafioso. Gli uomini d'onore amano presentarsi come persone particolarmente devote e religiose e non è raro che nei covi dei boss la polizia scopra bibbie, immagini sacre, o addirittura cappelle attrezzate con altari e candele. Come l'onore, la religione (o forse sarebbe meglio parlare di pseudoreligione) aiuta i mafiosi a giustificare le loro azioni davanti a se stessi, agli altri mafiosi e alle loro famiglie. Molti mafiosi infatti amano pensare che se uccidono lo fanno in nome di qualcosa di più elevato del denaro e del potere: l'onore e Dio.

5. Le donne

Un boss mafioso ha un diritto assoluto a tenere sotto sorveglianza la vita dei suoi uomini. Può accadere, ad esempio, che un mafioso debba chiedere al suo superiore il permesso di sposarsi. È essenziale che in questo caso il singolo mafioso faccia la scelta giusta, non tanto nel suo interesse, quanto e soprattutto nell'interesse supe-

◣ Il boss Bernardo Provenzano

Un boss mafioso ha un diritto assoluto a tenere sotto sorveglianza la vita dei suoi uomini. Può accadere, ad esempio, che un mafioso debba chiedere al suo superiore il permesso di sposarsi.

riore dell'organizzazione. È qui allora che va chiesto il parere decisivo del capofamiglia o del padrino. Più ancora degli altri mariti, infatti, i mafiosi hanno il dovere di tenersi buone le loro consorti, perché c'è il rischio che una moglie di mafia, scontenta del comportamento del proprio marito, decida di parlare con la polizia, danneggiando gravemente l'intera famiglia.

La donna non ha un ruolo decisionale nell'organizzazione, bensì il compito di ben amministrare il nucleo familiare privato dell'uomo d'onore. Cura anche i rapporti con la gente e "educa" i figli a quei principi a cui l'organizzazione è legata, tra cui l'onore e la vendetta.

Può anche accadere che le donne appoggino attivamente il lavoro dei loro uomini, seppur in ruoli subordinati. Le donne non possono essere in ogni caso ammesse nella mafia, infatti l'onore è una qualità esclusivamente maschile, anche se l'onore di un mafioso accresce il prestigio di sua moglie e il buon comportamento di lei a sua volta aumenta l'onore del marito. ■

3b *Rileggi il paragrafo 3 del testo e ricostruisci la struttura di Cosa nostra, completando gli spazi con le parole giuste.*

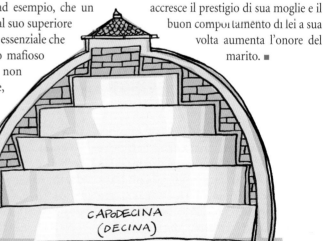

CAPODECINA
(DECINA)

4 Cruciverba

*Formate delle squadre. Al via dell'insegnante, completate il cruciverba. Tutte le parole alla forma singolare o plurale sono contenute nel testo dell'attività **3a** (il numero tra parentesi indica il paragrafo). Quando avete finito, chiamate l'insegnante. Vince la squadra che per prima completa il cruciverba in modo corretto.*

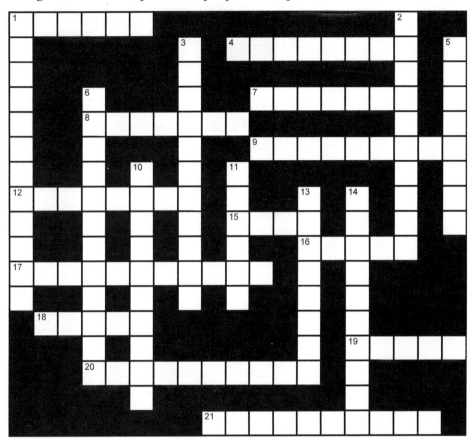

Orizzontali →

1 La struttura della mafia viene spesso paragonata a una piramide o a una _____. *(3)*

4 Commercio illegale. *(2)*

7 Il contrario di "tradimento". *(4)*

8 Boss mafioso. *(3)*

9 Denuncia, confessione. *(4)*

12 Protezione dalla punizione, non punibilità. *(2)*

15 Rifugio segreto. *(4)*

16 Regola. *(4)*

17 La cerimonia con cui il nuovo arrivato è introdotto nell'organizzazione mafiosa. *(4)*

18 Formano la famiglia mafiosa: "uomini d'_____". *(3)*

19 La "tassa" che i mafiosi chiedono ai commercianti e agli industriali. *(2)*

20 Richiesta violenta e minacciosa di un pagamento. *(2)*

21 Il territorio formato da 3 famiglie mafiose. *(3)*

Verticali ↓

1 La persona più importante in una famiglia mafiosa. *(3)*

2 Il nome della mafia siciliana. *(1)*

3 La "pulizia" dei soldi ottenuti con attività illegali. *(2)*

5 Azione che si fa contro qualcuno per ottenere la riparazione di un'offesa. *(5)*

6 L'attività con cui si cerca di guadagnare il più possibile a svantaggio di altri. *(2)*

10 Promessa. *(4)*

11 Un gruppo di 10 mafiosi. *(3)*

13 Moglie. *(5)*

14 Pagare illegalmente qualcuno per avere dei vantaggi. *(2)*

Cosa significa la parola *mafia*

Il termine *mafia* ha diverse possibili origini. Tradizionalmente si narra che nel XIII secolo, durante l'occupazione dei francesi in Sicilia, un soldato francese violentò una ragazza. La madre corse per le strade urlando "*Ma - ffia, Ma - ffia!*" ovvero "*Mia figlia, Mia figlia*". Il grido fu ripetuto da altri e da Palermo il termine si diffuse in tutta la Sicilia, diventando la parola d'ordine del movimento di resistenza dei siciliani contro i dominatori francesi. Altre possibili origini:
- derivazione dalla parola araba *mā hias*, che significa *spacconeria, spavalderia*;
- derivazione dall'espressione dell'arabo parlato, *mā fī-ha* che significa *non c'è* o *non esiste*;
- derivazione dal toscano *mafia*, che significa *miseria* oppure *ostentazione vistosa, spocchia*.

5 Parlare

Lavora in un gruppo di 3 (1 padrino e 2 poliziotti) e leggi le istruzioni che ti riguardano.
Poi iniziate l'interrogatorio.

▶ **Il padrino**	▶ **I poliziotti**
Sei un potente boss della mafia. Hai deciso di collaborare con la giustizia perché sei deluso dall'organizzazione che ti ha tradito e "venduto" alla polizia. In cambio chiedi delle garanzie per un processo non troppo severo. Contratta le condizioni, poi rispondi alle domande dei poliziotti e spiega tutto quello che sai della mafia.	*Dovete interrogare un potente boss della mafia che ha deciso di collaborare con la giustizia, perché deluso dall'organizzazione che l'ha tradito e "venduto" alla polizia. In cambio il boss chiede delle garanzie per un processo non troppo severo. Contrattate le condizioni, poi interrogatelo, chiedendogli di spiegare tutto quello che sa della mafia.*

6 Analisi grammaticale

6a *Osserva queste frasi tratte dal testo dell'attività **3a**. Poi rispondi alla domanda.*

> Questa commissione provinciale è presieduta da uno dei capi-mandamento…

> È qui allora che va chiesto il parere decisivo del capofamiglia…

> Il candidato viene condotto in una stanza alla presenza del rappresentante della famiglia…

Secondo te, cosa hanno in comune dal punto di vista grammaticale?

☐ Sono tutte frasi attive.

☐ Sono tutte frasi impersonali.

☐ Sono tutte frasi passive.

☐ Sono tutte frasi riflessive.

6b *Osserva ancora questa frase del testo. In genere la frase passiva ha un soggetto (chi subisce l'azione) e un verbo passivo. Qualche volta, ma non sempre, c'è anche un agente (chi fa l'azione). Sai trasformare la frase alla forma attiva?*

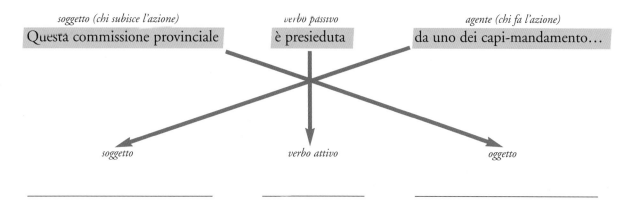

soggetto (chi subisce l'azione) — Questa commissione provinciale
verbo passivo — è presieduta
agente (chi fa l'azione) — da uno dei capi-mandamento…

soggetto — *verbo attivo* — *oggetto*

6c *Trova e <u>sottolinea</u> nel testo dell'attività **3a** delle frasi come quelle del punto **6a**. Poi classificale nella tabella in base al verbo ausiliare utilizzato. Quando c'è l'agente, trascrivilo nella tabella accanto al verbo, come nell'esempio.*

ausiliare *essere*	ausiliare *venire*	ausiliare *andare*
è presieduta (da uno dei capi mandamento)		

6d *Ora osserva i verbi delle prime due colonne. Gli ausiliari **essere** e **venire** esprimono una forma passiva molto simile e spesso intercambiabile. Pertanto in genere una frase passiva può essere costruita sia con **essere** che con **venire**. Non sempre però questo è possibile. Discuti con un compagno per rispondere alle domande e poi completa il box sulla forma passiva con **essere** e **venire**.*

1. Una delle forme passive della prima colonna può essere costruita solo con l'ausiliare *essere*. Sai trovarla?

2. Perché non può essere trasformata con *venire*?

> **Forma passiva con *essere* e *venire***
>
> Per fare una frase passiva posso usare gli ausiliari ***essere*** o ***venire***. L'ausiliare ***venire*** non può essere usato con i tempi _____ (passato prossimo, trapassato prossimo, futuro anteriore, ecc.) ma solo con i tempi _____.
>
> L'ausiliare ***venire***, rispetto ad ***essere***, sottolinea maggiormente l'aspetto dinamico dell'azione. Spesso la scelta tra ***essere*** e ***venire*** può dipendere anche dal gusto personale di chi scrive o da ragioni stilistiche.

6e *Per fare una frase passiva posso usare anche l'ausiliare **andare**. Osserva i verbi della terza colonna della tabella del punto **6c** e rispondi alla domanda. Aiutati rileggendo le frasi nel testo dell'attività **3a**.*

Secondo te, quale valore assume la frase passiva con l'ausiliare *andare*?

☐ Un valore di dovere, di necessità.   ☐ Un valore di possibilità.

☐ Un valore di opinione.

6f *Rispondi alla domanda confrontandoti con un compagno.*

Secondo te, qual è la funzione comunicativa della forma passiva, rispetto alla forma attiva?

☐ Al contrario della forma attiva, che dà rilievo alla persona o alla cosa che fa l'azione, la forma passiva si usa per dare rilievo alla persona o alla cosa che subisce l'azione.

☐ Al contrario della forma attiva, la forma passiva si usa per riferirsi sempre a situazioni o fatti assolutamente sicuri e certi.

☐ La forma passiva è una forma più antica della forma attiva, e si usa quasi esclusivamente nella lingua scritta.

7 Ascoltare

7a *Ascolta più volte questo brano tratto dal film "I cento passi" e rispondi alle domande.*
Dopo ogni ascolto consultati con un compagno. Se necessario rileggi la trama del film a pag. 61.

Nel brano un compagno di Peppino Impastato parla alla radio.
Secondo te:
1. A che punto siamo del film?
2. Cos'è successo?
3. Qual è la versione dei carabinieri?
4. Che opinioni esprime il compagno di Peppino su tutta la vicenda?

7b *Nel suo monologo il compagno di Peppino Impastato cita 3 importanti personaggi della storia politica italiana. Scrivi i 3 nomi al posto giusto nei testi. Se necessario riascolta il brano.*

| Giangiacomo Feltrinelli | Aldo Moro | Giuseppe Pinelli |

1. _____: attivista del movimento anarchico morto in circostanze misteriose nel 1969 durante un interrogatorio alla Questura di Milano. La versione ufficiale del suicidio è stata a lungo contestata da una parte dell'opinione pubblica.

2. _____: editore di idee marxiste e rivoluzionarie morto nel 1972 durante la preparazione di un attentato con esplosivo. Secondo alcuni ci sarebbero però dei dubbi sulle reali cause della sua morte.

3. _____: importante uomo politico rapito e ucciso nel 1978 dal gruppo terroristico delle Brigate Rosse.

8 Esercizio

8a *Completa il brano tratto dal film con i pronomi e i verbi coniugati nel modo giusto. I verbi non sono in ordine.*

| andare - ci | dare - ci | dire - lo | esserci | fare - ci | identificare - ci |
| lasciare - lo | piacere - ci | spegnere - la | volere - la | voltarsi |

Adesso fate una cosa, _____ questa radio. _____ pure dall'altra parte, tanto si sa come vanno a finire queste cose, si sa che niente può cambiare. Voi avete dalla vostra la forza del buon senso, quello che non aveva Peppino.
Domani _____ i funerali, voi non _____. _____ solo.
E _____ una volta per tutte che noi siciliani la mafia _____. Ma non perché _____ paura, perché _____ sicurezza, perché _____, perché _____. Noi siamo la mafia, e tu Peppino non sei stato altro che un povero illuso.

8b *Ora chiudi il libro e ascolta il brano.*
15 *Poi riguarda il testo e confrontati con un compagno.*

8c *Riascolta il brano guardando il testo e verifica.*
15

9 Analisi grammaticale

9a *Tra i verbi che hai inserito nell'esercizio **8a**, alcuni sono all'imperativo (positivo e negativo). Scrivili nella tabella.*

imperativo positivo	imperativo negativo

9b *Completa le regola dei pronomi con l'imperativo: inserisci gli imperativi mancanti con i pronomi (quelli che hai trovato al punto **9a**) e specifica se il pronome va prima (**P**) o dopo (**D**) il verbo. Usa il verbo "spegnere", come negli esempi.*

	imperativo positivo	imperativo negativo
Tu	Spegnila! (D)	Non la spegnere!/ Non spegnerla! (P/D)
Lei (formale)	La spenga! (P)	Non la spenga! (P)
Noi	_____	Non la spegniamo!/ Non spegniamola! (P/D)
Voi	_____	_____

9c *Osserva questa frase. Nel testo dell'esercizio **8**, la stessa frase è costruita in modo diverso. Cercala e trascrivila qui sotto. Poi, insieme a un compagno, cerca di capire qual è la differenza tra le due frasi. Infine leggi il box alla pagina seguente sulla dislocazione pronominale.*

noi siciliani vogliamo la mafia _____

Cronologia degli avvenimenti di mafia

Ecco una cronologia dei principali avvenimenti di mafia degli ultimi anni.
1982: a Palermo viene ucciso da un gruppo di 10 killer il generale Dalla Chiesa, responsabile della lotta alla mafia in Sicilia.
1983-1991: nel corso di questi anni la mafia è forte e attiva. Vengono uccisi tra gli altri il giudice Rocco Chinnici, il giornalista e scrittore Giuseppe Fava, il giudice Rosario Livatino e l'imprenditore Libero Grassi, eliminato perché si rifiutava di pagare il pizzo a Cosa Nostra.
1992: il più importante e famoso giudice antimafia, Giovanni Falcone, viene ucciso in un attentato esplosivo sull'autostrada per Palermo. È il più grave attentato mai compiuto dalla mafia. Due mesi dopo la mafia ucciderà nello stesso modo anche il giudice Paolo Borsellino, il più stretto collega di Falcone.
1993: viene arrestato il boss Totò Riina, considerato il responsabile dell'uccisione dei due giudici Falcone e Borsellino.

10 Gioco

A turno fatevi delle domande e rispondete come negli esempi. Per ogni domanda e per ogni risposta esatta si guadagna un punto. Vince chi realizza più punti alla fine del gioco.

Es:

Spengo la tv?	*no - (tu)*
Stud. A - La tv la spengo?	Stud. B - No, non la spegnere./No, non spegnerla.

Scriviamo una mail a Giulio?	*sì - (noi)*
Stud. B - Una mail a Giulio gliela scriviamo?	Stud. A - Sì, scriviamogliela.

Compro il pane?	*sì - (tu)*	*Vi porto il latte?*	*sì - (tu)*
Chiudo la finestra?	*no - (tu)*	*Faccio il caffè?*	*sì - (tu)*
Compriamo la casa?	*sì - (noi)*	*Vado da Anna?*	*sì - (tu)*
Facciamo gli esercizi?	*sì - (voi)*	*Ti do la cravatta?*	*sì - (tu)*
Telefono a Laura?	*no - (tu)*	*Vi do le valigie?*	*sì - (tu)*
Presto la macchina a Mauro?	*sì - (tu)*		
Facciamo il regalo a Paolo?	*sì - (noi)*		
Diamo i soldi a Rita?	*sì - (noi)*		
Prendo il taxi?	*sì - (Lei)*		
Faccio il contratto al signor Mori?	*no - (Lei)*		
Ti lascio la sedia?	*no - (tu)*		

La dislocazione pronominale

Per dislocazione si intende lo spostamento dell'oggetto (diretto o indiretto) a sinistra o a destra, rispetto alla sua naturale posizione nella frase. Al posto dell'oggetto si inserisce un pronome.

Dislocazione a sinistra
Si ha dislocazione a sinistra quando l'oggetto (diretto o indiretto) è spostato nella parte iniziale della frase.

*Noi siciliani vogliamo **la mafia**.* →
*Noi siciliani **la mafia** la vogliamo.*
*Oggi non mangio **la pasta**.* →
La pasta oggi non la mangio.*
*Telefono dopo **a Pino**, non ora.* →
***A Pino** gli telefono dopo, non ora.*

La dislocazione è una strategia che si usa per dare più rilievo all'oggetto. È molto usata nella lingua parlata.

11 Leggere

11a *Leggi l'inizio di questo testo.*

> L'autobus stava per partire, rombava sordo con improvvisi raschi[1] e singulti[2]. La piazza era silenziosa nel grigio dell'alba, sfilacce[3] di nebbia ai campanili della Matrice: solo il rombo dell'autobus e la voce del venditore di panelle[4], panelle calde panelle, implorante ed ironica. Il bigliettaio chiuse lo sportello, l'autobus si mosse in un rumore di sfasciume[5]. L'ultima occhiata che il bigliettaio girò sulla piazza, colse l'uomo vestito di scuro che veniva correndo; il bigliettaio disse all'autista - un momento - ed aprì lo sportello mentre l'autobus ancora si muoveva. Si sentirono due colpi squarciati…

Secondo te, come continua il racconto?
Fai delle ipotesi parlando con un compagno.

[1]**raschi:** rumori. [2]**singulti:** singhiozzi, versi. [3]**sfilacce:** fili. [4]**panelle:** frittelle di pasta e ceci. [5]**sfasciume:** rottame, rovina.

1993: viene ucciso il sacerdote Pino Puglisi, impegnato nella lotta alla mafia. È la prima importante azione della mafia contro la Chiesa cattolica.
1993: la mafia compie 3 spettacolari attentati. A Firenze esplode un'autobomba alla Galleria degli Uffizi, che provoca 9 morti e danneggia alcune importanti opere, a Milano esplode un'altra autobomba provocando 5 morti, a Roma esplodono due autobomba che danneggiano la basilica di San Giovanni.
1999-2004: uno dei più importanti politici italiani, Giulio Andreotti, più volte ministro e Presidente del Consiglio, è processato con l'accusa di "associazione mafiosa". Sarà assolto, ma con una sentenza ambigua (le accuse più gravi riguardano fatti troppo lontani nel tempo e non più giudicabili) che lascia molti dubbi nell'opinione pubblica.
2006: viene arrestato il boss Bernardo Provenzano, considerato il capo della mafia e ricercato da oltre quarant'anni.

11b *Ora leggi il seguito.*

Delitto

L'autobus stava per partire, rombava sordo con improvvisi raschi e singulti. La piazza era silenziosa nel grigio dell'alba, sfilacce di nebbia ai campanili della Matrice: solo il rombo dell'autobus e la voce del venditore di panelle, panelle calde panelle, implorante ed ironica. Il bigliettaio chiuse lo sportello, l'autobus si mosse in un rumore di sfasciume. L'ultima occhiata che il bigliettaio girò sulla piazza, colse l'uomo vestito di scuro che veniva correndo; il bigliettaio disse all'autista - un momento - ed aprì lo sportello mentre l'autobus ancora si muoveva. Si sentirono due colpi squarciati: l'uomo vestito di scuro, che stava per saltare sul predellino[1], restò per un attimo sospeso, come tirato su per i capelli da una mano invisibile; gli cadde la cartella di mano e sulla cartella lentamente si afflosciò.

Il bigliettaio bestemmiò: la faccia gli era diventata colore di zolfo, tremava. Il venditore di panelle, che era a tre metri dall'uomo caduto, muovendosi come un granchio cominciò ad allontanarsi verso la porta della chiesa. Nell'autobus nessuno si mosse, l'autista era come impietrito, la destra sulla leva del freno e la sinistra sul volante. Il bigliettaio guardò tutte quelle facce che sembravano facce di ciechi, senza sguardo; disse - l'hanno ammazzato - si levò il berretto e freneticamente cominciò a passarsi la mano tra i capelli; bestemmiò ancora.

I carabinieri - disse l'autista - bisogna chiamare i carabinieri.

Si alzò ed aprì l'altro sportello - ci vado - disse al bigliettaio.

Il bigliettaio guardava il morto e poi i viaggiatori. C'erano anche donne sul-

[1] predellino: gradino per salire e scendere.
[2] lastimavano: si lamentavano, maledicevano (dialettale).
[3] letargo: sonno.

l'autobus, vecchie che ogni mattina portavano sacchi di tela bianca, pesantissimi, e ceste piene di uova; di solito, lastimavano[2] ed imprecavano, ora stavano in silenzio, le facce come dissepolte da un silenzio di secoli.

Chi è? - domandò il bigliettaio indicando il morto.

Nessuno rispose. Il bigliettaio bestemmiò, era un bestemmiatore di fama tra i viaggiatori di quella autolinea, bestemmiava con estro: già gli avevano minacciato il licenziamento, ché tale era il suo vizio alla bestemmia da non far caso alla presenza di preti e monache sull'autobus. Era della provincia di Siracusa, in fatto di morti ammazzati aveva poca pratica: una stupida provincia, quella di Siracusa; perciò con più furore del solito bestemmiava.

Vennero i carabinieri, il maresciallo nero di barba e di sonno. L'apparire dei carabinieri squillò come allarme nel letargo[3] dei viaggiatori: e dietro al bigliettaio, dall'altro sportello che l'autista aveva lasciato aperto, cominciarono a scendere. In apparente indolenza, voltandosi indietro come a cercare la distanza giusta per ammirare i campanili, si allontanavano verso i margini della piazza e, dopo un ultimo sguardo, svicolavano. ∎

da Leonardo Sciascia, *Il giorno della civetta*, Einaudi, 1961

▷ Leonardo Sciascia

È stato uno dei più importanti scrittori italiani del '900. Di origine siciliana, Sciascia è conosciuto soprattutto per i suoi romanzi gialli in cui affronta il tema della mafia. *Il giorno della civetta* (1961) è senz'altro il suo romanzo più famoso. Protagonista del libro è un capitano di polizia che indaga in Sicilia sull'uccisione di un costruttore edile, scontrandosi con un clima di omertà e complicità che avvolge ogni cosa. Proprio quando la sua indagine arriverà a scoprire le responsabilità di un potente padrino, la politica bloccherà tutto. Va ricordato, sempre sullo stesso tema, anche il romanzo *A ciascuno il suo*.

12 Esercizio

Sei un autore di fumetti. Stai preparando la sceneggiatura della scena che hai letto per il fumetto "Il giorno della civetta".
Segui le istruzioni.

1. Scrivi quali sono i personaggi principali e i personaggi secondari.
2. Rileggi il brano e scegli 4 immagini da disegnare per il tuo fumetto. Le 4 immagini rappresentano i momenti più importanti della scena.
3. Confrontati con due compagni e discuti con loro delle 4 immagini che hai scelto. Insieme concordate una nuova lista di 4 immagini.
4. Formate dei gruppi con compagni diversi e concordate una nuova lista.
5. Prendete un foglio e dividetelo in 4 parti. Disegnate le 4 immagini. Aggiungete le didascalie e i dialoghi.

13 Analisi del discorso

13a *Sai cos'è una similitudine? Leggi la definizione qui sotto.*

Similitudine (dal latino *similitudo*, "somiglianza"): è un'espressione che permette di dare a una persona, a un animale o a una cosa le qualità o le caratteristiche tipiche di altri. Per fare una similitudine si usa spesso l'avverbio *come* o il verbo *sembrare*.

Anna è bella come il sole.   *Lucio mangia come un leone.*
Mio nonno ha 80 anni ma sembra un ragazzino.

13b *Trova e* sottolinea *nel testo dell'attività* **11b** *degli esempi di similitudine. Poi confrontati con un compagno e cerca di spiegarne il significato.*

14 Gioco

14a *Scrivi su un foglio delle similitudini riferite alle persone/cose della lista, senza scriverne il nome.*

Il mio/La mia insegnante	Un mio compagno/Una mia compagna di corso	Gli italiani
L'Italia Il mio paese	I miei connazionali La mia città	La mia casa
Un libro che ho letto	La grammatica italiana	

14b *Scambia il foglio con un compagno. A turno, leggete una similitudine sul foglio del compagno e indovinate a quale persona/cosa della lista si riferisce. Vince chi indovina più persone/cose.*

15 Scrivere

Alla fine di questa lezione, che idea hai della mafia? Cosa ti colpisce di più? Pensi che sia un fenomeno ineliminabile? Scrivi le tue impressioni.

UNITÀ 15

lingua

NON SOLO PAROLACCE

1 Introduzione

1a *Trova, tra le espressioni della lista, quella che non corrisponde alla definizione qui sotto.*

Parola o espressione offensiva rivolta contro qualcuno o qualcosa.

ingiuria   finezza   epiteto   insulto

espressione scurrile   volgarità   parolaccia

1b *Conosci qualche "parolaccia" in italiano? Hai mai sentito un italiano usarne qualcuna? E tu, ne hai mai usata qualcuna? In quali situazioni? Parlane con i compagni.*

 ATTENZIONE!!!
**Se non sopportate le parolacce,
i punti C, D ed E potrebbero essere
troppo "forti" per voi. In questo caso, passate
direttamente alla pagina seguente.**

1c *Le battute del dialogo che ascolterai, contengono delle espressioni volgari. Sai riconoscerne qualcuna?*
16

1d *Riascolta il dialogo e rispondi alle domande consultandoti con un compagno.*
16

1. Chi sono i personaggi?
2. Perché vengono usate le espressioni volgari?

1e *Nel dialogo viene usata un'espressione volgare tipicamente milanese. Qual è? Se necessario riascolta.*
16

Le battute del dialogo che hai ascoltato si trovano in una scena del film *Il trucido e lo sbirro*, ispirata al celebre ristorante romano *La parolaccia*, conosciuto per il servizio atipico a base di parolacce e insulti verso i clienti. In un'atmosfera giocosa e ridanciana, i camerieri recitano il ruolo dei "romani" volgari e indisponenti, trattando a male parole i clienti, tirandogli addosso i piatti e i tovaglioli e facendo battute pesanti e piene di doppi sensi.

2 Leggere - Gruppo A

2a *Dividetevi in due gruppi, A e B. Ogni studente del gruppo A legge il testo qui sotto e sceglie le affermazioni giuste. Lo stesso fa ogni studente del gruppo B con il testo a pag. 74.*

<u>GRUPPO A</u>

Dare del «rompic.»
si può / non si può

Lo ha stabilito la Corte di Cassazione in una sentenza

ROMA - Dare del «rompic...» a chi è troppo insistente **si può / non si può**. Lo ha stabilito la Corte di Cassazione con una sentenza che farà discutere. Infatti, pur denotando «disprezzo per l'interlocutore», l'espressione **può / non può** essere utilizzata senza incorrere in guai giudiziari se usata per difendersi dagli insistenti offensivi.

Il via libera arriva dalla Corte di Cassazione che, dopo aver esaminato il caso, ha annullato la condanna per il reato di ingiuria inflitta ad S. S., un 57enne imprenditore marchigiano che per diverso tempo aveva ricevuto telefonate dalla persona che aveva tamponato che «pretendeva con toni concitati un risarcimento per i danni subiti dalla sua motocicletta».

S. S., stancatosi delle continue pressioni e delle insistenze di R. T. che lo aveva pure «minacciato di denunciare il fatto alla stampa», per tutta risposta gli aveva dato del «rompic...».

Denunciato, S. S. era stato ritenuto colpevole di ingiuria dal giudice di Pace di Montegiorgio, nel luglio del 2006, ed era stato pure condannato a risarcire i danni ad R. T. per la sofferenza patita in seguito all'espressione.
Avendo S. S. fatto ricorso, il caso è passato all'esame della Corte di Cassazione, che adesso con un colpo di scena ha annullato la condanna, sostenendo che le insistenze del motociclista, come pure la «minaccia di denunciare il fatto» alla stampa, rappresentano «circostanze che possono ben determinare uno stato d'ira e dunque la conseguente **punibilità / non punibilità** dell'imputato». E così R. T., che credeva di aver avuto la meglio, si è visto alla fine dare torto. Insomma, gli insistenti sono avvertiti.

E pensare che un'espressione del genere, fino a qualche decennio fa, **sarebbe / non sarebbe** stata considerata altamente offensiva e certamente suscettibile di condanna da parte di un tribunale. ∎

da www.corriere.it

2b *Senza guardare il testo, confrontati con uno studente del tuo gruppo e di' cosa hai capito. Poi rileggi il testo.*

2c *Lavora con uno studente dell'altro gruppo, chiudi il libro e raccontagli di cosa parla il tuo testo.*

2d *Leggi il testo dell'altro gruppo. Poi torna a parlare con il compagno di prima.*

2e *Cosa pensi delle due sentenze? Discutine in gruppo con alcuni compagni.*

2 Leggere - Gruppo B

2a *Leggi il testo qui sotto e scegli le affermazioni giuste.*

GRUPPO B

Dire «str...» è / non è offensivo

Per i giudici della Corte di Cassazione non conta lo spirito con cui viene detto, ma ciò che significa

1 ROMA - Il linguaggio comune si è aperto a espressioni sempre più colorite e un tempo ritenute scurrili, ma la parola 5 "str..." resta una vera e propria "ingiuria" e rivolgerla a qualcuno **può** / **non può** costare caro. A stabilirlo è la Corte di Cassazione che ha condannato al pagamento di una multa un carabiniere col- 10 pevole di averla usata con disinvoltura nei confronti di un immigrato che, essendo stato sorpreso alla guida di un'automobile malgrado la sospensione della patente, aveva discusso con il pub- 15 blico ufficiale, protestando vivacemente.

Il carabiniere era stato assolto sia in primo che in secondo grado dall'accusa di ingiuria, ma la Cassazione ha 20 ribaltato il verdetto. I giudici di primo e secondo grado avevano stabilito che verso chi usa la parola "str..." **bisogna** / **non bisogna** avere una certa tolle- 25 ranza in quanto il suo intento offensivo è dubbio. Il carabiniere, secondo i giudici, avrebbe più verosimilmente utilizzato l'espressione "per indurre l'interlo- 30 cutore a desistere da contestazioni considerate canzonatorie".

Trascorsi solo pochi giorni dalla pubblicazione della sentenza, l'immigrato, 35 Habib H., aveva però presentato ricorso in Cassazione, facendo notare come l'espressione "str..." **fosse** / **non fosse** da considerare altamente offensiva. "I giudici di primo e secondo grado - si legge 40 nelle motivazioni della Corte di Cassazione - riconoscono l'offensività di quell'epiteto ripetutamente proferito dall'imputato nei confronti del suo interlocutore, ma dubitano che fosse 45 inteso effettivamente all'offesa, anche in considerazione dell'uso ormai abituale di espressioni simili nel contesto di accese discussioni".

Una tolleranza che la Corte di Cassazione ha ritenuto di non dover 50 avallare, sottolineando come "in tema di delitti contro l'onore non è richiesta la presenza di un'intenzione ingiuriosa", ma è sufficiente che si utilizzino "parole ed espressioni socialmente 55 interpretabili come offensive, cioè adoperate in base al significato che esse vengono oggettivamente ad assumere".

In definitiva, per la Cassazione **importa** 60 / **non importa** "quali fossero le intenzioni" del carabiniere, l'epiteto "str.." va bandito dal linguaggio corrente, punto e basta. Difficile dargli torto, almeno a sfogliare il dizionario della lingua italia- 65 na, dove alla voce "str..." si legge: "escremento solido di forma cilindrica". ∎

da www.repubblica.it

2b *Senza guardare il testo, confrontati con uno studente del tuo gruppo e di' cosa hai capito. Poi rileggi il testo.*

2c *Lavora con uno studente dell'altro gruppo, chiudi il libro e raccontagli di cosa parla il tuo testo.*

2d *Leggi il testo dell'altro gruppo. Poi torna a parlare con il compagno di prima.*

2e *Cosa pensi delle due sentenze? Discutine in gruppo con alcuni compagni.*

3 Analisi lessicale

3a *Senza guardare i due testi, collega ogni verbo di sinistra alle parole di destra e ricostruisci le espressioni. Poi scrivile nella terza colonna.*

verbo	parole	espressione
dare	caro	_____
avere	colpevole	_____
ritenere	la meglio	_____
costare	il verdetto	_____
ribaltare	torto	_____

3b *Nelle frasi qui sotto, estratte dai due testi, le espressioni che hai ricostruito al punto **3a** sono state sostituite con delle **espressioni** di significato opposto. Correggi le frasi sostituendo le espressioni cambiate con quelle giuste, poi consultati con un compagno.*

Denunciato, S. S. era stato **giudicato innocente**…

…la parola "str…" resta una vera e propria "ingiuria" e rivolgerla a qualcuno può **avere scarse conseguenze**.

E così R. T., che credeva di **aver avuto la peggio**, si è visto alla fine **dare ragione**.

Il carabiniere era stato assolto sia in primo che in secondo grado dall'accusa di ingiuria, ma la Cassazione ha **confermato la sentenza**.

3c *Qui sotto hai una lista di alcuni verbi (all'infinito) usati nei due testi dell'attività **2**. In 4 verbi il significato è stato scambiato. Trovali e rimettili al posto giusto.*

testo	riga	verbo	significati
A	8	**incorrere**	*andare a finire, venire a trovarsi (in una situazione spiacevole e spesso imprevista)*
A	15	**infliggere**	*imporre (una pena, un castigo, una sofferenza)*
A	18	**tamponare**	*abolire, eliminare, allontanare*
A	24	**minacciare**	*avvertire (qualcuno di fare qualcosa di negativo), spaventare*
A	24	**denunciare**	*accusare, portare a conoscenza dell'autorità giudiziaria*
A e B	31 e 8	**condannare**	*dichiarare innocente un imputato, liberare da un'accusa*
A	31	**risarcire**	*rimborsare, riparare un danno materiale mediante il pagamento di una somma di denaro*
A	34	**fare ricorso**	*chiedere un nuovo giudizio, chiedere il riesame di un caso giudiziario*
B	17	**assolvere**	*dichiarare qualcuno colpevole, punire*
B	30	**desistere**	*cessare, rinunciare*
B	42	**proferire**	*articolare, pronunciare in modo chiaro*
B	44	**dubitare**	*non ritenere possibile, non credere*
B	51	**avallare**	*appoggiare, sostenere, confermare, approvare*
B	63	**bandire**	*urtare, sbattere contro un veicolo*

4 Parlare

Lavorate in gruppi di 3: un giudice, un accusatore e un imputato. Scegliete una delle storie raccontata nei due articoli e preparatevi a rappresentare il processo. Poi recitate la scena davanti alla classe.

5 Analisi grammaticale

5a *Osserva i verbi **evidenziati** nelle frasi tratte dai due testi: sono tutti infiniti preceduti da una congiunzione o da una preposizione. Poi completa il box "Alcuni usi dell'infinito".*

1. (testo A, riga 48) - **E pensare** che un'espressione del genere, fino a qualche decennio fa, sarebbe stata considerata altamente offensiva…

2. (testo B, riga 7) - **A stabilirlo** è la Corte di Cassazione…

3. (testo B, riga 35) - Habib H., aveva però presentato ricorso in Cassazione, facendo notare come l'espressione "str…" fosse **da considerare** altamente offensiva.

4. (testo B, riga 64) - Difficile dargli torto, almeno **a sfogliare** il dizionario della lingua italiana…

Alcuni usi dell'infinito

L'infinito preceduto dalla preposizione _____ può sostituire frasi passive con valore di "dovere". (*Esempio n°* ____)

L'infinito preceduto dalla congiunzione _____ si può usare per esprimere incredulità e sorpresa. (*Esempio n°* ____)

L'infinito preceduto dalla preposizione _____ si può usare come prima parte di un discorso ipotetico ("se"), con forte significato modale e limitativo. (*Esempio n°* ____)

L'infinito preceduto dalla preposizione _____ può essere la prima parte di una frase scissa costruita con la forma implicita. (*Esempio n°* ____)

Il cinema italiano e la parolaccia

Il cinema italiano ha sempre usato una certa spontaneità e immediatezza dialettale per caratterizzare socialmente, culturalmente e linguisticamente i suoi personaggi. Genere celebre a questo proposito è la commedia all'italiana con Alberto Sordi, Ugo Tognazzi, Vittorio Gassman, solo per citarne gli interpreti più famosi. Verso la fine degli anni '70 si è sviluppato un genere "di serie B", in cui il dialetto ha lasciato spazio alla parolaccia ed alla vol-garità. Esempi di quegli anni sono le commedie sexy, caratterizzate da uno stile erotico-boccaccesco (con il pugliese Lino Banfi) e i gialli all'italiana interpretati (strano, ma vero!) dall'attore cubano Tomas Milian nei panni di "er monnezza", romano, volgare, sboccato protagonista di una serie di grande successo.
Negli ultimi anni si sono affermate pelli-

M. Tomas Milian

cole commerciali (come quelle dei fratelli Vanzina) in cui gli italiani vengono rappresentati sulla base di scontati luoghi comuni e volgari trovate comiche.

Lino Banfi

Alberto Sordi

M. Boldi e C. De Sica in un film dei fratelli Vanzina

5b *Ora osserva le altre forme implicite tratte dai due testi. Completa la tabella qui sotto e poi il box "Infinito, participio passato e gerundio" alle pagine seguenti.*

Testo e riga	Forma implicita	Modo e tempo	Soggetto della forma implicita	Il soggetto è uguale a quello della principale (SÌ/NO)?	L'azione espressa dal verbo è anteriore (A), contemporanea (C) o posteriore (P) rispetto a quella della principale?	Il participio/Il gerundio ha una funzione causale (PERCHÉ), temporale (QUANDO), modale (COME) o concessiva (ANCHE SE)?
A 6	denotando					
A 13	aver esaminato					
A 22	stancatosi					
A 24	denunciare					
A 28	Denunciato					
A 31	risarcire					
A 34	Avendo fatto					
A 37	sostenendo					
A 44	aver avuto					
B 10	averla usata					
B 12	essendo stato sorpreso					
B 15	protestando					
B 29	indurre					
B 33	Trascorsi					
B 36	facendo					
B 50	dover					
B 51	sottolineando					

6 Ascoltare

6a *Ascolta la prima parte del dialogo e cerca di capire dove sono i due e che rapporto c'è tra loro.*
17 *Poi, insieme a un compagno, prova a rispondere alla domanda che sentirai alla fine del brano.*

6b *Ora ascolta tutto il dialogo e cerca di capire quali opinioni hanno i due: in cosa sono d'accordo e in cosa no?*
18

6c *E tu? Con chi dei due sei più d'accordo? Perché?*

7 Analisi grammaticale

7a *Insieme a un compagno, osserva queste due battute tratte dal dialogo e cerca di capire cosa significano. Poi rispondete alla domanda.*

> Lei - Non **ce la faccio** più.
> Lui - Con chi **ce l'hai** oggi?

■ Che tipo di verbi sono quelli **evidenziati?**

7b *Rimetti in ordine le varie parti di questo testo. Avrai la risposta alla domanda del punto **7a**.*

subiscono un cambiamento di significato,

di "*non poterne più*"   moltissimi verbi che,

a volte piccolo (vestirsi, lavarsi),

è il significato   sono detti pronominali.

uniti a particelle pronominali o riflessive,

in altri casi molto marcato: È noto a tutti

cosa significa "*potere*",   ~~In italiano esistono~~

cioè essere stanco, esausto.   questi verbi

molto meno evidente

In italiano esistono...

7c *Riascolta il dialogo dell'attività **6b** e scrivi per ogni verbo pronominale l'esatta espressione pronunciata dai due, come nell'esempio.*

1. (Non) farcela (più): *Non ce la faccio più.*
2. avercela: _____
3. dirne (di tutti i colori): _____
4. andarsene: _____
5. entrarci: _____
6. prendersela: _____
_____
7. passarci (sopra): _____
8. sentirsela: _____
9. uscirsene: _____
10. buttarla (sul tragico): _____
_____
11. legarsela (al dito): _____
12. farla finita: _____

Infinito, participio passato e gerundio

Infinito

In genere si usa l'infinito nella frase secondaria quando il soggetto è **uguale a / diverso da** quello della principale.
Di solito l'infinito **presente / passato** nella frase secondaria esprime un'azione contem-poranea o posteriore rispetto a quella della frase principale e l'infinito **presente / passato** un'azione anteriore.

Participio passato

Il participio passato può avere funzione causa-le, temporale, concessiva, relativa.

In genere il participio passato nella frase secondaria esprime un'azione **anteriore / posteriore** rispetto a quella della frase principale.
Normalmente la principale e la secondaria **devono / non devono** avere lo stesso soggetto. Nelle frasi con valore temporale o causale ci

7d *Trova, per ogni verbo pronominale del punto **7c**, il significato giusto, come nell'esempio. Poi confrontati con un compagno e, se necessario, riascolta il dialogo.*

18

(n° ___) andare via, uscire

(n° ___) avere la forza, il coraggio di affrontare una situazione difficile

(n° ___) avere relazione con qualcuno o con qualcosa

(n° ___) criticare duramente qualcuno o qualcosa

(n° ___) non dimenticare un'offesa subita, in attesa che arrivi il momento di vendicarsi

(n° ___) dire qualcosa in modo imprevisto e inopportuno

(n° _2_) essere offesi, arrabbiati (con qualcuno)

(n° ___) drammatizzare

(n° ___) non dare importanza a qualcosa

(n° ___) offendersi, arrabbiarsi

(n° ___) non riuscire a sopportare qualcosa

(n° ___) smettere, interrompere di fare o dire qualcosa

7e *Scegli la regola giusta. Poi scrivi una frase di esempio che corrisponda alla regola.*

Nella coniugazione di un verbo pronominale:

☐ i pronomi riflessivi e le particelle pronominali ("ci", "ne", "la") cambiano in base alla persona a cui si riferiscono.

☐ i pronomi riflessivi cambiano in base alla persona a cui si riferiscono, mentre le particelle pronominali ("ci", "ne", "la") rimangono invariate.

☐ il pronome riflessivo "si" rimane invariato, mentre le particelle pronominali ("ci", "ne", "la") cambiano in base alla persona a cui si riferiscono.

Esempio: _____

---

possono essere soggetti diversi, ma in questo caso il soggetto della secondaria deve essere espresso subito dopo il participio passato.

Gerundio
Le funzioni del gerundio sono numerosissime. Tra queste sono molto frequenti la funzione causale, temporale, concessiva, modale e ipotetica.
In genere il gerundio semplice nella frase secondaria esprime un'azione **anteriore / contemporanea** rispetto a quella della frase principale e il gerundio composto un'azione **anteriore / posteriore**.

Generalmente il soggetto del gerundio nella frase secondaria è uguale a quello della frase principale. Esistono però frasi costruite con il cosiddetto "gerundio assoluto", un gerundio indipendente dal soggetto della frase principale, con un suo soggetto autonomo, che per questo va indicato chiaramente.

8 Gioco a squadre

La classe è divisa in squadre di 4/5 persone. Ogni squadra ha 7 minuti di tempo per capire il significato di tutti i verbi della lista. In questa fase è possibile usare il dizionario. Allo scadere dei 7 minuti l'insegnante dice un numero da 1 a 26 indicante un verbo della lista. Poi tira un dado una prima volta per selezionare il soggetto (1 = io, 2 = tu, 3 = lui/lei, 4 = noi, 5 = voi, 6 = loro) e una seconda volta per selezionare il modo e il tempo (1 = presente, 2 = passato prossimo, 3 = imperfetto, 4 = imperativo, 5 = condizionale semplice / composto, 6 = congiuntivo presente / passato / imperfetto / trapassato). Le squadre devono cercare di scrivere una frase corretta con il verbo pronominale corrispondente, coniugato alla persona e al modo e tempo indicato. Quando una squadra ha la frase pronta grida "FATTO!" e un suo rappresentante può andare alla lavagna a scriverla. Se la frase è corretta la squadra prende un punto, se è scorretta la squadra viene penalizzata di un punto e la seconda nuova squadra che si è prenotata può andare alla lavagna. In questa fase non si può usare il dizionario. Vince la squadra che per prima raggiunge 5 punti.

1. farcela
2. non farcela più
3. avercela
4. dirne (di tutti i colori)
5. andarsene
6. entrarci
7. prendersela
8. passarci (sopra)
9. sentirsela
10. uscirsene
11. buttarla (sul tragico)
12. legarsela (al dito)
13. farla finita
14. finirla
15. volerci
16. vederci
17. provarci
18. fregarsene
19. metterci
20. passarsela (bene/male)
21. mettercela (tutta)
22. smetterla
23. volerne (a qualcuno)
24. cavarsela
25. averne (abbastanza)
26. (non) poterne (più)

9 Esercizio

Leggi questo testo e scegli la forma giusta tra quella implicita e quella esplicita. Poi confrontati con un compagno. Attenzione, in alcuni casi solo una delle due possibilità è chiaramente corretta, in altri sono entrambe formalmente corrette, ma una delle due è stilisticamente più accettabile.

Piccolo viaggio intorno alla parolaccia

Dalla bestemmia all'imprecazione

Roberto Tartaglione

Considerate / Mentre sono state considerate fino a qualche tempo fa un'esclusiva degli uomini (era infatti giudicato di pessimo gusto usare espressioni volgari in presenza delle "signore"), negli ultimi anni le parolacce sono entrate nel linguaggio comune un po' a tutti i livelli: non solo fra le donne e fra i giovani, ma anche per colorire discorsi o espressioni particolari; e persino per radio, per televisione o sui giornali non è raro trovare / che si trovino parole che fino a qualche anno fa si ritenevano impronunciabili.

Volendo / Se si vuole schematizzare, si può dire che le "espressioni volgari" sono principalmente di tre tipi: la bestemmia, la parolaccia e l'imprecazione.

La bestemmia è un'offesa contro Dio o altre figure religiose, essendo sentita / ed è sentita come un'espressione estremamente pesante e volgare. Tuttavia in alcune regioni la bestemmia ha un valore molto meno forte: soprattutto in Toscana e in Veneto il suo uso è piuttosto diffuso essendone stata / e ne è prova il fatto che in alcune strade di queste regioni ancora troviamo antichi cartelli che invitano i passanti a "non bestemmiare".

Art. 724 -Chiunque bestemmia con invettive o parole oltraggiose contro la Divinità o Simboli, o le Persone venerati nella Religione ufficiale dello Stato, è punito con l'ammenda da L.100. a L.3000.

COMITATO CENTRALE ANTIBLASFEMO SOTTO LA PRESIDENZA ONORARIA DI S.M. IL RE

La parolaccia vera e propria è invece un insulto contro una persona. Tuttavia, essendo il suo uso / dopo che il suo uso è così frequente (perfino in senso positivo, quasi come complimento!) la sua violenza si è poco a poco alleggerita. Valga per tutti l'esempio di una tipica parolaccia romana, *figlio di mignotta* (da figlio di *madre ignota, sconosciuta*), in genere usata / che viene usata contro una persona per darle del "bastardo". Questa, pur essendo / pur se è un'offesa abbastanza grave, ha in romanesco una connotazione quasi affettuosa: infatti, nella logica popolare, i bambini figli di nessuno sono persone particolarmente furbe, abilissime nell'arte di arrangiarsi, dinamiche e capaci, abituate come sono a lottare con la vita giorno per giorno. Per questo, qualche volta, questa espressione può essere rivolta a un amico che, per aver dimostrato / siccome ha dimostrato la sua scaltrezza in qualche occasione speciale, è considerato particolarmente furbo e abile. Ma attenzione, valso questo / se questo vale per una regione (il Lazio), non è

la stessa cosa per un'altra e per esempio in Sicilia la stessa frase può suscitare giustamente una reazione pesante da parte di chi la riceve.

Esistono poi parolacce che, diffuse / dato che sono diffuse a livello nazio-

nale e per questo logorate / dato che sono logorate dall'uso continuo, hanno perso il loro significato originario acquisendone / e ne acquisiscono decisamente un altro: *casino*, per esempio, ha quasi sostituito il termine confusione, caos, perso / e ha perso il suo significato di "casa di tolleranza", "bordello", dando / come ha dato origine tra l'altro a numerosi derivati: *fare casino*, confondere le cose; *incasinato*, essere confuso; *casinista*, disordinato nel pensare o nell'agire. Ma se quest'ultima parola ancora conserva qualche residuo di volgarità e se ne sconsiglia l'uso in occasioni che non siano estremamente colloquiali, diverso è il caso del verbo *fregarsene* che avendo sostituito / poiché ha sostituito da tempo il verbo "infischiarsene", perdendo ormai / ha ormai perso completamente ogni riferimento al suo significato etimologico.

L'imprecazione è una parolaccia usata / che si usa solo per esprimere il proprio disappunto, o impiegata / che si impiega anche come intercalare, senza voler / che si voglia offendere nessuno e senza più nessun vero significato letterale, se non quello di esprimere rabbia, sorpresa, gioia, dolore e comunque un'emozione forte: un classico esempio è quello dell'espressione *cazzo!*, priva di qualunque riferimento sessuale e esclusivamente usata come imprecazione o intercalare. Di questo tipo di parolaccia avendo / abbiamo esempi anche in altre lingue: l'espressione inglese *fuck!*, quella tedesca *Scheisse!* o la francese *merde!*

Naturalmente per lo straniero, che in Italia ha presto l'occasione di conoscere varie forme di espressioni vol-

gari, ne è consigliabile un apprendimento esclusivamente passivo, perché difficilmente (a meno di non soggiornare / a meno che non soggiorni lungamente in questo paese) potrà imparare a dosare con esattezza la maggiore o minore gravità di determinate parolacce e l'opportunità di usarle senza rischiare una brutta figura o una reazione anche vivace dell'interlocutore. Infatti, per quanto se ne faccia un uso ormai abbastanza comune, per cui queste parole proferite / sono proferite quasi con leggerezza, esiste comunque sempre la parola "impronunciabile". Allo stesso tempo è vero che lo stesso criterio della "impronunciabilità" in italiano essendo dettato / è dettato più dal contesto che non dalla parola in sé. ∎

da Roberto Tartaglione -
Matdid, www.scudit.net

É IMPRESSIONANTE LA VIOLENZA CON CUI RIUSCIAMO A FOTTERCENE DI TUTTO.

ALTAN
BANANE

EINAUDI TASCABILI STILE LIBERO

10 Analisi della conversazione

10a *Qui sotto hai una parte del dialogo dell'attività **6***. Completalo scegliendo tra **ma** e **macché**.*
Poi confrontati con un compagno.

Lui - Va be', comunque… è la direttrice, uno lo sa che lei se n'esce in questo modo… pittoresco…

Lei - ¹_____ pittoresco è un'ignorante!

Lui - ²_____ sì… ³_____ certo che è un'ignorante. ⁴_____ sai com'è fatta. Punto. Basta. Non capisco perché stai ancora qui…

Lei - No no stavolta…

Lui - … a buttarla sul tragico.

Lei - Eh la butto sul tragico e stavolta me la sono legata al dito e se non viene lei a chiedermi scusa io certo non avrò nessuna …proprio… l'intenzione di… di avere a che fare con lei. Sappilo.

Lui - ⁵_____ falla finita…

Lei - No.

Lui - Dai.

Lei - Andiamo a prendere 'sto caffè, forza.

Lui - Andiamo a prendere 'sto caffè.

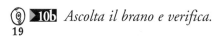

10b *Ascolta il brano e verifica.*
19

10c *Trova la giusta funzione per ognuna delle espressioni che hai inserito.*

- Indica il passaggio da un argomento a un altro - **N°** _____
- Esprime in modo energico una negazione, un'opposizione a un'affermazione - **N°** _____
- Serve a rafforzare un'affermazione, dando maggior enfasi o ironia - **N°** _____

11 Scrivere

Scrivi la continuazione di questo articolo.

Dall'ufficio al tribunale

La direttrice le dà della "rompipalle" e lei la denuncia

È arrivato fino alla Corte di Cassazione il caso di una dipendente di una ditta di Roma che, dopo aver avuto una discussione con la sua direttrice, l'aveva denunciata per un'espressione offensiva chiedendo anche un risarcimento per i danni subiti. I giudici di primo grado avevano…

UNO

extra

Antonio Tabucchi | Erri De Luca
da *Lettera da Casablanca* in | da "Tu mio" (1999)
"Il gioco del rovescio" (1981) |

Antonio Tabucchi
da *Lettera da Casablanca* in "Il gioco del rovescio" (1981)

L'autore

Antonio Tabucchi (Pisa, 24 settembre 1943 – Lisbona, 25 marzo 2012) è stato il maggior conoscitore, critico e traduttore dell'opera del poeta portoghese Fernando Pessoa.
Il suo primo libro, *Piazza d'Italia*, è stato pubblicato nel 1975 mentre l'ultimo, *Racconti con figure*, è uscito nel 2011. I suoi romanzi e saggi sono stati tradotti in 40 lingue. Tabucchi non è stato soltanto un letterato. Appassionato di politica e brillante polemista, non si è mai sottratto al confronto di idee e posizioni. Il suo nome è divenuto noto al grande pubblico con il romanzo del 1994, *Sostiene Pereira*, da cui è stato tratto anche un film di notevole successo.

Il libro

Il gioco del rovescio (racconto "Lettera da Casablanca")
Undici racconti legati da un filo conduttore: la scoperta che una cosa, che fino ad un certo momento si era immaginata potesse essere solo in un modo, può essere anche in un altro, e questo "come" alternativo si scoprirà solo nelle ultime righe del racconto.
È questo il *leit motiv* di questo libro di racconti, sempre tra finzione e realtà, tra fantasmi ed immaginazione.

1 Introduzione

1a *Leggi e cerca di capire l'inizio di questa lettera usando il dizionario e consultandoti con un compagno.*

> Cara Lina,
> non so perché comincio questa lettera parlandoti di una palma. Forse perché qui ci sono molte palme, le vedo che ondeggiano lungo i viali.

1b *Completa il paragrafo con le parti mancanti elencate di seguito. Attenzione: devi usare solo quattro dei cinque spazi. Fai attenzione alla punteggiatura. Quando hai finito consultati con un compagno.*

Cara Lina,
non so perché comincio questa lettera [____] parlandoti di una palma [____]. Forse perché qui ci sono molte palme, le vedo [____] che ondeggiano [____] lungo i viali [____].

1. dalla finestra di questo ospedale
2. , dopo diciotto anni che non sai più nulla di me
3. infuocati che si perdono verso il bianco
4. le lunghe braccia al vento torrido

2 Leggere

Leggi il testo. Poi rispondi alla domanda e confronta la tua risposta con quella di un compagno.

1 Cara Lina,

non so perché comincio questa lettera parlandoti di una palma, dopo diciotto
anni che non sai più nulla di me. Forse perché qui ci sono molte palme, le vedo
5 dalla finestra di questo ospedale che ondeggiano le lunghe braccia al vento torrido lungo i viali infuocati che si perdono verso il bianco. Davanti a casa nostra,
quando eravamo bambini, c'era una palma. Forse tu non la ricordi perché fu
abbattuta, se la memoria non mi inganna, l'anno che successe il fatto, comunque
il Cinquantatré, mi pare in estate, io avevo dieci anni. Noi abbiamo avuto un'in-
10 fanzia felice, Lina, tu non puoi ricordarla e nessuno ha potuto parlartene, la zia
presso la quale sei cresciuta non può saperlo, sì, certo, può dirti qualcosa di papà
e mamma, ma non può descriverti un'infanzia che lei non ha conosciuto e che tu
non ricordi. Lei abitava troppo lontana, lassù nel nord, suo marito era impiegato
di banca, si ritenevano superiori alla famiglia di un casellante, non erano mai
15 venuti a casa nostra. La palma fu abbattuta in seguito a un'ordinanza del ministero dei trasporti dove si sosteneva che essa impediva la visuale dei convogli e poteva provocare un incidente. Chissà poi che incidente poteva provocare quella
palma cresciuta tutta in altezza, con un ciuffo di rami che spazzolava la nostra
finestra al primo piano. Quello che semmai poteva dare un leggero fastidio, dal
20 casello, era il tronco, un tronco più esile di un palo della luce, e certo non poteva
impedire la visuale dei convogli. Ad ogni modo dovemmo buttarla giù, non c'era
niente da fare, il terreno non era mica nostro. La mamma, che a volte aveva le idee
in grande, una sera a cena propose di scrivere una lettera al ministro dei trasporti in persona firmata da tutta la famiglia, genere petizione.

da Antonio Tabucchi, "Lettera da Casablanca" in *Il gioco del rovescio*, Mi, Feltrinelli, 1981

- **Qual è, secondo te, la relazione tra l'autore della lettera e Lina?**

3 Analisi lessicale

*Scegli il significato più appropriato nel testo per le parole **evidenziate**.*

Cara Lina,

non so perché comincio questa lettera parlandoti di una palma, dopo diciotto anni che non sai più nulla di me. Forse perché qui ci sono molte palme, le vedo dalla finestra di questo ospedale che ondeggiano le lunghe braccia al vento **torrido** lungo i viali infuocati che si perdono verso il bianco. Davanti a casa nostra, quando eravamo bambini, c'era una palma. Forse tu non la ricordi perché fu **abbattuta**, se la memoria non mi inganna, l'anno che successe il fatto, comunque il Cinquantatré, mi pare in estate, io avevo dieci anni. Noi abbiamo avuto un'infanzia felice, Lina, tu non puoi ricordarla e nessuno ha potuto parlartene, la zia presso la quale sei cresciuta non può saperlo, sì, certo, può dirti qualcosa di papà e mamma, ma non può descriverti un'infanzia che lei non ha conosciuto e che tu non ricordi. Lei abitava troppo lontana, lassù nel nord, suo marito era impiegato di banca, si ritenevano superiori alla famiglia di un **casellante**, non erano mai venuti a casa nostra. La palma fu abbattuta in seguito a un'ordinanza del ministero dei trasporti dove si sosteneva che essa impediva la visuale dei **convogli** e poteva provocare un incidente. Chissà poi che incidente poteva provocare quella palma cresciuta tutta in altezza, con **un ciuffo di** rami che **spazzolava** la nostra finestra al primo piano. Quello che semmai poteva dare un leggero fastidio, dal **casello**, era il **tronco**, un tronco più **esile** di un palo della luce, e certo non poteva impedire la visuale dei convogli. **Ad ogni modo** dovemmo buttarla giù, non c'era niente da fare, il terreno non era mica nostro. La mamma, che a volte aveva le idee in grande, una sera a cena propose di scrivere una lettera al ministro dei trasporti in persona firmata da tutta la famiglia, genere **petizione**.

torrido: 1. molto caldo 2. molto freddo 3. molto forte

casellante: 1. casalinga 2. chi controlla i treni 3. chi controlla le macchine

convogli: 1. pochi 2. disordinati 3. tanti

casello: 1. piccola casa 2. cucina 3. casa per controllare i treni

tronco: 1. palo 2. parte di un albero 3. piccolo albero

Ad ogni modo: 1. Sicuramente 2. Forse 3. Comunque

abbattuta: 1. coperta 2. tagliata 3. rubata

convogli: 1. persone 2. macchine 3. treni

spazzolava: 1. toccava 2. rompeva 3. faceva vento

esile: 1. largo 2. leggero 3. piccolo

petizione: 1. protesta 2. domanda formale 3. lettera per scusarsi

uno extra

4 Scrivere

Sei la madre dell'autore della lettera che hai letto. Scrivi la lettera da indirizzare al Ministro dei Trasporti.

5 Analisi grammaticale

5a *Segui l'esempio e inserisci nello schema i pronomi* **sottolineati**.

1   Cara Lina,

non so perché comincio questa lettera parlando**ti** di una palma, dopo diciotto anni che non sai più nulla di me. Forse perché qui **ci** sono molte palme, **le** vedo
5 dalla finestra di questo ospedale che ondeggiano le lunghe braccia al vento torrido lungo i viali infuocati che **si** perdono verso il bianco. Davanti a casa nostra, quando eravamo bambini, **c'**era una palma. Forse tu non **la** ricordi perché fu abbattuta, se la memoria non **mi** inganna, l'anno che successe il fatto, comunque il Cinquantatré, **mi** pare in estate, io avevo dieci anni. Noi abbiamo avuto un'in-
10 fanzia felice, Lina, tu non puoi ricordar**la** e nessuno ha potuto parlar**tene**, la zia presso la quale sei cresciuta non può saper**lo**, sì, certo, può dir**ti** qualcosa di papà e mamma, ma non può descriver**ti** un'infanzia che lei non ha conosciuto e che tu non ricordi.

Pronome prima del verbo	Pronome attaccato alla fine del verbo
	*Parlando**ti***

5b *Lavora con un compagno e ricava dallo schema la regola riguardo alla posizione del pronome rispetto al verbo. Poi rispondete insieme alla domanda. Infine consultatevi e risolvete i vostri dubbi con il resto della classe e l'insegnante.*

_____

* **Conosci altri casi in cui il pronome si attacca alla fine del verbo?**

_____

6 Ascoltare

Quando l'Infinito è retto da un verbo modale, la posizione del pronome attaccato alla fine del verbo non è obbligatoria. Riscrivi il brano qui sotto anticipando la posizione del pronome come nell'esempio.

> Noi abbiamo avuto un'infanzia felice, Lina, tu non puoi ricordarla e nessuno ha potuto parlartene, la zia presso la quale sei cresciuta non può saperlo, sì, certo, può dirti qualcosa di papà e mamma, ma non può descriverti un'infanzia che lei non ha conosciuto e che tu non ricordi.

Noi abbiamo avuto un'infanzia felice, Lina, tu non la puoi ricordare...

7 Analisi grammaticale

7a *Leggi la continuazione del testo.*

> Diceva così: "Egregio Signor Ministro, in relazione alla circolare numero tal dei tali, protocollo tal dei tali, riguardante la palma situata nel piccolo terreno antistante al casello numero tal dei tali della linea Roma – Torino, la famiglia del casellante informa l'Eccellenza Vostra che la suddetta palma non costituisce nessun impaccio alla visuale dei convogli di passaggio. Si prega dunque di lasciare in piedi la suddetta palma essendo l'unico albero del terreno, a parte una rada pergola di vite che cresce sulla porta ed essendo molto amata dai figli del casellante, facendo specialmente compagnia al bambino che essendo di natura cagionevole è costretto spesso a letto e almeno può vedere una palma nel riquadro della finestra che se no vedrebbe solo aria che dà malinconia, e per testimoniare dell'amore che i figli del casellante hanno per il suddetto albero basta dire che l'hanno battezzata, e non la chiamano palma ma la chiamano Giosefine, dovuto questo nome al fatto che avendoli noi portati una volta al cinema in città a vedere Quarantasette morto che parla con Totò, nel film luce si vedeva la celebre cantante negra francese col suddetto nome che ballava con un copricapo bellissimo fatto con foglie di palma, e allora i nostri bambini siccome quando c'è vento la palma si muove come se ballasse la chiamano la loro Giosefine." Questa lettera è una delle poche cose che mi sono restate della mamma, è la brutta copia della petizione che inviammo, la mamma la scrisse di suo pugno sul mio quaderno dei temi, e così, per un caso fortuito, quando fui mandato in Argentina me la portai dietro senza saperlo, senza immaginare il tesoro che poi avrebbe costituito per me quella pagina.

da Antonio Tabucchi, "Lettera da Casablanca" in *Il gioco del rovescio*, Mi, Feltrinelli, 1981

7b *Scrivi cinque aggettivi che descrivano l'autore della lettera e accanto copia la parte del testo che ti ha ispirato l'aggettivo. Poi confronta quello che hai scritto con un compagno.*

Aggettivo	Parte del testo

7c *Lavora con lo stesso compagno e rispondete insieme alle domande.*

1. Secondo te, Antonio Tabucchi come giudica il personaggio autore della lettera?

2. Secondo te, perché Tabucchi ha scelto di usare il genere epistolare?

3. Il genere epistolare ti piace? E perché?

Erri De Luca
da "Tu mio" (1999)

L'autore

Erri De Luca è nato a Napoli nel 1950. Nel 1968, a Roma, abbraccia l'azione politica respingendo la carriera diplomatica alla quale era avviato. Negli anni '70, è dirigente attivo nel movimento d'estrema sinistra Lotta Continua. Sarà in seguito operaio qualificato alla FIAT, magazziniere all'aeroporto di Catania, camionista, poi muratore, e come tale lavorerà in diversi cantieri francesi, africani e italiani. Benché non avesse smesso di scrivere dall'età di vent'anni, il suo primo libro, *Non ora, non qui*, è pubblicato in Italia soltanto nel 1989.

Ha imparato numerose lingue da autodidatta, tra cui lo yiddish e l'ebraico per tradurre la *Bibbia*, alla quale dedica ogni giorno un'ora di lettura, anche se si dichiara non credente.

Il libro

Tu mio

Il romanzo è raccontato in prima persona e parla delle vicende vissute da un ragazzo durante un'estate passata all'isola di Ischia. Il libro affronta varie tematiche che caratterizzano la fase adolescenziali come la solitudine, l'amore, il farsi accettare dai più grandi...

1 Introduzione

1a *In questo paragrafo sei **parole** sono spostate dalla loro posizione originale. Fai attenzione alle concordanze grammaticali e alla logica e prova a rimettere a posto il testo.*

I miei coetanei non mi salutavano più. Ma c'era tra loro una **piazza** di quindici anni che mi seguiva con gli occhi quando incontravo il loro gruppo. Solo l'**attenzione** prima avrei fatto capriole in **ragazza** per una sua **spinta**. Mi spiaceva quell'errore di tempo che scombinava i desideri senza farli incontrare. Mi sarei voluto spiegare con lei, ma mi mancava la **isola** ad avvicinarmi. Le ricambiavo gli occhi nei passaggi obbligati dell'**estate**.

Riscrivi il testo:

_____

_____

_____

1b *Gira il libro e leggi il testo corretto.*

I miei coetanei non mi salutavano più. Ma c'era tra loro una ragazza di quindici anni che mi seguiva con gli occhi quando incontravo il loro gruppo. Solo l'estate prima avrei fatto capriole in piazza per una sua attenzione. Mi spiaceva quell'errore di tempo che scombinava i desideri senza farli incontrare. Mi sarei voluto spiegare con lei, ma mi mancava la spinta ad avvicinarmi. Le ricambiavo gli occhi nei passaggi obbligati dell'isola.

2 Leggere

2a *La classe si divide in quattro gruppi. Ogni studente di un gruppo riceve lo stesso paragrafo da leggere. Per questa fase gli studenti leggono individualmente per 5 minuti e se vogliono possono usare il dizionario. Istruzioni e materiale da fotocopiare sono a pagina 92.*

2b *I gruppi si consultano al loro interno per cercare insieme di risolvere i problemi legati alla comprensione.*

2c *Si formano le squadre, composte da studenti appartenenti a gruppi diversi. Da questo momento in poi non è più possibile consultare il testo. Al via dell'insegnante gli studenti di ogni squadra devono raccontarsi il contenuto dei paragrafi che hanno letto in modo da ricostruire la giusta sequenza, successivamente al primo paragrafo che hanno letto al punto 1. Quando una squadra pensa di avere la soluzione, chiama l'insegnante. Se è corretta vince, altrimenti si va avanti.*

2d *Leggi il testo completo.*

1   I miei coetanei non mi salutavano più. Ma c'era tra loro una ragazza di quindici anni che mi seguiva con gli occhi quando incontravo il loro gruppo. Solo l'estate prima avrei fatto capriole in piazza per una sua attenzione. Mi
5   spiaceva quell'errore di tempo che scombinava i desideri senza farli incontrare. Mi sarei voluto spiegare con lei, ma mi mancava la spinta ad avvicinarmi. Le ricambiavo gli occhi nei passaggi obbligati dell'isola.
    Un pomeriggio la vidi passare da sola sulla spiaggia dei
10 pescatori. Era un posto fuori dalle passeggiate, da raggiungere apposta. Stavo di spalle al mare di fronte a Nicola e la vidi venire guardandosi intorno. Aveva un vestito da campagnola e i sandali da uomo e una nuvola di capelli chiari sciolti, lavati di fresco. Le feci un cenno,
15 lei mi salutò fermandosi a distanza. Non sapeva che fare, così mi alzai e lei mi venne incontro. Le presentai Nicola, "piacere, Eliana", Nicola si scusò che non poteva darle la mano che era sporca, lei gliela prese, ugualmente sul lato del dorso e fu chiaro che eravamo in tre in imbarazzo.
20 Chiesi dov'era diretta, alzò le spalle a dimostrare in nessun luogo e prima che potessi augurarle buona passeggiata mi aveva già chiesto di accompagnarla. "Fino a lì?" chiesi, ripetendo il gesto che aveva fatto lei. Sorrise con un sì. Salutammo Nicola e c'incamminammo verso il
25 castello dove le strade dell'isola finiscono.
    Passammo nei vicoli, io scalzo e arruffato lei pulita e diretta. Le spiegai il desiderio che avevo d'imparare la pesca. Le raccontai che frequentavo i ragazzi più grandi quell'anno perché c'era mio cugino Daniele, ma che
30 pure lì, come tra i miei coetanei, non mi trovavo bene. In un momento mi prese la mano per camminare così. "Non sono buono a reggerti la mano, già te la sporco. Sono cambiato, non so neppure come. Ho dei pensieri da uomo, avere figli, lavorare, lasciare gli studi. Mi è
35 venuta fretta d'imparare lontano, non posso venire a prenderti sotto scuola con un motorino che non ho e non desidero. Non posso portarti alle feste il sabato, farmi conoscere dai tuoi genitori come il tuo ragazzo,

sentire che dicono sì, è un bravo ragazzo. Non sono un
40 bravo ragazzo. Solo poco tempo fa non lo sapevo così bene."
    Guardava davanti intenta in un pensiero che le stringeva le sopracciglia al centro e le incideva la fronte. Lasciò due passi andare in silenzio poi mi rispose che non sape-
45 va cosa le stava succedendo. Mi conosceva da prima, però non aveva pensieri per me, né per altri ragazzi. Disse che le pesava la vita di gruppo dei coetanei, la novità delle dichiarazioni di amore che si moltiplicavano per contagio e concorrenza. Aveva cominciato a
50 guardarmi per bisogno di distogliere lo sguardo e poi i coetanei mi accusavano di fare il grande scegliendo di stare con gli amici di mio cugino. Poi s'indurì la voce, si asciugò quel po' di cantilena che sta nella corsa di parole dei ragazzi: "Voglio tentare di stare con te. Voglio cre-
55 dere che è possibile, anche se non per ora, anche da lontano. Ho bisogno che non somigli a nessuno e tu sei questo".
    Da una cucina al piano terra usciva odore di gamberi fritti e si portava dietro nel passaggio anche il profumo
60 di una sporta di fichi sul balcone: tiravo su tutto nel naso, pure la mia voce. La mano che avevo ritirato la rimisi. Mi riportava indietro, ai tempi giusti della mia età, venendomi a cercare con lo sbaraglio che poteva inventare dentro di sé una brava ragazza degli anni cin-
65 quanta. Passeggiammo zitti fino all'ingresso del castello, dove l'isola si sporge nel mare con un arrocco. "Ti ho lasciato un segno di grasso sul palmo, provo a levartelo." Tra gli scogli dell'istmo c'era qualche pietra pomice, scesi a prenderne una. Le strofinai il palmo, piano, le si
70 velarono gli occhi, "Non fa male?", "No". "Allora non essere infelice." "Non sono infelice", caddero le due prime lacrime, che vengono chiamate a coppie e da qui i poeti hanno imparato le rime. Le raccolsi con la pietra pomice e pulii via il nero dalla mano, "Evviva, funziona"
75 scherzai per farla ridere e rise tirando su col naso.

da Erri De Luca, Tu mio, Mi, Feltrinelli, 1999.

3 Analisi lessicale

Trova nel testo le parole o le espressioni che hanno un significato analogo a quelle scritte di seguito (sono in ordine). Poi confrontati con un compagno.

	riga n°	
Persone della stessa età	*1*	coetanei
Confondeva		
Forza, coraggio		
Con l'intenzione di farlo		
Dove si deve andare per forza		
Piccolo saluto		
Verso di me		
Cominciammo a camminare		
Senza scarpe		
Spettinato, disordinato		
Stavo spesso insieme		
Anche		
Provocava una sensazione di disagio		
Influenza		
Ritmo monotono		
Velocità		
Cesto, borsa grande		
Confusione		
Dal 1950 al 1959		
Piccola strada sul mare che unisce due tratti di costa		

La costruzione riflessiva con un modale nei tempi composti

1. Quando c'è un verbo modale in un tempo composto, l'ausiliare è sempre quello del verbo all'infinito e non quello del modale. Scegli gli esempi corretti.

Ausiliare *avere*
- ☐ *Finalmente ieri **ho** potuto incontrare Lucia.*
- ☐ *Mia figlia **avrebbe** dovuto andare dal medico.*

Ausiliare *essere*
- ☐ *Finalmente ieri **sono** potuto incontrare Lucia.*
- ☐ *Mia figlia **sarebbe** dovuta andare dal medico.*

2. I tempi composti dei verbi riflessivi vogliono sempre l'ausiliare ***essere***. Scegli l'esempio corretto.

Ausiliare *avere*
- ☐ *Oggi mi **ho** stancato moltissimo.*

Ausiliare *essere*
- ☐ *Oggi mi **sono** stancato moltissimo.*

4 Analisi grammaticale

4a *Trova nel testo almeno 15 forme verbali al passato remoto, 3 al passato prossimo e 4 al trapassato prossimo. Inseriscile nella tabella, poi confronta con un compagno.*

Riga	Passato remoto	Riga	Passato prossimo	Riga	Trapassato prossimo
9	vidi				

4b *Con lo stesso compagno del punto precedente, rifletti sulle seguenti domande:*

1. Qual è il tempo verbale del racconto?

2. A quale scopo l'autore utilizza, in questo brano, il trapassato prossimo?

3. Qual è la differenza di uso che l'autore fa, in questo brano, tra passato remoto e passato prossimo?

---

3. Quando c'è una **costruzione riflessiva con un modale**, l'ausiliare è sempre *essere*. Scegli l'esempio corretto, poi verifica alla riga 6 del testo di Erri De Luca.

Ausiliare *avere*	**Ausiliare** *essere*
☐ *Mi **avrei** voluto spiegare con lei.*	☐ *Mi **sarei** voluto spiegare con lei.*

4. In questa costruzione (**riflessiva con un modale**), il pronome può precedere il verbo (come nell'esempio estratto dal testo di De Luca) oppure può essere attaccato all'infinito. In questo caso, l'ausiliare è sempre *avere*. Trasforma la frase seguente:

Mi sarei voluto spiegare con lei =

_____ voluto spiegarmi con lei.

Appendice

Prima di entrare in classe l'insegnante deve fotocopiare questa pagina e ritagliare i quattro paragrafi indicati.
Ripetere l'operazione in modo che sia disponibile un paragrafo per ogni studente.
Attenzione: Questa attività è possibile se la classe è composta almeno da quattro studenti.

▶ Quattro paragrafi da tagliare

Un pomeriggio la vidi passare da sola sulla spiaggia dei pescatori. Era un posto fuori dalle passeggiate, da raggiungere apposta. Stavo di spalle al mare di fronte a Nicola e la vidi venire guardandosi intorno. Aveva un vestito da campagnola e i sandali da uomo e una nuvola di capelli chiari sciolti, lavati di fresco. Le feci un cenno, lei mi salutò fermandosi a distanza. Non sapeva che fare, così mi alzai e lei mi venne incontro. Le presentai Nicola, "piacere, Eliana", Nicola si scusò che non poteva darle la mano che era sporca, lei gliela prese, ugualmente sul lato del dorso e fu chiaro che eravamo in tre in imbarazzo. Chiesi dov'era diretta, alzò le spalle a dimostrare in nessun luogo e prima che potessi augurarle buona passeggiata mi aveva già chiesto di accompagnarla. "Fino a lì?" chiesi, ripetendo il gesto che aveva fatto lei. Sorrise con un sì. Salutammo Nicola e c'incamminammo verso il castello dove le strade dell'isola finiscono.

- -

Passammo nei vicoli, io scalzo e arruffato lei pulita e diretta. Le spiegai il desiderio che avevo d'imparare la pesca. Le raccontai che frequentavo i ragazzi più grandi quell'anno perché c'era mio cugino Daniele, ma che pure lì, come tra i miei coetanei, non mi trovavo bene. In un momento mi prese la mano per camminare così. "Non sono buono a reggerti la mano, già te la sporco. Sono cambiato, non so neppure come. Ho dei pensieri da uomo, avere figli, lavorare, lasciare gli studi. Mi è venuta fretta d'imparare lontano, non posso venire a prenderti sotto scuola con un motorino che non ho e non desidero. Non posso portarti alle feste il sabato, farmi conoscere dai tuoi genitori come il tuo ragazzo, sentire che dicono sì, è un bravo ragazzo. Non sono un bravo ragazzo. Solo poco tempo fa non lo sapevo così bene."

- -

Guardava davanti intenta in un pensiero che le stringeva le sopracciglia al centro e le incideva la fronte. Lasciò due passi andare in silenzio poi mi rispose che non sapeva cosa le stava succedendo. Mi conosceva da prima, però non aveva pensieri per me, né per altri ragazzi. Disse che le pesava la vita di gruppo dei coetanei, la novità delle dichiarazioni di amore che si moltiplicavano per contagio e concorrenza. Aveva cominciato a guardarmi per bisogno di distogliere lo sguardo e poi i coetanei mi accusavano di fare il grande scegliendo di stare con gli amici di mio cugino. Poi s'indurì la voce, si asciugò quel po' di cantilena che sta nella corsa di parole dei ragazzi: "Voglio tentare di stare con te. Voglio credere che è possibile, anche se non per ora, anche da lontano. Ho bisogno che non somigli a nessuno e tu sei questo".

- -

Da una cucina al piano terra usciva odore di gamberi fritti e si portava dietro nel passaggio anche il profumo di una sporta di fichi sul balcone: tiravo su tutto nel naso, pure la mia voce. La mano che avevo ritirato la rimisi. Mi riportava indietro, ai tempi giusti della mia età, venendomi a cercare con lo sbaraglio che poteva inventare dentro di sé una brava ragazza degli anni cinquanta. Passeggiammo zitti fino all'ingresso del castello, dove l'isola si sporge nel mare con un arrocco. "Ti ho lasciato un segno di grasso sul palmo, provo a levartelo." Tra gli scogli dell'istmo c'era qualche pietra pomice, scesi a prenderne una. Le strofinai il palmo, piano, le si velarono gli occhi, "Non fa male?", "No". "Allora non essere infelice." "Non sono infelice", caddero le due prime lacrime, che vengono chiamate a coppie e da qui i poeti hanno imparato le rime. Le raccolsi con la pietra pomice e pulii via il nero dalla mano, "Evviva, funziona" scherzai per farla ridere e rise tirando su col naso.

società

VITA D'UFFICIO

1 Introduzione

1a *Hai mai lavorato in ufficio? Parlane con un compagno. Se non hai fatto questa esperienza, immagina come vorresti che fosse la tua vita da impiegato.*

1b *Compila il questionario rispondendo alle domande. Puoi scegliere tre risposte per ogni domanda. Alla fine scopri che impiegato sei sommando i punti relativi ad ogni risposta (tra parentesi).*

Per lei

Cosa trovi più opportuno indossare o portare sul lavoro?	E cosa trovi invece più sconveniente?
Capelli in ordine (1)	Tatuaggio in vista (2)
Minigonna (4)	Scarpe *decolleté* (5)
Un gioiello (2)	Pantaloni a vita bassa con lo slip in evidenza (1)
Top con bretelline che lasciano scoperto l'ombelico (8)	Più orecchini per orecchio (3)
Trucco discreto (1)	Orecchino al naso (2)
Cellulare "silenziato" (1)	Tailleur (1)
Gonne lunghe dal ginocchio in giù (1)	Ciabatte infradito (4)
Pantaloni non attillati (2)	Bretelline del reggiseno in vista (5)
Unghie ben curate (1)	Capelli colorati con tinte stravaganti (1)

Per lui

Cosa trovi più opportuno indossare o portare sul lavoro?	E cosa trovi invece più sconveniente?
Capelli in ordine (2)	Tatuaggio in vista (1)
Jeans stracciati (8)	Giubbino di jeans (3)
Barba di un giorno (6)	Gemelli (8)
Orologio (1)	Orecchino all'orecchio (4)
Mocassini (4)	Orecchino al naso (3)
Giacca (2)	Pantaloni a vita bassa con lo slip in evidenza (1)
Camicia (1)	Cravatta (8)
Pantaloni corti (7)	Sandali (2)
Cellulare "silenziato" (1)	Capelli colorati con tinte stravaganti (1)

Per lei e lui

Cosa trovi più opportuno fare sul lavoro?		E cosa trovi invece più sconveniente?	
Obbedire ciecamente al capo (5)	Rispettare gli orari (1)	Protestare (3)	Litigare con un collega (7)
Instaurare buoni rapporti con i colleghi (1)	Resistere in silenzio (7)	Non riuscire ad essere tra i migliori (2)	Arrivare sempre in ritardo (8)
Accettare le *avances* del direttore/della direttrice (10)	Lavorare bene (2)	Corteggiare i colleghi/le colleghe (1)	Navigare in internet in orario di lavoro (2)
Protestare se penso di aver subìto un torto (4)	Avere buone idee (2)	Usare il telefono della ditta per telefonate personali (4)	Rispondere sempre di sì ai superiori (4)
	Mostrare il proprio successo (7)	Litigare con tutti (9)	

4 Gioco

Guardate queste immagini tratte da "Camera cafè", una popolare sit-com. In coppia scrivete una descrizione del carattere e della personalità di ogni personaggio, a partire dal suo look. Poi a turno ogni coppia legge ad un'altra la propria descrizione. L'altra coppia deve indovinare di quale personaggio si tratta. Infine scegliete la descrizione scritta meglio, più chiara e simpatica.

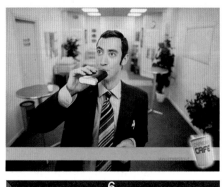

5 Analisi grammaticale

5a *Trova, nel paragrafo 1 del testo dell'attività **2**, un esempio di costruzione **spersonalizzante** (vedi Unità **11**, pag. 22).*

5b *La costruzione con il **si** spersonalizzante non è l'unica possibilità per chi vuole "nascondere" chi o cosa fa l'azione espressa dal verbo. Ne conosci altre? Discutine con un compagno.*

COSTRUZIONI SPERSONALIZZANTI
Costruzioni usate perché permettono di "nascondere" chi fa l'azione espressa da un verbo (o perché è ritenuto inutile, o perché non si vuole indicarlo o perché non si sa chi/che cosa sia).

5c *Continua a lavorare con un compagno. Cercate nel testo dell'attività **2** le costruzioni indicate nella seconda colonna della tabella, riportando nella terza colonna le frasi e indicando infine nella quarta se sono costruzioni spersonalizzanti oppure no.*

paragrafo	tipo di costruzione	frase	spersonalizzante?
1	con *si* spersonalizzante + oggetto diretto		☐ sì ☐ no
2	con *si* spersonalizzante + riflessivo		☐ sì ☐ no
2	passiva		☐ sì ☐ no
2	attiva con soggetto *"uno"*		☐ sì ☐ no
3	attiva con soggetto alla seconda persona singolare: *tu*		☐ sì ☐ no
4	riflessiva		☐ sì ☐ no
5	con verbo impersonale		☐ sì ☐ no
6	con *si* spersonalizzante senza oggetto diretto		☐ sì ☐ no

6 Ascoltare

6a *In questa trasmissione radiofonica vengono intervistate delle persone. Quante? Fai una X per ogni persona che risponde all'intervista, poi confrontati con un compagno e riascolta.*

_____

6b *Secondo te qual è la domanda che il giornalista pone alle persone intervistate? Prova a scriverlo qui sotto, poi riascolta e infine consultati con un nuovo compagno.*

_____

_____

_____

6c *Come risponderesti tu alla domanda dell'intervistatore? Discutine con lo stesso compagno con cui hai lavorato prima.*

L'amore in ufficio

Secondo un sondaggio di Datamedia, realizzato per la rivista *Men's Health*, un italiano su dieci esercita la sua attività erotica sul posto di lavoro, attardandosi oltre l'orario di chiusura o avventurandosi in pericolosi raid durante le pause. E dal Kamasutra alla New Economy, le posizioni si adattano alle circostanze esterne: il 38,8% degli intervistati preferisce la classica scrivania, il 12,2% si esibisce in ascensore, l'8,2% opta per il bagno e il 14,3% non precisa altre soluzioni improvvisate. Denominatore comune del sesso al lavoro è la fretta. Che siano i ritmi della globalizzazione o la paura di essere scoperti, raramente la durata della performance supera la manciata di minuti. Il 13,2% oscilla tra i 5 e i 10 minuti, il 28,8% si avventura tra i 10 e i 15, un eroico 21,2% sale tra i 15 e 30 minuti. Resta un 4,4% sotto i 5 minuti: più veloci di un'e-mail. Ad uso delle mogli avvezze ai "Farò tardi anche stasera", ecco l'identikit del *sex-worker*: tra i 45 e i 64 anni, sposato e residente nelle regioni del Nord-Est. Partner dei fanatici della sveltina in colletto bianco sono colleghe e segretarie, ma anche addette alle pulizie e cameriere. E se il rapporto vissuto a cavallo tra riunioni e briefing, soddisfa il 78% degli intervistati, meno entusiaste (23%) sono le donne, che considerano il sesso da ufficio un eccitante aperitivo, in attesa di piatti più sostanziosi. Un consiglio quindi, agli stakanovisti della fretta. Qualche volta portatevi il lavoro a casa. O almeno in albergo.

da *www.businessonline.it*

7 Analisi della conversazione

7a *Nel dialogo una delle intervistate ride mentre parla. Ascolta più volte questa parte e sottolinea le parole o le parti in cui ride. Poi confrontati con un compagno.*

> Beh parecchie. Sì, sì sì di solito…. è una delle… dei posti dove si tradisce di più è proprio sul… sul posto di lavoro. Però a me personalmente non è mai capitato.

7b *Cosa significa la risata in questo contesto?*

☐ **imbarazzo**   ☐ **gioia**   ☐ **divertimento**   ☐ **presa in giro**

7c *In coppia cercate di riprodurre la risposta. Fate attenzione alle pause e alle risate. Quando vi sembra di aver raggiunto la giusta intonazione cambiate coppia e sentite il parere del vostro nuovo compagno.*

7d *Ancora in coppia riascoltate l'intervista completa dell'attività **6** e cercate di individuare quali altri intervistati ridono sulle parole, verificando anche se ridono con le stesse intenzioni riscontrate al punto **7b**.*

8 Leggere

8a *Leggi e scegli il disegno che meglio rappresenta l'inizio del racconto "Il Sondar" di Stefano Benni. Poi consultati con un compagno.*

> " - Il nostro è un lavoro duro ma quanto mai affascinante - disse il direttore del giornale al giovane giornalista neoassunto.
> Il direttore del giornale fumava una sigaretta americana sulla poltrona girevole tedesca e teneva sulla lucidissima scrivania svedese due lustrissime scarpe inglesi che riflesse sembravano quattro scarpe inglesi.
> Il neogiornalista era seduto rigido con aria umile, e teneva i piedi avvitati l'uno all'altro, cosicché sembrava che avesse una sola scarpa inglese. "

☐ 1   ☐ 2   ☐ 3

8b *Continua a leggere il racconto di Stefano Benni. Poi <u>sottolinea</u> nel testo le frasi che descrivono i disegni. Infine confrontati con un compagno.*

" - Il suo curriculum è buono, ma un diploma con lode alla scuola di giornalismo governativo non basta, dovrà farsi le ossa, impegnarsi duramente e imparare dai veterani. Sa quante difficoltà incontrerà, ragazzo mio?

Il direttore del giornale corrugò la fronte come chi sta per dire qualcosa di importante, il neoassunto spalancò gli occhi come chi si appresta a udire qualcosa di importante.

- Vede, tre cose la dovranno guidare nel suo lavoro presso di noi. *La prima* è la sua coscienza professionale e di cittadino.

Nel dire questo il direttore alzò un dito solenne, il giovane aspirante chinò la testa reverente.

- *La seconda*, naturalmente, *è il suo magistero*.

Il direttore guardò fisso negli occhi il giovane giornalista, il quale restò indeciso se distogliere rispettosamente lo sguardo o virilmente sostenerlo, e nel dubbio intrecciò i bulbi oculari fino a raggiungere lo strabismo tipico dei gatti detti siamesi.

- *La terza cosa*, la può vedere sulla scrivania di ogni giornalista e anche sulla mia, è il Sondar SCE, ovvero Sondaggio Continuato di Efficienza.

Il direttore indicò lo schermo nero, rotondeggiante, ritto su uno stelo di metallo, che come un enorme girasole incombeva sulle loro teste. Il giovane giornalista lo osservò timoroso.

- Il suo funzionamento è semplice: poiché negli anni passati ci sono state molte, troppe polemiche sulla scarsa obiettività dell'informazione, e su pregiudiziali atteggiamenti "anti" e "filo" governativi, il governo ha deciso di affidare la questione a un arbitro imparziale. Il Sondar, appunto. "

1

2

3

4

8c *Ora leggi l'ultima parte del racconto.*

Il direttore attese un cenno di assenso dal giovane giornalista. Dopo pochi secondi, la testa del giovane giornalista si mosse su e giù per indicare assenso. - Mentre lei lavora, giovanotto, l'istituto governativo dei sondaggi segnala al Sondar, in ogni momento della giornata, il suo indice di gradimento presso i lettori. Dopo ogni articolo, verrà fatto subito un sondaggio. Finché lei manterrà alta la sua quota di popolarità, farà parte del nostro giornale. Quando essa si abbasserà, sarà licenziato. Ricordi bene: il Sondar non perdona!

Il direttore guardò il giovane giornalista per vedere se si era spaventato. Il giovane giornalista si era spaventato. - Naturalmente io stesso sono sottoposto al controllo del Sondar. Questo garantisce la democraticità del nostro giornale: siamo tutti sottoposti al giudizio popolare e questo è infinitamente meglio delle cosiddette libere opinioni. Ma il Sondar non la deve paralizzare, giovane collega! È evidente che se io sono arrivato così in alto, è perché conosco bene le regole del Sondar, so conciliare l'imparzialità delle notizie e la libertà della redazione. Io la guiderò, la consiglierò, la avvertirò quando lei rischierà di far arrabbiare il Sondar. Io sarò al tempo stesso il suo direttore e il suo garante. È chiaro? Ci sono domande?

- Sì - disse il giovane giornalista - cos'è quella luce rossa che si è accesa sul Sondar?

Il direttore sapeva che cosa significava la luce rossa. Il giovane giornalista no.

Una voce femminile proveniente dal Sondar disse con ferma dolcezza:

- Signor direttore, ci dispiace informarla che nell'ultimo sondaggio odierno lei è sceso al ventunesimo posto della classifica di popolarità nazionale. Ciò non le consente di proseguire nel suo incarico. Ha tre minuti di tempo per raccogliere le sue cose. La ringraziamo del lavoro svolto e le formuliamo i nostri migliori auguri.

Il Sondar sputò una busta gialla. Il direttore raccolse rapidamente un paio di stilografiche, un'agenda, una foto della moglie, un revolver, un cagnolino di porcellana e per ultima la busta.

- È la mia liquidazione - disse con voce appena un po' alterata e uscì dalla stanza.

La luce rossa del Sondar si spense. Il giovane giornalista rimase solo per una ventina di secondi, dopodiché la porta si aprì ed entrò un nuovo direttore.

- Il nostro è un lavoro duro ma quanto mai affascinante - disse il direttore del giornale al giovane giornalista neoassunto.

da Stefano Benni, *Il Sondar,* in
"L'ultima lacrima", Feltrinelli, 1994

Stefano Benni

Giornalista, scrittore e poeta, Stefano Benni ha collaborato e collabora con numerose testate. Lo stile di Benni si caratterizza per l'uso originale ed innovativo del linguaggio, l'acutezza nel cogliere gli aspetti più aberranti della società moderna, la sua comicità stralunata e l'inesauribile fantasia nella creazione di mondi immaginari e straordinari.

Il suo primo libro, *Bar Sport*, è uscito nel 1976. Da allora la sua produzione ha spaziato dai romanzi, ai racconti, alle raccolte di poesie, al teatro, e perfino al cinema. Ogni suo nuovo lavoro è il segno di una continua crescita, con la composizione di opere di carattere fantastico fortemente legate alla situazione politica e sociale contemporanea. Tra le opere principali: *Il bar sotto il mare* (1987) *Baol* (1990), *L'ultima lacrima* (1994), *Elianto* (1996), *Achille piè veloce* (2003), *Margherita dolcevita* (2005), *Pane e tempesta* (2009), *Di tutte le ricchezze* (2012).

9 Parlare

Forma un gruppo di tre o quattro studenti e mettete in scena "Il Sondar". Cercate di essere il più fedeli possibile al racconto, drammatizzando espressioni, movimenti, sentimenti e intenzioni dei personaggi.

10 Ascoltare

10a *Dall'intervista che stai per ascoltare sono state eliminate le domande. Al loro posto sentirai 5 secondi di silenzio. Ascolta le risposte e poi, insieme ad un compagno, cerca di immaginare le domande. Ascolta tutte le volte necessarie. Attenzione: la prima domanda era all'inizio del brano.*

Domanda 1: _____

Domanda 2: _____

Domanda 3: _____

Domanda 4: _____

10b *Ascoltate l'intervista completa e verificate se il senso delle vostre domande era esatto.*

11 Analisi lessicale

*La classe si divide in gruppi di 4 studenti. Ogni gruppo ha il compito di cercare nel racconto completo di Stefano Benni le parole corrispondenti alle definizioni qui sotto. Accanto ad ogni definizione si deve scrivere la parola e scegliere la sua categoria grammaticale (**S** = sostantivo, **AG** = aggettivo, **V** = verbo, **AV** = avverbio, **C** = congiunzione).*
*Allo **STOP** dell'insegnante tutte le squadre devono fermarsi. Vince la squadra che ottiene più punti calcolando che: vale 1 punto la parola giusta e vale 1 punto la categoria grammaticale corretta.*

definizione	parola	S	AG	V	AV	C
approvazione						
perciò, quindi						
far coesistere senza contrasti						
soltanto						
stringere la pelle della fronte come segno e preoccupazione						
prepararsi						
persona che ha ottenuto da poco una regolare assunzione						
cioè, in altre parole						
con un atteggiamento che manifesta grande rispetto						
sfera						
definito in questo modo (per indicare la specificità di un termine)						
elemento di sostegno a forma di fusto						
fino a quando						
permettere						
denaro che il lavoratore prende alla fine del suo lavoro						
piegare verso il basso						
che ha la superficie così liscia e pulita da riflettere la luce, lucido						
dell'occhio						
che valuta o giudica in modo obiettivo senza favorire nessuno						
persona che ha il lavoro di sorvegliare che tutto sia in ordine						
particolare abilità nel fare qualcosa						
come è normale, chiaramente						
nel periodo in cui, nel momento in cui						

12 Analisi grammaticale

12a *Come sai, in italiano esistono due articoli (quello determinativo e quello indeterminativo). A cosa servono, cosa indicano e qual è la loro differenza? Discutine con un compagno cercando anche di verificare se nella vostra lingua gli articoli funzionano come in italiano.*

12b *Continua a lavorare in coppia. Completate la prima parte del racconto di Stefano Benni inserendo gli articoli determinativi e indeterminativi negli spazi. Modificate le preposizioni se necessario, come nell'esempio. Quando avete finito confrontate il vostro lavoro con l'originale e cercate di capire le ragioni delle differenze, se ci sono, consultando anche l'insegnante.*

- Il nostro è _____ lavoro duro ma quanto mai affascinante - disse _____ direttore ~~di~~ *del* giornale a _____ giovane giornalista neoassunto.

Il direttore di _____ giornale fumava _____ sigaretta americana sulla poltrona girevole tedesca e teneva sulla lucidissima scrivania svedese due lustrissime scarpe inglesi che riflesse sembravano quattro scarpe inglesi.

Il neogiornalista era seduto rigido con aria umile, e teneva _____ piedi avvitati l'uno all'altro, cosicché sembrava che avesse _____ sola scarpa inglese.

- _____ suo curriculum è buono, ma _____ diploma con lode alla scuola di giornalismo governativo non basta, dovrà farsi _____ ossa, impegnarsi duramente e imparare da _____ veterani. Sa quante difficoltà incontrerà, ragazzo mio? _____ direttore di _____ giornale corrugò _____ fronte come chi sta per dire qualcosa di importante, _____ neoassunto spalancò _____ occhi come chi si appresta a udire qualcosa di importante.

- Vede, tre cose la dovranno guidare in _____ suo lavoro presso di noi. *La prima è* _____ sua coscienza professionale e di cittadino.

Nel dire questo _____ direttore alzò _____ dito solenne, il giovane aspirante chinò _____ testa reverente.

- *La seconda*, naturalmente, è _____ *suo magistero*.

Il direttore guardò fisso negli occhi _____ giovane giornalista, il quale restò indeciso se distogliere rispettosamente _____ sguardo o virilmente sostenerlo, e nel dubbio intrecciò i bulbi oculari fino a raggiungere _____ strabismo tipico dei gatti detti siamesi.

- *La terza cosa*, la può vedere su _____ scrivania di ogni giornalista e anche su _____ mia, è _____ Sondar SCE, ovvero Sondaggio Continuato di Efficienza.

Il direttore indicò lo schermo nero, rotondeggiante, ritto su _____ stelo di metallo, che come _____ enorme girasole incombeva sulle loro teste. Il giovane giornalista lo osservò timoroso.

12c *Lavora in gruppo sulla seconda parte del racconto di Stefano Benni. Potete inserire l'articolo determinativo, l'articolo indeterminativo oppure lasciare lo spazio bianco, senza inserire nulla. Modificate le preposizioni se necessario, come al punto* **12b**. *Poi verificate sul testo originale.*

- Il suo funzionamento è semplice: poiché negli anni passati ci sono state molte, troppe polemiche su _____ scarsa obiettività dell'informazione, e su _____ pregiudiziali atteggiamenti "anti" e "filo" governativi, _____ governo ha deciso di affidare la questione a _____ arbitro imparziale. Il Sondar, appunto.

_____ direttore attese _____ cenno di assenso dal giovane giornalista. Dopo pochi secondi, _____ testa del giovane giornalista si mosse su e giù per indicare _____ assenso.

- Mentre lei lavora, giovanotto, _____ istituto governativo dei sondaggi segnala al Sondar, in ogni momento della giornata, _____ suo indice di gradimento presso i lettori. Dopo ogni articolo, verrà fatto subito _____ sondaggio. Finché lei manterrà alta _____ sua quota di _____ popolarità, farà parte del nostro giornale. Quando essa si abbasserà, sarà licenziato. Ricordi bene: il Sondar non perdona!

Il direttore guardò il giovane giornalista per vedere se si era spaventato. Il giovane giornalista si era spaventato.

- Naturalmente io stesso sono sottoposto a _____ controllo del Sondar. Questo garantisce la democraticità di _____ nostro giornale: siamo tutti sottoposti al giudizio popolare e questo è infinitamente meglio delle cosiddette libere opinioni. Ma il Sondar non la deve paralizzare, _____ giovane collega! È evidente che se io sono arrivato così in _____ alto, è perché conosco bene le regole del Sondar, so conciliare l'impar-

zialità delle notizie e la libertà della redazione. Io la guiderò, la consiglierò, la avvertirò quando lei rischierà di far arrabbiare il Sondar. Io sarò a _____ tempo stesso il suo direttore e il suo garante. È chiaro? Ci sono _____ domande?

- Sì - disse il giovane giornalista - cos'è quella luce rossa che si è accesa sul Sondar?

Il direttore sapeva che cosa significava la luce rossa. Il giovane giornalista no.

Una voce femminile proveniente dal Sondar disse con _____ ferma dolcezza:

- _____ Signor direttore, ci dispiace informarla che nell'ultimo sondaggio odierno lei è sceso al ventunesimo posto della classifica di _____ popolarità naziona-

le. Ciò non le consente di proseguire in _____ suo incarico. Ha tre minuti di _____ tempo per raccogliere le sue cose. La ringraziamo di _____ lavoro svolto e le formuliamo i nostri migliori auguri.

Il Sondar sputò _____ busta gialla. Il direttore raccolse rapidamente _____ paio di stilografiche, _____ agenda, _____ foto di _____ moglie, _____ revolver, _____ cagnolino di _____ porcellana e per ultima _____ busta.

- È la mia liquidazione - disse con _____ voce appena un po' alterata e uscì dalla stanza.

La luce rossa del Sondar si spense. Il giovane giornalista rimase solo per una ventina di secondi, dopodiché la porta si aprì ed entrò un nuovo direttore.

- Il nostro è un lavoro duro ma quanto mai affascinante - disse il direttore del giornale al giovane giornalista neoassunto.

▶**12d** *Leggi nel box qui sotto le regole sull'omissione dell'articolo e trova nei testi delle attività **12b** e **12c** un esempio per ognuno dei casi spiegati.*

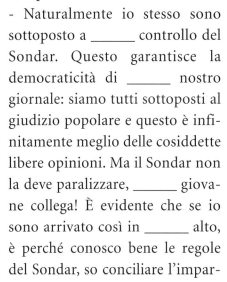

Omissione dell'articolo Uno degli aspetti più difficili della lingua italiana consiste nel decidere se bisogna o no usare l'articolo. Frasi come **È l'avvocato** (con l'articolo determinativo), **È un avvocato** (con l'articolo indeterminativo) o **È avvocato** (senza articolo) non sono affatto intercambiabili. Nel primo caso infatti la presenza dell'avvocato è già nota all'interlocutore; nel secondo caso chi parla fornisce un'informazione nuova sull'identità di una persona; nel terzo caso l'informazione riguarda il mestiere di una persona che l'interlocutore già conosce o ha visto o che per lo meno è già stata presentata nella discussione. Oltre che con alcuni nomi geografici, con	nomi propri di persona e con alcune determinazioni di tempo e di luogo, l'articolo viene omesso: 1. quando corrisponde ad un articolo indeterminativo plurale (a volte formato dalla preposizione articolata: **di +** articolo determinativo): **ho ancora (dei) dubbi**, **in Italia ci sono (delle) isole molto belle**; 2. in molte locuzioni avverbiali: **in fondo**, **di certo**, **a proposito**; 3. in molte locuzioni verbali: **avere sonno**, **provare pietà**, **sentire caldo**;	4. nelle locuzioni in cui un sostantivo si integra con un altro per esprimere un significato unico: **sala da pranzo**, **ferro da stiro**, **pasta di mandorla**; 5. in alcune espressioni di valore modale **(come?)** o strumentale **(con che cosa?)**: **in macchina**, **a piedi**, **di nascosto**; 6. in espressioni di tipo vocativo nel discorso diretto: **Professore, vorrei dirle una cosa**; 7. molto spesso dopo la preposizione **di**, con senso di specificazione.

13 Scrivere e parlare

Dividetevi in squadre. Il numero delle squadre deve essere 2 o 4 o 6, composte da almeno tre persone. Ogni squadra A ha una squadra B come avversario.

istruzioni per la squadra A	istruzioni per la squadra B
Unitevi alla squadra B per decidere qual è il settore lavorativo in cui vi interessa preparare il colloquio di lavoro e scegliete tra: caporedattore della cronaca locale di un giornale, insegnante in una scuola di lingua o altro che decidete insieme alla squadra B. Avete 5 minuti.	*Unitevi alla squadra A per decidere qual è il settore lavorativo in cui vi interessa preparare il colloquio di lavoro e scegliete tra: caporedattore della cronaca locale di un giornale, insegnante in una scuola di lingua o altro che decidete insieme alla squadra A. Avete 5 minuti.*
*Voi siete i candidati. Cioè dovrete sottoporvi ad un colloquio di lavoro. Ascoltate più volte l'intervista dell'attività **10b** per capire quali sono le modalità migliori per preparare un colloquio. Avete 10 minuti.*	*Voi siete i selezionatori. Ascoltate più volte l'intervista dell'attività **10b** per capire cosa vi domanderanno i candidati durante il colloquio. Avete 10 minuti*
Due di voi preparano il colloquio orale come viene spiegato nell'audio. Avete 10 minuti. *Gli altri (o l'altro) compilano il curriculum vitae (vedi modello a pag. 105), lo fanno leggere ai compagni e quindi lo consegnano alla squadra B. Avete 5 minuti.* *Poi unitevi e ascoltate le prove di colloquio dei vostri compagni. Aiutateli e insieme scegliete chi sosterrà il colloquio.*	*Preparate l'annuncio con cui cercate un candidato (vedi modelli qui sotto) per un posto di lavoro nella vostra azienda. E presentatelo alla squadra A. Avete cinque minuti.* *Leggete il curriculum consegnato dalla squadra A e immaginate come fare il colloquio.* *Avete 5 minuti.*
Inizia il colloquio che uno di voi deve sostenere con gli esaminatori, cioè la squadra B.	*Inizia il colloquio con il candidato, cioè un componente della squadra A.*

▶ SQUADRA B ESEMPIO DI ANNUNCIO DI RICERCA DI LAVORO

TrovoLavoro.it   **Le migliori carriere cominciano qui.**

| Il mio Trovolavoro | Cerca le offerte | Guide & Test | Formazione | Login 🔵 | Registrazione e inserimento CV 🔵 |

OFFERTE DI LAVORO

1 SEGRETARIA AMMINISTRATIVA
Azienda di inserimento: centro di elaborazione contabile.
Descrizione dell'attività: attività di segreteria, disbrigo di pratiche presso gli uffici esterni, gestione del centralino e dell'attività di front office. Trascrizione di pratiche contabili ed amministrative.
Requisiti del candidato ideale: diploma di ragioneria o equivalenti; età compresa tra i 24 e i 35 anni; conoscenza almeno scolastica della lingua inglese. Velocità di scrittura con word e capacità d'utilizzo dei principali applicativi in ambiente windows (excell - power point). Esperienza maturata in analoga posizione presso aziende o studi professionali. Capacità organizzativa, autonomia operativa, precisione e determinazione.

L'azienda offre: assunzione a tempo indeterminato e retribuzione commisurata all'esperienza.
Sede di lavoro: Brescia centro -
Referente: Dr.ssa Francesca Bonari

Azienda operante in ambito web ricerca collaboratori per attività di indicizzazione posizionamento di siti internet sui motori di ricerca.

Casting: siamo una società di produzioni discografiche con sede in Vimodrone, cerchiamo voci liriche femminili con età massima 35 di anni.

▶ **SQUADRA A** ESEMPIO DI MODELLO DI CURRICULUM VITAE

NOME: _____ COGNOME: _____

INDIRIZZO _____

CAP _____ CITTA': _____

TITOLO DI STUDIO 1 _____ ANNO_____

TITOLO DI STUDIO 2 _____ ANNO_____

ESPERIENZE DI LAVORO 1 _____

_____ DA _____ A_____

ESPERIENZE DI LAVORO 2 _____

DA _____ A_____

ESPERIENZE DI LAVORO 3 _____

_____ DA _____ A_____

LINGUE CONOSCIUTE 1 _____ LIVELLO _____

LINGUE CONOSCIUTE 2 _____ LIVELLO _____

LINGUE CONOSCIUTE 3 _____ LIVELLO _____

HOBBY _____

ALTRE INFORMAZIONI UTILI _____

_____

_____.

arti

SCRITTORI

1 Introduzione

1a *È letteratura oppure no? Leggi i brani e decidi se si tratta o meno di letteratura. Poi consultati in gruppo con alcuni compagni e spiega il perché delle tue decisioni.*

Es. 1

"È stato calcolato che il peso delle formiche esistenti sulla terra è pari a venti milioni di volte quello di tutti i vertebrati."
Così lo scultore ottocentesco Amos Pelicorti detto il Mirmidone rispondeva a coloro che gli chiedevano perché componesse le sue opere in mollica di pane. Da quando aveva letto la notizia su un giornale era rimasto a tal punto folgorato da lasciare le predilette sculture in marmo per il candore alternativo della farina. I suoi capolavori venivano sfornati caldi e dati in pasto alle formiche.

Sì ☐ No ☐

Es. 2

Per gli esseri umani, una delle specie più sociali mai apparse sulla Terra, riconoscere un volto è così importante che c'è una parte del nostro cervello che si è evoluta apposta per individuare esclusivamente le facce: un onore che non ha avuto nessun'altra parte del corpo né alcun altro oggetto.

Sì ☐ No ☐

Es. 3

Quel ramo del lago di Como d'onde esce l'Adda e che giace fra due catene non interrotte di monti da settentrione a mezzogiorno, dopo aver formati vari seni e per così dire piccioli golfi d'ineguale grandezza, si viene tutto ad un tratto a ristringere.

Sì ☐ No ☐

Es. 4

Ho detto per anni che dopo il liceo avrei fatto l'archeologa: mi sembrava una buona mediazione tra tutto quello che gli altri si aspettavano da me.
Ma non era vero: io volevo fare la commessa come la mamma di Katia.
La commessa alla Upim, part-time. Tutta la vita.

Sì ☐ No ☐

Es. 5

La mia ditta è una tra le prime aziende in Italia nel settore dell'arredamento per bar, pasticcerie, gelaterie, gastronomie, alimentari, macellerie e articoli per la piccola e media distribuzione.
La mia ditta ha un *know-how* dovuto a oltre quaranta anni di esperienza nel settore e si sviluppa su un'area di trentaduemila metri quadrati con ventunomila metri quadrati interamente coperti e millesettecento metri quadrati di palazzina uffici ed esposizione.

Sì ☐ No ☐

Es. 6

C'è ancora buio alla stazione di Novara. Una folla silenziosa scivola nei sottopassaggi e riemerge a colonne sulle banchine, uomini e donne in fila indiana. Incappucciati per il freddo, le borse in mano, lo zainetto in spalla. Sono tutti pendolari. L'altoparlante, la mattina di giovedì 8 febbraio, comincia presto a dare brutte notizie: "Il treno proveniente da Torino Porta Nuova arriverà con venticinque minuti di ritardo".

Sì ☐ No ☐

Es. 7

La battaglia cominciò puntualmente alle dieci del mattino. Dall'alto della sella, il luogotenente Medardo contemplava l'ampiezza dello schieramento cristiano, pronto per l'attacco, e protendeva il viso al vento di Boemia, che sollevava odor di pula come da un'aia polverosa.

Sì ☐ No ☐

1b *Il brano qui sotto è tratto da un racconto di una giovane scrittrice (Valeria Parrella) ed è la continuazione di uno degli spezzoni del punto 1a. Quale? Leggi il brano, trova la parte precedente del racconto e poi consultati con un compagno.*

Noi studiavamo la matematica, e poi alle medie la tecnica, e poi al liceo il greco, e lei sempre i giorni dispari a un certo punto si alzava e si andava a preparare per il lavoro. Io la seguivo in bagno per guardare come si truccava, ero affascinata dalla procedura.

2 Leggere

Continua la lettura del racconto di Valeria Parrella.

Quello che non ricordo più

1 "L'archeologa".
Ho detto per anni che dopo il liceo avrei
fatto l'archeologa: mi sembrava una
buona mediazione tra tutto quello che
5 gli altri si aspettavano da me.
Ma non era vero: io volevo fare la commessa come la mamma di Katia.
La commessa alla Upim, part-time.
Tutta la vita.
10 Noi studiavamo la matematica, e poi alle
medie la tecnica, e poi al liceo il greco, e
lei sempre i giorni dispari a un certo
punto si alzava e si andava a preparare
per il lavoro. Io la seguivo in bagno per
15 guardare come si truccava, ero affascinata dalla procedura.
Katia di là mi chiamava sulle analisi logiche, per lei erano la conquista, la chiave
del cambiamento. Io di logico non ci
20 trovavo niente su quei fogli e l'unica
cosa che sognavo di cambiare nella mia
vita era il colore dell'ombretto. Tutti i
giorni.
La mamma di Katia si truccava, chiac-
25 chierava di cose bellissime, leggere come
la cipria. Cose che non andavano valutate, sulle quali non si reggeva il mondo.
Cose che non ricordo più.
Al loro posto ricordo che il predicativo

30 del soggetto non è quello dell'oggetto,
anche se può sembrarlo.
Insomma la realtà si poteva scomporre
su vari livelli, mentre sulla faccia della
mamma di Katia si ricomponeva perfet-
35 tamente nel make-up e, senza che lei lo
sapesse, nella sua parola, la parola che
portava in un vortice le comari[1], i costumi, le diete, la scopa elettrica.
Poi se ne andava al lavoro e io, se potevo
40 immaginarmi in un modo, mi ci immaginavo così.
Con il camice del negozio a passare per
gli scaffali.
"L'archeologa", dice-
45 vo sempre, ma gli
unici pezzi che avrei
voluto   inventare
erano i saponi, le
schiume da barba,
50 quelle per i capelli.
Avrei voluto toglier-
mi le scarpe sotto la
cassa e chiacchierare
con i clienti, vedere
55 tutti i giorni le stesse
persone per qua-
rant'anni, e a fine
giornata lamentarmi

del mal di schiena, delle nuove arrivate,
del caldo.   60
"L'archeologa".
Ma tutto quello che di interessante c'era
da disseppellire, da scavare e da scoprire,
mi stava intorno. ■

da Valeria Parrella, *Quello che non ricordo più* in
"Mosca più balena", minimum fax, Roma, 2003

[1] **comari:** donne, amiche. Tipico dell'italia centromeridionale.

Valeria Parrella

È nata nel 1974 in provincia di Napoli. Laureata in Lettere Classiche, lavora all'Ente Nazionale Sordomuti di Napoli. Nel frattempo scrive racconti.
Nel 2003 ha esordito con una raccolta di sei racconti intitolata *Mosca più balena* (Premio Campiello Opera Prima 2004). Con la sua seconda raccolta, *Per grazia*

ricevuta, è entrata nella cinquina finale del Premio Strega 2005. I suoi racconti sono tradotti in Germania, Francia, Spagna e Stati Uniti. Nel 2008 ha pubblicato il suo primo romanzo, *Lo spazio bianco*, da cui nel 2009 è stato tratto l'o-monimo film, per il quale ha vinto il premio *Tonino Guerra* al Bif&st 2010 per il miglior soggetto. Nel 2011 ha pubblicato il romanzo *Lettera di dimissioni*.

3 Analisi grammaticale

3a *Quella qui sotto è una tipica domanda che si fa ai bambini. Immagina una risposta possibile.*

- Che cosa farai da grande?

- _____.

3b *Ora trasforma il discorso diretto del punto **3a** in un discorso indiretto. Poi confronta con un compagno.*

Mi hanno chiesto cosa _____.

Ho risposto _____.

3c *Lavora con un piccolo gruppo di compagni.*
All'inizio del racconto di Valeria Parrella c'è un discorso indiretto molto simile a quello che avete costruito.
*Trovatelo e confrontatelo con la seconda frase che avete creato al punto **3b**. È lo stesso tempo verbale?*
Perché l'autrice lo ha usato? Discutete e poi confrontate le vostre risposte leggendo il box grammaticale sulla posteriorità nel discorso indiretto.

3d *Nel testo ci sono altri due verbi coniugati nello stesso modo e tempo di quello che hai trovato al punto **3c**.*
Hanno la stessa funzione? Discutine con alcuni compagni.

▶ Italiani lettori pigri

Che in Italia si legga meno che in altri paesi è vero. La spesa pro-capite per l'acquisto di libri in Italia è una delle più basse in Europa. Le copie di quotidiani vendute in Italia, in proporzione al numero degli abitanti, sono superiori soltanto a quelle di Grecia e Turchia. Il numero di lettori di libri e di quotidiani in Italia è salito in modo consistente fra gli anni Sessanta e gli anni Novanta, ma è rimasto comunque ai livelli più bassi fra i paesi europei.
Contrariamente a quanto afferma il senso comune, tutte le ricerche esistenti confermano che i giovani sono lettori di libri. La fascia d'età tra i 18 ed i 25 anni è quella in cui si concentra il numero maggiore di lettori "occasionali" e di lettori "regolari" (cioè, secondo le categorie più correnti, quelli che leggono fra 3 e 10 libri non scolastici all'anno). I giovani sono meno rappresentati nella fascia dei lettori "forti" (oltre 10 libri), che rappresentano però, in ogni caso, una percentuale ridotta dell'insieme di tutti i lettori in Italia.

La posteriorità nel discorso indiretto

Nel box grammaticale "I tempi verbali nel discorso indiretto" dell'Unità **13** a pagina 57 si dice che per decidere il verbo della frase secondaria bisogna valutare se è anteriore o contemporanea rispetto al verbo della frase principale.
Ecco cosa succede quando la frase secondaria è **posteriore** rispetto alla principale.

Discorso indiretto - posteriorità		
frase principale	**frase secondaria**	**esempio**
presente	presente/futuro indicativo	***Dico** che **faccio/farò** l'archeologa.*
passato prossimo indicativo	condizionale composto	***Ho detto** che **avrei fatto** l'archeologa.*
imperfetto indicativo	condizionale composto	***Dicevo** che **avrei fatto** l'archeologa.*
passato remoto indicativo	condizionale composto	***Dissi** che **avrei fatto** l'archeologa.*
trapassato prossimo indicativo	condizionale composto	***Avevo detto** che **avrei fatto** l'archeologa.*

4 Scrivere

Cosa volevi fare da grande quando eri piccolo/a?

5 Ascoltare

5a *Ascolta l'intervista allo scrittore Alessandro Baricco e rispondi alla domanda discutendo con un compagno. Poi ascolta ancora tutte le volte necessarie alternando ogni ascolto con la consultazione con un compagno.*

■ Cosa ha fatto Alessandro Baricco?

5b *Verso l'inizio dell'intervista Baricco legge una pagina di un suo libro. Che titolo ha? Ascolta ancora l'intervista e scegli il titolo tra quelli qui sotto.*

Seta
Oceano mare
I Barbari
4 metri sopra il cielo
Novecento   **Questa storia**

Alessandro Baricco

È uno dei più conosciuti e amati scrittori di narrativa. Ha esordito nel 1991 con *Castelli di rabbia*, dividendo subito critica e lettori, sorte che ha segnato tutta la sua attività. È divenuto popolarissimo nel 1994 come conduttore televisivo di un programma sulla letteratura. Nello stesso anno è uscito il suo più grande successo editoriale: il romanzo *Oceano mare*. Sempre del 1994 è *Novecento*, un atto unico che ha ispirato un film del premio Oscar Giuseppe Tornatore: *La leggenda del pianista sull'oceano*. Da allora Baricco ha prodotto opere di narrativa come *Seta* (1996), *Questa storia* (2005) e *Tre volte all'alba* (2012), opere teatrali, come *Omero, Iliade* (2005), e raccolte di saggi come *I Barbari* (2006). Nel 2008 ha anche scritto e diretto un film (Lezione 21).

6 Leggere

6a *Leggi, nella seconda colonna della tabella, l'inizio di un estratto dal libro "Il visconte[1] dimezzato" di Italo Calvino. Poi inserisci i gruppi di parole della prima colonna nel testo, dove ti sembra più appropriato, come nell'esempio. Quindi riscrivi il nuovo testo completo e confronta con un compagno.*

come da un'aia per l'attacco il luogotenente alle dieci	La battaglia cominciò puntualmente. Dall'alto Medardo (mio zio) contemplava l'ampiezza dello schieramento pronto, e protendeva il viso al vento di Boemia, che sollevava odor di pula.

La battaglia cominciò puntualmente alle dieci ...

6b *Il brano non è ancora completo. Inserisci i gruppi di parole della prima colonna nel testo, dove ti sembra più appropriato. Quindi riscrivi il nuovo testo completo e confronta con un compagno. Fa' attenzione alla punteggiatura.*

cristiano, del mattino della sella, polverosa	La battaglia cominciò puntualmente alle dieci. Dall'alto il luogotenente Medardo (mio zio) contemplava l'ampiezza dello schieramento pronto per l'attacco, e protendeva il viso al vento di Boemia, che sollevava odor di pula come da un'aia.

[1]**visconte:** nobile che ricopre il grado superiore al barone e inferiore al conte.

6c *Leggi l'estratto da "Il visconte dimezzato" di Italo Calvino.*

Il visconte dimezzato

La battaglia cominciò puntualmente alle dieci del mattino. Dall'alto della sella, il luogotenente Medardo (mio zio) contemplava l'ampiezza dello schieramento cristiano, pronto per l'attacco, e protendeva il viso al vento di Boemia, che sollevava odor di pula come da un'aia polverosa.

- No, non si volti indietro, signore, - esclamò Curzio che, col suo grado di sergente, era al suo fianco. E per giustificare la frase perentoria, aggiunse, piano: - Dicono porti male, prima del combattimento.

In realtà, non voleva che il visconte si scorasse, avvedendosi che l'esercito cristiano consisteva quasi soltanto in quella fila schierata, e che le forze di rincalzo erano appena qualche squadra di fanti male in gamba.

Ma mio zio guardava lontano, alla nuvola che s'avvicinava all'orizzonte, e pensava: "Ecco, quella nuvola è i turchi, i veri turchi, e questi al mio fianco che sputano tabacco sono i veterani della cristianità, e questa tromba che ora suona è l'attacco, il primo attacco della mia vita (…)".

A spada sguainata, si trovò a galoppare per la piana, gli occhi allo stendardo imperiale che spariva e riappariva tra il fumo, mentre le cannonate amiche ruotavano nel cielo e sopra il suo capo, e le nemiche già aprivano brecce nella fronte cristiana e improvvisi ombrelli di terriccio. Pensava: "Vedrò i turchi! Vedrò i turchi!" Nulla piace agli uomini quanto avere dei nemici e poi vedere se sono proprio come ci s'immagina. (…)

Mio zio Medardo si gettò nella mischia. Le sorti della battaglia erano incerte. In quella confusione, pareva che a vincere fossero i cristiani. Di certo, avevano rotto lo schieramento turco e aggirato certe posizioni. Mio zio, con altri valorosi, s'era spinto fin sotto le batterie nemiche, e i turchi le spostavano, per tenere i cristiani sotto il fuoco. Due artiglieri turchi facevano girare un cannone a ruote. Lenti com'erano, barbuti, intabarrati fino ai piedi, sembravano due astronomi. Mio zio disse: - Adesso arrivo lì e li aggiusto io -. Entusiasta e inesperto, non sapeva che ai cannoni ci s'avvicina solo di fianco o dalla parte della culatta. Lui saltò di fronte alla bocca da fuoco, a spada sguainata, e pensava di fare paura a quei due astronomi. Invece gli spararono una cannonata in pieno petto. Medardo di Terralba saltò in aria.

Alla sera, scesa la tregua, due carri andavano raccogliendo i corpi dei cristiani per il campo di battaglia. Uno era per i feriti e l'altro per i morti. La prima scelta si faceva lì sul campo. - Questo lo prendo io, quello lo prendi tu -. Dove sembrava ci fosse ancora qualcosa da salvare, lo mettevano sul carro dei feriti; dove erano solo pezzi e brani andava sul carro dei morti, per aver sepoltura benedetta (…). In quei giorni, viste le perdite crescenti, s'era data la disposizione che nei feriti era meglio abbondare. Così i resti di Medardo furono considerati un ferito e messi su quel carro. La seconda scelta si faceva all'ospedale (…).

Tirato via il lenzuolo, il corpo del visconte apparve orrendamente mutilato. Gli mancava un braccio e una gamba, non solo, ma tutto quel che c'era di torace e d'addome tra quel braccio e quella gamba era stato portato via, polverizzato da quella cannonata presa in pieno. Del capo restavano un occhio, un orecchio, una guancia, mezzo naso, mezza bocca, mezzo mento e mezza fronte: dell'altra metà del capo c'era più solo una pappetta. A farla breve, se n'era salvato solo metà, la parte destra, che peraltro era perfettamente conservata, senza neanche una scalfittura, escluso quell'enorme squarcio che l'aveva separata dalla parte sinistra andata in bricioli.

I medici: tutti contenti. - Uh, che bel caso! - Se non moriva nel frattempo, potevano provare anche a salvarlo. E gli si misero d'attorno, mentre i poveri soldati con una freccia in un braccio morivano di setticemia. Cucirono, applicarono, impastarono: chi lo sa cosa fecero. Fatto sta che l'indomani mio zio aperse l'unico occhio, la mezza bocca, dilatò la narice e respirò. La forte fibra dei Terralba aveva resistito. Adesso era vivo e dimezzato.

Quando mio zio fece ritorno a Terralba, io avevo sette o otto anni… ∎

Italo Calvino, uno scrittore "fantastico"

Dopo la fase del Neorealismo in cui la letteratura era concepita come messaggio politico, con la pubblicazione del romanzo *Il visconte dimezzato* (1952), Italo Calvino (vedi box a pag. 94) inaugura un nuovo percorso artistico, quello dell'invenzione fantastica, che lo renderà popolare in tutto il mondo.

Già in questo romanzo la narrazione procede secondo due livelli di lettura: quello di immediata fruizione e quello allegorico-simbolico, in cui sono presenti numerosi spunti di riflessione (contrasto tra realtà e illusione, tra ideologia ed etica, ecc.).

La storia narra di un visconte che partecipa a una guerra di religione alla fine del Seicento. In battaglia il visconte viene tagliato in due parti speculari da una palla di cannone. Prende il via così la vita parallela delle due metà di Medardo: la vita del visconte cattivo, il cosiddetto "Gramo", e quella del visconte

6d *Lavora con un gruppo di compagni. Immaginate e drammatizzate il ritorno di Medardo a Terralba. Oltre a Medardo e a suo nipote (il narratore) inserite i personaggi nuovi descritti qui sotto. Create la storia come volete, ma cercate di essere fedeli allo spirito del testo originale. Fate le prove e quando siete pronti recitate davanti alla classe.*

▷ Fiorfiero	▷ La balia Sebastiana	▷ Un portatore di lettiga	▷ Un portatore di lettiga
Un giovane contadino. È il primo a vedere da lontano, mentre pigiava l'uva, la nave di Medardo.	*La donna che aveva allattato Medardo da bambino. Ormai vecchia ma ancora energica.*	*Uno degli uomini che portano la lettiga di Medardo. Un tipaccio mezzo nudo con gli orecchini d'oro.*	*Uno degli uomini che portano la lettiga di Medardo. Un tipo poco raccomandabile con una cresta di capelli.*

6e *Leggi la seconda parte del testo, con il ritorno di Medardo a casa.*

1 Quando mio zio fece ritorno a Terralba, io avevo sette o otto anni. Fu di sera, già al buio; era ottobre; il cielo era coperto. Il giorno avevamo vendemmiato e attraverso
5 i filari vedevamo nel mare grigio avvicinarsi le vele d'una nave che batteva bandiera imperiale. Ogni nave che si vedeva allora, si diceva: - Questo è Mastro Medardo che ritorna, - non perché fossimo impazienti
10 che tornasse, ma tanto per aver qualcosa da aspettare. Quella volta avevamo indovinato: ne fummo certi alla sera, quando un giovane chiamato Fiorfiero, pigiando l'uva in cima al tino, gridò: - Oh, laggiù -; era
15 quasi buio e vedemmo in fondovalle una fila di torce accendersi per la mulattiera; e poi, quando passò sul ponte, distinguemmo una lettiga trasportata a braccia. Non c'era dubbio: era il visconte che tornava
20 dalla guerra. (…)
Tutti, aspettando, discutevano di come il visconte Medardo sarebbe ritornato; da tempo era giunta la notizia di gravi ferite che egli aveva ricevute dai turchi, ma anco-
25 ra nessuno sapeva di preciso se fosse mutilato, o infermo, o soltanto sfregiato dalle cicatrici: e ora l'aver visto la lettiga ci preparava al peggio.
Ed ecco la lettiga veniva posata a terra, e in
30 mezzo all'ombra nera si vide il brillio d'una pupilla. La grande vecchia balia Sebastiana

fece per avvicinarci, ma da quell'ombra si levò una mano con un aspro gesto di diniego. Poi si vide il corpo nella lettiga agitarsi
35 in uno sforzo angoloso e convulso, e davanti ai nostri occhi Medardo di Terralba balzò in piedi, puntellandosi a una stampella. Un mantello nero col cappuccio gli scendeva dal capo fino a terra; dalla parte destra era
40 buttato all'indietro, scoprendo metà del viso e della persona stretta alla stampella, mentre sulla sinistra sembrava che tutto fosse nascosto e avvolto nei lembi e nelle pieghe di quell'ampio drappeggio.
45 (…) Poi, guardando meglio, vedemmo che aderiva come a un'asta di bandiera, e quest'asta erano la spalla, il braccio, il fianco, la gamba, tutto quello che di lui poggiava sulla gruccia: e il resto non c'era.
50 Le capre guardarono il visconte col loro sguardo fisso e inespressivo, girate ognuna in una posizione diversa ma tutte serrate, con i dorsi disposti in uno strano disegno d'angoli retti. I maiali, più sensibili e pron-
55 ti, strillarono e fuggirono urtandosi tra loro con le pance, e allora neppure noi potemmo più nascondere d'esser spaventati. - Figlio mio! - gridò la balia Sebastiana e alzò le braccia. - Meschinetto!
60 Mio zio, contrariato d'aver destato in noi tale impressione, avanzò la punta della stampella sul terreno e con un movimento

a compasso si spinse verso l'entrata del castello. Ma sui gradini del portone s'erano seduti a gambe incrociate i portatori di let- 65 tiga, tipacci mezzi nudi, con gli orecchini d'oro e il cranio raso su cui crescevano creste o code di capelli. Si rizzarono, e uno con la treccia, che sembrava il loro capo, disse: - Noi aspettiamo il compenso, señor. 70
- Quanto? - chiese Medardo, e si sarebbe detto che ridesse.
L'uomo con la treccia disse: - Voi sapete qual è il prezzo per il trasporto di un uomo in lettiga… 75
Mio zio si sfilò una borsa dalla cintola e la gettò tintinnante ai piedi del portatore. Costui la soppesò appena, ed esclamò: - Ma questo è molto meno della somma pattuita, señor! 80
Medardo, mentre il vento gli sollevava i lembi del mantello, disse: - La metà -. Oltrepassò il portatore e spiccando piccoli balzi sul suo unico piede salì i gradini, entrò per la gran porta spalancata che dava 85 nell'interno del castello, spinse a colpi di gruccia entrambi i pesanti battenti che si chiusero con fracasso, e ancora, poich'era rimasto aperto l'usciolo, lo sbatté, scomparendo ai nostri sguardi. ■ 90

da Italo Calvino, Il visconte dimezzato,
Einaudi, Torino, 1952

"Buono". Inizialmente ritorna al paese solo il lato maligno, capace di terribili atrocità ma in possesso di inaspettate doti di umorismo e di realismo. Successivamente fa ritorno al paese natio anche l'altra metà del visconte che si comporta in modo totalmente opposto: gentile, altruista, buono.

I "due" protagonisti si innamorano della stessa donna, la pastorella Pamela e, dopo varie vicissitudini, giungono a un surreale duello.
Anche le due opere seguenti della trilogia *I nostri antenati* mostrano caratteristiche simili. Il protagonista de *Il*

barone rampante (1957) è un alter ego di Calvino che ormai ha abbandonato la concezione della letteratura come messaggio politico. *Il Cavaliere inesistente* (1959) invece è velato da un cupo pessimismo, dietro al quale la realtà appare irrazionale e minacciosa.

7 Analisi lessicale

Ogni espressione tratta dal testo di Italo Calvino, è stata usata in quattro frasi. Non sempre però in modo corretto.
Trova le frasi in cui le espressioni sono usate in modo improprio.

I. 6c, riga 6 - **...(Medardo)** protendeva **il viso al vento di Boemia...**

☐ 1. Giacobbe sognò una scala che si *protendeva* da terra sino in cielo.

☐ 2. Questa strada non è più veloce. Secondo me *protendiamo* di almeno due chilometri!

☐ 3. È inutile che *protendiamo*, tanto non ce la facciamo ad arrivare in tempo.

☐ 4. Tuo figlio appena ti vede *protende* le mani per abbracciarti.

II. 6c, riga 17 - **...le forze di rincalzo erano appena qualche squadra di fanti** male in gamba.

☐ 1. Caterina ricomparve così sfinita e *male in gamba* da non essere in grado di recarsi al pozzo.

☐ 2. Finché Renato ebbe *male in gamba* non poté muoversi dal letto.

☐ 3. In quest'ufficio ci sono due sedie, un tavolo *male in gamba* e un armadio cadente.

☐ 4. Quei due formano un connubio *male in gamba*.

III. 6e, riga 17 - **...quando passò sul ponte, distinguemmo una lettiga trasportata** a braccia.

☐ 1. Abbiamo trasportato il pianoforte *a braccia* fino al quarto piano.

☐ 2. Quando mia moglie si è fatta male ho dovuto portarla *a braccia* in ospedale.

☐ 3. Non ho imbarcato niente in aereo. Ho solo un bagaglio *a braccia*!

☐ 4. Ho comprato un maglione fatto *a braccia*.

IV. 6e, riga 35 - **...davanti ai nostri occhi Medardo di Terralba balzò** in piedi...

☐ 1. Mio zio si sfilò una borsa dalla cintola e la gettò tintinnante *in piedi* del portatore.

☐ 2. Sul Monte Conero ci sono dei bellissimi itinerari da fare *in piedi*.

☐ 3. Sono pessimista perché la situazione non sta più *in piedi*.

☐ 4. Che fai, dormi *in piedi*? Non senti che tua madre ti sta chiamando?

V. 6e, riga 83 - Oltrepassò **il portatore e spiccando piccoli balzi sul suo unico piede salì i gradini,
entrò per la gran porta...**

☐ 1. Domani spero di *oltrepassare* l'esame con il massimo dei voti.

☐ 2. Signora, suo figlio *ha oltrepassato* i limiti della decenza. Gli dica qualcosa!

☐ 3. *È oltrepassato* molto tempo dall'ultima volta che ci siamo visti.

☐ 4. *Ho oltrepassato* Breno in direzione di Edolo e ho così raggiunto Capo di Ponte.

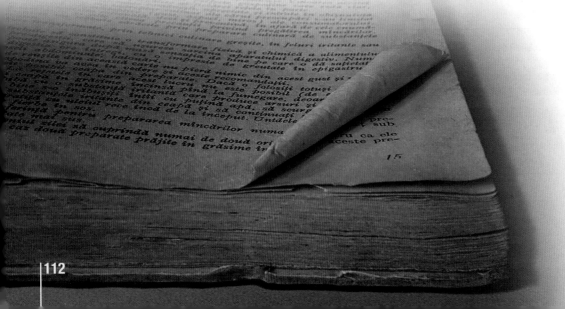

8 Parlare

Che tipo di lettore sei? Discutine con un compagno scegliendo uno o più aggettivi della lista qui sotto oppure scrivendone di nuovi più adatti al tuo modo di leggere.

Distratto	Classico
Veloce	Impegnato
Paziente	Sofisticato
Onnivoro	Assonnato
Sognatore	Spiritoso
Esigente	Ribelle
Pigro	Attento
Curioso	

9 Analisi grammaticale

9a *Curzio, il sergente di Medardo, alla riga 12 del testo dell'attività **6c** dice: "Dicono porti male" (= "Dicono che porti male"). Perché Curzio usa il congiuntivo presente? Scegli una risposta discutendo con un compagno.*

1. Perché è un discorso indiretto.
2. Perché esprime un'opinione.

> **L'omissione della congiunzione *che***
> La congiunzione ***che*** in alcuni casi si può omettere. Per poterlo fare il verbo della frase secondaria deve essere al congiuntivo o al condizionale (*…sembrava **ci fosse** ancora qualcosa… - 6c, riga 63*). Non si può invece eliminare con verbi all'indicativo (*vedemmo che **aderiva** - 6e, riga 46*). Per poter eliminare il ***che*** inoltre il soggetto deve seguire il verbo (*…sembrava **ci fosse** ancora qualcosa…*); se lo precede il ***che*** non si può eliminare (*…sembrava che <u>tutto</u> **fosse** nascosto… - 6e, riga 42*).

9b *Continua a lavorare con lo stesso compagno. Completa lo schema delle concordanze dei tempi al congiuntivo con frase principale al presente inserendo i verbi nei giusti spazi, a seconda del momento che esprime la secondaria rispetto alla principale. Completa poi con i nomi dei tempi verbali. Segui l'esempio.*

Concordanza dei tempi al congiuntivo con frase principale al presente

Frase principale al presente	Secondaria esempio	tempo
	_____ male (_____)	
Azione posteriore	_____ male (_____)	
Dicono che → Azione contemporanea	***porti*** male (***cong. presente***)	
Azione anteriore	_____ male (_____)	
	_____ male (_____)	

portasse   abbia portato   porti   porterà   ~~porti~~

9c *Ora guarda questa frase tratta dal testo dell'attività* **6c**, *alla riga 39. A quale punto la metteresti nello schema delle concordanze dei tempi al congiuntivo con frase principale al passato?*

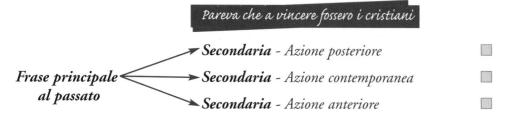

Pareva che a vincere fossero i cristiani

Frase principale al passato

→ **Secondaria** - *Azione posteriore* ☐

→ **Secondaria** - *Azione contemporanea* ☐

→ **Secondaria** - *Azione anteriore* ☐

9d *Lavora con un compagno. Completa lo schema delle concordanze dei tempi al congiuntivo con frase principale al passato inserendo i verbi nei giusti spazi, a seconda del tempo dell'azione della secondaria rispetto alla principale. Completa poi con i nomi dei tempi verbali.*

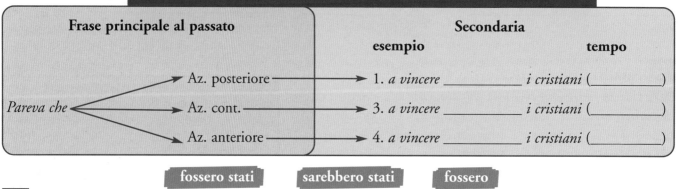

Concordanza dei tempi al congiuntivo con frase principale al passato

Frase principale al passato		Secondaria	
		esempio	tempo
Pareva che →	Az. posteriore →	1. *a vincere* _____ *i cristiani*	(_____)
	Az. cont. →	3. *a vincere* _____ *i cristiani*	(_____)
	Az. anteriore →	4. *a vincere* _____ *i cristiani*	(_____)

fossero stati — sarebbero stati — fossero

10 Gioco a squadre

La classe si divide in squadre di 3 studenti. Al via dell'insegnante le squadre hanno 5 minuti di tempo per cercare nel testo dell'attività **6** *più esempi possibile di concordanza dei tempi al congiuntivo con frase principale al passato. Al termine dei 5 minuti ogni squadra legge le proprie frasi. Vince il gruppo che ha trovato il numero maggiore di frasi giuste.*

11 Esercizio

11a *Rimetti nel giusto ordine le battute dell'inizio dell'intervista ad Alessandro Baricco.*

Giornalista - _____
Baricco - _____
Giornalista - _____
Baricco - _____
Giornalista - _____
Baricco - _3_
Giornalista - _____
Baricco - _____
Giornalista - _____
Baricco - _____

1. Sì.
2. Ahia.
3. *Mamma mia*
4. Allora leggi questa parte.
5. Io vorrei che tu leggessi l'incipit del tuo libro.
6. Eh sì perché, insomma, tu sei un bravo lettore…
7. Perché poi, con questo, cominciamo con le domande.
8. Sì ma leggo le cose degli altri. Le mie… sono… sono pessimo.
9. Ecco: prova a leggere la tua per una volta. Questa parte qui, questa prima parte.
10. Poi è molto parlato, quindi è difficile da leggere: "non sembra ma questo è un libro. Ho pensato che mi sarebbe piaciuto scriverne uno a puntate sul giornale in mezzo alle frattaglie di mondo che quotidianamente passano da lì".

🎧 **11b** *Ascolta il brano e modifica, se necessario, il lavoro svolto.*
6

11c *Scegli per la parola* **insomma***, usata nella terza battuta, il significato appropriato, scegliendolo tra quelli proposti nel box qui a fianco. Poi consultati con un compagno.*

12 Gioco

Si gioca tra due o più studenti. Il primo tira un dado, il numero uscito corrisponde al **QUANDO***? della seconda colonna. Lo studente ha trenta secondi di tempo per leggere la prima frase della colonna sinistra coniugando il verbo in modo adeguato al momento in cui si svolge l'azione. Se è giusta prende un punto. Si continua con il secondo studente che tira il dado e lavora sulla seconda frase, ecc. Dopo la frase 10 si ricomincia con la n° 1 fino allo* **STOP** *dell'insegnante. Vince il gioco chi al termine ha collezionato più punti. Si può chiamare l'insegnante solo in caso di contestazioni.*

Insomma

L'avverbio **insomma** assume significati diversi a seconda della sua posizione nella frase.

1 - Significa *in conclusione, in definitiva* quando sta tra due virgole: *Ho capito,* **insomma***, che la cosa non ti interessa - Il film è noioso,* **insomma***, non vale la pena di vederlo;*
2 - Significa *così così, non molto* quando è usato in risposta a una domanda, in un registro colloquiale: *«Come stai?» «***Insomma***». - «Ti piace questo?» «***Insomma***».*
3 - Esprime impazienza, irritazione quando è usato con valore esclamativo, generalmente ad inizio di frase: **Insomma***, vieni sì o no? -* **Insomma***, la vuoi smettere?*

---

frase	quando? 🎲
1. Credo che *(esserci)* _____ sciopero degli autobus.	*oggi (1 - 2)* *il mese scorso (3 - 4)* *la prossima settimana (5 - 6)*
2. Ieri ho pensato che Franco *(comprare)* _____ una casa.	*un anno fa (1 - 2)* *ieri (3 - 4)* *oggi (5 - 6)*
3. Quando ti abbiamo incontrata non immaginavamo che *(tu - sposarsi)* _____ .	*proprio quel giorno (1)* *il giorno prima (2)* *oggi (3)* *poche ore prima (4)* *il giorno dopo (5 - 6)*
4. Penso che Marta *(andare)* _____ in Grecia.	*già l'anno scorso (1 - 2)* *quest'anno (3 - 4)* *il prossimo mese (5)* *domani (6)*
5. Due anni fa pensavo che tu *(laurearsi)* _____ .	*un giorno (1 - 2)* *entro pochi mesi (3 - 4)* *già (5 - 6)*
6. Ieri, quando ci siamo visti, non immaginavo che il tuo cane *(attaccare)* _____ il mio gatto.	*dopo un'ora (1 - 2)* *la settimana prima (3 - 4)* *appena entrato in casa (5 - 6)*
7. Non credo che Licia *(andare)* _____ al cinema.	*domenica prossima (1 - 2)* *ieri (3 - 4)* *oggi (5 - 6)*
8. Ieri alle 8 sembrava che la partenza dell'aereo *(essere rimandata)* _____ .	*poco prima (1 - 2)* *improvvisamente (3)* *oggi (4)* *in quel momento (5 - 6)*
9. Pare che la Sardegna *(essere)* _____ attaccata all'Italia.	*in tempi remoti (1 - 2)* *prima o poi (3 - 4)* *una volta (5)* *un giorno (6)*
10. Non immaginavo che *(compiere)* _____ 20 anni.	*l'anno scorso (1 - 2)* *quest'anno (3 - 4)* *il prossimo mese (5)* *dopo pochi giorni (6)*

Letteratura italiana in pillole - da Dante a Baricco

Dante Alighieri (1265 - 1311)

Nel mezzo del cammin di nostra vita
mi ritrovai per una selva oscura
che la dritta via era smarrita.
(*La divina commedia*)

Ludovico Ariosto (1474 - 1533)

Le donne, i cavalier, l'arme, gli amori,
le cortesie, l'audaci imprese io canto,
che furo al tempo che passaro i Mori
d'Africa il mare, e in Francia nocquer tanto.
(*Orlando furioso*)

Alessandro Manzoni (1785 - 1873)

Questo
matrimonio non
s'ha da fare,
né domani,
né mai.
(*I promessi
sposi*)

Giacomo Leopardi (1798 - 1837)

Così tra questa
immensità
s'annega il
pensier mio:
e il naufragar
m'è dolce in
questo mare.
(*L'infinito*)

Francesco Petrarca (1304 - 1374)

Chiare fresche e dolci acque
ove le belle membra
pose colei che sola a me par donna.
(*Il canzoniere*)

Niccolò Macchiavelli (1469 - 1527)

Coloro che vincono, in qualunque modo vincano, non ne riportano mai vergogna.
(*Il Principe*)

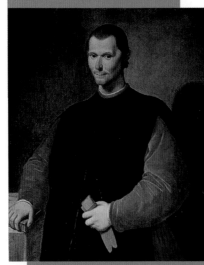

Italo Calvino (1923 - 1985)

Stai per cominciare a leggere
il nuovo romanzo *Se una
notte d'inverno un viaggiatore*
di Italo Calvino.
Rilassati. Raccogliti.
Allontana da te ogni altro
pensiero. Lascia che il
mondo che ti circonda sfumi
nell'indistinto. (*Se una notte
d'inverno un viaggiatore*)

Alessandro Baricco (1958)

Succedeva
sempre che a un
certo punto uno
alzava la testa...
e la vedeva.
(*Novecento*)

lingua

MODE E TIC VERBALI

1 Introduzione

1a *Ci sono parole o espressioni italiane che ti piace usare più di altre? E ce ne sono alcune che pensi di usare troppo e che per te sono diventate quasi un tic linguistico? Parlane in gruppo con alcuni compagni.*

1b *Ascolta l'inizio di questo dialogo. Poi, in gruppo con gli stessi compagni, prova a fare una lista delle espressioni che secondo te sono più odiate dagli italiani.*

7

1c *Ascolta tutto il dialogo e scopri quali sono le espressioni più odiate dagli italiani e quelle non amate dai tre amici.*

8

1d *Cosa pensano i tre amici dell'uso di queste espressioni? Hanno opinioni simili o differenti? Riascolta il dialogo e poi confrontati con un compagno.*

8

1e *Leggi le definizioni del dizionario di queste due parole e poi, insieme a un compagno, rispondi alle domande. Se necessario riascolta il dialogo dell'attività 1c.*

8

attimino s.m. fam., momento, attimo: *un attimino!, un attimino e sono da lei*, come richiesta di aspettare per poco tempo.

piuttosto che loc. cong. invece di, anziché: *piuttosto che perdere tempo, comincia a studiare* / pur di non: *piuttosto che uscire con lui sto a casa.*

1. Lui dice che *piuttosto che* viene usato in modo sbagliato. Sai dire perché?

2. La prima ragazza usa *piuttosto che* in due modi diversi, uno giusto e uno sbagliato. Sai dire quali sono e perché?

3. La seconda ragazza dice che anche *un attimino* viene usato in modo sbagliato. Perché?

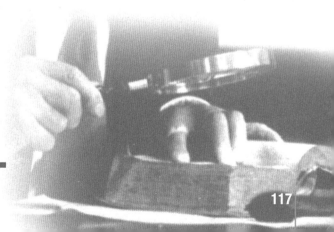

2 Gioco

2a *Leggi il box su* **piuttosto che**. *Poi ricomponi le frasi unendo le due colonne e inserendo* **piuttosto che** *al posto giusto, come negli esempi.*

Esempi

Piuttosto che andare al cinema preferisco leggere un bel libro.
Sono disposto anche ad andare a lavorare all'estero **piuttosto che** rimanere disoccupato.

Piuttosto che

Il significato corretto di *piuttosto che* è *invece di*, es: *Piuttosto che* guardare la tv, faresti meglio a studiare (= *Invece di guardare la tv, faresti meglio a studiare*). Negli ultimi anni però si è diffuso un uso scorretto di *piuttosto che* nel senso di *o, oppure*, es: *Puoi guardare la tv, **piuttosto che** andare al cinema, **piuttosto che** studiare…*(= *Puoi guardare la tv o andare al cinema o studiare*, cioè puoi fare indifferentemente una cosa o l'altra).
Piuttosto che può anche essere usato (correttamente) con il significato di *pur di non (per non)*, es: *Piuttosto che lavorare, si farebbe ammazzare* (= *Pur di non lavorare, si farebbe ammazzare*).

1. incontrare Lidia	a. ammettere le sue responsabilità.
2. *andare al cinema*	b. una gallina domani.
3. rimanere con lei anche se non la ama	c. Anna è disposta a fare qualunque lavoro.
4. mangiare tutti quei dolci, se vuoi dimagrire	d. fare questi noiosissimi esercizi di italiano.
5. ingrassare	e. farebbe meglio a stare da solo.
6. invecchiare	f. venderebbe l'anima al diavolo.
7. chiedere soldi ai suoi genitori	g. fai un po' di sport.
8. *sono disposto anche ad andare a lavorare all'estero*	h. avventurarmi senza cartina in una zona che non conosco.
9. è meglio un uovo oggi	i. non sono andato alla festa.
10. un piatto di lasagne	l. digiuno per una settimana.
11. mentire	m. *preferisco leggere un bel libro.*
12. direbbe qualunque bugia	n. stare da solo.
13. avrei dovuto informarmi meglio sulla strada	o. vuoi qualcosa di più leggero?
14. preferisce rimanere con lei anche se non la ama	p. *rimanere disoccupato.*
15. vorrei leggere l'ultimo libro di Umberto Eco	q. è capace di dire le cose più spiacevoli.

Un attimino

Attimo significa "brevissima frazione di tempo" e deriva dal greco *átomos*, "quantità indivisibile". Per questo il diminutivo **attimino** non ha molto senso: la parola *attimo* infatti indica già la più breve e indivisibile frazione di tempo.
Ancora meno corretto è l'uso (molto frequente) di *un attimino* nel senso di *un po'* (es: *È un attimino antipatico, Sono un attimino stanco…*).

2b *Ora gioca in coppia con un compagno. A turno, uno dei due legge una delle frasi ricomposte al punto* **2a**. *Se la frase è giusta, guadagna un punto. L'altro deve riformulare la stessa frase, decidendo se sostituire* **piuttosto che** *con* **invece di** *o* **pur di non**. *Se la sostituzione è giusta, guadagna un punto. Vince chi alla fine del gioco ha realizzato più punti. Seguite gli esempi.*

Esempio

Studente A: **Piuttosto che** andare al cinema preferisco leggere un bel libro.
Studente B: **Invece di** andare al cinema preferisco leggere un bel libro.

Esempio

Studente B: Sono disposto anche ad andare a lavorare all'estero **piuttosto che** rimanere disoccupato.
Studente A: Sono disposto anche ad andare a lavorare all'estero **pur di non** rimanere disoccupato.

3 Leggere

3a *Nella versione originale di questo testo l'autore usa la parola **non** 16 volte. Nella versione qui sotto, 12 di questi **non** sono stati eliminati. Quanti ne riesci a trovare? Prova a inserirne il più possibile e poi confrontati con un compagno. Attenzione: in 8 casi il **non** è grammaticalmente necessario, mentre in altri 4 casi l'uso del **non** è pleonastico (cioè non è essenziale e la frase sarebbe ugualmente corretta anche senza).*

In qualche modo... e quant'altro

Pietro Citati

Malgrado le apparenze, gli italiani non usano parole come pane, vino, religione, laicismo, tasse, zucchero, terrorismo, tram, sciopero, padre, madre, carciofo, pomodoro, panettone, maremoto, Dio, amore, malinconia, morte. Non credete alle vostre orecchie ingannevoli: queste parole si ascoltano mai, a meno che stiate vedendo un vecchio film o parlando con qualcuno ormai avanti con gli anni. Gli italiani amano (o amavano) soltanto due locuzioni avverbiali: *e quant'altro* e *in qualche modo* e passa giorno senza che qualcuno pronunci davanti a noi una di queste due espressioni. Credo che *e quant'altro* sia nato quattro o cinque anni fa: all'improvviso, come un atollo del Pacifico; e mi piacerebbe moltissimo sapere chi lo ha usato per la prima volta. Ma i dizionari tacciono. Allora, ascoltavo ogni minuto: «Amo Gesù, la Madonna *e quant'altro*». «Con mia moglie e mia suocera, abbiamo fatto un viaggio bellissimo a Venezia, Padova *e quant'altro*». «Vada al Supermec (rivolto alla domestica filippina) e compri un chilo di patate, due etti di bresaola *e quant'altro*»; «Adoro Oriana Fallaci, Umberto Bossi *e quant'altro*». Era un momento di grande euforia, in cui la fantasia linguistica italiana camminava, per le strade di Milano e di Roma, ciondolando come un'ubriaca.

Ora, i tempi gloriosi di *e quant'altro* stanno per finire. Temo che *e quant'altro* sia esausto: come *cioè, no, a monte, a valle, praticamente, al vostro livello, al massimo livello*. Quando le usiamo troppo, le parole si affaticano, impallidiscono, si spossano, si ammalano, finché muoiono. Oggi quasi nessuno dice più *cioè* o *quant'altro*, tutti dicono: *in qualche modo*. Per esempio, durante la trasmissione *Otto e mezzo*, una giornalista simpatica e gentile come Ritanna Armeni dice *in qualche modo* ogni venti secondi; e ogni volta appena la pronuncia un'ombra rattrista il suo profumato accento siciliano.

◢ **Giuliano Ferrara e Ritanna Armeni**

Ma è per niente facile comprendere cosa significhi *in qualche modo*. Secondo il *Dizionario Zingarelli* (1930): «ammettendo per qualche ragione una cosa». Secondo il *Devoto-Oli* (1990): «considerando con approssimazione». Secondo il *Dizionario Garzanti dei Sinonimi e dei Contrari* (2001): «come si può, alla bell'e meglio». Secondo il *De Mauro* (2000): «cercando di risolvere una situazione, un problema anche in modo non ortodosso, arrangiandosi alla bell'e meglio». Secondo lo *Zanichelli* (2004): «Alla meno peggio, in un modo o nell'altro».

Chi parla non obbedisce ai dizionari; e le gambe troppo obese, lente e tarde dei dizionari riescono mai a inseguire le fantasie frivole e capricciose che riempiono la bocca degli innumerevoli parlanti. Oggi, *in qualche modo* significa pressappoco: «Sto parlandovi di una situazione così intricata, aggrovigliata e complessa, che nemmeno io riesco a comprenderla: ma, colla mia mente ugualmente delicata e complessa, cercherò di esprimerla in tutte le sue possibilità e sfumature, così da portarvi vicinissimi alla verità, sebbene possa coglierla esattamente. Mi dispiace». Mentre questo lungo discorso viene concentrato in tre sole parole, lo sguardo di chi vi parla è perplesso e inquieto, mentre le mani vagliano, accennano, soppesano, oscillano, come bilance, attorno all'imponderabile.

C'è un'altra possibilità. Forse *in qualche modo* significa niente: è pura materia verbale, che finge di essere una parola, come molte espressioni di ogni tempo.

Qualche sera fa, seduto davanti alla televisione (beata porta del sonno), ho assistito a uno spettacolo prodigioso. Stava parlando un professore di storia. Con fatica, i suoni uscivano dalle immense orecchie del professore: dagli occhi piccoli, puntuti e cattivissimi: e, talvolta, persino dalla bocca. *E quant'altro* si intrecciava con *in qualche modo*; *praticamente* con *piuttosto che* e *al massimo livello*. Le parole estenuate e livide dalla noia si irraggiavano in tutti i sensi, aleggiavano nello studio televisivo, s'impigliavano tra i peli elegantissimi della barba di Giuliano Ferrara[1], sfioravano il bel volto di Ritanna Armeni la quale, *in qualche modo*, capiva niente, come io capivo, come nessuno riusciva, disperatamente, a capire. Ma tutto questo avveniva, come diceva compiaciutissimo il professore, *al massimo livello*. ∎

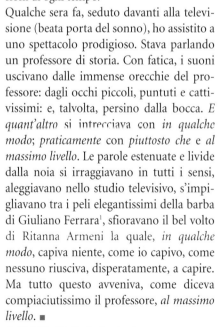

[1] **Giuliano Ferrara:** famoso giornalista, conduttore della trasmissione *Otto e mezzo* con Ritanna Armeni.

Le 10 espressioni più odiate dagli italiani

Ecco la classifica del quotidiano *Il sole 24 ore* sulle 10 espressioni più odiate dagli italiani: 1. quant'altro, 2. assolutamente, 3. attimino, 4. piuttosto che, 5. esodo e controesodo, 6. come dire..., 7. vacanzieri, 8. spalmare, 9. tra virgolette, 10. polemica.

3b *Guarda l'articolo nella versione originale e verifica.*

In qualche modo... e quant'altro

Pietro Citati

Malgrado le apparenze, gli italiani *non* usano parole come pane, vino, religione, laicismo, tasse, zucchero, terrorismo, tram, sciopero, padre, madre, carciofo, pomodoro, panettone, maremoto, Dio, amore, malinconia, morte. *Non* credete alle vostre orecchie ingannevoli: queste parole *non* si ascoltano mai, a meno che *non* stiate vedendo un vecchio film o parlando con qualcuno ormai avanti con gli anni. Gli italiani amano (o amavano) soltanto due locuzioni avverbiali: *e quant'altro* e *in qualche modo* e *non* passa giorno senza che qualcuno *non* pronunci davanti a noi una di queste due espressioni.

Credo che *e quant'altro* sia nato quattro o cinque anni fa: all'improvviso, come un atollo del Pacifico; e mi piacerebbe moltissimo sapere chi lo ha usato per la prima volta. Ma i dizionari tacciono. Allora, ascoltavo ogni minuto: «Amo Gesù, la Madonna *e quant'altro*». «Con mia moglie e mia suocera, abbiamo fatto un viaggio bellissimo a Venezia, Padova *e quant'altro*». «Vada al Supermec (rivolto alla domestica filippina) e compri un chilo di patate, due etti di bresaola *e quant'altro*»; «Adoro Oriana Fallaci, Umberto Bossi *e quant'altro*». Era un momento di grande euforia, in cui la fantasia linguistica italiana camminava, per le strade di Milano e di Roma, ciondolando come un'ubriaca.

Ora, i tempi gloriosi di *e quant'altro* stanno per finire. Temo che *e quant'altro* sia esausto: come *cioè, no, a monte, a valle, praticamente, al vostro livello, al massimo livello.* Quando le usiamo troppo, le parole si affaticano, impallidiscono, si spossano, si ammalano, finché *non* muoiono. Oggi quasi nessuno dice più *cioè* o *quant'altro*, tutti dicono: *in qualche modo*. Per esempio,

durante la trasmissione *Otto e mezzo*, una giornalista simpatica e gentile come Ritanna Armeni dice *in qualche modo* ogni venti secondi; e ogni volta *non* appena la pronuncia un'ombra rattrista il suo profumato accento siciliano.

Ma *non* è per niente facile comprendere cosa significhi *in qualche modo*. Secondo il *Dizionario Zingarelli* (1930): «ammettendo per qualche ragione una cosa». Secondo il *Devoto-Oli* (1990): «considerando con approssimazione». Secondo il *Dizionario Garzanti dei Sinonimi e dei Contrari* (2001): «come si può, alla bell'e meglio». Secondo il *De Mauro* (2000): «cercando di risolvere una situazione, un problema anche in modo *non* ortodosso, arrangiandosi alla bell'e meglio». Secondo lo *Zanichelli* (2004): «Alla meno peggio, in un modo o nell'altro».

Chi parla *non* obbedisce ai dizionari; e le gambe troppo obese, lente e tarde dei dizionari *non* riescono mai a inseguire le fantasie frivole e capricciose che riempiono la bocca degli innumerevoli parlanti. Oggi, *in qualche modo* significa pressappoco: «Sto parlandovi di una situazione così intricata, aggrovigliata e complessa, che nemmeno io riesco a comprenderla: ma, colla mia mente ugualmente delicata e complessa, cercherò

di esprimerla in tutte le sue possibilità e sfumature, così da portarvi vicinissimi alla verità, sebbene *non* possa coglierla esattamente. Mi dispiace». Mentre questo lungo discorso viene concentrato in tre sole parole, lo sguardo di chi vi parla è perplesso e inquieto, mentre le mani vagliano, accennano, soppesano, oscillano, come bilance, attorno all'imponderabile.

C'è un'altra possibilità. Forse *in qualche modo non* significa niente: è pura materia verbale, che finge di essere una parola, come molte espressioni di ogni tempo.

Qualche sera fa, seduto davanti alla televisione (beata porta del sonno), ho assistito a uno spettacolo prodigioso. Stava parlando un professore di storia. Con fatica, i suoni uscivano dalle immense orecchie del professore: dagli occhi piccoli, puntuti e cattivissimi: e, talvolta, persino dalla bocca. *E quant'altro* si intrecciava con *in qualche modo*; *praticamente* con *piuttosto che* e *al massimo livello*. Le parole estenuate e livide dalla noia si irraggiavano in tutti i sensi, aleggiavano nello studio televisivo, s'impigliavano tra i peli elegantissimi della barba di Giuliano Ferrara, sfioravano il bel volto di Ritanna Armeni la quale, *in qualche modo, non* capiva niente, come io *non* capivo, come nessuno riusciva, disperatamente, a capire. Ma tutto questo avveniva, come diceva compiaciutissimo il professore, *al massimo livello.* ■■

da *La Repubblica*

Pietro Citati

È uno dei più importanti critici letterari italiani. È autore di numerosi saggi e anche di romanzi. I suoi interessi di critico si sono indirizzati soprattutto verso gli scrittori del passato, come dimostrano i suoi saggi su Omero, Goethe, Tolstoj, Proust e Kafka.

Collabora con vari giornali e riviste scrivendo di letteratura e anche di costume. Del suo lavoro dice: "Oggi parlo e scrivo solo dei libri belli che mi piacciono, non mi curo di quelli che non mi piacciono. Stroncature non ne farei proprio più".

4 Analisi grammaticale

4a *Completa la tabella qui sotto, inserendo al posto giusto un esempio tratto dall'articolo.*

	il *non* si usa?	
	sì	**no**
con *mai*		
con verbo + *niente / per niente / nessuno / nemmeno*		
con *niente / per niente / nessuno / nemmeno* + verbo		
con *a meno che / senza che*		
con *finché*		
con *appena*		

4b *Scegli il significato giusto delle espressioni* **evidenziate**.

1. Non credete alle vostre orecchie ingannevoli: **queste parole non si ascoltano mai, a meno che non stiate vedendo un vecchio film o parlando con qualcuno ormai avanti con gli anni.** =

   ☐ **a.** queste parole si ascoltano solo quando stiamo vedendo un vecchio film o parlando con qualche persona anziana

   ☐ **b.** queste parole non si ascoltano mai, neanche quando stiamo vedendo un vecchio film o parlando con qualche persona anziana

   ☐ **c.** quando stiamo vedendo un vecchio film o stiamo parlando con qualche persona anziana queste parole non si ascoltano

2. Gli italiani amano (o amavano) soltanto due locuzioni avverbiali: *e quant'altro* e *in qualche modo* e **non passa giorno senza che qualcuno non pronunci davanti a noi una di queste due espressioni.** =

   ☐ **a.** davanti a noi nessuno pronuncia mai una di queste due espressioni

   ☐ **b.** può succedere che qualcuno pronunci davanti a noi una di queste due espressioni, ma non succede tutti i giorni

   ☐ **c.** ogni giorno c'è sempre qualcuno che pronuncia davanti a noi una di queste due espressioni

3. Quando le usiamo troppo, le parole si affaticano, impallidiscono, si spossano, si ammalano, **finché non muoiono.** =

   ☐ **a.** e infine non muoiono più (cioè rimangono in vita)

   ☐ **b.** e infine muoiono

   ☐ **c.** per questo non muoiono

4. ... una giornalista simpatica e gentile come Ritanna Armeni dice *in qualche modo* ogni venti secondi; e ogni volta **non appena la pronuncia** un'ombra rattrista il suo profumato accento siciliano =

   ☐ **a.** subito dopo che la pronuncia

   ☐ **b.** quando non la pronuncia

   ☐ **c.** poco prima che la pronuncia

4c *Riguarda le frasi del punto **4b** e togli il **non** dalle espressioni **a meno che non** (frase 1), **senza che non** (frase 2), **finché non** (frase 3), **non appena** (frase 4). Secondo te, cambia qualcosa nel significato delle frasi? Parlane con un compagno.*

5 Analisi lessicale

Insieme a un compagno, rispondi alle domande.

1. Secondo te, perché l'autore dell'articolo definisce "**profumato**" l'accento di Ritanna Armeni?

> Per esempio, durante la trasmissione *Otto e mezzo*, una giornalista simpatica e gentile come Ritanna Armeni dice *in qualche modo* ogni venti secondi; e ogni volta non appena la pronuncia un'ombra rattrista il suo **profumato** accento siciliano.

2. Perché la televisione viene definita "**beata porta del sonno**"?

> Qualche sera fa, seduto davanti alla televisione (**beata porta del sonno**), ho assistito a uno spettacolo prodigioso.

6 Parlare

Lavora in un gruppo di 3 (i due giornalisti Ritanna Armeni e Giuliano Ferrara e il critico letterario Pietro Citati) e leggi le istruzioni che ti riguardano. Poi iniziate l'intervista.

Ritanna Armeni e Giuliano Ferrara

Siete i due giornalisti televisivi Ritanna Armeni e Giuliano Ferrara. Ospitate nella vostra trasmissione il famoso critico letterario Pietro Citati e lo intervistate sulle espressioni di moda nella lingua italiana.
Voi pensate che l'uso di queste espressioni non sia sempre negativo, perché indicano che la lingua è viva e si trasforma. E infatti, durante l'intervista, anche a voi succede di usarne qualcuna. Ma Pietro Citati è inflessibile e vi critica pesantemente. Difendetevi dal suo attacco motivando la vostra opinione.
Se necessario, prima di iniziare l'intervista, rileggete l'articolo di Pietro Citati.

Pietro Citati

Sei il famoso critico letterario Pietro Citati. Sei ospite nella trasmissione televisiva dei due giornalisti Ritanna Armeni e Giuliano Ferrara, che ti intervistano sulle espressioni di moda nella lingua italiana.
La tua opinione su questo fenomeno è molto negativa. Per questo, quando senti che anche i due giornalisti usano alcune di queste espressioni, ti lanci in un durissimo attacco contro le mode linguistiche, il giornalismo e la televisione.
Se necessario, prima di iniziare l'intervista, rileggi il tuo articolo.

7 Gioco a squadre

Chiudi il libro e lavora con la tua squadra. L'insegnante scrive alla lavagna la lista delle espressioni da usare. Poi sceglie dal libro e scrive alla lavagna una delle frasi da trasformare. Le squadre devono trasformare la frase in una di significato opposto, usando una delle espressioni della lista. Ogni volta devono anche decidere se usare o non usare **non**. *Quando una squadra pensa di avere la soluzione manda un rappresentante alla lavagna a scrivere la frase. Se la frase è giusta la sua squadra guadagna un punto, se è sbagliata perde un punto e un'altra squadra può provare. Vince la squadra che alla fine del gioco ha realizzato più punti.*

Esempio

Mi piace tutto di questa città. → <u>Non</u> mi piace **niente** di questa città.

espressioni da usare

a meno che

niente

mai

nemmeno/neanche

nessuno

per niente

senza che

frasi da trasformare

Anche io ho fame.
La mattina mio marito mi porta il caffè a letto sebbene io non glielo chieda.
Ha sempre lavorato.
Ieri è venuta anche Paola.
Il film mi è piaciuto moltissimo.
In classe c'erano tutti.
Mangio sempre la carne.
Non c'è stato un giorno in cui io abbia pensato a Lidia.
Qui tutti sanno l'inglese.
Sergio va quasi sempre a lavorare in macchina.
So tutto di lei.
Tutto è facile per me.
Verrò da te, a condizione che inviti Ada.

8 Esercizio

8a *Rimetti in ordine le battute tratte dall'ascolto del punto* **1c**. *Attenzione: 3 battute vanno anche ricostruite usando le parole indicate sotto le righe. Poi confrontati con un compagno.*

(n° 1) Chiara - ...Ma quali sarebbero le altre?

(n° __) Chiara - Certo, _____ _____.
  assumiti **Come** **le** **responsabilità.** *tra* **tue** *virgolette*

(n° __) Chiara - Ah bè sì...

(n° __) Carlo - ...quant'altro, come dire, bah _____.
  bel **ce** **ne** **po'** **sono** **un**

(n° __) Carlo - Ma... adesso non mi ricordo, c'è *piuttosto che*, poi c'è il... *quant'altro*, sai...

(n° __) Giuliana - Ah io _____,
  attimino **che** **è** **non** **proprio** **sopporto** *un* **una**

quando dicono: _____.
  antipatico. *antipatico* *attimino* **Dillo:** *è* *è* **un**

(n° 7) Giuliana - Sì.

8b *Ascolta e verifica.*

9 Analisi della conversazione

*In gruppi di 3, recitate le battute ricostruite nell'attività **8a** scambiandovi i ruoli, in modo da esprimere nel modo migliore possibile i significati. Dopo alcune prove ascoltate il brano alcune volte, poi provate ancora. Provate e riascoltate fino ad essere soddisfatti.*

10 Analisi grammaticale

10a *Osserva questa battuta, tipica di un registro molto familiare: è formata da due frasi. Prova a riscriverla trasformandola in una sola frase. Confrontati con un compagno.*

> **Io un'espressione che non sopporto proprio è *un attimino*.**

_____

10b *Ora completa questa frase come ritieni più opportuno. Poi consultati con un compagno.*

> Io due espressioni che non sopporto proprio...
>
> _____ .

11 Gioco

Gioca in coppia con un compagno. A turno, uno studente sceglie una casella nello schema e formula una frase come nell'esempio. Se la frase è giusta lo studente conquista la casella. Vince chi per primo riesce a conquistare 3 caselle di seguito in orizzontale, in verticale o in diagonale (TRIS). Attenzione ai verbi e agli articoli.

Esempio

Loro / cosa / non sopportare proprio / falsità
Loro una cosa che non sopportano proprio è la falsità.

Tu / cosa / non conoscere proprio / buona educazione	Mia moglie / piatto / non sapere cucinare proprio / cannelloni	Noi / sport / non capire proprio / baseball
I politici / qualità / non avere proprio / chiarezza	Io / città / non conoscere proprio / Napoli	Luca / cosa / non sapere fare proprio / chiedere scusa
Loro / cosa / non amare proprio / feste	Voi / cosa / detestare proprio / gli esercizi di grammatica	Io / cosa / non potere mangiare proprio / dolci

12 Leggere

> **12a** *Leggi l'inizio di questo articolo. Parlando con un compagno, cerca di capire di cosa parla la lettera e che problema ha il signor Ferrari.*

Le amministrazioni pubbliche non sanno comunicare neanche le buone notizie

Il signor Ferrari ha ricevuto dal Settore Edilizia Residenziale del suo Comune questa lettera:

Michele A. Cortelazo

In riferimento al verbale di assegnazione di un alloggio di E.R.P. in data 16.05.1999, considerate le motivazioni, si comunica che si è ritenuta giustificata la Sua richiesta di nuova convocazione per esperire una scelta alternativa di alloggio, risultando effettivamente minimo, rispetto ai parametri di legge, per il Suo nucleo familiare l' alloggio sito in via Milano 37/7 da noi proposto.

Si fa riserva di contattarLa per una nuova scelta di alloggio.

12b *Ora leggi il seguito dell'articolo.*

Il signor Ferrari dovrebbe essere contento. Ha ottenuto quello che voleva. Aveva chiesto un alloggio di proprietà comunale, il Comune gliene aveva assegnato uno, ma era troppo piccolo per la sua famiglia. Ha protestato, finché il Comune non gli ha dato ragione. Come? Con questa lettera.

Ma il signor Ferrari è davvero contento? No, o almeno non ancora. Non ha infatti capito di doverlo essere. Anzi non ha proprio capito che cosa gli succederà. Dovrà "esperire una scelta alternativa di alloggio". È qualcosa che fa male? Boh. Allora telefona all'Ufficio (però dopo aver sudato sette camicie, perché nella lettera non c'era nessun numero di telefono al quale chiedere informazioni) e solo in quel momento capisce che fra un po' potrà scegliere una casa più adatta alle esigenze della sua famiglia.

Insomma, ha a che fare con un "Comune amico", un Comune che cerca di soddisfare le legittime esigenze dei suoi cittadini e che si fa in quattro per aiutarli. Ma poi fa di tutto per complicarsi la vita. Non è in grado di dare chiaramente la buona notizia al cittadino; scrive in *burocratese*[1], costringe il cittadino a perdere il suo tempo per telefo-

nare e ricevere informazioni più chiare; costringe l'impiegato a perdere a sua volta del tempo, per spiegargli a voce quello che gli aveva già comunicato per scritto.

Ma allora, l'impiegato che ha scritto la lettera è un masochista che gode a ripetere la stessa cosa più volte? No. Si è accorto che la lettera che ha spedito al signor Ferrari non funzionava, ma nessuno gli ha insegnato a uscire dalle pessime abitudini linguistiche assunte in anni di lavoro nella amministrazione pubblica. E anche se glielo avessero insegnato, probabilmente non gli avrebbero dato il tempo di buttare a mare la lettera che nel suo ufficio si copia ogni volta e di riscriverla in modo più chiaro, usando un linguaggio terra terra, così per esempio:

La informiamo che Lei potrà scegliere un alloggio diverso da quello di via Milano 37/7, che Le è stato assegnato con verbale del 16 maggio 1999.

Abbiamo infatti accolto la Sua richiesta, in quanto l'alloggio da noi proposto risulta piccolo, rispetto ai parametri di legge, per il Suo nucleo familiare.
Le comunicheremo la data di convocazione per la nuova scelta dell'alloggio.

Tutto facile? No, ci vuole tempo, perché scrivere bene un testo non è un'attività che si fa in quattro e quattr'otto. Bisogna studiare, imparare. Ma è necessario. Perché ci sono tanti signor Ferrari che aspettano una risposta chiara. E che vivono male, finché abitano in una casa troppo piccola.

da Guida agli Enti Locali

12c *Discuti in gruppo con alcuni compagni.*

- Nella tua esperienza con la lingua italiana, ti è mai capitato di incontrare il "burocratese"?
- Nel tuo Paese esiste qualcosa di simile al "burocratese"?

[1] **burocratese:** la lingua usata dall'amministrazione pubblica. La parola ha un senso negativo, perché indica il linguaggio inutilmente complesso e spesso incomprensibile della burocrazia.

13 Analisi lessicale

13a *Abbina le parole della lista ai verbi per completare le espressioni usate nell'articolo dell'attività* **12**.

un linguaggio terra terra   a mare   in quattro e quattr'otto

sette camicie   in grado   in quattro

essere _____   buttare _____

usare _____   sudare _____

farsi _____   fare (qualcosa) _____

13b *Nelle frasi qui sotto, estratte dall'articolo dell'attività* **12**, *sono stati inseriti dei* **sinonimi** *al posto delle espressioni che hai ricostruito al punto* **13a**. *Scrivi l'espressione giusta al posto di ogni sinonimo, poi consultati con un compagno. Attenzione: i verbi vanno coniugati al tempo giusto.*

1. Allora telefona all'Ufficio (però dopo aver **faticato moltissimo**, perché nella lettera non c'era nessun numero di telefono al quale chiedere informazioni)…

2. …un Comune che cerca di soddisfare le legittime esigenze dei suoi cittadini e che **fa il possibile** per aiutarli.

3. Ma poi fa di tutto per complicarsi la vita. Non **è capace** di dare chiaramente la buona notizia al cittadino…

4. …probabilmente non gli avrebbero dato il tempo di **gettare via** la lettera che nel suo ufficio si copia ogni volta e di riscriverla in modo più chiaro, **parlando molto semplicemente**.

5. …scrivere bene un testo non è un'attività che si **realizza rapidamente**.

14 Analisi grammaticale

14a *Confronta le due frasi del testo nella prima colonna con le due frasi modificate nella seconda colonna. Cambia qualcosa nel significato togliendo o aggiungendo il* **non** *all'espressione* **finché**? *O anche in questi casi il* **non** *è sempre pleonastico? Discuti con un compagno.*

frasi del testo	frasi modificate
Ha protestato, **finché** il Comune **non** gli ha dato ragione.	Ha protestato, **finché** il Comune gli ha dato ragione.
Perché ci sono tanti signor Ferrari che aspettano una risposta chiara. E che vivono male, **finché** abitano in una casa troppo piccola.	Perché ci sono tanti signor Ferrari che aspettano una risposta chiara. E che vivono male, **finché non** abitano in una casa troppo piccola.

14b *Completa la regola scrivendo al posto giusto "cambia" o "non cambia".*

FINCHÉ - FINCHÉ NON

Quando *finché* significa prevalentemente *fino al momento che (in cui)* il "non" _____ il senso della frase:

Ero contento finché è arrivata Sonia. = Ero contento fino al momento in cui è arrivata Sonia.
(e da quel momento il mio umore è cambiato)
Ero contento finché non è arrivata Sonia. = Ero contento fino al momento in cui è arrivata Sonia.
(e da quel momento il mio umore è cambiato)

Quando *finché* significa prevalentemente *per tutto il tempo che (in cui)* il "non" _____ il senso della frase:

Ho guadagnato poco finché ho fatto l'attore. = Ho guadagnato poco per tutto il tempo in cui ho fatto l'attore.
(poi ho cambiato lavoro e ho guadagnato di più)
Ho guadagnato poco finché non ho fatto l'attore. = Ho guadagnato poco per tutto il tempo in cui non ho fatto l'attore. (poi ho fatto l'attore e ho guadagnato di più)

---

15 Scrivere

*Rileggi il testo della lettera che il Comune ha scritto al signor Ferrari dell'attività **12a**. Si tratta di una risposta a una precedente lettera che il signor Ferrari aveva inviato al Comune. Immagina di essere il signor Ferrari e scrivi il testo di quella prima lettera.*

16 Esercizio

Questo testo è tratto da un manuale di scrittura per le amministrazioni pubbliche, che insegna ai dipendenti statali come scrivere dei documenti burocratici in un linguaggio comprensibile. Segui le indicazioni del testo e riscrivi in un linguaggio più semplice le frasi in burocratese. Poi confrontati con un compagno.

1. CONTROLLATE LA LUNGHEZZA DELLE FRASI

Quanto più una frase è lunga, tanto più è complicata da capire. Secondo alcuni studi, non bisogna superare il limite di 25 parole se si vuole scrivere una frase facile da leggere. Le frasi lunghe sono spesso di difficile lettura perché contengono troppe informazioni. Una buona regola è quella di far corrispondere una frase a una, e una sola, informazione.

Leggiamo questo esempio: «A seguito della dichiarazione sostitutiva dell'atto notorio presentata dalla S.V. il 25/06/1998, si comunica che l'atto è stato trasmesso per i controlli di competenza all'Ufficio Tecnico Comunale, che ha precisato di non aver rilasciato dichiarazione di inabitabilità o inagibilità per l'immobile in oggetto specificato». In questa frase sono contenute due informazioni, correlate tra di loro ma diverse: la prima che il cittadino ha fatto una determinata dichiarazione, la seconda che gli uffici ne hanno verificato la falsità. Perché non inserire i due argomenti in due frasi distinte? La soluzione è facile da trovare:

«_____

_____

_____ ».

2. LIMITATE LE SUBORDINATE

Scrivere frasi brevi e che contengano una sola informazione fondamentale ha la conseguenza, anche, di limitare la subordinazione, cioè di ridurre al minimo il numero di proposizioni presenti in un periodo. Una frase ricca di subordinazione è per esempio la seguente «I Dirigenti Scolastici, qualora

---

---

riscontrino in sede di prima verifica che siano state loro indirizzate domande di iscrizione da parte di alunni che hanno la residenza al di fuori del bacino di utenza, sono tenuti a verificare se sussistono adeguate motivazioni». Questa frase è costituita da una principale («I dirigenti scolastici... sono tenuti...»), dalla quale dipende la proposizione "qualora riscontrino...", dalla quale, a sua volta, dipende un'altra proposizione ("che siano state loro indirizzate..."), dalla quale dipende un'ulteriore proposizione ("che hanno la residenza..."). Anche senza semplificare il contenuto, si può ridurre la complessità del periodo in questo modo:

«_____

_____

_____

_____».

3. LIMITATE LE PROPOSIZIONI IMPLICITE

Se si vuole limitare la subordinazione, è importante limitare le proposizioni implicite, cioè quelle proposizioni il cui verbo è all'infinito, al participio o al gerundio. L'italiano burocratico fa grande uso del gerundio perché permette di costruire frasi più compatte, ma anche più complesse. Infinito, participio e gerundio hanno la particolarità di non accordarsi, per quel che riguarda la persona (io, tu, egli...), con il soggetto. Per individuare il soggetto, è necessario risalire alla frase principale.

Ma in alcuni casi il recupero del soggetto non è univoco. Nella frase «le modalità per l'assunzione a contratto sono definite dalle singole amministrazioni prevedendo comunque che il trattamento economico degli interessati non può essere inferiore a quello tabellare delle qualifiche di riferimento né superiore a quello in godimento del personale», il soggetto di prevedendo è «le singole amministrazioni» o «le modalità»? Ammettiamo che il soggetto sia "le modalità". Se volessimo riscrivere il testo, sarebbe meglio dividerlo in due frasi distinte e trasformare l'implicita in esplicita, così:

«_____

_____

_____

_____».

Le frasi esplicite (cioè quelle all'indicativo, congiuntivo, condizionale, imperativo) sono più trasparenti di quelle implicite.

4. PREFERITE LE FRASI AFFERMATIVE

Scrivere frasi affermative rende il testo più breve, oltre che più facile da leggere perché più diretto. Dire: «persone diverse dall'intestatario dell'utenza non possono presentare richiesta di riduzione» è inutilmente più complicato di

«_____

_____».

Dire «i nuovi buoni pasto non sono utilizzabili prima di marzo» può essere tradotto nella più semplice

«_____

_____».

Ci sono, infine, delle situazioni nelle quali la buona educazione induce ad addolcire la pillola con una frase negativa: «Non abbiamo accettato la Sua richiesta» invece della corrispondente affermativa «Abbiamo respinto la Sua richiesta».

5. PREFERITE LA FORMA ATTIVA

A parità di condizioni, è meglio usare una frase di forma attiva

(«_____

_____»),

piuttosto che una di forma passiva («Chi rilascia false dichiarazioni viene punito dalla legge»). La frase passiva, infatti, è il rivolgimento di una frase attiva; è ovvio, quindi, che quest'ultima sia più naturale e diretta. Inoltre, a volte il passivo, senza il complemento d'agente, viene usato per nascondere l'autore dell'evento rappresentato dal verbo («le tasse sono state aumentate»): una prospettiva che non è coerente con i principi di trasparenza della comunicazione pubblica.

Ci sono, però, delle situazioni nelle quali è opportuno usare il passivo: quando parliamo di azioni di cui non conosciamo l'autore («due uomini sono stati uccisi in autostrada»); oppure quando parliamo di azioni per le quali indicare l'autore può essere stucchevole o quanto meno ovvio e superfluo

(«_____

_____»

invece dell'attivo «il custode chiude il portone alle otto»).

arti

COMICITÀ

1 Introduzione

Qui sotto ci sono le fotografie di attori e scrittori comici. Ne conosci qualcuno? Parlane con un compagno scambiandovi tutte le informazioni che avete su di loro.

1. Dario Fo

2. Roberto Benigni

5. Totò

3. Beppe Grillo

4. Stefano Benni

6. Achille Campanile

8. Luciana Littizzetto

9. Alessandro Bergonzoni

7. Massimo Troisi

2 Leggere

2a *Leggi la scheda del libro "Achille piè veloce" di Stefano Benni[1], poi leggi l'inizio del brano estratto dal libro inserendo nei giusti spazi i discorsi diretti.*

1. Cioè, io ho la delega.
2. Sono io.
3. Si accomodi.
4. La signorina Pilar?

> **Achille piè veloce**

Ulisse è un giovane scrittore in crisi creativa che lavora in una piccola casa editrice. È ossessionato dagli "scrittodattili", manoscritti di dubbio valore che porta sempre in borsa e che "gli parlano", di solito per chiedergli di essere pubblicati. È innamorato di Pilar, una bellissima immigrata senza permesso di soggiorno. Un giorno riceve la lettera di uno sconosciuto che lo invita a un misterioso appuntamento. Ulisse, incuriosito, risponde e conosce Achille, un ragazzo gravemente malato che gli apre un mondo inatteso di assurdità, vitalità e dolore.

[Ulisse] chiese dell'Ufficio immigrazione. Una poliziotta niente male gli spiegò il tragitto. Giunse in una sala spoglia e fumosa. C'erano tre magrebini seduti, stanchi, annoiati. Uno telefonava uno dormiva uno piangeva. Un poliziotto biondo ritirò la sua convocazione, grugnì e disse che c'era da attendere.
Io cittadino italiano dovrei fare la fila con questa teppaglia? Avrebbe potuto dire.
Invece pensò: loro sono abituati ad aspettare, io no.
- _____ - chiamò il poliziotto biondo.
- _____ - disse Ulisse.

I magrebini lo guardarono con un certo sospetto.
- _____
Entrò. La stanza era immersa in una nube di tabacco, sembrava che ci fosse appena stato un lancio di lacrimogeni. Al centro della nube c'era una scrivania e un uomo magro, con baffi, pizzetto ed elegante completo blu. Il commissario, evidentemente.
- _____
Si accomodò.
- Signor Ulisse - disse il commissario accendendo una sigaretta - la delega non è valida in questi casi. È un errore del modulo. Ma già che è qui, parlerò con lei.

2b *Lavora con un compagno. Oltre a confrontare il lavoro svolto al punto **2a**, riguardate la scheda con la trama del libro e fate ipotesi su come potrebbe svolgersi il dialogo tra Ulisse e il commissario.*

2c *Leggi, nelle prossime pagine, il brano estratto da "Achille piè veloce".*

△ Lo scrittore Stefano Benni mentre legge un suo testo

[1] Stefano Benni: rivedi il box di pag. 100.

Achille piè veloce

1 [Ulisse] chiese dell'Ufficio immigrazione. Una poliziotta niente male gli spiegò il tragitto. Giunse in una sala spoglia e

5 fumosa. C'erano tre magrebini seduti, stanchi, annoiati. Uno telefonava uno dormiva uno piangeva. Un poliziotto biondo ritirò la sua convocazione, grugnì e disse che c'era da attendere.

10 Io cittadino italiano dovrei fare la fila con questa teppaglia? Avrebbe potuto dire.

Invece pensò: loro sono abituati ad aspettare, io no. (…)

15 - La signorina Pilar? - chiamò il poliziotto biondo.

- Sono io - disse Ulisse.

I magrebini lo guardarono con un certo sospetto.

20 - Cioè, io ho la delega.

Entrò. La stanza era immersa in una nube di tabacco, sembrava che ci fosse appena stato un lancio di lacrimogeni. Al centro della nube c'era una scrivania

25 e un uomo magro, con baffi, pizzetto ed elegante completo blu. Il commissario, evidentemente.

- Si accomodi.

Si accomodò.

30 - Signor Ulisse - disse il commissario accendendo una sigaretta - la delega non è valida in questi casi. È un errore del modulo. Ma già che è qui, parlerò con lei. Devo subito dirle che c'è qual-

35 cuno che non vi vuole bene.

- Ah sì? (…)

- Qualcuno di molto potente che ha scomodato nientemeno che un assessore, un generale dell'Arma e l'uomo

40 più ricco della città. (…) Ci è stata sollecitata un'indagine e l'abbiamo svolta. Vuole che gliela riassuma?

- Sarei curioso.

- Allora lei è un intellettuale politica-

45 mente orientato a sinistra. Un paio di piccole denunce, un po' di casino davanti a una fabbrica. Ma lei nel com-

plesso è innocuo.

Adesso tiro fuori il mitra che

50 ho in borsa e vedi, pensò Ulisse.

- Lavora per una casa editrice il cui proprietario ha avuto due condanne per asse-

55 gni posdatati a vuoto.

- Ah - disse Ulisse.

- In quanto alla signorina Pilar, suo padre era un insegnante comunista e per que-

60 sto ebbe gravi difficoltà nel suo paese.

- Gravi difficoltà? Lo hanno ammazzato!

- Questo non è precisato. La

65 signorina emigrò in vari stati poi venne nel nostro sei anni fa, mi corregga se sbaglio. Visse per circa due anni in via dell'Oca 13, ove risiedeva anche lei. Insieme ai signori Nico

70 Perimedes, Statis Eurilokos, eccetera, chi se ne frega. Ecco qui veniamo al punto. Anni fa la signorina presenta a questa questura una domanda di soggiorno per motivi di studio con docu-

75 mento di iscrizione all'università che in seguito ad accertamento risulta contraffatto.

- Si è iscritta subito dopo.

- Signor Ulisse, se io le sparo e subito

80 dopo la pistola si inceppa, lei muore lo stesso. Capisce il paragone?

- Capisco…

- Bravo. Il falso in attestazione consimile comporta, ai sensi della nuova legge,

85 comma tredici, la perdita del diritto di soggiornare in quanto il reato commesso potrebbe essere reiterato e quindi la signorina è da ritenersi potenzialmente pericolosa per l'ordine pubblico

90 del nostro paese. Quindi potrebbe venire espulsa con provvedimento immediato.

- Potrebbe.

- Potrebbe. E se di mezzo c'è un gene-

rale dell'Arma, questo potrebbe diven- 95 ta può, e la signorina Pilar se ne torna a casa.

- Ma quale pericolo per l'ordine pubblico! Pilar non ha mai fatto male a nessuno, né fatto politica. 100

- Ci risulta altrimenti. La signorina Pilar, proprio pochi giorni fa, si mette a fare la sindacalista e viene fotografata davanti a un grande magazzino mentre sobilla le maestranze. 105
Mostrò una foto.

- È questa vicino a quel rompicoglioni di Olivetti, vero? Complimenti, è una bella ragazza. Ma questo non è motivo sufficiente per cui potrebbe restare. 110

- E cosa potrebbe fare allora?

- Il modo ci sarebbe.

- E sarebbe?

- E sarebbe che è legato a quel potrebbe. Se qualcuno facesse qualcosa per 115 cui quel potrebbe potrebbe diventare un non-potrebbe.
La bufera di condizionali stordì Ulisse per un attimo. Forse aveva capito. Ebbe la visione di Pilar, la dolce Pilar, in sti- 120 vali da piratessa, sulla tangenziale not-

turna, adescando auto blu Maldive, e la pantera degli sbirri passava e commentava: vedi quella? Batte per il com-
125 missario.

- Signor commissario - disse Ulisse cercando di essere chiaro - se è vero che per far diventare quel potrebbe un non-potrebbe si potrebbero fare delle
130 cose, basta però che non siano cose che potrebbero essere peggio di quel potrebbe.

- Ma se quelle cose si facessero e le potesse fare lei, allora quel potrebbe
135 della sua ragazza potrebbe diventare un non-potrebbe proprio in virtù delle cose che lei farebbe.

Ebbe la visione di Ulisse, il dolce Ulisse, in stivali da piratessa sulla tan-
140 genziale eccetera.

- Potrebbe essere più chiaro, commissario?

- Prima dovrebbe giurarmi una cosa. Potrebbe darsi che se lei non facesse,
145 potrebbe poi ugualmente dire in giro che io le avrei chiesto che lei facesse, e questo potrebbe farmi incazzare moltissimo, perciò quello che potrei dirle ora dovrebbe restare tra noi.

150 - Questo dovrebbe essere chiaro a tutti.
- Allora parlerò chiaro.
- Sì.
- Una volta per tutte.
- Sì.
155 - Potrebbe essere che un commissario abbia un padre.

A Ulisse vennero in mente dodici battute e le censurò tutte, limitandosi ad annuire.

160 - Questo padre del commissario ha avuto una vita integerrima. Ha lavorato sodo giorno e notte per permettere al figlio di studiare all'università e divenire un giorno uno stimato com-
165 missario.

Sugli occhi del duro sbirro apparve una lacrima senza condizionali.

- Potrebbe poi accadere che il padre invecchiasse e fosse molto malato e
170 con imminente scadenza del permesso di soggiorno tra i vivi (lacrima), e che il figlio si chiedesse: come potrei ricambiare tutto quello che lui ha fatto per me? (lacrima, fazzoletto). E il figlio

175 potrebbe sapere che il padre ha un sogno. Tutta la vita il padre ha scritto un diario, in cui ha annotato eventi, voti, aneddoti e notazioni della sua integra vita di professore.

180 - Aspetti un momento, ma potrebbe...
- disse Ulisse.

Non potrebbe. Poteva. Anzi era. Per la prima volta guardò il nome del commissario, sulla tar-
185 ghetta in bella mostra sulla scrivania.

COMMISSARIO ENEA
COLANTUONO

- Per concludere - disse
190 Colantuono junior - il figlio potrebbe sapere che una persona potrebbe fargli un favore che lui potrebbe ricambiare con favore analogo.

195 - Sarebbe a questo punto incredibile se il figlio non chiedesse quel favore.

- Bravo giovanotto. Ora, lei ha tra le mani il libro di mio padre. Ne ha mandato uno in ogni città d'Italia. Caso
200 vuole che io sappia che lo ha spedito proprio alla sua casa editrice. Sorpreso?

- No - disse Ulisse, ora o mai più - conosco benissimo quel manoscritto. *Memorie dalla cattedra*, cinquecento
205 snelle pagine di grande interesse e di scrittura nitida e incisiva, proprio in questi giorni io personalmente mi sto battendo per la sua pubblicazione. (...) Il commissario si soffiò il naso, visibil-
210 mente emozionato.

- Quindi *Memorie dalla cattedra* potrebbe essere pubblicato.

- E se potrebbe, cosa
215 succederebbe?

- Potrebbe essere che un certo documento... un po' imperfetto sparisse perfettamente
220 dal dossier della sua fidanzata e l'iscrizione all'università potrebbe venire retrodatata oppure il
225 dossier potrebbe scomparire in qualche archivio o anzi, sa che

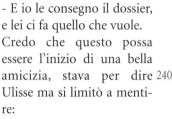

le dico: potrebbe sparire del tutto, e buonanotte ai suonatori e ai generali.
- E così sarà - disse Ulisse.   230
- Allora lei promette?
- Non prometto, giuro. Entro ventiquattro ore suo padre avrà il contratto di pubblicazione. Anzi lo porto io personalmente a lei.   235

- E io le consegno il dossier, e lei ci fa quello che vuole. Credo che questo possa essere l'inizio di una bella amicizia, stava per dire 240 Ulisse ma si limitò a mentire:

- Lei mi ha ridato fiducia nella legge. (...)
- Qua la mano giovanotto - 245 disse il commissario Colantuono. - Lei oggi fa felice due persone me e mio padre. Anzi quattro lei, la sua fidanzata, me e mio padre. Anzi cinque, la povera 250 mamma, da lassù. Anzi, sette, i suoi genitori panettieri, che come il mio si sono sacrificati...

- Grazie, grazie - disse Ulisse, sperando che finissero i titoli di coda.   255
- Adesso vada da quel bel tocco di figliola e non le dica niente del nostro patto tra uomini, le dica solo che c'è stato un equivoco e che è tutto a posto. E se la scopi.   260
E con una manata sulle spalle sottolineò questo sano consiglio di vita. ■

da Stefano Benni, *Achille piè veloce*, Feltrinelli, 2003, Milano.

◢ Stefano Benni

3 Cruciverba

Lavora con la tua squadra. Al via dell'insegnante completate il cruciverba. Tutte le parole sono utilizzate nel testo di Stefano Benni. Quando avete finito, chiamate l'insegnante. Vince la squadra che per prima completa il cruciverba in modo corretto.

Orizzontali →

2 Proiettile che provoca lacrime e irritazione agli occhi.
4 Confronto.
5 Non pericoloso.
9 Chiamare una persona importante per una ragione stupida.
10 Tempesta, tormenta.
12 Mandato fuori.
13 Scrivere una data precedente a quella effettiva.
15 Onesto, di grande moralità.
17 Attirare qualcuno con mezzi non completamente leciti.
18 Gruppo di persone violente, vandali.

Verticali ↓

1 Simile, uguale.
3 Falso.
4 Barba e baffi, ma solo intorno alla bocca.
6 Politico, membro di un Comune o della Provincia.
7 Ripetuto.

8 Fare la prostituta.
11 Far perdere la lucidità mentale.
14 Documento in cui si autorizza una persona a fare qualcosa al posto nostro.
16 Nuvola.

4 Analisi grammaticale

4a *Cosa sai del "periodo ipotetico"? Lavora con un compagno e scambiatevi tutte le informazioni che avete. Aiutatevi anche con le affermazioni qui sotto indicando se sono vere o false.*

1. Il periodo ipotetico è la combinazione di due frasi, una ipotesi e una conseguenza.	☐ vero	☐ falso
2. L'ipotesi del periodo ipotetico è generalmente introdotta dalla congiunzione "se".	☐ vero	☐ falso
3. Il periodo ipotetico cambia se l'ipotesi è nel presente o nel passato.	☐ vero	☐ falso
4. Nell'ipotesi non ci può essere il condizionale.	☐ vero	☐ falso
5. Nella conseguenza c'è sempre il congiuntivo.	☐ vero	☐ falso
6. Nell'ipotesi può esserci solo l'indicativo o il congiuntivo.	☐ vero	☐ falso

4b *Guarda la tabella qui sotto. La parte sinistra riguarda la prima frase di un periodo ipotetico, l'**ipotesi**, mentre la parte destra riguarda la **conseguenza**. Lavora sul testo dell'attività **2c** e copia i verbi che formano i periodi ipotetici nel posto giusto, come nell'esempio. I numeri di riga della prima colonna si riferiscono a dove si trova la congiunzione **se**, che introduce l'ipotesi. Alla fine confronta il tuo lavoro con quello di un compagno.*

	Ipotesi		Conseguenza	
riga	**verbo**	**modo e tempo**	**verbo**	**modo e tempo**
67	sbaglio	indicativo presente	corregga	imperativo (formale)
79				
94				
127				
133				
144				
195				

4c *Il periodo ipotetico ha due variabili: il tempo (ipotesi nel presente o nel passato) e il significato (ipotesi reale, possibile o irreale). Continua a lavorare con il compagno dell'attività **4b** e completate la regola per la formazione del periodo ipotetico nel presente, scrivendo modi e tempi verbali che avete trovato nell'attività **4b**.*

il periodo ipotetico con ipotesi nel presente		
REALTÀ	L'ipotesi è presentata come reale (l'enfasi è sull'automaticità della conseguenza, nel caso in cui l'ipotesi si realizzi).	**ipotesi** se + _____ **conseguenza** - _____ - _____
POSSIBILITÀ	L'ipotesi è presentata come possibile (l'enfasi è sul fatto che l'ipotesi è possibile, il fatto espresso dall'ipotesi potrebbe o non potrebbe accadere).	**ipotesi** se + _____ **conseguenza** - _____
IRREALTÀ	L'ipotesi è presentata come irreale (è ovvio dal contesto che l'ipotesi non si potrà mai realizzare).	

4d *Continua a lavorare con lo stesso compagno dell'attività precedente. Tornate al punto **4a** e verificate se avevate fatto delle scelte giuste. Attenzione: esiste anche un periodo ipotetico nel passato, che verrà analizzato nella prossima unità.*

5 Parlare

Lavora insieme ad un compagno e mettete in scena il dialogo tra Ulisse e il commissario. Cercate di essere il più fedeli possibile al racconto, drammatizzando espressioni, movimenti, sentimenti e intenzioni dei personaggi.

Un errore voluto

Alla riga 214 del testo, Stefano Benni ha scritto:
E se potrebbe, cosa succederebbe?
È evidente che la frase è scorretta perché non si può mettere un condizionale dopo il **se**. Avrebbe dunque dovuto usare il congiuntivo imperfetto: "potesse".
Tuttavia l'errore è voluto e il suo obiettivo è amplificare oltre il lecito l'effetto comico dell'uso insistente del condizionale "potrebbe", che raggiunge in quelle righe il proprio apice.

6 Gioco

La classe si dispone in cerchio. La prima persona comincia una frase ipotetica (per esempio "Se avessi più tempo…"), la persona accanto continua con la conseguenza (ad esempio "andrei più spesso in palestra.") da cui fa iniziare una nuova ipotesi (ad esempio "Se andassi più spesso in palestra…") che dovrà essere continuata dallo studente accanto, e così via.

7 Ascoltare

7a *Ascolta una volta questo monologo del comico Alessandro Bergonzoni, poi decidi quali affermazioni sono vere e quali false consultandoti con un compagno. Poi ascolta di nuovo per verificare.*
10

È un monologo di satira politica.
È un monologo pieno di giochi di parole.
Si tratta dell'introduzione ad uno spettacolo.
È un monologo estratto da una trasmissione televisiva.
Si tratta della parte finale di uno spettacolo.

BERGONZONI

7b *Ascolta tutte le volte necessarie la prima parte del monologo di Bergonzoni e prova a capire cos'è che fa ridere quando usa le parole e le frasi scritte qui sotto. Consultati con lo stesso compagno del punto precedente.*
11

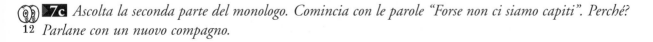

io feci

scrissi e lessi

credo che la vita vada in una direzione

questo è il succo

per molti versi

c'è un senso che la vita ha

lo dico col cuore in mano

7c *Ascolta la seconda parte del monologo. Comincia con le parole "Forse non ci siamo capiti". Perché? Parlane con un nuovo compagno.*
12

7d *La comicità di Bergonzoni ti fa ridere? È facilmente comprensibile per la tua cultura? Ci sono comici di questo genere nel tuo paese? Discutine con un compagno ascoltando il monologo completo se necessario.*

10

> ## Alessandro Bergonzoni

Scrittore, autore e attore di teatro, ma anche di cinema, Alessandro Bergonzoni è l'incarnazione dell'assurdo comico, del rifiuto del reale e della capacità di giocare col linguaggio per creare situazioni surreali e paradossali. Esordisce nel 1982 ma diventa celebre alla fine degli anni '80 con alcune apparizioni televisive. I suoi spettacoli di maggior successo sono stati *Le balene restino sedute* (1989), *Madornale 33* (1999, da cui è tratto il brano dell'attività 7), *Predisporsi al micidiale* (2004), *Nel* (2007) e *URGE* (2010).

8 Esercizio

13

8a *Ascolta molte volte il testo dell'indovinello che Bergonzoni fa al pubblico e trascrivi tutto quello che dice. Quando non riesci ad andare avanti lavora con un compagno.*

L'indovinello _____

_____

_____

_____

_____

_____ No! Non pensateci qua!

8b *La battuta che hai ricostruito al punto 8a è comica perché contiene un doppio senso. Hai capito qual è? Discutine con alcuni compagni e se necessario riascolta la battuta.*

9 Leggere

9a *Tra poco leggerai un'intervista a Daniele Luttazzi. Sapresti dire che differenza c'è tra la comicità e la satira? Parlane insieme ad alcuni compagni.*

Se non conosci il significato esatto delle due parole cercale sul dizionario e scrivi la traduzione nella tua lingua qui sotto.	
Comicità	**Satira**

9b *Leggi l'intervista a Daniele Luttazzi.*

Intervista a Luttazzi

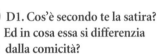

D1. Cos'è secondo te la satira? Ed in cosa essa si differenzia dalla comicità?

R1. Ogni autore (comico o satirico) intende suscitare la risata più grande possibile. La comicità ha più a che fare col corpo, la satira con le idee. Mi spiego meglio: la satira si serve del corpo ridicolo come strumento per dire altro, mentre la comicità è solamente un corpo ridicolo. La liberazione maggiore viene dalla satira: la comicità non intacca i tuoi valori, la satira invece sì: esprime un giudizio ed è proprio per questo motivo che alcuni spettatori a volte si rifiutano di ridere. Le battute satiriche infatti non sono innocue, al contrario: toccano temi per loro sensibili, temi cioè che riguardano la struttura del loro mondo di valori.

D2. La tua scrittura è sintetica e velocissima. È una ricerca stilistica o qualcosa legato al tuo modo di stare in scena?

R2. Una buona battuta esprime il massimo col minimo dei termini utilizzati. Per cui si lima, si lima e si lima per arrivare all'essenziale. "Mio nonno era un duro. Un vero duro. Sulla sua lapide c'è scritto: *Che guardi?*" Quanto alla velocità, i gran-di comici del passato insegnano che più è forsennata, più fa ridere. È uno dei motivi per cui parlo velocissimo. L'altro motivo è che da piccolo balbettavo e un foniatra mi insegnò a dire frasi complesse senza impaperarmi.

D3. La satira è spalmata su numerosi argomenti, non c'è solo la politica. E anche sui temi del sesso non conosci mezze misure…

R3. E perché dovrei? Essere osceni è il mestiere del comico. Inoltre il corporeo e la sua oscenità si impongono con evidenza se sei uno spirito sensibile. Penso a Mozart, che è il mio Dio, e alle lettere scandalose che si scambiava con la cugina.

D4. Sei sempre stato così o hai trovato un modo formidabile per essere unico?

R4. Sono sempre stato così. A sette anni, mettevo in scena omicidi nelle varie stanze della casa: facevo recitare i miei fratelli e chiamavo i miei genitori ad assistere alle rappresentazioni.

D5. Chi erano gli assassinati?

R5. Non si sa. Ho capito più tardi che forse ero alle prese con un ricordo della scena primaria. A quattro anni sorpresi i miei che nel buio facevano l'amore. Fu una cosa impressionante, mi sembrava che qualcuno stesse strangolando mia madre e scoppiai a piangere disperatamente. Mia madre cercò di rassicurarmi, accesero la luce, quella notte mi fecero dormire con loro, era tutto ok. Io non ne ero convinto. C'era qualcosa che mi sfuggiva. ∎

da www.danieleluttazzi.it

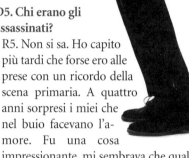

Daniele Luttazzi

È uno dei più controversi autori satirici italiani. Alterna la televisione al teatro, con spettacoli satirici che poi diventano, spesso, dei libri. Nel 2001 ha condotto sulla RAI il talk show satirico *Satyricon* che è stato molto discusso. Da quel momento si è dedicato principalmente al teatro e ai libri. Nel 2007 è tornato in tv con il programma *Decameron*, che però è stato bloccato dalla censura.

10 Analisi lessicale

*Per ogni parola vengono dati due significati, tutti e due corretti. Trova il significato più adatto per ogni parola all'interno del testo dell'attività **9b**.*

dove	parola	significati
R1	**valore**	☐ 1. Equivalente in denaro di un bene, il suo prezzo, il suo costo. ☐ 2. Dote morale e intellettuale che rende una persona degna di considerazione.
R1	**intaccare**	☐ 1. Fare un taglio, un'incisione. ☐ 2. Danneggiare, indebolire, rovinare.
R1	**sensibile**	☐ 1. Che è percepibile, che si conosce o si apprende attraverso i sensi. ☐ 2. Apprezzabile, rilevante, importante.
D2	**sintetico**	☐ 1. Che costituisce una sintesi, un riassunto. ☐ 2. Di sostanza o prodotto ottenuto artificialmente mediante sintesi chimica.
R2	**battuta**	☐ 1. Ciascun intervento parlato di un attore nel corso di una rappresentazione. ☐ 2. Frase arguta e spiritosa o anche provocatoria e mordace.
R2	**limare**	☐ 1. Sottoporre all'azione di una lima per levigare, spianare, smussare. ☐ 2. Portare a compimento, migliorare, perfezionare.
R2	**duro**	☐ 1. Che non accetta imposizioni, energico e sicuro. ☐ 2. Che causa sofferenza, spiacevole, doloroso.
R2	**motivo**	☐ 1. Stato d'animo, convinzione, circostanza che spinge ad agire in un determinato modo o a compiere una determinata azione. ☐ 2. Tema fondamentale e ricorrente di un'opera o di una produzione artistica.
R5	**strangolare**	☐ 1. Uccidere esercitando una forte pressione alla gola. ☐ 2. Mettere in grave difficoltà, soprattutto da un punto di vista economico.
R5	**sfuggire**	☐ 1. Sottrarsi a qualcuno per evitare di essere catturato o trattenuto. ☐ 2. Sottrarsi alla comprensione, risultare oscuro.

11 Analisi grammaticale

11a *Guarda nel testo la costruzione del verbo **fare + infinito**. Chi svolge l'azione del verbo **fare**? E chi svolge l'azione dell'infinito? Completa lo schema, poi rispondi alle domande lavorando con un compagno.*

dove	costruzione	soggetto verbo *fare*	agente infinito
R2	fa ridere		
R4	facevo recitare		
R5	fecero dormire		

1. La costruzione ***fare + infinito*** serve per centrare l'attenzione su chi/cosa permette ad altri di fare qualcosa. Il soggetto del verbo ***fare*** quindi è sempre chiaro. Come viene invece espresso chi svolge l'azione del verbo all'infinito? Puoi scegliere più di una risposta.

☐ *Non viene espresso*
☐ *Viene espresso come oggetto diretto*
☐ *Viene espresso come oggetto indiretto (preposizione A)*
☐ *Viene introdotto dalla preposizione DA*

2. Ora guarda le vignette qui sotto. È ancora valida la tua risposta alla domanda precedente o ci sono altre opzioni?

11b *Continua a lavorare con lo stesso compagno. Riassumi la regola della costruzione* **fare + infinito** *collegando la parte di sinistra con quella di destra, come nell'esempio.*

la persona che svolge l'azione del verbo all'infinito...

- ...non viene espressa...
- ...viene espressa come oggetto diretto...
- ...viene espressa come oggetto indiretto (preposizione A)...
- ...viene introdotta dalla preposizione DA...

- ...quando il verbo all'infinito non ha nessun altro oggetto.
- ...quando non si vuole esprimere o è sottintesa.
- ...quando il verbo all'infinito ha anche un oggetto diretto e un oggetto indiretto.
- ...quando il verbo all'infinito ha anche un altro oggetto.

12 Scrivere e parlare

12a *Sicuramente conoscerai delle barzellette nella tua lingua. Scrivine qualcuna in italiano.*

12b *Lavora con un gruppo di compagni e raccontatevi, senza leggerle, le barzellette che avete scritto al punto* **12a**. *Vi fanno ridere? E vi fanno ridere quelle italiane di pagina 142?*

▶ Il teatro comico in Italia e la Commedia dell'Arte

Il teatro comico italiano affonda le sue radici nella Commedia dell'Arte, un genere teatrale che si sviluppò nel XVI secolo con attori che recitavano improvvisando commedie dagli intrecci amorosi e comici. Le compagnie della Commedia dell'Arte giravano di città in città e recitavano generalmente nelle piazze o in piccoli teatri. Nel corso del secolo, e poi soprattutto nel '600, i Comici vennero sempre più spesso invitati nei grandi teatri delle corti dei monarchi più illuminati d'Europa. Fu solo nel '700 però che i personaggi creati dalle compagnie (Arlecchino, Colombina, Brighella, Pantalone, ecc.) divennero immortali, grazie all'opera del celebre drammaturgo veneziano Carlo Goldoni.

▲ Carlo Goldoni

13 Gioco

*Gioca contro un compagno. Scegli una delle frasi e trasformala usando la struttura **fare + infinito**, come nell'esempio.*
*Se è giusta guadagni la casella che la contiene. Poi toccherà al tuo avversario. Vince il primo che riesce a fare **TRIS**.*
Chiamate l'insegnante solo in caso di contestazioni.

Esempio

HO DETTO A ROSSELLA DI MANDARTI LA LETTERA.
Ti ho fatto mandare la lettera da Rossella

GLI (loro) HO DETTO DI CAMMINARE PIÙ VELOCEMENTE	HAI DETTO A LUIGINO DI METTERE IL MAGLIONE E ADESSO MUORE DI CALDO!	GINO MI HA DETTO DI COMPRARE QUESTO DISCO.
IL FILM "VIA COL VENTO" HA PORTATO A PIANGERE ALMENO TRE GENERAZIONI.	DICO A CARLO DI COMPRARTI IL PROSCIUTTO QUANDO VA A PARMA.	DI' A ROBERTO DI SCRIVERE LA LETTERA.
LASCIA CHE ROBERTO TI SCRIVA ALMENO UNA LETTERA.	CERTI COMICI MI PORTANO A MORIRE DAL RIDERE!	QUESTO FILM PORTA TUTTI A RIDERE.

La Commedia dell'Arte è un fenomeno unico nella storia del teatro, un evento irripetibile che non ha nulla a che fare con il teatro moderno, eppure tanti attori italiani hanno attinto dal patrimonio delle maschere: da Ettore Petrolini a Totò e, per ultimi, a Gigi Proietti e Dario Fo. Quest'ultimo, premio Nobel nel 1997, è stato autore di una fantasiosa e fortunatissima rielaborazione scenica di alcuni dei più significativi testi tramandati della Commedia dell'Arte nello spettacolo dal titolo *Mistero Buffo*.

↗ Dario Fo

Le barzellette

Le barzellette sono piccole storie con battute umoristiche o comiche finali. È forse il genere di testo più difficile da capire per un non madrelingua in quanto richiede conoscenze linguistiche e culturali molto profonde. In Italia moltissime barzellette hanno come obiettivo i **carabinieri**. Un altro classico filone di barzellette sono quelle che vedono come protagonisti personaggi di diverse nazionalità, in cui di solito l'**italiano** spicca per furbizia rispetto agli altri. Il personaggio del bambino astuto e a volte un po' scurrile è **Pierino**, protagonista anche di alcuni film di dubbio valore negli anni '80. Giocano invece sui doppi sensi e sui fraintendimenti linguistici i **colmi**, i giochi di parole sui **nomi** e le **freddure** surreali e assurde.

Carabinieri

Un carabiniere arriva contento in ufficio:
- Ieri ho finito un bel *puzzle*.
- E quanto ci hai messo?
- Due anni.
- Caspita! Così tanto?
- Al contrario, sono stato velocissimo! Sulla scatola c'era scritto: "da 3 a 6 anni"!

Colmi

Il colmo per un falegname?
Avere la moglie scollata!

Il colmo per un gatto?
Condurre una vita da cani!

Il colmo per un idraulico?
Avere un figlio che non
capisce un tubo!

L'italiano

Un italiano e un francese si ritrovano nella giungla inseguiti da un leone. A un certo punto l'italiano, allo stremo delle forze, si ferma ed estrae dalla borsa un paio di scarpe da ginnastica... al quel punto il francese gli chiede:
"Ma cosa fai? Speri di correre più veloce del leone?".
E l'italiano risponde:
"Più veloce del leone no... ma di te sì!".

Nomi

Il più grande produttore tedesco di cioccolata? *Von Dent*

Il suo concorrente arabo? *Al Lat*

Il portiere della nazionale di calcio greca?
Para Riguris

Pierino

- Papà che cosa mi daresti se prendessi 10 in matematica?
- Ti darei 10 euro, Pierino.
- Beh, allora dammene 4!

Freddure

- Una scimmia mangia quattro banane in due ore...
- Allora?
- Due!

storia

IL FASCISMO

1 Introduzione

Cosa sai del fascismo? Prova a dire se queste affermazioni sono vere o false e poi confrontati con alcuni compagni.

☐ Il fascismo è stato un movimento politico di destra a carattere autoritario.

☐ Il capo del fascismo, Benito Mussolini, prima di diventare fascista era socialista.

☐ Mussolini andò al potere durante la prima guerra mondiale.

☐ Il regime fascista è durato circa vent'anni.

☐ Il regime fascista ha avuto molto consenso da parte della popolazione italiana.

☐ La chiesa cattolica si oppose sempre a Mussolini e non trovò mai un accordo con il regime.

☐ Il regime fascista non perseguitò gli ebrei.

☐ Nel 1940 l'Italia entrò in guerra a fianco della Germania nazista, ma poi Mussolini cambiò idea e nel 1943 si alleò con gli angloamericani.

☐ Dopo la caduta di Mussolini in Italia scoppiò una guerra civile tra fascisti e antifascisti.

☐ Alla fine della seconda guerra mondiale Mussolini è stato processato ed è morto in prigione dopo molti anni.

2 Leggere

Ora leggi l'intervista e verifica le tue scelte. Completa l'intervista inserendo le domande al posto giusto nel testo. Attenzione, 2 domande sono in più e non devono essere inserite.

Intervista sul fascismo

Nascita e crollo del regime fascista, nella ricostruzione dello storico Sandro De Luigi, studioso di storia del fascismo

1 *Domanda n°___*

Il fascismo è un movimento politico autoritario, nazionalista e conservatore che nato nel 1919 e diretto da un ex
5 dirigente socialista, Benito Mussolini, giungerà in pochi anni - attraverso una forzatura istituzionale - al governo. Mussolini guiderà l'Italia per poco più di un ventennio, dal 1922 al 1943 e
10 abbandonerà il potere solo dopo aver portato il Paese alla disfatta militare, alla rovina economica e alla guerra civile.

Domanda n°___

15 È difficile dare una risposta semplice a questa domanda. Il fascismo ha due genitori, da una parte la tradizione autoritaria della destra italiana, dall'altra il progressismo socialista. I suoi diri-
20 genti, a cominciare da Mussolini, venivano spesso dalla tradizione socialista e questo mix tra autoritarismo e populismo, tra tradizione e innovazione, tra conservazione e mutamento rende
25 estremamente difficile dare una spiegazione lineare di cosa sia stato e di perché nacque il fascismo. Di certo un peso enorme nello sviluppo del fascismo lo ebbero i fatti che seguirono la prima
30 guerra mondiale. L'Italia aveva voluto partecipare alla guerra anche se in realtà non ce ne sarebbe stato alcun bisogno. La guerra aveva poi provocato danni enormi: 600.000 morti e altrettanti
35 dispersi o prigionieri, un milione di feriti. L'economia era uscita stremata dai 3 anni di conflitto e andava interamente ristrutturata. Tutto questo creava enormi difficoltà sociali. In campo interna-
40 zionale i problemi erano altrettanto sentiti. La conferenza di pace non aveva riconosciuto all'Italia i vantaggi che questa si aspettava in quanto vincitrice della guerra e ciò rendeva la situazione
45 politica interna ancora più instabile ed effervescente. In questo clima di caos e di crisi Mussolini e il fascismo si proporranno come partito d'ordine e come motori delle riscossa nazionale contro
50 l'umiliazione cui l'Italia si sentiva sottoposta dalle scelte di Francia e Inghilterra.

Domande

1. Questo fu l'inizio, ma Mussolini rimase al potere per più di 20 anni…
2. Il fascismo è il primo di una lunga serie di movimenti politici di destra che si manifesteranno nel '900: può spiegarci come e perché nasce?
3. C'è chi dice che se l'Italia non avesse partecipato alla guerra, il regime fascista sarebbe durato molto più a lungo, lei che ne pensa?
4. Mussolini era consapevole di questo?
5. Professor De Luigi, se lei dovesse dare una spiegazione molto sintetica del fascismo a chi non ne ha mai sentito parlare, come lo definirebbe?
6. Ci parli un po' della fine di Mussolini, di quando il consenso venne a mancare…
7. Questo vale per le cause storiche, ma materialmente come giunse al potere Mussolini?
8. E questo fu un errore?
9. E questo consenso su cosa poggiava?
10. E poi?

La marcia su Roma

Domanda n°___

Nel 1922 organizzò la cosiddetta "Marcia su Roma". I militanti fascisti, le "camicie 55 nere", marciarono verso la capitale e il re, che era allora il capo dello Stato, nominò Mussolini primo ministro. Va ricordato che nelle elezioni politiche del 1921 i fascisti avevano preso pochis- 60 simi voti. Voti che invece lievitarono un anno e mezzo dopo la marcia su Roma quando il partito fascista ottenne il 66% dei consensi. Chi gridò allo scandalo e denunciò la truffa 65 elettorale, come il deputato socialista Giacomo Matteotti, venne assassinato. Questo episodio va ricordato perché segna di fatto l'inizio del regime fascista. In un famoso discorso alla Camera dei 70 deputati il duce si accollò la responsabilità politica dell'omicidio e fu chiaro che se qualcuno avesse pensato di mettersi contro il fascismo avrebbe dovuto vedersela con una implacabile ed omicida volontà 75 di dominio. Va sottolineato che il re in quell'occasione non chiese in nessun modo l'allontanamento di Mussolini dal governo.

80

Domanda n°___

Sì. In realtà il sostegno da parte delle masse italiane non mancò più a Mussolini fino alla disfatta nella seconda guerra mondiale. Le piazze d'Italia, lo si 85 vede anche nei filmati d'epoca, erano piene di gente che acclamava il duce

La firma dei Patti Lateranensi

produzione agricola - per citarne alcune -
135 furono momenti di attivazione anche psi-
cologica delle masse finalizzate a favorire
la crescita del consenso. Non mancherà
nemmeno l'appoggio degli intellettuali e
degli artisti. Nel 1931 il regime chiese ai
140 professori universitari un giuramento di
fedeltà. La categoria, forte e prestigiosa, se
avesse voluto avrebbe potuto rifiutarsi di
aderire. Ma così non fu: solo una ventina
su oltre milleduecento cattedratici ebbe il
145 coraggio di non schierarsi a fianco del
fascismo. Con il senno di poi sembra stra-
nissimo ma anche la comunità ebraica,
che in seguito alle leggi razziali del 1938 fu
dapprima cacciata da tutte le istituzioni
150 pubbliche comprese le scuole e gli uffici e
poi duramente perseguitata e martoriata,
appoggiò il fascismo nel momento del
massimo consenso per
Mussolini.
155

Domanda n°___
L'errore di Mussolini fu di
credere che la Germania, nel
1940, conquistata Parigi, aves-
160 se ormai vinto la seconda
guerra mondiale. Per non
restare fuori dai giochi, l'Italia
fascista che era militarmente ed economicamente impreparata a competere con le
165 grandi potenze, entrò in guerra. Solo tre
anni dopo, con il territorio italiano occupato dagli angloamericani, le colonie afri-
cane perse, le città bombardate, il senso di
sconfitta ormai diffuso, quando ormai il
170 favore delle masse era venuto inesorabil-
mente meno, il Gran Consiglio del
Fascismo deciderà di chiedere l'arresto di
Mussolini, il re nominerà il generale
Badoglio primo ministro e con questo
175 porrà ufficialmente fine al regime.

Domanda n°___
Gli ultimi due anni di vita di Mussolini
coincidono con il periodo più duro della
180 storia italiana recente. L'8 settembre 1943
il governo Badoglio firma l'armistizio con
gli alleati angloamericani che ormai
padroni della Sicilia erano sbarcati sul
continente. I tedeschi procedettero quindi
185 all'occupazione militare dell'Italia e libe-
rarono Mussolini. Questi fondò un nuovo
stato, la Repubblica Sociale Italiana con
capitale Salò, una cittadina sul lago di
Garda nel nord Italia. In questa situazione

mostrando non solo di condividerne le
scelte politiche ma anche di amarlo.
90 Mussolini cercò e generalmente ottenne
anche l'accordo delle grandi istituzioni.
Prendiamo il caso della chiesa cattolica.
Era chiaro che se il duce avesse voluto
ampliare il proprio consenso avrebbe
95 dovuto ottenere l'appoggio della chiesa:
questa non aveva mai riconosciuto lo
stato italiano da quando, nel 1870, Roma
era stata sottratta al dominio del papa e
dichiarata capitale del Regno d'Italia. La
100 chiesa concesse il proprio appoggio al
regime con la firma, nel 1929, di uno storico accordo con lo Stato italiano ricordato come Patti Lateranensi o Concordato.
Pochi mesi dopo, nel plebiscito, il fasci-
105 smo ottenne quasi il 90% dei suffragi.

Domanda n°___
Anche qui le cose sono complicate.
Mussolini costruì uno stato nuovo total-
110 mente identificato negli obiettivi del partito fascista. Gli italiani nel ventennio
erano sin da giovani inquadrati in milizie,
gruppi, ordini che li rendevano membri e
partecipi di una volontà più ampia, il
115 volere dell'Italia fascista. Questa a sua
volta si lanciò negli anni '30 verso l'ampliamento dei possedimenti coloniali
dando l'impressione al popolo italiano
che il loro stato stesse veramente com-
120 piendo imprese memorabili degne della
grande storia dell'antico impero romano.
Il fascismo fu probabilmente il primo
movimento politico moderno ad utilizzare in maniera massiccia strumenti di con-
125 dizionamento delle masse per ottenerne il
consenso. Vennero
lanciate campagne
continue di mobili-
tazione sui temi
130 più diversi. Le cam-
pagne per l'aumen-
to della natalità o
per la crescita della

Benito Mussolini, accanto le leggi razziali

scoppiò la guerra civile: da una 190
parte i partigiani che si organiz-
zarono per la liberazione del
Paese, dall'altra i fascisti alleati
dei nazisti. Questi si macchie-
ranno anche in Italia di tutti i 195
peggiori crimini di guerra: massacreranno
interi paesi per rappresaglia, fucileranno e
tortureranno i partigiani e deporteranno
migliaia di civili, di militari e di ebrei. Nel
contempo gli angloamericani bombarda- 200
vano le città del nord per distruggerne le
infrastrutture.
Naturalmente l'economia era ferma e la
fame colpiva la parte meno agiata della
popolazione. Tra atti di eroismo, vigliac- 205
cheria e massacri si giunse al 25 aprile del
1945 quando i partigiani entrarono vit-
toriosi a Milano e i tedeschi scapparono
oltre il Brennero. Il 28 aprile del 1945
mentre cercava di fuggire in Svizzera, 210
Mussolini fu arrestato e fucilato.

Domanda n°___
Certo, se Mussolini avesse mantenuto
una posizione neutrale oggi forse si 215
guarderebbe all'esperienza del fascismo
con occhi diversi (pur non potendo
dimenticare la natura dittatoriale di quel
regime). Ma la storia non si fa con i "se"
e con i "ma" e il lavoro dello storico è 220
quello di analizzare soprattutto i fatti e
non le ipotesi. ∎

3 Analisi lessicale

Qui sotto hai una lista di termini (alla forma base) tratti dal testo dell'intervista, che possono essere raggruppati in tre categorie: termini politici, termini militari, altro. Nella tabella trovi le definizioni del dizionario. Inserisci i termini al posto giusto nella tabella. Attenzione: in ogni categoria, un termine è privo di definizione. In coppia individuate il termine e scrivete la definizione che vi pare più adeguata.

disfatta (riga 11) **populismo** (riga 22-23) **lievitare** (riga 61) **truffa** (riga 65) **deputato** (riga 66)

accollarsi (riga 71) **consenso** (riga 94) **regime** (riga 101) **plebiscito** (riga 104) **suffragio** (riga 105)

milizia (riga 112) **natalità** (riga 132) **armistizio** (riga 181) **rappresaglia** (riga 197) **infrastruttura** (riga 202)

Termini politici		Termini militari		Altro	
	Consultazione diretta del popolo chiamato eccezionalmente a pronunciarsi su specifiche scelte, spec. riguardanti la sovranità territoriale o la struttura dello stato.		Ritorsione violenta compiuta da uno stato occupante nei confronti degli abitanti dei territori occupati.		Frode, imbroglio, inganno.
	Rappresentante dei cittadini, membro del parlamento o di altri consigli legislativi o amministrativi.		Sconfitta militare, capitolazione, sconfitta schiacciante, pesante insuccesso.		Assumere, prendere a proprio carico.
	Atteggiamento politico di esaltazione velleitaria e demagogica dei ceti più poveri.		Anche al pl., insieme di uomini armati, organizzati in un'unità militare e addestrati a combattere con mansioni generiche o incarichi specifici.		Crescere di volume, gonfiarsi.
	Dichiarazione della propria volontà in procedimenti elettivi o deliberativi; voto.		_____ _____		Spec. al pl., insieme di impianti pubblici e di beni materiali al servizio della collettività (ad es. strade, acquedotti, scuole, ospedali, ecc.).
	Appoggio dato da gruppi sociali a un programma politico, a un partito o a un governo.				_____ _____
	_____ _____ _____				

4 Analisi grammaticale

4a *Nell'unità 19 abbiamo visto il periodo ipotetico con ipotesi nel presente (reale, possibile o irreale). Ma esiste anche il periodo ipotetico con ipotesi nel passato. Senza guardare il testo dell'intervista, sai fare un esempio?*

4b *Ora cerca nel testo dell'intervista (domande e risposte) tutti gli esempi di periodo ipotetico e inseriscili nella colonna A della tabella. Poi completa le colonne B, C e D (per ora non considerare l'ultima colonna).*
Infine confrontati con un compagno.

A. Esempio del testo	B. Modo e tempo dell'ipotesi	C. Modo e tempo della conseguenza	D. L'ipotesi è nel presente/passato	
1.				
2.				
3.		condizionale composto		
4.	congiuntivo trapassato			
5.				
6.				

4c *Insieme allo stesso compagno, analizza gli esempi n° 2, 3, 4, 5, 6. Che tipo di ipotesi esprimono? Guardate le definizioni qui sotto e poi inserite nell'ultima colonna della tabella la sigla corrispondente al tipo di ipotesi: IRR1, IRR2, POSS.*

IRREALTÀ 1: L'ipotesi è nel passato ed è presentata come irreale (perché non si è realizzata).
IRREALTÀ 2: L'ipotesi è nel passato ed è presentata come irreale (ma la conseguenza ha ripercussioni sul presente).
POSSIBILITÀ: L'ipotesi è nel passato ed è presentata come possibile.

4d *Completa la regola.*

il periodo ipotetico con ipotesi nel passato		
IRREALTÀ 1	L'ipotesi è nel passato ed è presentata come irreale (perché non si è realizzata).	*se* + ipotesi _____ conseguenza *condizionale composto*
IRREALTÀ 2	L'ipotesi è nel passato ed è presentata come irreale (ma la conseguenza ha ripercussioni sul presente).	*se* + ipotesi _____ conseguenza _____
POSSIBILITÀ	L'ipotesi è nel passato ed è presentata come possibile (costruzione usata soprattutto nella narrazione per creare suspense).	*se* + ipotesi _____ conseguenza _____

5 Gioco a squadre

*Si gioca a squadre con il tabellone qui sotto e un dado. A turno ogni squadra lancia il dado e conta le caselle sul tabellone, partendo dalla casella **PARTENZA**. La squadra ha un minuto di tempo per formulare un periodo ipotetico secondo le indicazioni della casella in cui è arrivata.*

Se la frase è corretta la squadra conquista la casella (che viene segnata con il simbolo della squadra), se è sbagliata la casella rimane ancora libera. Si continua a girare nel senso delle frecce (saltando le caselle già occupate) fino a quando tutto le caselle sono state occupate. Vince la squadra che ha conquistato più caselle.

> **Esempio**
>
> **Io** - *presente - possibilità* = Se leggessi qualche libro in italiano, parlerei meglio.

5 | Variante - Gioco a squadre

L'insegnante fotocopia il tabellone e ritaglia le caselle mettendole in un sacchetto.
Le squadre a turno estraggono dal sacchetto i bigliettini con le caselle.

6 Ascoltare

6a *Ascolta l'audio e cerca di capire chi sono i personaggi che parlano e in che modo il fascismo e Mussolini li*
14 *riguardano.*

6b *Senza riascoltare il brano, rispondi alla domanda e discutine con alcuni compagni.*

■ Secondo te, i tre personaggi esprimono un giudizio personale sul fascismo o su Mussolini?

6c *Ora ascolta di nuovo e cerca di individuare se e dove i tre personaggi esprimono un giudizio personale sul fascismo*
14 *o su Mussolini.*

7 Analisi della conversazione
14

Riascolta il brano e completa la tabella. Poi confrontati con un compagno e se necessario ascolta di nuovo.

	Voce 1	Voce 2	Voce 3
A chi si sta rivolgendo il personaggio e in che contesto parla			
Livello espressivo del discorso	☐ Solenne, ufficiale, molto formale ☐ Colto, erudito ☐ Medio o normale ☐ Semplice, familiare e informale ☐ Confidenziale, intimo	☐ Solenne, ufficiale, molto formale ☐ Colto, erudito ☐ Medio o normale ☐ Semplice, familiare e informale ☐ Confidenziale, intimo	☐ Solenne, ufficiale, molto formale ☐ Colto, erudito ☐ Medio o normale ☐ Semplice, familiare e informale ☐ Confidenziale, intimo
Livello di accuratezza formale del discorso (correttezza dell'esposizione, frequenza di ripetizioni e incertezze, uso dei segnali discorsivi, ecc.)	☐ Alto ☐ Medio-alto ☐ Medio ☐ Medio-basso ☐ Basso *Esempi:* _____	☐ Alto ☐ Medio-alto ☐ Medio ☐ Medio-basso ☐ Basso *Esempi:* _____	☐ Alto ☐ Medio-alto ☐ Medio ☐ Medio-basso ☐ Basso *Esempi:* _____
Livello di complessità del discorso (articolazione e subordinazione delle frasi, scelta dei termini, riferimenti culturali, ecc.)	☐ Molto complesso e ricercato ☐ Mediamente complesso ☐ Semplice, elementare ☐ Poco coerente, sconclusionato *Esempi:* _____	☐ Molto complesso e ricercato ☐ Mediamente complesso ☐ Semplice, elementare ☐ Poco coerente, sconclusionato *Esempi:* _____	☐ Molto complesso e ricercato ☐ Mediamente complesso ☐ Semplice, elementare ☐ Poco coerente, sconclusionato *Esempi:* _____
La cosa che ti ha più incuriosito dal punto di vista linguistico (un'espressione, una frase, una costruzione particolare…)			

8 Leggere

Leggi il testo e completalo coniugando i verbi al condizionale semplice o composto e inserendo al posto giusto i nomi della lista (puoi usarli anche più di una volta). Poi confrontati con un compagno.

Antonietta   Gabriele   la moglie   il marito   Sophia Loren   Marcello Mastroianni

Un film con Marcello Mastroianni e Sophia Loren sull'Italia fascista

Una giornata particolare

Quella volta in cui
Mussolini incontrò Hitler

6 maggio 1938, una giornata particolare. Per Roma, caduta in delirio per la visita di Hitler, e per due umili coinquilini di un grande caseggiato popolare, due sconosciuti che quel giorno s'incontrano, si amano, sono costretti a dividersi per sempre.

Nel momento di pieno consenso ad un regime che di lì a poco *(portare)* _____ il Paese alla catastrofe, tutti i romani si riversano nelle strade e corrono entusiasti ai Fori imperiali per la grande parata organizzata dal regime fascista in onore di Hitler.

Anche il condominio della periferia romana dove vivono _____ e _____ si svuota, ma i due,

per ragioni diverse, restano nelle loro case, lontano dai clamori festanti.

_____ (Sophia Loren) è la classica moglie "fascista", serva di un marito gretto e ignorante e dei sei figli pedissequamente indottrinati nelle loro divise di regime. _____, camicia nera, impiegato al Ministero dell'Africa Orientale, è uomo prepotente e fedifrago, un cafone incapace anche di un solo gesto di tenerezza nei confronti della compagna. Obbediente ai principi della virilità maschilista e alla misoginia fascista, che considerava la donna solo come madre procreatrice e domestica dell'uomo, obbliga _____ a sfornargli figli a getto continuo, di cui poi vantarsi con orgoglio. *"Io mi sento considerata meno di zero... mio marito con me non parla, ordina, di giorno e di notte"* - confiderà in seguito _____ a _____, in questo modo rivelando l'ipocrisia del matrimonio fascista, incoraggiato in ogni maniera dal regime, in nome di una politica demografica che aveva l'obiettivo di portare in breve tempo ad aumentare la popolazione.

_____ (Marcello Mastroianni) è un annunciatore radiofonico che l'Eiar[1] ha licenziato perché omosessuale, dunque

antifascista, che si prepara a consegnarsi alla polizia e a partire per il confino nella lontana Sardegna.

Il loro incontro è casuale. Quando tutti i familiari di _____, svegliatisi in un'alba livida e indossata la divisa fascista, escono per partecipare con vibrante entusiasmo alla sfilata cui il Führer assisterà con Mussolini, e la donna si appresta a mettere ordine in casa, l'uccello che _____ tiene in gabbia scappa sulla finestra di un vicino. La donna va a bussargli alla porta per riprenderlo, e così conosce un tipo di uomo tutto diverso da quello che il regime esalta: gentile, premuroso, immalinconito da una vita in penombra.

_____ è disperato e l'arrivo di _____ lo salva dal proposito di suicidio. Lei, avvilita e umiliata da una vita di sottomissione alla volgarità e alla prepotenza maschile di un marito insensibile, a sua volta rimane affascinata da quest'uomo garbato e gentile. E quelle che all'inizio

[1] **Eiar:** il nome dell'organismo che si occupava delle trasmissioni radiofoniche durante il regime fascista.

Marcello Mastroianni

◤ Benito Mussolini e Adolf Hitler

storia|20

parevano due personalità incompatibili - intellettuale e critico lui, ignorante e ingenua lei - si riveleranno gradualmente come due anime gemelle e intimamente legate. Sono infatti di fronte, mentre la radio trasmette la cronaca della giornata trionfale, due creature in esilio, costrette ai margini di una società che celebra l'eroismo e la forza virile. Due "diversi": una donna in cui il mito della maternità e l'arroganza maschile hanno spento ogni grazia femminile, e un uomo timido e sensibile condannato all'esilio dal regime in un remoto angolo della Sardegna perché portatore di un "vizio abominevole". L'intuito subito li avvicina, ma la realtà in cui vivono non facilita il loro comprendersi. Messa sull'avviso dalla portiera, nonostante l'immediata simpatia, _____ diffida di quel "sovversivo"; e _____, deluso dai tanti segni di devozione al fascismo di cui è piena la casa di lei, non sa trattenere il dispetto e una punta di sarcasmo. Perciò si parlano, si scambiano cortesie, ma poi ciascuno ritorna nel proprio appartamento.

_____ a sistemare la casa, col cuore che batte più in fretta, _____ a preparare la valigia per l'imminente partenza. Invece, di lì a poco, è _____ che con un pretesto torna a bussare.

Ora _____ lo caccia, perché oltre tutto non tollera di avere rapporti con un antifascista che le dà del Lei[2] e per un attimo *(preferire)* _____ che non si fossero mai incontrati: ma rieccoli insieme sulla terrazza, a fare pace con un abbraccio improvviso e furioso. Ed ecco _____ offenderla con rabbia: ti sei sbagliata, sono un pederasta, *(essere)* _____ meglio che ti avessi detto subito la verità, così mi *(lasciare)* _____ in pace, tu e il tuo stupido moralismo fascista.

Confusa, non umiliata, _____

⊠ Sophia Loren in una scena del film

perdona subito le ingiurie. Raggiunge ancora _____, mangia con lui, si fa dire la sua storia. E lui, come mai gli era accaduto, trovata una donna che lo ascolta e gli resta vicino senza disprezzo, ha il coraggio di aprirsi. Il ghiaccio ormai è rotto e i due iniziano un gioco di confidenze e confessioni che li porterà ad un confronto tanto intenso, quanto drammatico, ma soprattutto a rispecchiarsi vicendevolmente nell'altrui infelice emarginazione. Il comune disincanto, la reciproca accettazione priva di falsi pregiudizi, li unisce in un momento d'amore autentico.

Certo, i due *(volere)* _____ che quel momento di intima unione non finisse lì, e andasse oltre l'esiguo spazio di una giornata così unica ma proprio per questo irripetibile. "Una giornata fatidica", dirà _____ a _____ tornando dall'adunata fascista e apprestandosi a sottomettere ancora una volta _____. Noi non sapremo se _____ stanotte si negherà, come dice. Intanto, mentre la polizia porta _____ con sé, _____ lo guarda dalla finestra, sfoglia il libro che lui le ha regalato, spegne la luce. La radio ormai tace, domani tutto sarà una lontana memoria.

Una giornata particolare è un piccolo gioiello: un penetrante contributo all'analisi storica e sociologica dell'epoca attuale attraverso la rievocazione degli anni in cui il consenso al fascismo era al culmine. Molti libri si sono già scritti sul fascismo, ma pochi o nessuno sono i film come questo che, senza essere un film di politica militante, hanno espresso mediante le immagini l'inganno sotteso alla farsa mussoliniana, il ricatto imposto anche nelle famiglie degli italiani dal mito isterico del gallismo di cui le donne furono, e sono, le prime vittime. Di rara qualità e tenuta drammatica è a sua volta il contrappunto tra i due personaggi, e fra loro e l'ambiente.

_____ e _____ sono nel contempo simboli e persone in carne e ossa, che in una giornata mistificante cercano la propria verità con uno spasi-

[2] Il regime fascista aveva vietato l'uso del "Lei" in favore del "Voi".

⊠ Marcello Mastroianni e Sophia Loren in una scena del film

Una giornata particolare è un piccolo gioiello: un penetrante contributo all'analisi storica e sociologica dell'epoca attuale attraverso la rievocazione degli anni in cui il consenso al fascismo era al culmine.

mo commovente e ci insegnano a vedere nella tragedia di ieri le radici dell'intolleranza di oggi verso tutti gli emarginati e del perenne sfruttamento della donna. Non importa se la loro è una coppia che le convenzioni *(dire)* _____ male assortita e senza futuro. E forse gli spettatori abituati a un genere di film più tradizionale *(preferire)* _____ che la storia d'amore tra i due avesse avuto toni meno sfumati e magari anche un finale diverso, meno triste e più consolatorio.

La metafora è però trasparente: come il fascismo tolse a un paese il diritto di distinguere il pubblico dal privato, così la democrazia si realizza nel lasciare a ciascuno lo spazio per essere se stesso. Che parte hanno _____ e _____, per la dodicesima volta insieme, in questa riuscita? A parer nostro, una parte grande; e tanto più si è loro grati quanto più spesso, negli ultimi anni, essi sembrarono condannati a perpetuare il *cliché* della superdiva e dell'amante latino. Come non è fra i minori meriti del regista Ettore Scola aver celebrato il funerale della commedia all'italiana, rovesciando due simboli erotici dell'immaginario collettivo, così a _____ e a _____ si deve dar atto d'avere speso il meglio del loro antico talento ritrovando tanti spunti del neorealismo in una cornice di modernissima sensibilità. ∎

da Giovanni Grazzini *Eva dopo Eva. La donna nel cinema italiano*, Bari, Laterza, 1980

Sophia Loren

9 Analisi lessicale

9a *Seleziona 5 termini di cui non capisci il significato nel testo dell'attività **8**. Poi lavora con un compagno. Mettete insieme le due liste e aiutatevi a chiarire i dubbi, fino ad avere una nuova lista di non più di 5 termini.*

9b *Formate due squadre. All'interno di ogni squadra mettete insieme le vostre liste e aiutatevi a chiarire i dubbi.*

9c *Quiz a squadre. Ogni squadra seleziona 10 termini per giocare contro l'altra squadra (se necessario si può usare il dizionario). Inizia il gioco: a turno ogni squadra chiede all'altra il significato di uno dei 10 termini che ha selezionato. L'altra squadra ha un minuto di tempo per consultarsi e provare a dare una risposta (in questa fase non si può più usare il dizionario). La squadra che ha fatto la domanda decide se la risposta è accettabile. Vince il gioco chi dà più risposte accettabili.*

10 Parlare

10a *La classe si divide in cinque gruppi: gruppo Ettore Scola, gruppo Marcello Mastroianni, gruppo Sophia Loren, gruppo Marito di Antonietta, gruppo Critico cinematografico. Ogni gruppo legge le istruzioni che riguardano il suo personaggio e si prepara per l'intervista.*

Ettore Scola

Sei il famoso regista Ettore Scola. Hai appena realizzato il film "Una giornata particolare", che consideri il tuo capolavoro. Un importante critico, noto per i suoi giudizi taglienti e per le sue "stroncature", ti ha invitato alla sua trasmissione televisiva per parlare del film insieme agli attori. Preparati a rispondere.

Sophia Loren

Sei la grande diva Sophia Loren, celebre in tutto il mondo per i suoi ruoli di sex symbol. Hai appena partecipato al film "Una giornata particolare", in cui hai interpretato il personaggio di Antonietta. Un importante critico, noto per i suoi giudizi taglienti e per le sue "stroncature", ti ha invitato alla sua trasmissione televisiva per parlare del film insieme al regista e agli altri attori. Preparati a rispondere.

Critico cinematografico

Sei un importante critico cinematografico, noto per i tuoi giudizi taglienti e per le tue "stroncature". Hai appena visto il film "Una giornata particolare" e hai invitato nella tua trasmissione televisiva il regista e gli attori per parlarne. Preparati a condurre l'intervista.

Marcello Mastroianni

Sei il grande divo Marcello Mastroianni, celebre in tutto il mondo per i suoi ruoli di "latin lover". Hai appena partecipato al film "Una giornata particolare", in cui hai interpretato il personaggio di Gabriele. Un importante critico, noto per i suoi giudizi taglienti e per le sue "stroncature", ti ha invitato alla sua trasmissione televisiva per parlare del film insieme al regista e agli altri attori. Preparati a rispondere.

Marito di Antonietta

Sei un attore. Hai appena partecipato al film "Una giornata particolare", in cui hai interpretato il personaggio del marito di Antonietta. Un importante critico, noto per i suoi giudizi taglienti e per le sue "stroncature", ti ha invitato alla sua trasmissione televisiva per parlare del film insieme al regista e agli altri attori. Preparati a rispondere.

10b *Si formano nuovi gruppi di cinque studenti, ognuno corrispondente a un personaggio. All'interno di ogni gruppo, si svolge l'intervista.*

10 Variante - Scrivere e parlare

Lavorate in gruppi di tre: due attori e un regista. In base alle informazioni che avete letto nell'articolo sul film, immaginate la scena del primo incontro tra Antonietta e Gabriele. Scrivete i dialoghi, provate la scena e poi rappresentatela.

11 Analisi grammaticale

▶**11a** *Osserva nel testo dell'attività **8** i verbi che hai coniugato al condizionale semplice o composto. Alcuni sono inseriti in una frase principale seguita da una frase secondaria al congiuntivo. Trova le frasi e* <u>*sottolineale*</u>*.*

▶**11b** *Insieme a un compagno, osserva ancora le frasi che hai* <u>*sottolineato*</u>*. Poi cerca di formulare una regola sulla concordanza tra il condizionale e il congiuntivo.*

azione della secondaria

congiuntivo

Quando nella frase principale c'è un <u>verbo di desiderio o di volontà</u> al condizionale...

contemporanea

anteriore

condizionale

posteriore

▶ Le parole del fascismo

Camerata: il nome con cui si chiamavano tra loro i fascisti.

Camicia nera: il nome con cui si indicavano i membri dell'organizzazione paramilitare del partito fascista, la cui divisa era appunto una camicia nera.

Duce: capo, condottiero. Titolo assunto da Benito Mussolini dopo la marcia su Roma, poi ufficialmente conferitogli per legge nel 1938.

Fascio: simbolo dell'autorità dello stato nell'antica Roma, ripreso dal fascismo, costituito da un mazzo di verghe tenute insieme da una scure.

Saluto romano: forma di saluto utilizzata nel periodo fascista, che prevede il braccio destro teso in avanti e in alto, con la mano tesa aperta. Così detto perché si ritiene fosse usato in epoca romana.

Squadrismo: fenomeno di violenza armata, esercitata da squadre d'azione costituite inizialmente da ex-combattenti

della prima guerra mondiale e, dal 1920, utilizzate dal fascismo come strumento di intimidazione e di lotta politica.

Ventennio: così viene chiamato il periodo della dittatura fascista (1922-1943).

11c *Ora scegli la tabella che descrive la regola corretta.*

A

Tempo della principale	Azione della secondaria anteriore	Azione della secondaria contemporanea	Azione della secondaria posteriore
condizionale semplice *Vorrei...* *Mi piacerebbe...* *Desidererei...* *Preferirei...*	congiuntivo presente *...che tu **dica** la verità.* (prima)	congiuntivo imperfetto *...che tu **dicessi** la verità.* (adesso)	congiuntivo imperfetto *...che tu **dicessi** la verità.* (dopo)
condizionale composto *Avrei voluto...* *Mi sarebbe piaciuto...* *Avrei desiderato...* *Avrei preferito...*	congiuntivo passato *...che tu **abbia detto** la verità.* (prima)	congiuntivo imperfetto *...che tu **dicessi** la verità.* (adesso)	congiuntivo imperfetto *...che tu **dicessi** la verità.* (dopo)

B

Tempo della principale	Azione della secondaria anteriore	Azione della secondaria contemporanea	Azione della secondaria posteriore
condizionale semplice *Vorrei...* *Mi piacerebbe...* *Desidererei...* *Preferirei...*	congiuntivo trapassato *...che tu **avessi detto** la verità.* (prima)	congiuntivo imperfetto *...che tu **dicessi** la verità.* (adesso)	congiuntivo imperfetto *...che tu **dicessi** la verità.* (dopo)
condizionale composto *Avrei voluto...* *Mi sarebbe piaciuto...* *Avrei desiderato...* *Avrei preferito...*	congiuntivo trapassato *...che tu **avessi detto** la verità.* (prima)	congiuntivo imperfetto *...che tu **dicessi** la verità.* (adesso)	congiuntivo imperfetto *...che tu **dicessi** la verità.* (dopo)

C

Tempo della principale	Azione della secondaria anteriore	Azione della secondaria contemporanea	Azione della secondaria posteriore
condizionale semplice *Vorrei...* *Mi piacerebbe...* *Desidererei...* *Preferirei...*	congiuntivo trapassato *...che tu **avessi detto** la verità.* (prima)	congiuntivo presente *...che tu **dica** la verità.* (adesso)	congiuntivo imperfetto *...che tu **dicessi** la verità.* (dopo)
condizionale composto *Avrei voluto...* *Mi sarebbe piaciuto...* *Avrei desiderato...* *Avrei preferito...*	congiuntivo trapassato *...che tu **avessi detto** la verità.* (prima)	congiuntivo passato *...che tu **abbia detto** la verità.* (adesso)	congiuntivo imperfetto *...che tu **dicessi** la verità.* (dopo)

Il fascismo e l'arte

Il fascismo ha considerato l'arte uno strumento di propaganda. Doveva piacere al popolo ed essere capita.
In pittura preferiva e consigliava temi epici e popolari, con fini sociali ed educativi.
Gli artisti che non si

Manifesto per la battaglia del grano

adeguavano ne pagavano direttamente le conseguenze, perché venivano di fatto estromessi dai circuiti ufficiali con operazioni di vera e propria "pulizia etnica".

⬈ Manifesto per una mostra d'arte   ⬈ Manifesto per un evento culturale fascista

🎧 **12** Esercizio
15

Ascolta molte volte il brano e trascrivi tutto quello che dice il ragazzo. Quando non riesci ad andare avanti lavora con un compagno.

Mi raccontavano _____

_____

fondamentalmente dei lavori _____

_____

_____ può succedere, se… possiamo

_____

_____ l'idea che se succedeva qualcosa…

13 Scrivere

In gruppo con alcuni compagni, immagina che Benito Mussolini sia ancora vivo e, ormai vecchio e prossimo a morire, scriva un testo per ripercorrere la sua esperienza politica e tracciare un bilancio della sua esistenza.

In particolare l'architettura era vista da Mussolini come elemento scenografico per eccellenza, rappresentativa di una volontà imperialista e celebrativa.
In questo contesto si sviluppò il movimento razionalista, sulla scia europea, ma ebbe risalto soprattutto il cosiddetto *neoclassicismo semplificato* ispirato all'urbanistica classica romana. L'esempio più noto è il quartiere romano EUR con i suoi edifici maestosi ed imponenti, massicci e squadrati, per lo più costruiti con marmo bianco e travertino a ricordare i templi e gli edifici della Roma imperiale.
Uno degli intellettuali di spicco del ventennio fu Filippo Tommaso Marinetti, fondatore del futurismo e fedele sostenitore di Mussolini.
Il movimento futurista, nato nel 1909, esaltava la modernità, la tecnica, l'azione, la lotta e l'orgoglio patriottico.

F. T. Marinetti, ritratto da F. C. Coletti

↗ Palazzo della civiltà romana, EUR, Roma

↗ Palazzo dei congressi, EUR, Roma

↗ Architettura razionalista, Casa del fascio, Como

↗ Manifesto del futurismo, 1909

▶ Breve storia d'Italia dal fascismo a oggi

▾ Anni '20

Con la Marcia su Roma del 1922, organizzata dai suoi seguaci, sale al governo Benito Mussolini. Inizia l'era fascista.

▾ Anni '30

Il fascismo prende sempre più il carattere di un regime dittatoriale che reprime con forza ogni forma di opposizione. In politica estera l'Italia si allea con la Germania nazista. Nel 1938 vengono emanate le leggi razziali contro gli ebrei.

▾ Anni '40

L'Italia partecipa alla seconda guerra mondiale a fianco della Germania. Nel 1943, in seguito alla sconfitta bellica, Mussolini viene arrestato e l'Italia firma l'armistizio. Il Paese viene occupato dall'esercito tedesco. Mussolini, dopo essere stato liberato dai tedeschi, fonda nel nord Italia la Repubblica di Salò. Scoppia la guerra civile tra le forze fedeli a Mussolini e i partigiani.
Nell'aprile del 1945 l'Italia viene liberata dagli angloamericani, Mussolini viene catturato e ucciso dai partigiani. Nel 1946 un referendum popolare sancisce la fine della monarchia e la nascita dell'Italia repubblicana.

▾ Anni '50 e '60

L'Italia si sviluppa economicamente, passando da una struttura agricola ad una industriale. Le popolazioni del sud migrano in massa verso le grandi fabbriche del nord. Dopo gli anni difficili della guerra gli italiani conoscono il benessere. Si parla di "boom economico".

▾ Anni '80

Dopo gli anni bui del terrorismo l'Italia conosce un decennio di spensieratezza, l'economia sembra crescere ma in realtà è solo un preludio alla grave crisi politica ed istituzionale che si aprirà nel decennio successivo. Il personaggio politico più rappresentativo del periodo è il socialista Bettino Craxi, che guiderà per molti anni il governo del Paese.

▾ Anni '70

Il Paese è attraversato da grandi tensioni politiche e sociali. Nascono molte formazioni terroristiche, di destra e di sinistra, che compiono numerosi attentati. Sono gli "anni di piombo". Il culmine è nel 1978, quando Aldo Moro, capo del più importante partito politico di governo (la Democrazia Cristiana), viene rapito e ucciso dalle Brigate Rosse.

▾ Anni '90

Esplode lo scandalo di Tangentopoli, che rivela la corruzione del mondo politico ad opera del mondo degli affari e porta al crollo del sistema dei partiti e alla fine della cosiddetta "Prima Repubblica". Inizia l'"era Berlusconi", che vede il più ricco uomo d'Italia entrare in politica, vincere le elezioni e salire al governo per due volte alla guida di una coalizione di centrodestra.

▾ Oggi

In un'alternanza di governi di destra e di sinistra, l'Italia vive un periodo di grandi cambiamenti politici, economici e sociali. Da Paese di emigrazione l'Italia si trasforma in Paese di immigrazione accogliendo moltissimi lavoratori stranieri. Anche grazie a questo per la prima volta dopo molti anni il tasso di natalità riprende a crescere.

1 Introduzione

1a *Ascolta l'inizio di questo brano.*
16 *Che genere di canzone è secondo te?*

- ☐ canto di lotta contadina
- ☐ canto di festa
- ☐ canzone religiosa

- ☐ canzone d'amore
- ☐ canto di guerra
- ☐ canzone per bambini

1b *Chiudi il libro, ascolta tutta la canzone e verifica la risposta.*
17 *Poi confrontati con un compagno.*

1c *Ricostruisci il testo della canzone, collegando le frasi di sinistra (in ordine) con quelle di destra. Poi confrontati con un compagno.*

1. Pizzicarella mia, pizzicarella	a. sutta lu giru de la gunnella.
2. Addhu te pizzicau la tarantella	b. da quindici anni m'hai fatta 'mpazzire.
3. De l'ura ca te vitti te 'mmirai	c. lu caminatu tou pare ca balla.
4. Ca quiddhu foi nu segnu particulare	d. de padre e madre m'hai fatta scerrare.
5. Amore, amore ce m'hai fattu fare	e. ca nu te scerri de l'amore tou.
6. Da quindici anni m'hai fatta 'mpazzire	f. nu segnu fici an 'mmienzo all'occhi toi.

1d *Riascolta la canzone senza guardare il testo.*
17

1e *In coppia con il compagno di prima, rileggi il testo e verifica i collegamenti.*

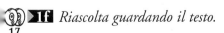

1f *Riascolta guardando il testo.*
17

1g *Leggi il testo della canzone e poi il box a fianco sulla pizzica e la taranta. Insieme a un compagno, cerca di capire di cosa parla la canzone.*

Pizzicarella mia

Pizzicarella mia, pizzicarella
lu caminatu tou pare ca balla.

Addhu te pizzicau la tarantella
sutta lu giru de la gunnella.

De l'ura ca te vitti te 'mmirai
nu segnu fici an 'mmienzo all'occhi toi.

Ca quiddhu foi nu segnu particulare
ca nu te scerri de l'amore tou.

Amore, amore ce m'hai fattu fare
da quindici anni m'hai fatta 'mpazzire.

De quindici anni m'hai fatta 'mpazzire
de padre e madre m'hai fatta scerrare.

La pizzica e la taranta

La pizzica è una musica e una danza tipica dell'Italia del sud (in particolare del Salento, in Puglia) che ha origini rituali e terapeutiche. Anticamente veniva utilizzata per la cura del "tarantismo".

Secondo la credenza popolare il tarantismo era una malattia causata dal morso della taranta (un piccolo ragno velenoso), che provocava uno stato di malessere generale e che colpiva soprattutto le donne. Le vittime della taranta cadevano in trance e si muovevano come possedute da una forza misteriosa.

In realtà il morso era spesso un pretesto per risolvere traumi, frustrazioni e conflitti familiari. Era insomma un modo in cui le donne, emarginate e sottomesse al potere maschile, manifestavano il loro disagio e il loro desiderio di ribellione.

Attraverso il ballo, al ritmo incalzante della pizzica, le tarantate venivano curate e "liberate". Il ballo andava avanti per ore, fino a quando la tarantata non cadeva a terra stremata e finalmente guarita.

Oggi il tarantismo non esiste quasi più, ma ha trovato una sua autonomia come tipo di danza e genere musicale, diventando un vero e proprio fenomeno popolare.

1h *Nel testo compare in due forme diverse il verbo* **scerrare**. *Cercalo e poi spiegane il significato nelle due frasi.*

1i *Leggi nella pagina accanto la traduzione in italiano del testo della canzone.*

2 Parlare

Che informazioni hai sui dialetti italiani?
Conosci qualche espressione in dialetto?
Hai fatto qualche esperienza che puoi raccontare?
Parlane in gruppo con alcuni compagni.

Arakne Mediterranea

La compagnia *Arakne Mediterranea* ha sede a Martignano, nella Grecìa Salentina (Puglia). Si compone di artisti studiosi e ricercatori, che si propongono di diffondere e far conoscere le tradizioni, le danze, gli usi e i costumi delle espressioni popolari salentine.

La compagnia *Arakne* deve il suo nome ad una famosa tessitrice della Lidia che, ritenendo di essere superiore a chiunque in quest'arte, commise l'impudenza di sfidare Atena. La giovane venne umiliata dalla dea e tentò di uccidersi ma Atena la perdonò e le concesse di vivere, anche se trasformata in ragno.

Il brano *Pizzicarella mia* è contenuto nel loro album **Tre Tarante**, ed. Arakne - anno 2000. Per ulteriori informazioni sulla compagnia: www.araknemeditterranea.com.

Pizzicarella mia

Pizzicarella mia pizzicarella
quando cammini sembra che balli.

Dove ti pizzicò la tarantola
sotto il bordo della gonna.

Da quando ti ho vista ti ho ammirata
un segno ho fatto in mezzo ai tuoi occhi.

Che quello fu un segno particolare
per non farti dimenticare del tuo amore.

Amore, amore che mi hai fatto fare
da quindici anni mi hai fatto impazzire.

Da quindici anni mi hai fatto impazzire
di mia madre e di mio padre mi hai fatto dimenticare.

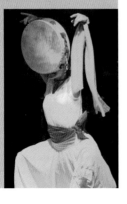

3 Leggere

Completa l'intervista inserendo le domande al posto giusto nel testo.

Lingua e dialetti

Intervista al professor Gian Luigi Beccaria, linguista e storico della lingua italiana

Dal punto di vista linguistico i dialetti italiani e la lingua nazionale sono sullo stesso piano: entrambi hanno avuto la stessa "nobile" origine, cioè il latino.

Domande

1 Si potrebbe allora dire che se Dante fosse nato in Sicilia oggi in Italia parleremmo il siciliano?

2 Professore, l'Italia è anche il Paese che ha il maggior numero di dialetti in rapporto alla sua superficie. Perché?

3 Quindi secondo Lei non è valida la divisione secondo la quale la lingua nazionale sta in alto e i dialetti in basso?

4 Può fare qualche esempio?

5 Però è stato poi il toscano ad avere la prevalenza sugli altri dialetti, a diventare la lingua ufficiale. Come mai?

6 Quali sono i grandi gruppi in cui si suddividono i dialetti italiani?

7 Comunque, mi sembra di capire, il fatto che il toscano sia diventato la lingua nazionale non è il risultato di un'imposizione dall'alto.

8 Professore, in Italia da molti anni è in corso un acceso dibattito fra i fautori dei dialetti e chi li avversa. Lei da che parte sta?

9 Dopo questa affermazione, l'italiano toscano è rimasto chiuso agli apporti degli altri idiomi regionali?

---

1 *Domanda n°___*
Né dall'una né dall'altra. Innanzitutto va detto che non è vero che i dialetti siano una corruzione dell'italiano. È vero inve-
5 ce che italiano e dialetti hanno un diverso ruolo sociolinguistico: il primo è la lingua della comunicazione all'interno della Repubblica Italiana; i secondi hanno un uso più limitato, in qualche
10 caso si limitano all'uso familiare.

Domanda n°___
Dal punto di vista linguistico i dialetti italiani e la lingua nazionale sono sullo stes-
15 so piano: entrambi hanno avuto la stessa "nobile" origine, cioè il latino. Che poi i vari dialetti abbiano avuto vicende storiche diverse e che alcuni, pur rispettabilissimi, non abbiano prodotto documenti
20 letterari limitandosi soltanto a essere mezzo di comunicazione fra gli abitanti di una certa zona, non si può negare. Perché da una pari dignità iniziale ognuno ha avuto la sua storia, il suo svolgi-
25 mento. E alcuni dialetti sono andati più in alto di altri. Come è stato, per esempio, il caso del siciliano che nel Duecento ha prodotto una grande scuola poetica, la prima in Italia. Quella toscana, del "dolce
30 stil novo", è venuta dopo.

Domanda n°___
La fortuna del toscano si deve al consenso avuto da scrittori come Dante,

35 Petrarca, Boccaccio; stiamo parlando dei padri della letteratura italiana, non di scrittori qualunque. E a un certo momento, appunto per ragioni culturali, letterarie, è accaduto che autori del nord
40 come del sud abbiano cominciato a scrivere in toscano. Man mano il toscano ha acquisito una posizione predominante rispetto agli altri dialetti, tanto che chiunque volesse avere la certezza di esse-
45 re letto e ascoltato dal maggior numero possibile di persone, era obbligato a conoscerlo e ad usarlo. Poi, in coincidenza con l'Unità d'Italia (cioè circa 150 anni fa) il toscano fu adottato come lingua

ufficiale del Paese, anche se, come detto, 50
si era già imposto come lingua letteraria prevalente assai prima, addirittura verso la fine del medioevo.

Domanda n°___ 55
Probabilmente sì. Ma è un gioco della fantasia!

Domanda n°___
No, è stata una libera scelta. In Italia non 60
c'è stata alcuna autorità politica o religiosa che a un certo punto abbia imposto il toscano come base della lingua naziona-

le. Da noi non è accaduto come in Francia dove la lingua è stata stabilita con una legge o come in Inghilterra dove la scelta di un certo dialetto come lingua generale è dipesa da vicende di carattere soprattutto politico. In Italia tutto è accaduto naturalmente. Quando non esisteva ancora un'unità nazionale è avvenuta questa unificazione culturale.

Domanda n°___

No, anzi. Col tempo, nonostante le proteste dei puristi, si è progressivamente contaminato con le altre parlate italiane, sia per quanto riguarda la pronuncia delle parole, sia per quanto riguarda lo stesso lessico. A tale proposito negli ultimi cinquant'anni grande è stata l'influenza (nel bene e nel male) della televisione, che ha contribuito a diffondere - e in alcuni casi anche a creare - una sorta di italiano "standard" che ormai costituisce la lingua parlata in quasi tutto il Paese. In qualsiasi città, e soprattutto fra le giovani generazioni, l'italiano "televisivo" (parlato con accenti, cadenze e innesti lessicali delle singole regioni) rappresenta ormai la principale lingua di comunicazione. Pertanto, qualunque cosa si possa pensare della televisione - e c'è chi ne pensa tutto il male possibile - non si può non riconoscerle il merito di avere unificato linguisticamente il Paese.

Domanda n°___

Dipende tutto dalla varietà della storia italiana e dal fatto che l'unità politica del Paese è stata raggiunta molto tardi rispetto per esempio a Paesi come la Francia e l'Inghilterra. Pensi un po' che cosa può aver voluto dire il fatto che città come Torino, Milano, Bergamo, Venezia, Padova e tante altre abbiano avuto vicende politiche e sociali completamente autonome. E queste autonomie, i territori che passavano dagli uni agli altri con le molte guerre e le invasioni che ci sono state, hanno prodotto un'evoluzione diversa di quei dialetti.

In Italia, per esempio, non solo ogni regione possiede un suo proprio dialetto specifico, ma addirittura vi sono differenze a livello delle singola città.

Domanda n°___

Beh, prendiamo il dialetto ligure parlato a Genova: è diverso non solo dal piemontese, ma anche dallo stesso ligure parlato a Imperia o a La Spezia. Assai grandi sono poi le differenze fra i dialetti di regioni distanti fra loro, in particolare fra i dialetti parlati nel nord dell'Italia e quelli meridionali: per esempio esistono più somiglianze tra il piemontese e il francese (si dice *buchèt* in piemontese, come *bouquet* in francese, invece di *mazzo* in italiano) che tra il piemontese e il calabrese (quest'ultimo conserva addirittura tracce del greco antico, come per esempio *simitu* per *confine* dal greco *sématon* oppure *catu* per *secchio* dal greco *kàdos*).

Domanda n°___

Se prendiamo una carta geografica della nostra penisola si può tracciare una linea ideale che va da La Spezia a Rimini. Ecco, questo è il confine che divide i due grandi gruppi dei dialetti italiani: quelli settentrionali da quelli centro-meridionali e toscani. ■

4 Analisi lessicale

4a *Discuti con un compagno del significato di queste espressioni contenute nel testo dell'attività* **3**.

riga	
18	pur
38	appunto
41	man mano
52 e 124	assai
52, 116 e 133	addirittura
75	anzi
80	a tale proposito

4b *Ognuna di queste spiegazioni si riferisce a un'espressione del punto **4a**. Completa gli esempi con l'espressione giusta.*

1 Significa "con il trascorrere del tempo", "progressivamente".
Esempio: _____ *Paul sta acquistando sempre più sicurezza con la lingua italiana.*

2 Significa "molto".
Esempio: *Domenica ho visto un film _____ interessante.*

3 Significa "perfino". Si usa per segnalare che quello che stiamo dicendo è molto sorprendente, quasi da non credere.
Esempio: *Sono persone gentilissime. Mi hanno _____ offerto la loro casa a Parigi gratuitamente per un anno!*

4 È sempre usato in relazione a un'affermazione precedente. Quando è usato in senso assoluto significa "proprio", "precisamente", "esattamente" (esempio 1). Quando è usato in una frase, introduce un ampliamento e conferma il senso di quanto è stato appena detto (esempi 2 e 3).
Esempi: 1. *"Basta, non voglio più lavorare per te!"*
"Ma io sono l'unico che ti dà così tanto lavoro!"
"_____!"
2. *Ieri avevo un forte mal di testa. Stavo _____ andando in farmacia, quando ho incontrato il mio professore di italiano.*
3. *Si è innamorato di un'altra. È _____ questo il motivo per cui Mario ha lasciato Laura.*

5 Significa "riguardo a quanto abbiamo detto", "in riferimento a quanto detto".
Esempio: *Questo è il nostro budget. _____ c'è da registrare un forte interessamento a partecipare all'operazione da parte di alcuni importanti sponsor.*

6 Significa "anche se", "nonostante sia/siano". Si usa per limitare il valore di un'affermazione con un'altra più importante e di significato opposto (esempi 1 e 2). Si usa spesso anche con il gerundio (esempio 2).
Esempi: 1. *È successo che Mauro, _____ preparatissimo, non ha superato l'esame.*
2. *_____ mangiando meno, non riesco a dimagrire.*

7 Significa che quello che è stato detto immediatamente prima non è corretto, o perché si vuole dire il contrario (esempi 1 e 2) o perché si vuole rafforzare l'affermazione precedente (esempio 3).
Esempi: 1. *"Hai sonno?" "No, _____..."*
2. *Telefona subito a Ugo. _____, no, aspetta.*
3. *Questo pesce è buono, _____ buonissimo. Come l'hai fatto?*

4c *L'espressione* **addirittura** *può avere anche altri significati. Analizza le frasi nella prima colonna e abbina ad ognuna il giusto significato di* **addirittura**.

	= perfino	= direttamente, magari, perché no, senz'altro, al limite	= fino a questo punto!, nientemeno!
1. - Senza di lei non posso vivere! - Eh, **addirittura**! Scusa, ma credo proprio che tu stia esagerando.			
2. Per convincermi si è **addirittura** messo in ginocchio… Ma io non ho cambiato idea.			
3. Non solo scrive, ma credo che abbia **addirittura** vinto dei premi.			
4. Se sei stanco puoi rilassarti un po' o **addirittura** prenderti una vacanza…			
5. Invece di telefonargli, non sarebbe **addirittura** meglio incontrarlo? Così gli faresti la proposta di persona.			
6. - Non mi parlare di Ugo, lo odio. - **Addirittura**! E come mai?			

5 Gioco

Si gioca in gruppi di quattro, una coppia contro l'altra. A turno, ogni coppia sceglie una situazione su cui la coppia avversaria deve improvvisare un dialogo (durata: 1 minuto e ¹/₂) usando il maggior numero possibile di espressioni della lista. La coppia avversaria deve controllare se le espressioni sono usate in modo adeguato. Vince la coppia che alla fine del gioco avrà usato più espressioni nel modo corretto.

> **situazioni**

Venditore/Cliente - Il venditore cerca di convincere il cliente a comprare un prodotto.
Cliente/Avvocato - Il cliente va dall'avvocato per chiedere il divorzio.
Manager/Rockstar - Il manager si lamenta con la rockstar che non ha rispettato il contratto.
Professore universitario/Studente - Lo studente sostiene un esame con un professore terribile.
Due amici - Uno dei due racconta all'altro le proprie disavventure sentimentali.
Giornalista/Capo del governo - Il giornalista intervista il Capo del governo sui problemi del Paese.

> **espressioni**

- pur
- appunto
- man mano
- assai
- anzi
- a tale proposito
- addirittura (*perfino*)
- addirittura (*magari*)
- addirittura (*nientemeno!*)

6 Analisi grammaticale

6a *Nel testo dell'intervista dell'attività* **3** *sono presenti molti aggettivi e pronomi indefiniti. Guarda questa lista e poi rispondi alla domanda.*

alcuno (riga 18, 25, 61, 84)   chiunque (riga 44)

ogni (riga 114)   ognuno (riga 23)

qualche (riga 9, riga 1 domanda 4)

qualunque/qualsiasi (riga 37, 87, 92)

tutto (riga 69, 86, 94, 99)

Qual è la funzione degli indefiniti?

☐ Hanno una funzione passiva.

☐ Si usano per riferirsi a cose o persone già indicate in precedenza e che non c'è bisogno di ripetere.

☐ Servono a riferirsi a cose o persone la cui identità o quantità non sono specificate.

6b *Scrivi gli indefiniti dell'attività* **6a** *accanto alla definizione giusta (alcuni indefiniti devono essere usati più di una volta). Se necessario controlla il testo alle righe indicate. Poi confrontati con un compagno.*

Si riferisce solo a persone: _____

È un aggettivo invariabile e si usa solo con nomi singolari: _____, _____, _____

Può essere usato solo come pronome: _____, _____

Può essere usato come aggettivo e come pronome: _____, _____

Quando introduce una frase secondaria in genere è seguito dal congiuntivo: _____, _____

Quando è usato dopo il nome ha un significato limitativo, indica la mancanza di particolari qualità: _____

Quando è aggettivo, è sempre seguito dall'articolo: _____

Qualche volta può sostituire "nessuno": _____

Gian Luigi Beccaria

Linguista e storico della lingua, insegna storia della lingua italiana all'università di Torino. Dotato di uno stile semplice e accattivante, è diventato molto popolare per aver a lungo collaborato a un programma televisivo di successo sulla lingua italiana (*Parola mia*). Ha pubblicato numerosi libri, tra cui *Italiano. Antico e nuovo* (2002), *Per difesa e per amore. La lingua italiana oggi* (2006), *Tra le pieghe delle parole. Lingua storia cultura* (2007), *Misticanze. Parole del gusto, linguaggi del cibo* (2009) e *Il mare in un imbuto. Dove va la lingua italiana* (2010).

7 Ascoltare

7a *Ascolta i tre brani in dialetto 2 volte e scegli l'affermazione giusta. Poi confrontati con un compagno.*

☐ I tre brani parlano di cose diverse.

☐ I tre brani parlano della stessa cosa ma in tre dialetti diversi.

☐ Solo due dei tre brani parlano della stessa cosa.

7b *Ascolta di nuovo i brani e prova a scrivere parole che ti sembrano uguali o simili a parole italiane che conosci. Poi confrontati con un compagno.*

> brano 1

> brano 2

> brano 3

7c *Ascolta ancora una volta i brani e leggi la traduzione in italiano.*

Un anno fa mio nonno, che ieri ha compiuto ottant'anni, raccontò a me e a mia sorella questa storia.
C'era una volta in un piccolo villaggio un uomo, il quale aveva due figlioli.

Un giorno il più giovane dei due fratelli andò da suo padre e gli disse: "Babbo, voglio avere tutto quello che mi tocca. Datemi quello che è mio." Il vecchio, che voleva molto bene (forse anche troppo!)

ai suoi figlioli, fece ciò che quello chiedeva a lui. Pochi giorni dopo il giovanotto prese tutto il suo denaro e se ne andò.

I brani in dialetto sono tratti da www.2.hu-berlin.de/vivaldi, "Vivaio Acustico delle Lingue e dei Dialetti d'Italia".

8 Analisi grammaticale

8a *Nel testo dell'attività **3**, ci sono molte espressioni che hanno un loro "gemello", cioè un loro corrispettivo nel testo con il quale formano un binomio. Senza guardare il testo, ricomponi le coppie, come nell'esempio.*

né... → ma addirittura... | il primo... | sia... | non è vero che... | sia...

ma anche... | né... | i secondi | non solo... | è vero invece che... | non solo...

8b *Ora utilizza le espressioni correlative che hai ricostruito per mettere in relazione le frasi delle due colonne, come nell'esempio. Le frasi sono in ordine.*

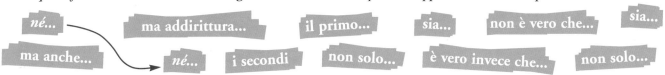

Lei da che parte sta? ___**Né**___ dall'una ➤ ___*né*___ dall'altra.

_____ i dialetti siano una corruzione dell'italiano. ➤ _____ italiano e dialetti hanno un diverso ruolo sociolinguistico:

_____ è la lingua della comunicazione all'interno della Repubblica Italiana; ➤ _____ _____ hanno un uso più limitato, in qualche caso si limitano all'uso familiare.

(...) _____ per quanto riguarda la pronuncia delle parole, ➤ _____ per quanto riguarda lo stesso lessico.

(...) _____ ogni regione possiede un suo proprio dialetto specifico, ➤ _____ vi sono differenze a livello delle singola città.

(...) è diverso _____ dal piemontese ➤ _____ dallo stesso ligure parlato a Imperia o a La Spezia.

8c *Secondo te che funzione hanno queste espressioni? Ne conosci altre simili? Parlane con un compagno. Se necessario, riguardate il testo dell'attività **3**.*

9 Gioco a squadre

9a *A squadre, ricomponete questo brano tratto dall'intervista del punto 3, inserendo i pezzi mancanti al posto giusto nel testo. Vince la squadra che completa per prima il testo.*

1. Dal punto di vista linguistico i dialetti italiani e la lingua nazionale sono sullo stesso piano:
2.
3.
4. Che poi i vari dialetti abbiano avuto vicende storiche diverse,
5.
6.
7.
8.
9.
10. Perché da una pari dignità iniziale
11.
12. E alcuni dialetti sono andati più in alto di altri.
13.
14.
15.
16.
17.
18.
19.
20. è venuta dopo.

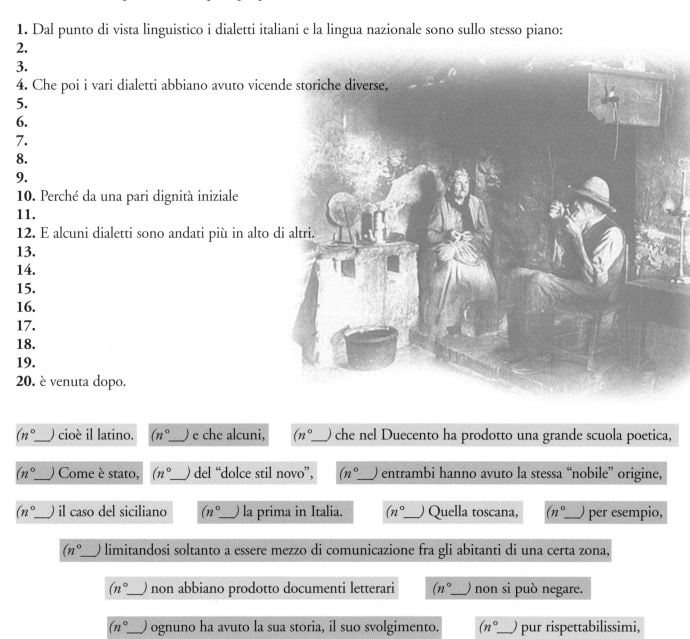

(n°___) cioè il latino.   (n°___) e che alcuni,   (n°___) che nel Duecento ha prodotto una grande scuola poetica,

(n°___) Come è stato,   (n°___) del "dolce stil novo",   (n°___) entrambi hanno avuto la stessa "nobile" origine,

(n°___) il caso del siciliano   (n°___) la prima in Italia.   (n°___) Quella toscana,   (n°___) per esempio,

(n°___) limitandosi soltanto a essere mezzo di comunicazione fra gli abitanti di una certa zona,

(n°___) non abbiano prodotto documenti letterari   (n°___) non si può negare.

(n°___) ognuno ha avuto la sua storia, il suo svolgimento.   (n°___) pur rispettabilissimi,

9b *In gruppo con alcuni compagni rispondi alle domande.*

Nel brano che avete ricostruito, ci sono due verbi coniugati al modo congiuntivo:
1. Qual è il tempo dei due verbi?
2. Noti qualcosa di particolare nella costruzione della frase?
3. Da cosa dipendono i verbi al congiuntivo?

10 Leggere

10a *Cosa sai della situazione linguistica in Italia? Scegli l'affermazione giusta.*

1. La lingua italiana deriva dal
- ☐ siciliano
- ☐ toscano
- ☐ romano

2. I dialetti italiani si dividono in
- ☐ due grandi gruppi (settentrionali e centro-meridionali)
- ☐ due grandi gruppi (occidentali e orientali)
- ☐ tre grandi gruppi (latini, slavi e germanici)

3. In Italia, oltre all'italiano, si parlano altre
- ☐ 5 lingue
- ☐ 8 lingue
- ☐ 12 lingue

4. In Italia si parla anche
- ☐ l'arabo
- ☐ il turco
- ☐ l'albanese

5. In Italia non si parla
- ☐ il portoghese
- ☐ il greco
- ☐ il catalano

6. Il sardo è
- ☐ molto simile agli altri dialetti
- ☐ molto diverso dagli altri dialetti

7. In Alto Adige si parlano
- ☐ l'italiano e il tedesco
- ☐ l'italiano, il tedesco e il ladino
- ☐ l'italiano e lo sloveno

8. Il ladino è
- ☐ simile al francese e parlato in alcune zone del nord
- ☐ il dialetto più vicino alla lingua latina
- ☐ un dialetto che si parla in Piemonte

9. Il provenzale si parla
- ☐ in Lombardia
- ☐ in Veneto
- ☐ in Piemonte

10b *Ora leggi la scheda e verifica le tue risposte. Guarda anche la cartina dei dialetti alla fine del libro.*

Situazione linguistica in Italia

In Italia la lingua ufficiale dello Stato è l'italiano (che deriva dal dialetto di Firenze). È stata poi riconosciuta la lingua francese per gli abitanti della Valle d'Aosta (che parlano come lingua materna il franco-provenzale) e la lingua tedesca per gli abitanti dell'Alto Adige. Il ladino dolomitico e lo sloveno sono ammessi nelle scuole dei rispettivi territori.

I dialetti italiani, come si vede dalla cartina alla fine del libro, si dividono in due grandi gruppi:

- **Dialetti settentrionali**
- **Dialetti centro-meridionali**

Tra il primo e il secondo gruppo esistono forti differenze, tanto che possiamo dividerli con un "confine" abbastanza netto che va all'incirca da La Spezia a Rimini.
I dialetti che sono a nord di questo "confine" contraggono molto i suoni delle parole e hanno quindi delle affinità con le lingue parlate ad occidente (provenzale, spagnolo, francese, ecc.). In questi dialetti, ad esempio, non si pronunciano le consonanti doppie, si perdono molte vocali e consonanti.
Es.: capello (*"cavel, cavei"*)
I dialetti che sono a sud di questo "confine" conservano di più i suoni delle parole; sono conservate le doppie e le altre consonanti e vocali.
Es.: capello (*"capille, capiddu"*)

Accanto ai dialetti italiani, ma con molte caratteristiche proprie, si trovano due idiomi:

- **SARDO**

è diviso in Sardo settentrionale e Sardo centro-meridonale. Il sardo ha poche affinità con tutti gli altri dialetti ed è l'unico che ha conservato più fedelmente certi caratteri del latino.
Es.: casa (*"domo"*), tempo (*"tempus"*)

- **LADINO**

è diviso in tre sottogruppi, Ladino dolomitico, (si parla a cavallo delle province di Bolzano, Trento e Belluno), Ladino friulano e Ladino romancio o grigionese, parlato nel Cantone dei Grigioni, in Svizzera. Il ladino si avvicina sia ai dialetti settentrionali, sia al francese.
Es.: cane (*"cian"*), cavallo (*"ciaval"*)

Altre lingue parlate in Italia

In Italia sono presenti gruppi di popolazioni che parlano altre otto lingue materne diverse:

- **PROVENZALE**

Si parla sulle Alpi piemontesi (in circa 80 paesi), in un paese della Liguria e in un comune della Calabria;

- **FRANCO-PROVENZALE**

Si parla sulle Alpi piemontesi, in Valle d'Aosta (con l'eccezione di Issime e Gressoney -Saint-Jean, dove si parla tedesco) e in due comuni della Puglia;

- **TEDESCO**

Si parla nell'Alto Adige e in varie zone delle regioni alpine;

- **SLOVENO**

Si parla sulle Alpi Giulie;

- **SERBO-CROATO**

Si parla in tre comuni del Molise;

- **ALBANESE**

Si parla, in circa 46 comuni del Sud, per un totale di circa 80.000 persone;

- **GRECO**

Si parla in Puglia nella penisola Salentina (in nove comuni per un totale di 20.000 persone in provincia di Lecce) e all'estremo sud della Calabria;

- **CATALANO**

Si parla nella città di Alghero, in Sardegna.

11 Scrivere

Commenta queste due affermazioni sul dialetto e esprimi la tua opinione sull'argomento.

1	2
L'uso del dialetto è un segno di arretratezza culturale, sociale ed economica. È una resistenza alla modernità, alla civiltà, allo sviluppo. È un segno di chiusura e di regressione a un'epoca che non esiste più.	Il dialetto è l'ultima sopravvivenza di ciò che ancora è puro e incontaminato. Come tale deve essere "protetto" e conservato, contro l'omologazione linguistica che ci rende tutti uguali. Il dialetto porta infatti con sé un valore affettivo ed espressivo che nessuna lingua standard può eguagliare. È una possibilità in più da sfruttare. Conoscerlo è dunque un vantaggio e una ricchezza.

extra

Andrea De Carlo
da "Treno di panna" (1988)

L'autore

Andrea De Carlo nasce a Milano nel 1952. Si trasferisce molto giovane negli USA dove insegna italiano. Dopo essersi laureato, comincia a viaggiare e a scrivere, ma nessun editore accetta i suoi romanzi. Sarà alla fine Italo Calvino a scegliere per l'editore Einaudi il romanzo *Treno di Panna*, per il quale scriverà anche l'introduzione.

Nella sua carriera De Carlo ha anche fatto diverse esperienze nel mondo del cinema, tra cui quella di assistente alla regia per il film *E la nave va* di Federico Fellini e quella di co-sceneggiatore con Michelangelo Antonioni per un film mai realizzato.

Il libro

Treno di panna
Il ventenne Giovanni Maimeri, fotografo dilettante, va a Los Angeles, senza soldi né idee precise su cosa fare. Dominato dall'insoddisfazione, nel tempo libero Giovanni vaga per l'immensa città californiana, scattando foto di persone famose davanti alle loro splendide case, affascinato dalla superficie attraente della società dello spettacolo.

Andrea De Carlo

Treno di panna

BOMPIANI

1 Introduzione

1a *Insieme ad un compagno completa il testo inserendo i **verbi** sulle righe _____ e i **sostantivi** sulle righe _ _ _ _ _ _ _ .*

> **verbi**

bevevano erano volevano

erano formavano

> **sostantivi**

scalino composizione iperrealista

gettoni parcheggio viaggio

Madre e figlia che _____ imparare l'italiano per il _ _ _ _ _ _ _ _ _____ orribili. La prima volta che le ho viste _____ sedute sullo _ _ _ _ _ _ _ dell'ingresso sul _ _ _ _ _ _ _ _ . _____ caffè ricavato da una macchina a _ _ _ _ _ _ _ _ . Le loro due figure massicce _____ un unico volume, come una _ _ _ _ _ _ _ _ .

1b *Mettiti faccia a faccia con un compagno e con un po' di fantasia discutete per rispondere a questa domanda:*

- **Secondo te che lavoro fa la persona che scrive?**

2 Leggere

Leggi il testo completo.

1 Madre e figlia che volevano imparare l'italiano per il viaggio erano orribili. La prima volta che le ho viste erano sedute sullo scalino dell'ingresso sul parcheggio; bevevano caffè ricavato da una macchina a gettoni. Le
5 loro due figure massicce formavano un unico volume, come una composizione iperrealista.

La madre era grassa e ricciuluta, vestita con un paio di calzoni corti e sandali di plastica. Aveva occhi marroni e larghi, che lampeggiavano una malizia elementare. La
10 figlia sedicenne era anche vestita in calzoni corti, ma le sue gambe spesse erano avviluppate nell'intreccio di stringhe di un paio di sandali alla schiava. In questi sandali appoggiava il piede di piatto, come in un paio di scarpe da tennis. La madre mi ha salutato da seduta,
15 con un'espressione dubitativa; aveva in mano il suo caffè, in un bicchierino di plastica. La figlia invece si è alzata a stringermi la mano. Mi è sembrato che avesse un difetto di pronuncia piuttosto marcato, che le faceva strascicare le esse e inceppare le ti. Quando ha aper-
20 to la bocca meglio ho visto che portava invece un apparecchio per raddrizzare i denti.

Ho condotto madre e figlia nel cubicolo che ci avevano assegnato. Ho chiuso la porta; ci siamo seduti ai tre lati di un minuscolo tavolino. Per terra c'era la moquette
25 rossa da motel di terza categoria. Alle pareti erano appese illustrazioni didascaliche, che forse dovevano fornire spunti di conversazione agli insegnanti. Il caldo della giornata si assorbiva nell'edificio piatto e largo della scuola; si condensava nei cubicoli fino a diventa-
30 re soffocante. Il caldo e la mancanza di spazio mi rendevano quasi intollerabile la vicinanza di madre e figlia.

Mi sono messo a indicare i pochi oggetti nella stanza; scandivo i nomi in italiano. Madre e figlia rispondeva-
35 no meccanicamente: all'erta tutte e due a non sbaglia-

re una parola. Si sforzavano di ripetere i suoni, prima di capirne il significato. Arrotavano la lingua, la strusciavano sulle pareti delle guance, soffiavano aria attraverso le labbra. Niente riusciva a produrre crepe di
40 interesse nelle loro espressioni. Mi guardavano e si guardavano tra loro, come a mettere ogni volta in discussione l'autenticità di quello che avevo detto.

Madre e figlia non tolleravano di perdere più di qualche minuto su una singola spiegazione; cercavano tutto
45 il tempo di sospingermi avanti. In un'ora e mezza ho esaurito tutti i nomi di oggetti che mi venivano in mente. Ho cominciato a costruire frasi elementari. Loro ripetevano le frasi e mi guatavano, come una coppia di ottusi animali da preda. Anche se ciascuno di noi
50 era seduto a uno dei tre lati liberi del tavolino, era straordinario come madre e figlia riuscivano a riformare la loro composizione. Si spalleggiavano e si facevano forza l'una con l'altra; mi fissavano in una sola direzione, per vedere se qualche volta ero io a sbaglia-
55 re.

Quando la lezione è finita ho indicato l'orologio a muro; loro hanno alzato i polsi a controllare. Ho visto che l'orologio aveva un Topolino al centro del quadrante, che indicava le ore con le manine guantate di
60 giallo.

Ho chiesto alla madre dove sarebbero andate in Italia. Ero in piedi sulla porta, credo in attitudine da professore di lingue che conversa con gli allievi. Lei mi ha detto che solo la figlia sarebbe andata; che lei invece
65 imparava le lingue per puro passatempo, senza una ragione particolare. La figlia ridacchiava La madre l'ha guardata: covandola con occhi opachi, ad anticipare il viaggio che avrebbe fatto; i possibili incontri.

70 da Andrea De Carlo, *Treno di panna*, To, Einaudi, 1981

3 Analisi lessicale

Scegli l'equivalente più appropriato alle parole del testo tra quelle elencate nella tabella.

riccioluta (riga 7)
1 ricca
2 con le gambe grosse
3 con i capelli ricci

intollerabile (riga 31)
1 piacevole
2 impossibile da guardare
3 insopportabile

lampeggiavano (riga 9)
1 mandavano
2 cadevano
3 illuminavano

scandivo (riga 34)
1 pronunciavo chiaramente
2 indicavo
3 mostravo

elementare (riga 9)
1 primitiva
2 semplice
3 falsa

all'erta (riga 35)
1 impaurite
2 attente
3 pronte

spesse (11)
1 molte volte
2 grandi
3 aperte

crepe (riga 39)
1 dolci
2 segni
3 paure

dubitativa (riga 15)
1 stupida
2 intelligente
3 dubbiosa

ho esaurito (riga 45-46)
1 ho finito
2 ho risposto
3 ho detto sei volte

marcato (riga 18)
1 grande
2 di marca
3 segnato

mi guatavano (riga 48)
1 mi superavano
2 mi guardavano senza attenzione
3 mi guardavano attentamente

cubicolo (riga 22)
1 bar
2 piccola stanza
3 cubo

ottusi (riga 48)
1 stupidi
2 furbi
3 attenti

si assorbiva (riga 28)
1 usciva
2 entrava
3 si cancellava

attitudine (riga 62)
1 capacità
2 modo di essere
3 altezza

4 Parlare

Secondo te, quello della descrizione è un bravo insegnante? Perché? Parlane con un piccolo gruppo di compagni.

> ### È finita

Leggi la frase estratta dal testo e scegli la risposta alla domanda.

Quando la lezione **è finita** ho indicato l'orologio a muro.

Perché il verbo finire ha ausiliare "essere"?

☐ **1.** Il verbo *finire* ha sempre l'ausiliare *essere*, perché è intransitivo.

☐ **2.** Quando non c'è un oggetto diretto bisogna sempre usare l'ausiliare *essere*.

☐ **3.** Il soggetto del verbo è inanimato e quindi il verbo è usato in modo intransitivo. In questo caso vuole l'ausiliare *essere*.

5 Esercizio

Completa la citazione di Italo Calvino con 7 parole (4 articoli determinativi, 1 preposizione semplice, 2 preposizioni articolate).

> insaziabilità occhi che vedono spettacolo mondo multicolore
>
> ingigantito come attraverso lente ingrandimento. È questa
>
> giovinezza che De Carlo racconta.

(Italo Calvino)

Primo Levi
da "La tregua" (1963)

▶ L'autore	▶ Il libro
 **Primo Levi** (Torino, 31 luglio 1919 – Torino, 11 aprile 1987) era uno studente di chimica partigiano e antifascista quando è stato catturato dai nazifascisti nel 1943. L'anno successivo è stato deportato nel campo di concentramento di Auschwitz in quanto ebreo. Scampato al lager e tornato avventurosamente in Italia, si è dedicato al compito di raccontare le atrocità viste o subite durante l'anno di prigionia nel lager. È morto suicida a 68 anni.	**La tregua** È il seguito di *Se questo è un uomo*. Il libro narra il lungo viaggio di ritorno di Primo Levi fra vari paesi europei, all'indomani della liberazione del campo da parte dei russi, nel gennaio del 1945. Durante i primi giorni la confusione è molta e i prigionieri vengono smistati in vari campi di raccolta. Da qui cominciano un lungo viaggio che durerà quasi un anno e li porterà a toccare svariati Paesi prima dell'agognato ritorno a casa. Levi arriverà nella sua casa di Torino il 19 ottobre del 1945.

1 Introduzione

1a *Leggi e cerca di capire questa frase. Se ci sono parole che non conosci chiedile all'insegnante.*

❝ **In una radura del bosco era il bagno pubblico. Era un capannone di legno.** ❞

1b *Dentro la frase mancano, rispetto all'originale, tre parti, riportate qui sotto. Inseriscile nel giusto spazio. Fai attenzione alla punteggiatura. Quando hai finito consultati con un compagno.*

> , che non manca in alcun villaggio russo

> , a metà distanza fra il villaggio e il campo,

> , con dentro due lunghe panche di pietra

In una radura del bosco _____ era il bagno pubblico
_____ . Era un capannone di legno _____ .

1c *Dentro il brano che hai ricomposto mancano ancora, rispetto all'originale, due parti, riportate qui sotto. Inseriscile nel giusto spazi. Fai attenzione alla punteggiatura. Quando hai finito consultati con un compagno.*

> , e che a Staryje Doroghi funzionava a giorni alterni per i russi e per noi

> , e sparse ovunque tinozze di zinco di varia misura

In una radura del bosco, a metà distanza fra il villaggio e il campo, era il bagno pubblico, che non manca in alcun villaggio russo _____ .
Era un capannone di legno, con dentro due lunghe panche di pietra
_____ .

2 Lettura

2a *Leggi il testo completo*

1 In una radura del bosco, a metà distanza fra il villaggio e il campo, era il bagno pubblico, che non manca in alcun villaggio russo, e che a Staryje Doroghi funzionava a giorni alterni per i russi e per noi. Era un capannone di legno, con dentro due lunghe panche di pietra, e sparse ovunque tinozze di zinco di varia misura. Alla parete, rubinetti
5 con acqua fredda e calda a volontà. Non era a volontà, invece, il sapone, che veniva
distribuito con molta parsimonia nello spogliatoio. Il funzionario addetto alla distribuzione del sapone era Irina.
Stava a un tavolino con sopra un panetto di sapone grigiastro e puzzolente, e teneva in
mano un coltello. Ci si spogliava, si affidavano gli abiti alla disinfezione, e ci si metteva
10 in fila completamente nudi davanti al tavolo di Irina. In queste sue mansioni di pubblico ufficiale, la ragazza era serissima e incorruttibile: colla fronte aggrottata per l'attenzione e la lingua infantilmente stretta fra i denti, tagliava una fettina di sapone per
ogni aspirante al bagno: un po' più sottile per i magri, un po' più spessa per i grassi, non
so se a ciò comandata, o se mossa da una inconscia esigenza di giustizia distributiva.
15 Neppure un muscolo del suo viso trasaliva alle impertinenze dei clienti più sguaiati.
Dopo il bagno, bisognava ricuperare i propri abiti nella camera di disinfezione: e questa era un'altra bella sorpresa del regime di Staryje Doroghi. La camera era scaldata a
120°: quando ci dissero per la prima volta che occorreva entrarvi personalmente a ritirare i panni, ci guardammo perplessi: i russi sono fatti di bronzo, lo avevamo visto in
20 più occasioni, ma noi no, e saremmo andati arrosto. Poi qualcuno provò, e si vide che
l'impresa non era terribile come sembrava, purché si adottassero le seguenti precauzioni: entrare ben bagnati; sapere già in precedenza il numero del proprio attaccapanni;
prendere fiato abbondante prima di passare la porta; e soprattutto fare in fretta.

da Primo Levi, *La tregua*, To, Giulio Einaudi Editore, 1963

2b *Rileggi il testo e rispondi alle domande. Poi confronta le tue risposte con quelle di un compagno.*

Chi è Irina?	
In quale nazione è il villaggio di Staryie Doroghi?	
Durante il bagno dove sono i vestiti?	
Come è il sapone per il bagno?	

2c *Riguarda il testo e rispondi brevemente alle domande. Poi confrontati con il resto della classe.*

1. In questo brano c'è un protagonista?	**2.** La descrizione ti sembra oggettiva o soggettiva?	**3.** Ci sono commenti o valutazioni riguardo ai fatti raccontati?	**4.** Qual è il tuo sentimento alla lettura del brano?

3 Analisi lessicale

Collega le parole o espressioni presenti nel testo (prima colonna) alle loro definizioni (seconda colonna).

espressioni presenti nel testo	definizioni
a volontà (riga 5)	grossa, alta
parsimonia (riga 6)	oggetto a cui si attaccano i vestiti
funzionario (riga 6)	in grande quantità
panetto (riga 8)	molto onesta
mansioni (riga 10)	un pezzo piccolo, sottile
incorruttibile (riga 11)	pezzo a forma di pane
aggrottata (riga 11)	economia
fettina (riga 12)	a condizione che
spessa (riga 13)	attività, compiti
trasaliva (riga 15)	lavoratore
ricuperare (riga 17)	contratta, tesa
purché (riga 21)	mostrava emozione
attaccapanni (riga 22)	riprendere

4 Scrivere

Primo Levi è rimasto per un anno nel campo di concentramento di Auschwitz. In una intervista ha fatto l'affermazione scritta qui sotto. Scrivi il tuo pensiero riguardo a questo argomento.

Devo dire che l'esperienza di Auschwitz è stata tale per me da spazzare qualsiasi resto di educazione religiosa che pure ho avuto… C'è Auschwitz, quindi non può esserci Dio. Non trovo una soluzione al dilemma. La cerco, ma non la trovo.

5 | Analisi grammaticale

5a *Sottolinea nel testo del punto 2a tutti i verbi in una forma impersonale o indefinita, quelli cioè che non hanno un soggetto espresso, come nell'esempio qui sotto. Poi consultati con un compagno.*

> Il funzionario addetto alla distribuzione del sapone era Irina.
> Stava a un tavolino con sopra un panetto di sapone grigiastro e puzzolente, e teneva in mano un coltello. **Ci si spogliava**, **si affidavano** gli abiti alla disinfezione, e **ci si metteva** in fila…

5b *Secondo te, perché in questo testo ci sono così tante forme impersonali e indefinite? A cosa servono dal punto di vista stilistico? Parlane con un piccolo gruppo di compagni, poi con il resto della classe e con l'insegnante.*

6 | Parlare

6a *Leggi quello che ha scritto Primo Levi nell'appendice al romanzo **Se questo è un uomo**, che descrive l'esperienza dell'autore nel campo di concentramento di Auschwitz.*

> " L'avversione contro gli ebrei, impropriamente detta antisemitismo, è un caso particolare di un fenomeno più vasto, e cioè dell'avversione contro chi è diverso da noi. È indubbio che si tratti, in origine, di un fatto zoologico: gli animali di una stessa specie, ma appartenenti a gruppi diversi, manifestano fra di loro fenomeni di intolleranza. Questo avviene anche fra gli animali domestici: è noto che una gallina di un certo pollaio, se viene introdotta in un altro, è respinta a beccate per vari giorni. (..).
> L'antisemitismo è un tipico fenomeno di intolleranza. Perché una intolleranza insorga, occorre che fra i due gruppi a contatto esista una differenza percettibile: questa può essere una differenza fisica (i neri e i bianchi, i bruni e i biondi), ma la nostra complicata civiltà ci ha resi sensibili a differenze più sottili, quali la lingua, o il dialetto, o addirittura l'accento (lo sanno bene i nostri meridionali costretti a emigrare al Nord); la religione, con tutte le sue manifestazioni esteriori e la sua profonda influenza sul modo di vivere; il modo di vestire o gesticolare; le abitudini pubbliche o private. "

6b *Nella società in cui vivi ci sono fenomeni di intolleranza? E sei d'accordo con quello che ha scritto Primo Levi? Discutine con un compagno.*

2 Foglio 1

Andare in montagna

Quali sono le precauzioni da prendere quando si fa un'escursione in montagna? Ecco alcuni consigli.

La preparazione fisica

Le escursioni vanno affrontate in condizioni fisiche adeguate, scegliendo percorsi che non siano al di sopra delle proprie possibilità ed evitando accuratamente di strafare. Se non si è allenati, è consigliabile migliorare la propria forma fisica facendo un po' di sport.

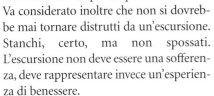

Va considerato inoltre che non si dovrebbe mai tornare distrutti da un'escursione. Stanchi, certo, ma non spossati. L'escursione non deve essere una sofferenza, deve rappresentare invece un'esperienza di benessere.

Il tempo

_____
_____
_____
_____
_____
_____
_____

L'equipaggiamento

Come si veste e quali oggetti porta un escursionista che va in montagna? Evidentemente questo dipende dalla stagione e dalla natura dei luoghi. Qualche consiglio:
- evitare di lasciare la pelle troppo scoperta, soprattutto ad alta quota, dove i danni causati dai raggi ultravioletti sono maggiori;
- tenere le gambe coperte, perché così si è meno esposti ai morsi delle vipere;
- riparare la testa dal sole con un cappello e difendere la vista con occhiali;
- poiché in montagna si possono trovare temperature piuttosto basse anche d'estate, mettere nello zaino un capo che difen-

da dal freddo;
- non deve mancare neppure un paio di guanti, preziosi quando ci si trova a dover effettuare qualche fuori percorso, soprattutto nei boschi;
- una torcia elettrica diventa decisiva quando si deve camminare al buio o segnalare la propria presenza ad eventuali soccorritori;
- il telefonino, quando prende, naturalmente è molto utile; è meglio, comunque, lasciar sempre detto dove si va, mettendo magari per iscritto l'itinerario che si intende effettuare;
- anche carta, altimetro e bussola sono strumenti preziosi per l'orientamento.

Mangiare e bere

_____
_____
_____
_____
_____
_____
_____
_____

L'orientamento

L'orientamento è uno degli aspetti più importanti legati all'escursione. Una buona lettura della carta permette infatti di preparare adeguatamente l'escursione a tavolino, soprattutto quando si devono percorrere sentieri poco frequentati e non segnalati. La sua consultazione, infine, diventa più chiara e utile se si possiedono un altimetro ed una bussola. Un altro alleato prezioso sono le informazioni di chi conosce i luoghi. Ci sono itinerari che non è del tutto consigliabile percorrere se non si è accompagnati da persone che li conoscono. In certe zone perdere il sentiero significa girare a vuoto senza riuscire a scendere a valle. Non ci si può fare un'idea adeguata di questo se non lo si prova. Ma naturalmente è

meglio non provarlo!
Terzo alleato sono le segnalazioni sul terreno, i segnavia. Quando si praticano sentieri difficili ma segnalati, si presti molta attenzione a non saltare alcun segnavia: perderne anche uno solo potrebbe significare andare fuori dal tracciato.
Quarto alleato è la nostra prudenza, unita ad un buono spirito di osservazione. Se si sta dunque salendo nel bosco su un sentiero poco battuto e per noi nuovo, si deve fare molta attenzione a osservare bene la natura dei luoghi, memorizzando punti di riferimento preziosi, e lasciando anche qualche segno sul percorso.
E se ci si perde? Non bisogna cedere alla tentazione di scendere a tutti i costi; è preferibile ricercare, con calma e attenzione, la traccia. Se si sono seguite le avvertenze sopra esposte, la si ritroverà. Se la ricerca è inutile e se il telefonino ha campo, non si esiti a chiedere aiuto, senza aspettare che l'arrivo della notte renda più problematica la ricerca. Se si è in più di uno, ci si divida nella ricerca, rimanendo però sempre a portata di voce.

Infortuni ed incidenti

_____
_____
_____
_____
_____
_____

6 Gioco - Studente B

*Completa le affermazioni sul cinema italiano con il verbo al tempo giusto, come nell'esempio, e confrontale con un altro studente **B**. Poi lavora con uno studente **A**. A turno uno di voi legge una domanda e l'altro risponde scegliendo un'affermazione. Se la risposta è grammaticalmente e logicamente corretta, chi ha fatto la domanda scrive la risposta sul libro. Vince il primo che risponde alle cinque domande in modo corretto.*

Esempio

Perché il Neorealismo si impose come genere cinematografico?
- *Il Neorealismo si impose perché alcuni registi pensarono che (**giungere**) **fosse giunto** il momento di parlare del passato nel modo più diretto possibile.*

▶ **affermazioni**

- Molti registi americani pensano che i film di Sergio Leone (**essere**) _____ ancora tra i migliori western mai girati.

- Alcuni ritengono che il film *Il sorpasso* (**essere**) _____ uno dei film più rappresentativi della cinematografia italiana.

- C'era la sensazione che, alla fine della guerra, l'Italia ormai (**superare**) _____ il momento peggiore della propria storia.

- Non c'è alcun dubbio che Michelangelo Antonioni, nei suoi anni d'oro, (**essere**) _____ uno dei maestri del cinema italiano.

- Era opinione di Pier Paolo Pasolini che il cinema e la letteratura (**avere**) _____ poche cose in comune.

▶ domande	▶ risposte
Per quale motivo si impose la commedia all'italiana sul Neorealismo?	
Cosa pensava il regista Dino Risi del termine "commedia all'italiana"?	
Come venne accolto il Neorealismo dalla critica cinematografica?	
Che cinematografia auspicava il regista Federico Fellini?	
Qual è l'opinione diffusa sul cinema italiano contemporaneo?	

2 Foglio 2

Andare in montagna

Q uali sono le precauzioni da prendere quando si fa un'escursione in montagna? Ecco alcuni consigli.

La preparazione fisica

_____
_____
_____
_____
_____
_____
_____

Il tempo

Le condizioni meteorologiche sono uno dei fattori più importanti da considerare quando si programma un'escursione. In estate i temporali costituiscono un pericolo serio, perché in montagna il rischio di venir colpiti da fulmini, con esito assai spesso mortale, è molto alto. Se dunque sono previsti temporali è meglio rinviare l'escursione. Se poi si viene sorpresi dal temporale, alcuni accorgimenti possono risultare utili. Bisogna tenere presente che i fulmini sono attratti da oggetti a punta ed elevati, quindi alberi o spuntoni di roccia. Di conseguenza sarà bene evitare di sostare vicino a oggetti del genere, o di essere l'oggetto più alto della zona. Se tuttavia questo non è possibile e si avvertono i segnali dell'imminenza del fulmine (capelli che si drizzano, metalli che crepitano), bisogna assumere una posizione ad uovo, con la testa rannicchiata fra le ginocchia. È bene anche sapere che gli oggetti metallici che si hanno con sé, costituiscono un ulteriore fattore di pericolo. È utile ricordare poi che l'acqua è ottima conduttrice di elettricità, per cui non si deve sostare su un terreno bagnato dalla pioggia. Se si riesce a rag-

giungere l'automobile, ci si può rifugiare al suo interno, dove si è al sicuro.
Un altro fattore di rischio da non sottovalutare è il freddo. In una situazione di notevole stanchezza fisica l'esposizione al freddo diventa infatti una complicazione rilevante. Al freddo intenso è legato anche il ghiaccio, insidiosa trappola nelle escursioni invernali. Se perciò non si è attrezzati adeguatamente (cioè con piccozza e ramponi), non ci si deve azzardare a metter piede sul ghiaccio.

L'equipaggiamento

_____
_____
_____
_____
_____
_____
_____

Mangiare e bere

Si beve e si mangia, in montagna? Ovviamente sì. Qualche consiglio:
- bisogna bere non appena si ha sete, perché in montagna si perdono molti liquidi; evitare gli alcolici, anche perché l'alcool - contrariamente a quanto si crede - non favorisce il riscaldamento, ma la dispersione del calore;
- quanto al mangiare, sono consigliabili alimenti semplici ed energetici, come la cioccolata, qualche frutto o anche qualche zolletta di zucchero; da evitare invece il più possibile i cibi salati o peggio ancora piccanti, perché inducono ulteriore sete.

L'orientamento

_____
_____

Infortuni ed incidenti

Quanto alle situazioni ed ai luoghi intrinsecamente pericolosi, bisogna ricordare che:
- quando si cammina su un terreno reso scivoloso da terriccio e sassi mobili si deve fare attenzione non solo a non scivolare, ma anche a non far cadere sassi su coloro che si trovano più a valle; se dovesse partire un sasso, anche se non si vede nessuno giù a valle, si deve gridare per avvertire del pericolo;
- quando si sale nel bosco o ci si arrampica, non ci si fidi troppo di rami o tronchi, che potrebbero spezzarsi proprio quando ci si attacca ad essi;
- la discesa di per sé non è pericolosa, ma lo diventa se affrontata in condizioni di notevole stanchezza e distrazione;
- il ghiaccio è sempre un'insidia da cui stare alla larga, se non si è adeguatamente attrezzati e preparati;
- infine in luoghi molto assolati, vicino a corsi d'acqua, nelle pietraie e nell'erba si può nascondere l'insidia delle vipere; se si procede con passo pesante, si batte a terra con un bastone e si evita di posare le mani in luoghi dove la vegetazione nasconde il terreno, si riducono al minimo i rischi.

attività Video

vai all'indirizzo
www.almaedizioni.it/minisiti/nuovomagari/nuovomagariC1C2
e apri la sezione VIDEO

attività 10
video

1 *Cosa sai della storia di Roma? Conosci il nome di qualche imperatore? Parlane con un compagno.*

2 *Guarda il video fino a 3'01" e metti in ordine cronologico le fasi della vita di Giulio Cesare.*

Conquista
della Germania

Conquista
della Gallia

Morte in
Senato

Attraversamento
del fiume Reno

3 *Completa il testo con le parole mancanti date in disordine. Poi guarda ancora il video e verifica.*

conquista anfiteatri Senato battaglia concittadini conquista imperatori civiltà generale confini ingegneria

Ambizione, sete di potere e di _____. Congiure e sanguinosi assassinii. Ma anche eccezionali trionfi dell'architettura e dell'_____. [...] In tutto l'Impero sorsero monumentali _____ e maestosi palazzi; furono costruite strade e acquedotti. In ogni territorio colonizzato, i Romani portarono la propria _____. [...] I grandi _____ che si avvicendarono attraverso i secoli contribuirono alla costruzione di nuove opere architettoniche. [...] Nel 44 avanti Cristo, Gaio Giulio Cesare fu trovato in _____ riverso in un lago di sangue: negli anni precedenti, in qualità di _____, aveva imposto il suo dominio su molti territori, ampliando i confini dell'Impero Romano. In veste di console, era stato molto abile nell'ascesa al potere, ma alla fine era stato tradito dai suoi stessi _____ e ucciso per mano di colui che considerava un figlio: Marco Bruto. [...] Fin dall'inizio della sua carriera militare, Cesare aveva capito che per arrivare al potere bisognava prima conquistare la gloria in _____. In seguito alle vittoriose campagne da lui condotte, si fece conoscere come abile stratega, anche al di là dei _____ dell'Impero. Nel 55 avanti Cristo, alla testa di circa 40.000 soldati, varcò le Alpi: il suo obiettivo era la _____ della Gallia. [...]

4 *Il tuo paese è entrato in contatto con la civiltà romana? Ci sono monumenti o opere di quel periodo?*
In caso di risposta negativa, racconta in breve un famoso episodio del passato che fa parte della storia del tuo paese o di un personaggio famoso.

Osserva: nel video vengono usate delle espressioni particolari usate soprattutto quando l'argomento è storico. Indica il significato che hanno in questo contesto.

1. In veste di console era stato molto abile.
☐ Nel ruolo di   ☐ Vestito come un

2. Era arrivato all'apice del potere.
☐ Aveva raggiunto il massimo del   ☐ Aveva esagerato con il

3. Alla testa di 5000 soldati.
☐ Con in testa solo   ☐ Al comando di

4. In seguito alle vittoriose campagne
☐ Dopo le   ☐ Durante le

vai all'indirizzo
www.almaedizioni.it/minisiti/nuovomagari/nuovomagariC1C2
e apri la sezione VIDEO

Ricetta n.1: Polenta e salsiccia

1 *"Mari e monti" in italiano evoca anche ricette di piatti a base di pesce (mari) e di piatti tipici delle regioni montane (monti). Cominciamo con le montagne: ma prima di guardare il video, abbina i verbi ai fotogrammi. Lavora con un compagno.*

rosolare

tagliare

affettare

scaldare

2 *Guarda il video. Poi ricostruisci insieme a un compagno la ricetta mettendo in ordine cronologico le azioni.*

☐ Scaldare la polenta al forno.

☐ Rosolare la salsiccia con burro e olio.

☐ Mettere a cuocere il tutto per circa 10 minuti.

☐ Aggiungere cipolla, funghi porcini e vino bianco.

☐ Decorare con un po' di prezzemolo.

☐ Tagliare la salsiccia e affettare la cipolla.

☐ Tagliare a striscie la polenta e servirla con il resto.

Ricetta n. 2: Pesce spada mediterraneo

1 *Guarda la seconda ricetta e indica nella lista gli **ingredienti** necessari. Segna anche i **verbi** usati dallo chef.*

☐ pesce spada   ☐ capperi   ☐ olio   ☐ infarinare

☐ zucchero   ☐ olive nere   ☐ aceto   ☐ condire

☐ farina   ☐ burro   ☐ pepe   ☐ cuocere

☐ pomodori secchi   ☐ peperoncino   ☐ sale   ☐ guarnire

☐ aggiungere

☐ frullare

Osserva: *nel linguaggio della cucina può capitare di sentire espressioni o parole che hanno un significato specifico. Indica il significato delle due espressioni.*

Un pizzico di sale ➜ **molto/poco** sale   Olio **a cascatella** ➜ **molto/poco** olio

vai all'indirizzo
www.almaedizioni.it/minisiti/nuovomagari/nuovomagariC1C2
e apri la sezione VIDEO

attività 12
video

1 *Il video che vedrai è tratto da "Caro diario", il film di cui si parla a pagina 44. Nell'episodio dedicato ai suoi giri per Roma in Vespa, il regista Nanni Moretti parla (e mostra) alcuni quartieri della capitale. Completa il testo con le preposizioni, semplici o articolate. Poi guarda i primi 30 secondi del video e verifica.*

Spinaceto, un quartiere costruito di recente. Viene sempre inserito _____ discorsi per parlarne male: "Vabè, ma qui mica siamo _____ Spinaceto"; "Ma dove abiti, _____ Spinaceto?".

E poi mi ricordo che un giorno ho letto anche un soggetto che si chiamava "Fuga _____ Spinaceto": parlava _____ un ragazzo che scappava _____ quel quartiere, scappava _____ casa e non tornava mai più. E allora, andiamo _____ vedere Spinaceto.

2 *Guarda il video completo e indica se le affermazioni sono vere (V), false (F) o se non è possibile dare una risposta in base al video (N).*

	V	F	N
1. Spinaceto è un antico quartiere di Roma.	☐	☐	☐
2. A Spinaceto Nanni Moretti dice qualcosa ad uno degli abitanti.	☐	☐	☐
3. Moretti non approva lo stile di vita degli abitanti di Casalpalocco.	☐	☐	☐
4. Secondo Moretti Casal Palocco era meglio di Roma negli anni sessanta.	☐	☐	☐
6. Il regista conosce personalmente l'attrice Jennifer Beals.	☐	☐	☐
6. Jennifer Beals è in vacanza a Roma con il marito.	☐	☐	☐
7. Moretti guarda le case perché ne sta cercando una dove abitare.	☐	☐	☐

3a *Scrivi un breve testo per rispondere alla domanda:*

Vorresti vedere questo film?

Sì, perché...	*No, perché...*

3b *Gira per la classe e cerca di convincere i compagni che la pensano in modo differente da te a vedere o a non vedere il film.*

Osserva: durante la visione hai ascoltato un'espressione tipica dell'italiano colloquiale: cosa intende dire il regista? Sapresti esprimere lo stesso concetto in maniera più esplicita e corretta?

Spinaceto, **pensavo peggio!** _____

13 | attività video

vai all'indirizzo
www.almaedizioni.it/minisiti/nuovomagari/nuovomagariC1C2
e apri la sezione VIDEO

1 *Guarda il video interamente. È tratto dal film "Borotalco" di Carlo Verdone, regista di cui si parla a pagina 53. Prendi appunti sui personaggi (chi sono, dove sono?), la situazione (perché sono lì? Cosa fanno?), il dialogo (di cosa parlano? C'è un tema specifico?). Poi confrontati con un compagno.*

2 *Leggi le tre trame di film e scegli quella da cui è tratto, secondo te, il video che hai visto. Poi, insieme a un compagno, fai ipotesi su dove collocare la scena che avete visto, all'interno della trama del film.*

1 Manuel Fantoni è un giovane architetto che conduce una vita avventurosa. Un giorno suona alla sua porta una bella ragazza che vende enciclopedie: quello sarà solo il loro primo incontro, a cui ne seguiranno molti altri. Innamorati uno dell'altra, Nadia e Manuel devono però fare i conti con il passato di lui, che ritorna a bussare alla porta. E non certo per vendergli un'enciclopedia.

2 Sergio e Nadia sono una giovane coppia annoiata insieme da molti anni e che ha perso la passione. Per ravvivare il loro rapporto, decidono di incontrarsi interpretando ognuno un ruolo diverso ogni settimana: ora lei si finge avvocato e lui un cliente, ora lui gioca a essere architetto e lei venditrice porta a porta. Ma durante uno di questi incontri succede qualcosa che cambierà per sempre le loro vite…

3 Sergio è un ragazzo timido che vende enciclopedie porta a porta. Un giorno entra in casa di Manuel Fantoni, un uomo affascinante che gli racconta la sua vita avventurosa; arrestato dalla Guardia di Finanza, Manuel lascia a Sergio le chiavi di casa. Inizia così una seconda vita immaginaria di Sergio, in cui per caso entra anche Nadia, una sua bella collega di cui lui è segretamente innamorato. Ma il gioco è pericoloso, e presto la verità viene a galla.

3 *Abbina alcune espressioni colloquiali del dialogo al loro significato. Se non lo conosci, lo puoi ricavare dal contesto, riguardando il video.*

1. Veramente **fico**!
2. **Ammazza** quanta gente che conosce!
3. **Gli ho dato buca**…
4. Mi sa che è un po' **imbranato**.
5. **Non gli avrei dato due lire**.
6. **C'avrei giurato**.

a. Ho mancato ad un appuntamento.
b. Non pensavo che valesse molto.
c. Molto bello.
d. Ne ero sicura.
e. Accidenti!
f. Poco disinvolto, impacciato.

4 *Ti è mai capitato di "interpretare una parte", di fingere di essere qualcuno diverso da quello che sei? In che occasione? Che cosa hai provato? Scrivi un testo che descriva questa esperienza.*

5 *Riscrivi alcune frasi del dialogo da discorso diretto a indiretto (al passato) o viceversa.*

1. *Nadia:* "Lei ama la musica?"
   Nadia ha chiesto a Sergio _____

2. *Sergio:* "Un bel giorno me ne andai a Genova."
   Sergio ha detto che _____

3. *Sergio:* "Io, è un periodo che ho molto da fare e poi è un momento che non mi va di vedere nessuno."
   Sergio ha detto che _____

4. *Sergio:* "Sì, è passato qua, è stato due minuti poi l'ho mandato via perché avevo una riunione di lavoro."
   Sergio ha detto che _____

5. *Nadia:* " (Sergio) mi aveva chiesto se l'aiutavo."
   Nadia ha detto che _____

vai all'indirizzo
www.almaedizioni.it/minisiti/nuovomagari/nuovomagariC1C2
e apri la sezione VIDEO

attività 14
video

1 *Il video riguarda Peppino Impastato, che hai conosciuto all'interno dell'unità 14 attraverso il film "I cento passi". Guarda il video e, in caso, rileggi il testo a pagina 61: quali elementi in più hai ricavato dal video rispetto a quelli che già conoscevi? Usa la tabella sotto e poi confrontati con un compagno.*

Informazioni dal testo	Informazioni in più dal video

2 *Indica le frasi giuste. Riguarda il video per la verifica.*

1. Per Peppino andare contro la mafia significava anche ribellarsi alla famiglia. ☐
2. Peppino partecipa alle manifestazioni contro la guerra in Vietnam. ☐
3. Peppino ha aperto la sua radio grazie ai soldi dello zio mafioso, Tano Badalamenti. ☐
4. Per Peppino la mafia non era solo un gruppo di criminali ben organizzati. ☐
5. La radio di Peppino si chiamava Onda Pazza. ☐
6. Nella mentalità degli anni '70 la vita politica entrava anche nella vita privata. ☐
7. I giudici del processo per la morte di Peppino si sono fatti intimorire dalla mafia. ☐
8. La madre di Peppino muore dopo la sentenza per l'omicidio del figlio. ☐

3 *Lavora con un compagno: prendendo come riferimento i fotogrammi sotto, uno dei due elabora una serie di domande a cui l'altro dovrà rispondere in maniera più chiara possibile.*

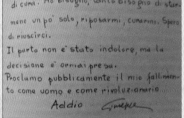

4 *Leggi le frasi sotto e scrivi su un foglio quella con cui sei d'accordo. Cerca poi i compagni che hanno scelto la stessa frase e forma un gruppo. Discutete con i gruppi che hanno frasi diverse e cercate di portare avanti in modo convincente il vostro punto di vista.*

Morire così è inutile, fare l'eroe serve solo a dimostrare che la mafia è più forte.

Peppino Impastato è un grande esempio da seguire.

La mafia ha radici molto profonde nella società e nella politica: impossibile sconfiggerla.

vai all'indirizzo
www.almaedizioni.it/minisiti/nuovomagari/nuovomagariC1C2
e apri la sezione VIDEO

1 *Guarda il video, anche più di una volta e individua tre parole chiave. Confrontati poi con i compagni e cerca chi ha trovato le stesse parole o almeno due uguali alle tue. Insieme elaborate un titolo che potrebbe avere questo servizio giornalistico.*

2 *Indica se le affermazioni sono vere (V) o false (F).*

	V	F
1. I politici italiani non dicono parolacce pubblicamente.	☐	☐
2. Alcune parolacce sono entrate nel dizionario della lingua italiana.	☐	☐
3. Un politico ha detto una parolaccia per attirarsi la simpatia dei giovani.	☐	☐
5. Di alcune parolacce si fa ormai un uso eccessivo.	☐	☐
5. In TV nessuno dice parolacce.	☐	☐
1. Tutti i giornali riportano fedelmente le parolacce dei politici.	☐	☐

3 *Leggi il testo e completalo con le parole mancanti. Poi guarda la prima parte del video e verifica.*

| improperi | parolaccia | offensive | oscene |

Grillo ha fatto di questa _____ lo slogan del suo movimento, forte probabilmente di una sentenza della Cassazione secondo cui talune parole, seppure _____, sono diventate di uso comune e dunque non _____. Ma, dicono anche i giudici dell'Alta Corte, devono essere usate in contesto amichevole, ludico, di piazza. Insomma, seppure l'interpretazione è piuttosto larga, Grillo continua indefesso a lanciare i suoi simpatici _____.

4 *Nel tuo paese si dicono parolacce in TV o è considerata una cosa rara e grave? Qual è la tua opinione in proposito? Parlane con un compagno.*

5 *Tu dici parolacce? Pensi che sia qualcosa ormai entrato nella quotidianità o bisognerebbe evitarle il più possibile? Cerca i compagni che la pensano come te e formate un gruppo. Poi cercate di convincere il gruppo che la pensa in modo opposto.*

Osserva: le espressioni evidenziate possono essere sostituite da altre meno difficili da capire. Abbina le espressioni corrispondenti.

☐ **1.** Grillo continua **indefesso** a lanciare i suoi simpatici improperi. **a.** con numerosi
☐ **2.** La parolaccia è entrata **a pieno titolo** nei dizionari. **b.** è coerente
☐ **3.** I Radicali hanno risposto **per le rime**. **c.** usando lo stesso tono
☐ **4.** Gli scontri **a suon di** insulti nei talk show televisivi. **d.** passata nell'uso corrente
☐ **5.** La parola **sdoganata** compare anche nei titoli dei quotidiani. **e.** senza fermarsi
☐ **6.** La Stampa **mantiene la stessa linea** anche nell'articolo. **f.** ufficialmente

vai all'indirizzo
www.almaedizioni.it/minisiti/nuovomagari/nuovomagariC1C2
e apri la sezione VIDEO

attività | 16
video

1 *Ascolta l'audio del video coprendo lo schermo e rispondi alle domande. Confrontati con un compagno.*

Tra chi si svolge il dialogo?
Cosa succede? Perché uno dei due protagonisti è arrabbiato?

2 *Prima di vedere il video integralmente, concorda con un compagno una drammatizzazione del dialogo e interpretatelo in classe. Proponiamo, come aiuto, alcune battute del dialogo che possono essere usate per l'attività. La drammatizzazione deve essere ispirata al dialogo, non seguirlo fedelmente.*

> Marelli, subito in ufficio da me.

> Dica, dottore.

> Quante ore devo aspettare, quanto tempo?

> Sto facendo una cosa importante, Marelli, su!

3 *Guarda il video integralmente: quale coppia è andata più vicina all'effettiva trama?*

4 *Nel dialogo sono usate espressioni particolari. Abbinale al significato corretto scegliendo tra le opzioni date. Per aiutarti, guarda di nuovo il video.*

1. "Perché **non va**?"
2. "Provi a farlo **a mano**"
3. "Come si faceva **una volta**"

- non va via
- tanto tempo fa
- in un momento
- senza computer
- da solo
- non funziona

Osserva: alla fine del video, il protagonista chiede: "dove clicco?". In italiano alcuni verbi, soprattutto in ambito informatico, sono nati da parole inglesi. Indica quali sono le forme usate in italiano, come nell'esempio.

link	linciare/*linkare*	**reset**	resettare/resetire
monitor	monitorizzare/monitorare	**post**	posteggiare/postare
ban	bannare/bannizzare	**spam**	spammire/spammare

---

17 attività video

vai all'indirizzo
www.almaedizioni.it/minisiti/nuovomagari/nuovomagariC1C2
e apri la sezione VIDEO

1 *Sai qualcosa della* **Divina Commedia**? *Esiste nella tua cultura un'opera poetica simile o un testo letterario particolarmente significativo? Parlane con un compagno.*

2 *Benigni non legge semplicemente Dante, lo commenta a suo modo e lo interpreta: Quali sono le caratteristiche che ti colpiscono della sua performance? Guarda il video poi parlane e confrontati con un compagno.*

3 *Indica in quale ordine questi concetti sono espressi da Benigni nella sua interpretazione del canto di Ulisse. Attenzione, c'è un elemento in più.*

Dante ha influenzato la letteratura mondiale.	Dante ha inserito nella Commedia molti suoi nemici.
La figura di Ulisse rappresenta l'umanità.	La Commedia di Dante è unica per la sua forza espressiva.

4 *Lavora con un gruppo di compagni: prendendo come riferimento le terzine riportate qui sotto, ogni membro del gruppo decide di "adottare" uno o più versi, in modo che alla fine vengano comunque scelti tutti (la parafrasi in italiano standard aiuterà a comprendere meglio il senso dei versi stessi). Ogni componente del gruppo poi trascrive i suoi versi su un foglio e li legge più volte a bassa voce. Infine, gli studenti del gruppo si alzano e, nella giusta successione, ognuno legge i versi da lui adottati: ne risulterà una lettura collettiva delle terzine di Dante da confrontate poi con quella degli altri gruppi.*

"O frati", dissi "che per cento milia" perigli siete giunti a l'occidente, a questa tanto picciola vigilia	Dissi: "O fratelli, che siete giunti all'estremo ovest attraverso centomila pericoli, non vogliate negare a questa piccola veglia
d'i nostri sensi ch'è del rimanente, non vogliate negar l'esperienza, di retro al sol, del mondo sanza gente.	che rimane ai vostri sensi (ai vostri ultimi anni) l'esperienza del mondo disabitato, seguendo la rotta verso occidente.
Considerate la vostra semenza: fatti non foste a viver come bruti, ma per seguir virtute e canoscenza".	Pensate alla vostra origine: non siete stati creati per vivere come bestie, ma per seguire la virtù e la conoscenza".

vai all'indirizzo
www.almaedizioni.it/minisiti/nuovomagari/nuovomagariC1C2
e apri la sezione VIDEO

attività | **18**
video

1 *Guarda il video interamente e rispondi alle domande:*

- cosa sta facendo secondo te l'autore del video?

- cosa ti ha colpito di più?

- cosa ti sembra più divertente? Cosa più strano?

2 *Il titolo del video è "Se i modi di dire fossero reali". Riguarda il video e trascrivi i modi di dire che riconosci. Non è ovviamente necessario riconoscerli tutti. Lavora con un compagno.*

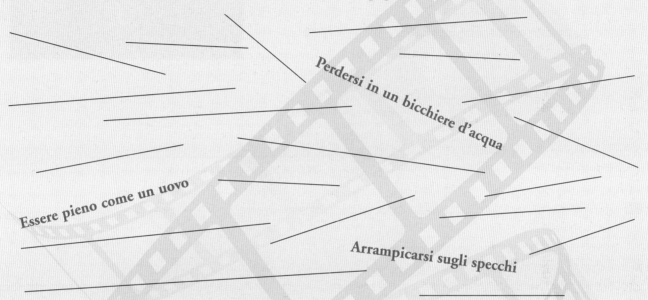

Perdersi in un bicchiere d'acqua

Essere pieno come un uovo

Arrampicarsi sugli specchi

3 *Abbina alcuni modi di dire al loro significato.*

1. Essere pieno come un uovo
2. Perdersi in un bicchiere d'acqua
3. Arrampicarsi sugli specchi
4. Dare spago
5. Attaccare bottone
6. Essere un pezzo di pane
7. Montarsi la testa
8. Mettere i bastoni tra le ruote

a. Darsi troppa importanza
b. Iniziare a parlare per conoscere qualcuno
c. Avere mangiato troppo
d. Ostacolare qualcuno
e. Dare una giustificazione poco credibile
f. Incoraggiare qualcuno a continuare a parlare
g. Non sapere affrontare situazioni facili
h. Essere una persona molto buona

4 *Conosci altri modi di dire italiani? Lavora con un compagno, scegli almeno due o tre modi di dire che non compaiono nel video e fanne una breve drammatizzazione. I compagni hanno capito di che modi di dire si tratta?*

19 | attività video

vai all'indirizzo
www.almaedizioni.it/minisiti/nuovomagari/nuovomagariC1C2
e apri la sezione VIDEO

1 *Il video è un monologo di Dario Fo, grande attore e autore di teatro, che qui parla di* **grammelot**, *una lingua che inserisce suoni e parole di origine diversa. Guarda il video interamente.*

2 *Metti in ordine cronologico le fasi del monologo dello Zanni. Se necessario guarda ancora il video.*

☐ **a.** Zanni mangerebbe le persone intorno a lui.

☐ **b.** Sogno di Zanni.

☐ **c.** Zanni mette in pentola una gallina ripiena.

☐ **d.** Zanni mangerebbe se stesso.

☐ **e.** Zanni mangia una mosca.

☐ **f.** Zanni mangerebbe anche il paesaggio che lo circonda.

☐ **g.** Zanni mentre cucina si taglia un dito e poi lo mangia.

3 *Abbina i termini alle rispettive definizioni.*

1. Commedia dell'Arte
2. Zanni
3. maschera

a. oggetto che si indossa per coprire il volto
b. personaggio della Commedia dell'Arte
c. forma di rappresentazione teatrale

4 *Avevi mai visto prima d'ora un attore che recitasse in* **grammelot**? *Cosa ne pensi? Hai capito lo stesso quello che vuole comunicare Dario Fo? Per quale ragione? Parlane con un compagno.*

5 *Dario Fo introduce il suo monologo con alcune spiegazioni utili a una migliore comprensione. Prima di guardare il video, completa il testo con le parti mancanti, scegliendo tra quelle della lista. Poi guarda di nuovo la prima parte del video e verifica.*

| a- meglio dire una classe sociale | b - È il padre delle maschere più importanti |

| c - andavano sui mercati e trovavano di colpo | d - i quali a un certo punto della loro vita |

Il più famoso dei *grammelot* è quello degli Zanni. Zanni è il prototipo di tutte le maschere della Commedia dell'Arte. (1)_____, tipo per esempio Arlecchino, Brighella, eccetera eccetera. Ma non è un personaggio inventato, è un personaggio reale: lo Zanni, come personaggio, è addirittura legato a una categoria di persone, (2)_____: i contadini delle valli di tutto il Po, delle montagne che si riversano poi sulla piana del Po. Erano i lombardi, veneti, anche piemontesi, (3)_____, esattamente nel Cinquecento, dovettero abbandonare le proprie terre perché le proprie terre non gli davano più la possibilità di campare. Non riuscivano più a vendere quello che producevano: (4)_____ della merce che veniva dall'Oriente e che costava un terzo, o la metà di quello di cui avevano bisogno loro di incassare per poter andare avanti a lavorare.

6 *Saresti in grado di creare un* **grammelot** *con elementi della tua e altre lingue che conosci, compreso l'italiano? Se te la senti, prepara una breve storia e recitala ad un compagno. Ha capito cosa vuoi comunicare? E il tuo compagno, ha recitato la sua storia in modo comprensibile?*

vai all'indirizzo
www.almaedizioni.it/minisiti/nuovomagari/nuovomagariC1C2
e apri la sezione VIDEO

attività|20
video

1 *Guarda il video interamente: a che punto si colloca la scena del video all'interno della storia?*
Rileggi rapidamente il testo dell'attività 8 a pagina 150 e individua la scena.

2 *Rimetti in ordine cronologico i vari momenti della scena.*

a. Antonietta chiede a Gabriele perché le da del Lei e non del Voi.
b. Antonella accusa Gabriele di tentare di sedurla.
c. Gabriele grida con rabbia ad Antonella la propria omosessualità.
d. Gabriele fa uno scherzo ad Antonietta.
e. Antonella finge di non capire che Gabriele le sta confessando di essere omosessuale.
f. Antonella dice a Gabriele di andarsene ma allo stesso tempo è attratta da lui.
g. Gabriele spiega ad Antonella perché ha perso il lavoro.

Sequenza corretta: __a__ ___ ___ ___ ___ ___ ___

3 *Guarda il video: quale momento della cosiddetta "scena sul terrazzo" ti sembra più significativo?*
Parlane con un compagno.

4 *Nella scena la situazione tra Antonietta e Gabriele cambia, così come il registro linguistico dei due protagonisti.*
Con l'aiuto delle frasi qui sotto, individua con un compagno i momenti in cui si passa da un registro all'altro;
nota anche la duplice forma di cortesia con il Lei e con il Voi. Discutete insieme su questi fenomeni.

Frase 1 (Gabriele) "Ma di che ha paura, Lei è così
          sicura delle sue idee".
Frase 2 (Gabriele) "Secondo me quando ridi
          sei molto più bella!"
Frase 3 (Antonietta) "Ma vi state sbagliando
          questo è certo."
Frase 4 (Gabriele) "Che ti aspettavi? Baci,
          Mozzichi?"

Osserva: *Antonietta, semplice casalinga in un periodo di bassa scolarizzazione, parla un italiano a volte*
scorretto. Sono tuttavia errori che ancora rimangono nell'italiano colloquiale. Individua le forme errate e
riscrivi la frase correttamente.

A (Antonietta) "Voi scherzate sempre sulle cose che non c'è niente da ridere."
Forma corretta: _____

B (Antonietta) "Niente, pare che lo fate apposta! Da stamattina: "Lei", "Lei…""
Forma corretta: _____

21 | attività video

vai all'indirizzo
www.almaedizioni.it/minisiti/nuovomagari/nuovomagariC1C2
e apri la sezione VIDEO

1 *Guarda il video una prima volta: che messaggio vuole dare? Pensi che sia efficace? Parlane con un compagno.*

2 *Una piccola sfida: guarda ancora il video e indica quali, secondo te, sono i dialetti del Sud Italia e quali del Nord. Lavora con un compagno. Considera che anche per gli italiani è difficile cogliere le differenze!*

	dialetto del Nord	dialetto del Sud
SPOT N.1		
Prima scena (teatro):	☐	☐
Seconda scena (polizia):	☐	☐
Terza scena (chiromante):	☐	☐
SPOT N.2		
Prima scena (coppia):	☐	☐
Seconda scena (matrimonio):	☐	☐
Terza scena (donna e giornalisti):	☐	☐
SPOT N.3		
Prima scena (lavoratori):	☐	☐
Seconda scena (vigile urbano):	☐	☐
Terza scena (intervista):	☐	☐
SPOT N.4		
Prima scena (professore):	☐	☐
Seconda scena (psicologo):	☐	☐
Terza scena (ristorante):	☐	☐
SPOT N.5		
Prima scena (attrice):	☐	☐
Seconda scena (allenatore):	☐	☐
Terza scena (sacerdote):	☐	☐

3 *Non tutti in Italia hanno apprezzato questa pubblicità: molti l'hanno addirittura ritenuta offensiva. Leggi l'articolo e completalo con i participi e gli aggettivi della lista.*

concordi | dedicati | lanciati | locali | rappresentati | subissati | territoriali | trasversali

Infuria la polemica sugli spot _____ dalla Rai per celebrare i 150 anni dell'Unità d'Italia, _____ ai tanti dialetti della nazione che vengono però _____ come incomprensibili. Una campagna che intendeva strappare un sorriso e ricordare agli italiani il ruolo centrale ricoperto dalla Rai nella diffusione di una lingua comune in un'Italia caratterizzata fino alla seconda guerra mondiale dall'uso, in famiglia e fuori, dei dialetti _____. Peccato che il risultato sia stato ben diverso: in poche ore il web e i centralini Rai sono stati _____ di proteste assolutamente _____ che hanno accomunato politici, uomini di cultura e gente comune, tutti _____ nell'accusare la Tv di Stato di aver approntato una campagna nei confronti delle tipicità linguistiche _____.

4 *Dopo aver visto il video e letto l'articolo, qual è il tuo parere? Trovi la pubblicità offensiva o simpatica ed efficace? Cerca in classe altri compagni della tua opinione e, insieme, provate a convincere il gruppo che è di parere opposto al vostro.*

esercizi

1 *Completa le parole (una lettera in ogni spazio).*

Antichi Romani: verità e falsi miti

■ **Il pollice verso** - Contrariamente a quanto si crede, l'Imperatore non alzava il pollice verso l'alto o verso il basso per dare al gladiatore il segnale di uccidere il suo sfortunato **avvers_ _ _ _**.
L'Imperatore (e solo lui, non il pubblico) usava il sistema "mano aperta/mano chiusa": mano aperta significava "risparmia la sua vita", mano chiusa "uccidilo". Se il gladiatore **_ _ _ ubbidiva** all'ordine e uccideva il suo nemico prima di questa **autorizzaz_ _ _ _**, l'Imperatore poteva decidere di condannarlo a **m_ _ _ _**.

■ **I gladiatori** - I gladiatori non erano solo uomini. Infatti esistevano anche le *gladiatrices* (al singolare la *gladiatrix*). Gli spettacoli con le gladiatrici erano molto frequenti, fino a quando, nel 200 d. C., tra la **_ _ _ _ pprovazione** generale l'imperatore Settimio Severo decise di vietare i combattimenti tra donne. Il **div_ _ _ _** tuttavia si rivelò poco efficace, perché ci sono testimonianze di spettacoli con gladiatrici anche dopo quella data.

■ **La toga** - Quando pensiamo ai cittadini romani, li immaginiamo sempre in toga. Ma in realtà la toga era un **ab_ _ _** estremamente formale, usato solo nelle grandi occasioni. Dire che i romani usavano la toga è come dire che noi oggi usiamo sempre la giacca e la **crav_ _ _ _ _** o lo smoking. Normalmente i romani indossavano delle modeste tuniche.
Invece la toga era un abito così importante che potevano indossarla esclusivamente i **_ _ _ _ _adini** maschi (né gli schiavi, né le donne).

■ **I banchetti** - La leggenda dice che i romani avevano l'abitudine di **vom_ _ _ _ _ _** durante i loro celebri e lussuosi banchetti, per poter ricominciare a mangiare.
Questa **cred_ _ _ _ _** si deve al fatto che effettivamente a Roma sono stati trovati dei locali chiamati *vomitoria*, un nome che ha fatto pensare a dei luoghi dove i romani andavano a vomitare dopo aver mangiato. In realtà i *vomitoria* erano dei corridoi dentro gli **anfi_ _ _ _ _ _** che servivano per il passaggio delle persone in occasione di manifestazioni particolarmente **affol_ _ _ _** (come gli spettacoli teatrali o i combattimenti con i gladiatori).

■ **"Anche tu Bruto, figlio mio."** - Le ultime parole di Giulio Cesare, rivolte verso il suo **_ _ _ _ssino** Bruto, sono diventate universalmente famose grazie a Shakespeare. Secondo la tradizione Cesare avrebbe detto, in latino: "Tu quoque, Brute, fili mi". Ma lo storico Svetonio riporta la frase esatta, in greco, che era "Kai su teknon". Sì, in greco, perché Cesare era **_ _ lingue** (latino e greco) e il greco era una lingua comunemente parlata a Roma. Le parole potrebbero avere senz'altro un altro significato, cioè non esprimerebbero sorpresa da parte di Cesare, ma **mina_ _ _ _ _**: "Anche tu Bruto sarai ucciso, tu sarai il prossimo."

■ **Nerone** - Nerone, che guidò l'Impero dal 54 al 68 d. C., è passato alla storia come il simbolo di un **po_ _ _ _** folle, immorale, irragionevole. A lui sono state attribuite le azioni più terribili, tra cui quella di aver bruciato Roma. Ma secondo gli storici moderni, Nerone non era a Roma quando scoppiò l'**inc_ _ _ _ _** che la distrusse. Il 18 luglio 64, giorno della tragedia, l'Imperatore si trovava al mare, ad Anzio, e quando arrivò la notizia che la città stava **_ _ _ciando** corse immediatamente a Roma a organizzare le operazioni di **_ _ _ corso**.
Successivamente la popolazione cominciò a indicare Nerone come **colpe_ _ _ _ _**, ma si trattava di voci create dai Cristiani, che erano da lui perseguitati e avevano interesse a diffondere l'immagine di un Imperatore folle, incapace di **_ _ _ ernare** e nemico del popolo.

"I gladiatori lottavano per finta" nuova teoria di un archeologo

Morire al Colosseo? Per un gladiatore era un evento molto *(probabile)* _____. Molto più facile essere ucciso a Hollywood in un film sull'antica Roma. È quanto sostiene Steve Tuck, archeologo statunitense che, esaminando una serie di reperti provenienti dall'antica Roma, si è convinto che i combattimenti dei gladiatori erano delle finzioni, paragonabili a *(antichi)* _____ match di wrestling, nei quali nessuno si faceva *(bene)* _____ davvero. Niente a che vedere, dunque, con le scene sanguinose e *(non violente)* _____ di certi kolossal hollywoodiani, come *Quo Vadis* o *Il gladiatore*.

"La lotta gladiatoria è sempre stata associata all'uccisione e al sangue", ha spiegato Tuck in un articolo pubblicato dalla rivista New Scientist. "Ma in realtà i gladiatori o combattevano *(armati)* _____ o erano allenati a colpire l'avversario senza fargli male. E i combattimenti che non rispettavano questa regola erano considerati *(legali)* _____."

Per circa 800 anni, dal IV secolo a.c. al IV secolo d.c., criminali, prigionieri di guerra e schiavi erano comprati da *(poveri)* _____ romani per essere addestrati a combattere nei giochi gladiatori. Lottavano fra loro o contro gladiatori professionisti, che erano uomini liberi, in anfiteatri come il Colosseo.

Generalmente dovevano sostenere due o tre combattimenti l'anno e se riuscivano a sopravvivere a tre o cinque anni di combattimenti, potevano ottenere la libertà. Ma secondo Tuck, il rischio per un gladiatore di essere ucciso era quasi *(esistente)* _____. E i pochi che morivano dovevano essere davvero *(fortunati)* _____.

Per sostenere la sua teoria l'archeologo ha analizzato 158 immagini risalenti a quel periodo raffiguranti i giochi, dalle quali risulta che lo scopo del gladiatore era semplicemente quello di sconfiggere l'avversario, non di ucciderlo.

Ma molti studiosi *(approvano)* _____ la tesi di Tuck e contestano il metodo con cui ha condotto la sua ricerca, sostenendo che si basa su documenti *(autentici)* _____. Invece Simon Esmonde Cleary, storico dell'università di Birmingham, concorda che la lotta gladiatoria non fosse sempre sanguinosa. "A mio avviso ci si

concentra troppo sul Colosseo, nel quale i giochi non si svolgevano necessariamente con le stesse modalità degli altri anfiteatri dell'Impero", ha affermato. "Magari a Roma poteva succedere che in occasioni speciali si *(vietassero)* _____ combattimenti reali, con armi *(false)* _____ e colpi anche *(immortali)* _____. Ma in generale, nel resto dell'Impero romano, i giochi erano manifestazioni pacifiche dove la gente andava per divertirsi e non per assistere a uno spettacolo di morte e violenza."

da repubblica.it

▶3 *Completa il testo con gli **articoli** e le **preposizioni**.*

Il Colosseo

Il Colosseo (o Anfiteatro Flavio) era il più grande monumento dell'antichità, in grado di ospitare circa 50.000 spettatori. La sua costruzione, che iniziò sotto l'imperatore Vespasiano e finì sotto Domiziano, durò circa otto anni, _____ 72 _____ 80 d.C.

Il grande anfiteatro fu costruito al centro _____ città, in una zona rimasta libera dalle case dopo il grande incendio scoppiato a Roma _____ 18 luglio del 64 d.C., durante il regno di Nerone.

Inaugurato _____ 80 d.C., il suo nome attuale, che si diffuse solo nel Medioevo, deriva dalla vicina statua del *Colosso del Dio Sole*.

Per l'inaugurazione dell'anfiteatro vennero organizzati giochi che durarono 3 mesi e durante i quali morirono circa 2.000 gladiatori e 9.000 animali. _____ anni seguenti, il Colosseo ospitò combattimenti tra gladiatori, combattimenti tra animali esotici (leoni, elefanti, rinoceronti), esecuzioni, manifestazioni pubbliche, rappresentazioni teatrali e naumachie (battaglie con le navi). Pare che ogni tanto _____ Colosseo combattessero anche donne gladiatrici.

Il Colosseo aveva lo stesso ruolo sociale che ha oggi lo stadio. All'entrata c'erano delle tessere che identificavano la persona e le assegnavano un posto (un po' come i moderni abbonamenti). Venivano venduti dei gadget _____ l'immagine dei gladiatori, e i tifosi urlavano e cantavano come avviene oggi _____ nostri stadi.

_____ anni '20, durante il fascismo, si pensò addirittura di utilizzare il Colosseo come albergo lussuoso _____ i turisti di tutto il mondo che certamente avrebbero

▲ Il film "Il gladiatore"

apprezzato l'idea (fortunatamente bocciata in tempo).

_____ 17 luglio 2007, con una cerimonia svoltasi a Lisbona, il Colosseo è stato inserito fra le *Sette meraviglie del mondo moderno*.

Il Colosseo è apparso _____ moltissimi film. Proprio per la sua maestosità e il suo valore simbolico, pare che sia uno dei bersagli preferiti di film cosiddetti "catastrofici" e frequentemente è protagonista di scene che vedono la sua distruzione.

Per il film "Il Gladiatore" (girato _____ 2000), la produzione richiese di poter utilizzare il monumento originale, ma il permesso fu negato. Così il Colosseo fu ricostruito a Malta _____ ben 19 settimane di lavoro (ma in realtà ne fu costruita solo una parte, mentre il resto fu creato in digitale).

4 *Inserisci gli aggettivi della colonna destra al posto giusto nella riga corrispondente del testo, decidendo se vanno inseriti come **aggettivi** o trasformati in **avverbi**, come nell'esempio. Gli aggettivi sono alla forma base.*

▶ LA VITA AL TEMPO DEI ROMANI

Com'era la vita quotidiana al tempo dei Romani? Era così diversa dalla nostra? *(veramente)*	**vero**
I più ricchi abitavano in case molto e confortevoli *(domus)*. I poveri invece abitavano in case di una stanza *(insulae)*, senza acqua e con finestre senza vetri.	**spazioso**
I bagni pubblici, chiamati terme, erano fonte di grande piacere per i Romani che, a volte, vi trascorrevano anche l'intera giornata. Gli edifici erano arredati e offrivano ogni genere di comodità e di divertimenti. Oltre a bagni e a piscine c'erano, infatti, palestre, sale per i massaggi, giardini, biblioteche.	**lussuoso**
Le terme erano organizzate in ambienti con vasche di acqua *(frigidarium)* e vasche di acqua calda *(calidarium)*. Le terme erano luoghi allegri e rumorosi perché i Romani amavano chiacchierare e cantare.	**freddo** **particolare**
I Romani mangiavano tre volte al giorno. La colazione *(ientaculum)*, era costituita da pane o biscotti, olive, datteri e miele. Il pranzo *(prandium)* era leggero. Il pasto più importante era la cena, che iniziava nel tardo pomeriggio. Molto erano i banchetti del console Lucullo, noto per il lusso e la ricchezza.	**molto** **famoso**
I Romani seguivano ogni tipo di spettacolo, ma amavano le lotte dei gladiatori e le corse con i cavalli.	**speciale**
L'occupazione di un romano dipendeva dalla sua situazione sociale. L'unica carriera degna di un nobile, era quella politica o militare. Gli uomini della classe, che potevano permettersi un'istruzione, diventavano architetti, avvocati o medici. I cittadini, che vivevano in campagna, in genere lavoravano la terra. Se invece abitavano in città, facevano i panettieri, i fabbri, i macellai o i falegnami.	**principale** **medio** **povero**
I figli dei ricchi andavano a scuola. La scuola poteva essere un grande edificio o una stanza separata dalla strada da una tenda. La scuola iniziava la mattina presto e finiva a metà pomeriggio. Dopo la scuola gli studenti potevano andare alle terme o a giocare.	**semplice**
Gli insegnanti erano schiavi greci, che in alcune occasioni ricevevano anche uno stipendio. Erano severi ed autorizzati a dare punizioni agli studenti svogliati e indisciplinati.	**solito**
Ragazzi e ragazze frequentavano scuole distinte dove imparavano a leggere, a scrivere e a contare. La loro vita era organizzata. A tredici anni le ragazze lasciavano la scuola per sposarsi, mentre i maschi proseguivano gli studi ed iniziavano la carriera.	**diverso** **militare**

geografia
MARI E MONTI

1 *Collega i verbi di sinistra con le parole di destra e ricostruisci le espressioni. Poi inseriscile al posto giusto nel testo.*
*Attenzione: tutti i verbi vanno all'**infinito**, solo uno va coniugato.*

assumere	alla larga
cedere	alla tentazione
girare	al minimo i rischi
ridurre	a vuoto
stare	presente
tenere	una posizione ad uovo

Andare in montagna

Il tempo

(…) Bisogna _____ che i fulmini sono attratti da oggetti a punta ed elevati, quindi alberi o spuntoni di roccia. Di conseguenza sarà bene evitare di sostare vicino a oggetti del genere, o di essere l'oggetto più alto della zona. Se tuttavia questo non è possibile e si avvertono i segnali dell'imminenza del fulmine (capelli che si drizzano, metalli che crepitano), bisogna _____, con la testa rannicchiata fra le ginocchia.

L'orientamento

(…) Ci sono itinerari che non è del tutto consigliabile percorrere se non si è accompagnati da persone che li conoscono. In certe zone perdere il sentiero significa _____ senza riuscire a scendere a valle. Non ci si può fare un'idea adeguata di questo se non lo si prova. Ma naturalmente è meglio non provarlo!

(…) E se ci si perde? Non bisogna _____ di scendere a tutti i costi; è preferibile ricercare, con calma e attenzione, la traccia. Se si sono seguite le avvertenze sopra esposte, la si ritroverà.

Infortuni ed incidenti

(…) Quanto alle situazioni ed ai luoghi intrinsecamente pericolosi, bisogna ricordare che:
- il ghiaccio è sempre un'insidia da cui _____, se non si è adeguatamente attrezzati e preparati;
- infine in luoghi molto assolati, vicino a corsi d'acqua, nelle pietraie e nell'erba si può nascondere l'insidia delle vipere; se si procede con passo pesante, si batte a terra con un bastone e si evita di posare le mani in luoghi dove la vegetazione nasconde il terreno, si _____.

2 *Completa il testo con l'**indicativo presente** del verbo preceduto, quando necessario, dal pronome spersonalizzante **si**, come nell'esempio. Attenzione: in due casi devi usare il pronome doppio **ci si**.*

Si va, sulla montagna...

Roberto Vitali

Quando *(parlare)* <u>*si parla*</u> di turismo accessibile molto spesso *(eliminare)* _____ a priori la montagna come destinazione, proprio perché qui le barriere generate dalla natura sono veramente molte.

Ma tutto diventa più semplice se, come ho fatto io, *(rivolgersi)* _____ a Sportabili, una associazione in provincia di Trento che *(organizzare)* _____ attività sportive per persone con disabilità fisiche. Sono diversi i modi in cui *(potere)* _____ sciare quando *(avere)* _____ problemi motori. Nel caso di persone che non ce la fanno a sciare con le proprie forze è stato realizzato un biscì (così si chiama) con il quale, guidati da istruttori esperti, *(potere)* _____ provare l'emozione della discesa sulle piste.

Questa attrezzatura la *(trovare)* _____ direttamente presso Sportabili.

L'impianto utilizzato per queste mie prove *(essere)* _____ quello di Castellir a Bellamente. Ci troviamo nella parte più bella della Val di Fiemme dove è possibile praticare sci di fondo su percorsi di diverse difficoltà. Tutti gli anni qui *(svolgersi)* _____ la Marcialonga, manifestazione sportiva dedicata allo sci di fondo su un percorso di 70 km!!!

Ma in montagna *(potere)* _____ andare anche d'estate. La prima escursione, che ricordo con piacere, mi ha portato con l'handybike in Val Venegia. Dopo un percorso di circa un chilometro e mezzo, con tratti anche difficoltosi, ho raggiunto la Malga Venegia. All'arrivo siamo stati gratificati dalla vista delle Pale di San Martino e da una

abbondante razione di polenta e funghi nonché di yogurt fresco ai frutti di bosco (da provare!). Ma l'emozione più bella è quando *(stendersi)* _____ sul prato: da questa posizione infatti *(dominare)* _____ tutte le vallate sottostanti. Davvero una sensazione indescrivibile. Una seconda gita mi è stata organizzata da Sportabili nel Parco Naturale a Paneveggio. Il centro visitatori *(garantire)* _____ servizi accessibili. Muoversi nel bosco in carrozzina riserva la piacevole sorpresa di scoprire che non è poi così difficile praticare percorsi nella natura, se chi ha progettato questi tragitti ha prestato attenzione ai problemi di chi *(spostarsi)* _____ in sedia a rotelle. Il bosco è stupendo e al suo interno *(provare)* _____ anche l'emozione di attraversare un ponte sospeso sopra una cascata, in puro stile Indiana Jones!

Come concludere questa escursione se non con un pic-nic? Noi abbiamo fatto un pasto a base di salsicce e polenta in prossimità del lago. Devo dire che l'associazione in questo *(essere)* _____ veramente organizzatissima.

da www.sportabili.org

3 *Riscrivi il testo sostituendo la costruzione **uno/la gente** + verbo con la costruzione spersonalizzante **si/ci si** + verbo. Attenzione: in alcuni casi devi trasformare anche l'aggettivo o il passato prossimo (ausiliare e participio).*

Quando **la gente viaggia**, senza lo stress della routine, **si guarda** attorno e, ovunque, in quasi tutte le città del mondo, **incontra** chioschi che partecipano all'immagine e alla vita della strada: alcuni sono squallidi container trasformati, alla buona, in punti di ristoro, altri sono tristi baracchini in vetro o alluminio, che, addirittura fanno paura al viaggiatore per la scarsa qualità e igiene, ma, poi, ci sono quelli che attirano il turista perché sembrano al posto giusto nel momento giusto, e, persino, decorano lo scenario urbano. Perciò, in giro per la città, quando **uno ha** fame, **pensa**: «Come sarebbe bello assaporare un piatto mordi e fuggi con lo scenario del Colosseo, o di Piazza San Marco o osservando i panni stesi di una stradina nel cuore di Napoli, e sentirmi parte di questa città!».

La cucina di strada esercita da sempre un certo fascino sul viaggiatore: **uno è** solo e, allo stesso tempo, insieme agli altri, visto che si crea facilmente un'atmosfera di complicità, per cui spesso **uno scambia** due parole, una battuta, perché la situazione induce un senso di confidenza non comune (ricordiamo il modo di dire: "non abbiamo mai mangiato nello stesso piatto", per indicare la mancanza di confidenza con quella persona). Ovvero, la cucina di strada come arte della comunicazione; è al tempo stesso un fatto privato (spesso **uno si ferma** a mangiare da solo, contrariamente a quando **uno va** al ristorante o al bar, accompagnato da amici o parenti), e un evento pubblico, perché avviene per strada o in locali aperti agli sguardi di tutti.

Cucina da strada o cibo da strada, o *street food* (che suona più *chic*): modi diversi di chiamare la pratica culinaria basata sulla preparazione, esposizione, consumo e vendita di prodotti alimentari in strade o mercati, realizzata da venditori ambulanti. A Firenze ancor oggi per strada **la gente compra** i panini imbottiti di lampredotto. In Romagna **la gente mangia** la piadina. Nel Lazio, lungo le strade dei Castelli romani, **uno incontra** spesso chioschi che vendono panini con la porchetta. A Napoli **la gente ha mangiato** per secoli in strada maccheroni, fritti, dolci (per non parlare della pizza) e ancora adesso **uno trova** posti in cui gustare camminando queste specialità. A Palermo il *pane ca meusa* (ossia con la milza) è un alimento caratteristico offerto nei quartieri popolari e nei mercati della città. A Cagliari mangiare ricci di mare è un vero e proprio rito, soprattutto maschile, e un po' ovunque fioriscono chioschi all'aperto dove gustarli in piedi. In Sicilia e Sardegna i fichi d'india sono cibo di strada sin dal Settecento. E **uno potrebbe** continuare con gli esempi toccando un po' tutte le regioni della penisola, e in specie le città dell'Italia meridionale.

da *www.taccuinistorici.it*

4 *Completa il dialogo con i **pronomi** diretti, indiretti, riflessivi, spersonalizzanti, combinati e le particelle **ci** e **ne**.*

Lei - Eccomi.
Lui - Ciao!
Lei - Finalmente.
Lui - Come stai?
Lei - Bene tesoro, tu?
Lui - Bene. Appena arrivato, anch'io.
Lei - Guarda un po'… una sorpresa…
Lui - Che cos'è?
Lei - Un depliant…
Lui - ____ ____ fai vedere?
Lei - Certo.
Lui - Che cos'è?
Lei - Allora, siamo passati in agenzia io e Valeria, uscendo dall'ufficio. ____ ricordi che l'anno scorso loro sono andati in vacanza…
Lui - In Sardegna?
Lei - Sì, in Costa Smeralda, a Porto Cervo.
Lui - Sì.
Lei - Allora, ____ ____ hanno parlato benissimo.
Lui - Bello. ____ vanno anche quest'anno?
Lei - ____ andiamo anche noi. Ho prenotato due settimane alla fine d'agosto.
Lui - Eh… Anche noi?
Lei - Certo. Scusa, L'anno scorso siamo andati alle Eolie, siamo stati benissimo. ____ ____ ricordi?
Lui - Sì, siamo stati bene. Però, ____ ____ dico subito…
Lei - Che?
Lui - …quest'anno al mare non ____ vengo.
Lei - Ma come non ____ vieni…
Lui - No, amore dai non… Proprio non … Non ____ ____ faccio anche quest'anno.
Lei - Eh… e allora?
Lui - Eh…e allora non ____ so…
Lei - Dove andiamo?
Lui - In montagna.

Lei - Come in montagna…
Lui - ____ ____ avevi promesso, ma non ____ ricordi?
Lei - Io?
Lui - Sì, quando siamo venuti via dalle Eolie…
Lei - No no, in montagna d'estate…
Lui - …l'anno scorso ____ hai detto: amore, quest'anno siamo andati al mare, il prossimo anno andiamo in montagna.
Lei - No no no, in montagna ____ ____ annoia d'estate, io… No, non ____ ____ faccio…
Lui - Nooo, in montagna ____ fanno belle passeggiate, ____ va a vedere i laghi… è bellissimo…
Lei - Sì ma come facciamo con… con Valeria e Luca, scusa. Chi ____ dice adesso?
Lui - A Luca ____ dico io questa sera al calcetto, intanto…
Lei - Sì, ma che cosa ____ dici?
Lui - ____ dico che… che.. che… che vengono insieme a noi in montagna.
Lei - Sì, Luca… tu ____ ____ porteresti Luca in montagna?
Lui - Sì.
Lei - Ma è pigro!
Lui - Ma no… ma dai… adesso perché ____ vedi così… ma… secondo me invece… nooo… no…
Lei - Eh sì, e con l'agenzia come facciamo? Chi ____ dice?
Lui - All'agenzia ____ diciamo insieme. Domani andiamo…
Lei - No no no, ____ fai tu. Basta, io ho provato a organizzare una cosa…
Lui - No, ____ andiamo insieme.
Lei - …come vedi ho sbagliato, allora ____ pensi tu per favore.
Lui - No, hai prenotato tu e domani ____ diciamo insieme. ____ andiamo insieme, ____ vengo a prendere dall'ufficio. Dai… Su…
Lei - No, no… Va bè… Comunque decidi sempre tu. Non cambia mai.
Lui - Ma figurati!

5 *Scegli l'espressione giusta.*

La mia vacanza a Favignana

Siccome/Mai/Ormai le mie vacanze sono un lontano ricordo, ma vorrei comunicare a tutti le mie impressioni e i consigli utili su un'isola siciliana molto bella e poco pubblicizzata: FAVIGNANA!

1) Per il soggiorno sconsiglio i villaggi *all inclusive*. Favignana è un'isola molto piccola e ogni giorno *si può/può/uno si può* visitare una baia diversa. Sono tutte bellissime e sarebbe limitativo essere legati ad un villaggio. *Si può/Si possono/Se ne possono* prenotare appartamenti privati o in residence tramite internet.

2) Utilissimo al momento della prenotazione sarebbe riservare uno *scooter*! È il mezzo più utilizzato sull'isola dopo la bicicletta. Come già detto l'isola è molto piccola e *se la/si la/la si* può girare tutta in poco tempo. Inoltre le strade che raggiungono le baie sono una vera e propria avventura! Non sono asfaltate e sono piene di sassi di tufo! Ma *è proprio/così è/perché è* questo che rende Favignana così selvaggia!

3) *Inoltre/Oltre/A parte* alla maschera, per vedere i fantastici fondali, ricordatevi le scarpette per gli scogli. Io non *mi ci/me ne/me le* sono portate e ho i piedi pieni di tagli.

4) Per gli amanti del pesce è l'isola giusta: i tanti ristorantini del centro *lo/che/li* cucinano in modo divino. Le specialità sono il tonno e la bottarga... Ottimi!!! Anche il pane e la pizza meritano notevolmente!! Non dimenticate di prenotare il ristorante, altrimenti rischiate di rimanere senza cena... *proprio/anche/perciò* come è successo a me! Lì i ristoranti sono sempre pienissimi e trovare un posticino rischia di diventare una *mission impossible*.

5) Sconsiglio le escursioni con le varie agenzie, meglio fare tutto da soli o con un pescatore locale,

La caratteristica bottarga

risparmia/si risparmiano/si risparmia soldi ed il giro è più caratteristico!

6) Per chi vuole godersi una splendida vista della costa siciliana, di tutta Favignana e delle altre isole delle Egadi consiglio di fare una visita al castello di S.ta Caterina. Non è tenuto benissimo *però/poiché/proprio* la vista è incantevole. Unico inconveniente: per raggiungere la vetta bisogna salire a piedi... una salita di circa 1 ora e ½ !!!!

A Favignana la gente ha uno stile di vita completamente differente dal nostro, tutto viene preso con calma e lo stress allontanato con uno sguardo verso il mare splendido.

A chi avesse l'intenzione di visitare quest'isola dico di non scoraggiarsi se *si/gli/li* capiterà di perdersi: le indicazioni scarseggiano, ma anche questo è bello perché molte volte *si imbattono/ci si imbattono/ci si imbatte* in posti bellissimi e poco affollati.

Il turista dai favignanesi non è visto molto bene, noi *perché/dopo tutto/sebbene* siamo quelli che nei mesi estivi invadono l'isola e che intasano le vie del piccolo centro la

sera bevendo e ballando, ma basta non esagerare e non prestare attenzione alla, a volte, poca disponibilità.

In conclusione le mie sono state delle bellissime vacanze. Il mare merita veramente di essere non solo visto e fotografato ma anche vissuto. Favignana è un'isola stupenda e io *ve la/me la/vi* consiglio vivamente!

da *www.turistipercaso.it*

1 *Completa il testo inserendo negli spazi i* **pronomi relativi** *e i* **pronomi relativi doppi** *della lista.*

ciò che   ciò che   che   che   che   che   che   chi   chi

La torre *pendente*

Il problema (e il mistero) della pendenza della torre di Pisa è _____ più di ogni altro ha affascinato ed incuriosito, nel corso del tempo, non solo _____ ha avuto la fortuna di salire sulla torre, ma anche gli appassionati d'arte e gli studiosi _____ hanno cercato di carpirne i segreti. Di certo è _____ ha reso celebre ovunque questo monumento.

La torre, concepita come un edificio dritto, fu costruita tra il 1173 e il 1360. Fin dalle prime fasi dei lavori si verificarono dei cedimenti a causa della natura argillosa del terreno. Tuttavia l'oscillazione fu minima fino al 1838, quando fu deciso, per esigenze di natura storica ed estetica, di liberare la base del campanile dallo strato di terra _____ la copriva da secoli. Questo intervento fece perdere l'equilibrio acquisito alla torre, _____ da quel momento subì una considerevole accelerazione nel movimento di pendenza _____ durò alcuni anni e _____ poi fortunatamente si assestò nella misura di circa un millimetro l'anno. Dopo alcuni anni di chiusura, dal 2001 _____ vuole visitare la torre può di nuovo tentare l'impresa e sfidare la strettissima scala a chiocciola composta da 294 gradini.

da http://torre.duomo.pisa.it

2 *Nel testo sono state scambiate cinque coppie di parole, che ora sono* **sottolineate**. *Rimetti a posto il testo.*

L'Auditorium di Roma è strutturato come una vera e propria "Città della Musica": una grande area polifunzionale con tre sale per concerti, un anfiteatro all'aperto, sale prova/registrazione insieme a negozi, bar e ristoranti.

⊿ Renzo Piano

Renzo Piano, incaricato della realizzazione del nuovo Auditorium di Roma, ha ideato tre monumentali **volumi** come tre gigantesche casse **surreale**. Le tre costruzioni spiccano in mezzo al verde di un grande **teatro** alberato e creano una sequenza di **sale** fortemente connotati. Il tutto si articola intorno ad una grande *cavea*, fulcro vivo e palpitante di tutta la composizione architettonica.

La **perfezione** tecnica delle tre Sale per la Musica rende il progetto di Renzo Piano eccezionale non solo per le soluzioni architettoniche ideate, ma anche per il grado di **realizzazione** acustica raggiunto in ciascuno degli ambienti.

La Sala Santa Cecilia, la più grande, è coperta da un imponente "contro soffitto", vera e propria **ribalta** concettuale, regolabile per ottimizzare il suono.

La Sala Sinopoli da 1200 posti è caratterizzata da una grande flessibilità distributiva (le scene e le poltrone stesse si adattano ad ogni tipo di spettacolo).

La Sala Petrassi è configurata classicamente come un **parco** tradizionale. Entrare in ciascuna di queste tre magnifiche sale vuol dire vivere l'esperienza magica e **armoniche** di penetrare all'interno della "pancia" di un gigantesco strumento musicale per vibrare insieme ad ogni nota.

L'Auditorium di Roma si propone, dunque, come uno spazio nuovo, moderno, d'avanguardia, un tempio della Musica che porta Roma alla **innovazione** non solo nel campo delle Arti Musicali ma anche nell'ambito dell'Arte e dell'Architettura Contemporanea.

da www.activitaly.it

3 *Riscrivi le frasi **evidenziate** utilizzando la **costruzione scissa**, implicita o esplicita. Completa inoltre il testo con i* **pronomi relativi** *negli spazi _ _ _ _ utilizzando, dove necessario, le **preposizioni** della lista qui sotto, come nell'esempio.*

ai - ~~con~~ - da - del - delle

Il ponte di Calatrava nel Canal Grande

◤ Il ponte di Calatrava

Il centro della città bloccato e migliaia sulle sponde per veder passare a pochi centimetri dai ponti la gigantesca chiatta che porta i pezzi della nuova opera

VENEZIA - La lunga notte di Calatrava ha lasciato per ore la città con il fiato sospeso. *Migliaia di persone sulle rive guardavano preoccupate* (_____ _____ _____), dentro un silenzio profondo e in un'atmosfera irreale, il passaggio del grande convoglio **_con cui_** venivano trasportati sull'acqua i primi due pezzi del ponte del grande architetto spagnolo _ _ _ _ collegherà la stazione con Piazzale Roma. Paura, e tensione, soprattutto al momento del passaggio sotto il ponte di Rialto, dove le distanze erano minime, appena pochi centimetri dalle rive, meno di un metro di altezza dalla sommità dell'arcata cinquecentesca dello storico ponte. Ma tutto è filato liscio.

◤ La Basilica di San Marco

Da 11 anni Venezia aspetta (_____ _____ _____) il suo quarto ponte sul Canal Grande. Undici anni di attese, di errori, calcoli sbagliati, polemiche, baruffe e di costi triplicati. Anche per questo c'erano molti timori per il pericoloso viaggio nella notte, con il Canal Grande chiuso dalle 23 alle 6, niente barche né gondole né vaporetti, i pontili sbarrati, la circolazione pedonale vietata sui ponti e anche su alcune rive e alcune calli. *Da ore la gente aspettava* (_____ _____), e qualcuno si era portato anche le sedie da casa.

A mezzanotte la chiatta "Susanna", un bestione lungo 50 metri e largo 16, che trasporta le due "spalle" di Calatrava, *fa la sua apparizione* (_____ _____) alla punta della Salute, _ _ _ _ si dirige lentamente verso il Canal Grande, favorita dalla bassa marea _ _ _ _ proprio in quel momento sta iniziando il suo ciclo, agevolando così il passaggio sotto i tre ponti dell'Accademia, di Rialto e degli Scalzi.

La gigantesca chiatta era partita alle 20.30 dal cantiere di Marghera e alle 23 era arrivata in prossimità di Venezia. Ma *proprio l'ultima parte era la più rischiosa* (_____ _____)

perché l'enorme convoglio occupava quasi interamente la larghezza del Canal Grande, sfiorando le rive, i pontili e le "bricole", quei pali di legno _ _ _ _ si legano le barche.

Il primo passaggio pericoloso è avvenuto alle 0.15 sotto il ponte dell'Accademia, il secondo alle 0.30 alla curva stretta di Palazzo Grassi, eseguita precisa, come un colpo di biliardo. Ma il punto più pericoloso era il passaggio sotto il ponte di Rialto, ai lati _ _ _ _ si era radunata una grande folla. La chiatta, secondo i programmi, doveva arrivarci alle 2 e impiegarci due ore e mezza per passarci sotto. È arrivata all'1, con un'ora di anticipo, e per passarci sotto ci ha impiegato, senza intoppi e difficoltà, solo mezz'ora. Lenta, anche se non lentissima, e precisa, precisissima. Quando la sua sagoma è sbucata dall'altra parte, all'1.35, e ha curvato per imboccare diritto il Canale, è partito il primo, caldo e spontaneo applauso dalla folla. La tensione si è sciolta, sopra il ponte un gruppo di ragazzi ballava e cantava l'inno di San Marco. Finire il viaggio, 6 ore in tutto, _ _ _ _ 3 e mezzo lungo il Canal Grande, è stato poi uno scherzo.

da www.repubblica.it

◤ Il ponte di Rialto

4 *Completa le frasi con la* **costruzione scissa**, *come nell'esempio. Attenzione: in alcuni casi è appropriata solo la costruzione scissa implicita, in altri solo quella esplicita, in altri tutte e due. In un caso la costruzione scissa non è possibile: completa la frase nel modo più adatto.*

Esempio: Ti ringrazio.
              No, sono io **che ti ringrazio / a ringraziare te**.

1. Il tuo ragazzo è proprio uno stupido!
   No, è sua sorella _____.

2. Ho sentito che Roberto voleva andare in Spagna.
   No, è Franco _____.

3. L'Inter vincerà lo scudetto!
   No, sarà la Roma _____.

4. Il gatto ha mangiato tutto il pesce.
   No, è stato il cane _____.

5. Sei andato a Corviale ieri?
   No, è Marta _____.

6. Milano è la città più grande d'Italia.
   No, è Roma _____.

7. Tua sorella è più piccola di te?
   No, è mio fratello _____.

8. Domani sera prenderò la macchina.
   No, sarò io _____.

9. Sei stata bocciata all'esame?
   No, Luisa _____.

10. Hai più visto il tuo ex ragazzo?
    No, è mia madre _____.

5 *Uno dei minidialoghi dell'attività precedente non può essere completato utilizzando la frase scissa. Completalo nel modo che ritieni più opportuno.*

_____

6 *Ricostruisci questa frase di Renzo Piano con le parole della lista.*

architetto   avventura   bella   costruire   di   è   per   per   quella   sala   una   un

…la più _____

_____ *concerti…*

▸ Renzo Piano

1 *Inserisci negli spazi le parole che ti sembrano più appropriate.*
Attenzione: in quattro spazi devi inserire le coppie di parole qui sotto.
Le coppie di parole sono in ordine.

1. primi film
2. minor numero
3. grandi città
4. morte violenta

◣ Michelangelo Antonioni

Il cinema d'autore

Alla fine degli anni '50 s'imposero all'attenzione anche tre _____ che non potevano essere incasellati in alcun filone: Federico Fellini, Michelangelo Antonioni e Pier Paolo Pasolini. Il più famoso e importante, anche per i suoi cinque _____ Oscar, è certamente Federico Fellini (1920 - 1993).

Nonostante il successo dei suoi _____, nel 1960 con il _____ La dolce vita, Fellini abbandonò gli schemi narrativi tradizionali e approdò ad un universo circense onirico e fantastico, spesso di difficile lettura per il _____ ma molto amato dalla critica. Disse lui stesso: "Il cinema somiglia moltissimo al circo. È probabile che se il circo non fosse esistito, io non avrei mai fatto cinema".

Conosciuto come il maestro dell'alienazione e dell'incomunicabilità, Michelangelo Antonioni (1912 - 2007) produsse, negli anni '60, una trilogia (L'avventura, La notte, L'eclisse) entrata di diritto nella _____ del cinema italiano. Con questi film, ma anche con altri capolavori che li seguirono, la sua cinematografia, lenta e riflessiva, divenne proverbiale. A tale proposito _____: "Sento il bisogno di essere asciutto, di dire

le cose il meno possibile, di usare i mezzi più semplici e il _____ di mezzi".

Pier Paolo Pasolini (1922 - 1975) è stato senz'altro la più autorevole figura di intellettuale che l'Italia abbia avuto nel dopoguerra. Intellettuale a tutto tondo, fu romanziere, saggista, poeta, drammaturgo, regista. Esordì nel cinema nel 1961 con Accattone, che narrava del sottoproletariato che vive nelle periferie delle _____ senza alcuna speranza per un miglioramento della propria condizione, a cui non resta che la morte come via di uscita da una condizione disperante. Fin dai suoi inizi dietro la _____ da presa realizzò come il cinema fosse un linguaggio completamente _____ dalle altre arti e in principal modo dalla letteratura: "La grande difficoltà che uno scrittore deve affrontare per esprimersi «girando» è che nel cinema non esiste la metafora. Tutta la lingua scritta consiste praticamente in una serie di metafore, più o meno concentrate, ora lunghe con paragoni e similitudini, ora immediate. Nel cinema

◥ Pier Paolo Pasolini

tutto ciò non esiste".

Girò oltre venti film, tutti geniali e provocatori, fino alla _____, avvenuta nel 1975.

◥ Federico Fellini

2 *Completa il testo con i verbi al* **congiuntivo imperfetto**, **passato** *o* **trapassato**.

Il Neorealismo

Gli anni dell'immediato dopoguerra rappresentano il periodo forse più difficile che l'Italia (*attraversare*) _____ nella propria storia moderna. Ma fu proprio in quella realtà di disperazione mista a speranza che un gruppo di registi trovò ispirazione: la guerra aveva messo il Paese in ginocchio, ma sembrava a molti che l'Italia (*superare*) _____ ormai _____ il peggio e

che (*giungere*) _____ il momento di parlare del passato più recente e del presente nel modo più diretto possibile e che (*bisognare*) _____ farlo in un linguaggio comprensibile a tutti.
Caratteristica del Neorealismo era infatti il rappresentare la situazione reale del Paese attraverso opere che (*trattare*) _____ principalmente di

famiglie povere, con attori non professionisti ripresi dalla vita di tutti i giorni e con una particolare attenzione all'uso della lingua facendo anche ricorso ai dialetti regionali.
Parte della critica riteneva che il Neorealismo non (*essere*) _____ altro che un modo per fare film a basso costo.

3 *Completa il testo con i verbi al* **congiuntivo imperfetto**, **passato** *o* **trapassato**. *Attenzione: in due casi devi inserire gli avverbi qui accanto tra ausiliare e participio del tempo composto.*

Ciak, parla Bertolucci

A Venezia gli verrà conferito il Leone d'Oro. Qui il regista apre la stanza dei suoi ricordi.

Il Leone d'Oro 2007 - Non è un Leone d'Oro alla carriera, che odora di prepensionamento, ma per il 75° compleanno della Mostra. È come identificarmi con il Cinema. Che cosa si può volere di più di questi tempi?
Marlon Brando - Come l'ho convinto a fare *Ultimo tango a Parigi*? Veramente volevo che ad interpretare quel ruolo (*essere*) _____ Trintignant, ma lui quasi piangendo mi disse che non poteva girare un film nudo, con scene di sesso. Così andai da Belmondo e da Delon. Belmondo quasi mi cacciò.
Ancora non ne sono sicuro ma credo che, dopo aver saputo di cosa trattava il film, (*pensare*) _____ che (*essere*) _____ un pornografo;

Delon invece mi disse di sì ma a condizione che (*produrre*) _____ lui stesso il film. Rifiutai: non potevo essere controllato da un produttore anche attore. Così incontrai Brando, a Parigi. Il mio inglese allora era così terribile che gli raccontai in due minuti la storia. A me mancavano le parole mentre Brando sorrideva guardando il piede che agitavo nervosamente. Volle vedere *Il conformista*[1] e mi invitò a Los Angeles per parlare del film. In verità parlammo di tutto tranne che del film.
Alla fine gli dissi che volevo che nel film (*esserci*) _____ il Brando con cui passavo ore a parlare a cena in ristoranti giapponesi deserti. Quello dell'Actor Studio non mi interessava.
Quindi lo portai alla prima grande mostra a Parigi del pittore Francis Bacon: volevo che (*vedere*) _____ quei ritratti, che (*sentire*) _____ in quelle opere il dolore e la disperazione

che cercavo nel suo personaggio.
Sul set c'era un'atmosfera molto intensa. Maria Schneider ne rimase sconvolta ma credo che anche Brando (*risentire*) _____ di quella pesantezza. Dopo il film ci lasciammo benissimo ma per dieci anni non volle più vedermi. Poi, mentre stava girando *Apocalypse Now* mi chiamò.
Andai a trovarlo e sembrava che non (*passare*) _____ nemmeno un giorno. Era già molto grosso, di una pienezza orientale, eppure era molto bello.

[1] **Il conformista**: film del 1970 con il quale Bertolucci viene conosciuto anche fuori dall'Italia.

Attori - Ci sono attori che non sbagliano mai come Stefania Sandrelli, così istintiva e intuitiva. Bastavano poche indicazioni e lei recitava in modo perfetto: sembrava che il film l'*(fare)* _____. Altri, come De Niro, hanno bisogno di una spiegazione e poi partono per la loro strada. Ricordo che a Depardieu bastava che gli *(io - dare)* _____ una spinta dietro la schiena che lui entrava in azione senza bisogno di parole. Burt Lancaster invece era un chiacchierone. Accettò il ruolo in *Novecento* perché diceva che quella parte gli ricordava quella del *Gattopardo*. Gli dissi che però costava troppo e non potevo pagarlo. "E allora vengo gratis", mi rispose.

Perché faccio film - Non so ballare, non so

Marlon Brando e Maria Schneider in *Ultimo tango a Parigi*

suonare e le poesie ho smesso di scriverle quando ho cominciato a fare film. La svolta fu a 18 anni, quando mio padre mi portò a vedere *La dolce vita* prima che *(venire)*

_____ doppiato.

Fellini temeva la censura e organizzò una proiezione per Pasolini, mio padre e altri intellettuali pensando che *(potere)* _____, eventualmente, difendere il film. Rimasi letteralmente folgorato. Il film era col suono in diretta, in italiano, inglese, francese, svedese, e sotto la voce di Fellini: "Anita, dai! Smile!", un suono incredibile. Fellini aveva inventato un mondo che non c'era ma per chi lo vedeva sembrava che ci *(essere)* _____.

Quando nel '93 Fellini morì, dissi a Mastroianni che facevo film perché avevo visto *La dolce vita*. Più passa il tempo e più penso che sia veramente così.   da *L'Espresso*

---

4 *Inserisci in tre degli spazi le espressioni qui sotto (non sono in ordine). Fa' attenzione alla punteggiatura.*

attorno   di lì a poco   , o giù di lì

L'estate in cui si fece
il Sorpasso

J. L. Trintignant e V. Gassman ne *Il sorpasso*

Come eravamo. O come erano: i solitari di un tempo, i timidi, i prepotenti, gli sbruffoni, gli esibizionisti, le ragazze in fiore di quarant'anni fa _____. Come eravamo in agosto, nell'Italia del boom, in una Roma deserta, così diversa, così vuota, così _____ metafisica. È a ferragosto che inizia il capolavoro di Dino Risi, _____ protagonista una Aurelia "decappottabile e supercompressa", simbolo del ritrovato benessere del Paese _____. Ed è attorno a due caratteri - Bruno Cortona, interpretato da Vittorio Gassman, lo sbruffone quarantenne che vive di espedienti, l'istrionico seduttore, il facilone, l'irresponsabile, l'edonista,

e Roberto, Jean Louis Trintignant, lo studente universitario, timido, ben educato, riservato, bloccato, che non beve, non fuma, non guida _____ ma è pronto a sciogliersi e a lasciarsi sedurre _____ lentamente sotto l'urto della personalità del nuovo, casuale amico - che si sviluppa questo magistrale italianissimo viaggio *on the road* lungo _____ 24 ore della vita dei suoi personaggi.

Risi porta le sue due "maschere" dalle strade vuote di Roma su su verso la Toscana, _____ dove Bruno incontra l'ex moglie e la figlia di sedici anni, che dovrebbe sposarsi _____ con un anziano industriale, per proseguire poi in direzione di Viareggio, dove non arrive-

ranno mai _____.

Dino Risi, in un film veramente "epocale" (annata 1962), ha intrecciato _____ con la sapienza di una vecchia volpe la commedia all'italiana e le perfidie del caso, la comicità e la tragedia, costruendo _____ alla sua coppia mal assortita un pungente spaccato della nuova Italia delle vacanze e delle belle macchine, degli elettrodomestici e di una timida libertà sessuale, delle prime "seconde case", del twist.   da *il Venerdì di Repubblica*

> [2]**Aurelia:** l'Aurelia B24 era una macchina sportiva, simbolo del boom economico e della bella vita.

5 *Riscrivi il testo usando il **discorso indiretto**, come nell'esempio.*

> Andai a casa sua e lo trovai con un caftano arabo e una barba lunga. Era enorme. La testa grande come quella del leone sulla porta. Incuteva terrore. E io che credevo di trovare un romano pacioccone. Mi venne la sudarella. A bruciapelo mi disse: "Ancora non riesco a capire per quale motivo mi viene da ridere quando ti vedo". E poi: "Rifammi un po' quello con gli occhi per aria, rifammi quell'altro...". E mica rideva: mi scrutava serissimo.
>
> Leone mi propose di fare solo l'attore in un film che voleva produrre per la regia di Steno, poi mi portò dalla Wertmuller con cui attaccai a lavorare a un eventuale soggetto, finché un giorno, con il suo solito fare risoluto, mi disse: "Ci ho riflettuto sopra, il soggetto devi scrivertelo da solo".
>
> Così alla fine gli lascio un soggettino. Ci dovevamo risentire dopo dieci giorni ma mi richiamò dopo tre: "Vieni oggi alle 4". Ah, penso, vuoi vedere che gli è piaciuto. Sulla porta prese il soggetto e me lo lanciò addosso: "Ma non scrivere più queste stronzate... Ora mettiti seduto. Vediamo un po' di fare questo film. Oppure... te lo fai da solo". "Da solo?". "Ma non hai fatto il Centro Sperimentale?". "Sì, ma mica lo so se sono capace...".

Andai a casa sua e lo trovai con un caftano arabo e una barba lunga. Era enorme. La testa grande come quella del leone sulla porta. Incuteva terrore. E io che credevo di trovare un romano pacioccone. Mi venne la sudarella. A bruciapelo mi disse <u>che ancora non riusciva a capire per quale motivo gli veniva da ridere</u> _____.
E poi mi chiese _____ _____ _____ _____.
E mica rideva: mi scrutava serissimo.

Leone mi propose di fare solo l'attore in un film che voleva produrre per la regia di Steno, poi mi portò dalla Wertmuller con cui attaccai a lavorare a un eventuale soggetto, finché un giorno, con il suo solito fare risoluto, mi disse _____ _____ _____.

Così alla fine gli lascio un soggettino. Ci dovevamo risentire dopo dieci giorni ma mi richiamò dopo tre: "Vieni oggi alle 4".

Ah, penso, vuoi vedere che gli è piaciuto. Sulla porta prese il soggetto e me lo lanciò addosso e mi ordinò _____ _____ e _____ _____ _____ - "Vediamo un po' di fare questo film. Oppure... te lo fai da solo". "Da solo?". Mi chiese se _____ _____ _____. Gli risposi di sì, ma che mica _____ _____ _____.

6 *Ricostruisci la famosa frase che Federico Fellini disse ad un giornalista che gli chiese quale fosse il più "felliniano" dei suoi film.*

"Felliniano"... _____.

avevo | l' | sognato | di | sempre

aggettivo | fare

▪ Federico Fellini

7 *Questo testo è stato scritto prima dell'inaugurazione della Festa del Cinema di Roma, avvenuta nel 2006. Riscrivilo oggi, al **passato**, come nell'esempio, apportando tutte le modifiche necessarie.*

Presentato il Roma-Film-Festival

Roma città del cinema. Roma sede di una grande Festa Internazionale. Come il sindaco di Roma Walter Veltroni ha precisato alla presentazione ufficiale della kermesse, non si tratterà di un festival tradizionale ma di una vera e propria Festa per il cinema, che rappresenta anche un'importante opportunità per fare crescere la ricchezza e l'occupazione nella Capitale.

L'auspicio del sindaco è che Roma diventi una sorta di capitale anche del cinema, un punto di ritrovo per grandi nomi e per sperimentatori, per critici cinematografici e semplici spettatori che possano ritrovare nella visione di un film un momento di incontro, di svago e di riflessione all'interno della propria città.

La volontà degli organizzatori è infatti quella di mettere in piedi un festival internazionale che sia anche popolare e metropolitano. L'apertura delle celebrazioni e le proiezioni avranno luogo entro le sale dell'Auditorium Parco della Musica di Renzo Piano (suo è anche il logo della manifestazione) ma saranno interessati anche diversi altri luoghi simbolo della città: via Veneto, Piazza del Popolo, Fontana di Trevi, via del Corso, nonché Cinecittà e il Centro Sperimentale di Cinematografia. Una diffusione capillare delle iniziative che permetterà di tenere ben stretti centro e periferia, coinvolgendo gli appassionati e tutti coloro che a un festival cinematografico non sono mai stati.

Le sezioni principali del festival sono tre: *Première*, *Il lavoro dell'attore* e la *Competizione*.

Il programma di *Première* prevede 7 serate di gala dedicate ad anteprime europee ed internazionali, incontri con i registi e una lunga serie di eventi speciali. *Il lavoro dell'attore* sarà l'omaggio offerto dalla città di Roma all'arte della recitazione e ai suoi grandi protagonisti. Il percorso di questa sezione sarà tracciato da proiezioni, dibattiti, laboratori e workshop.

Il cuore della Festa del Cinema è naturalmente lo spazio dedicato alla *Competizione*, con 14 film inediti, provenienti da tutto il mondo. In palio, il premio per il miglior film (al quale andrà un riconoscimento di 200.000 euro), il miglior attore e la migliore attrice. Ma non ci sarà nessuna giuria tecnica a giudicarli: i giudici saranno 50 spettatori scelti dal presidente di giuria, il regista Ettore Scola.

da www.film.it

▶ Monica Bellucci

1.festa internazionale di roma
13.21 ottobre 2006

Roma città del cinema. Roma sede di una grande Festa Internazionale. Come il sindaco di Roma Walter Veltroni aveva precisato alla presentazione ufficiale della kermesse, ...

storia

COSA NOSTRA

1 *Per ogni verbo, decidi se usare la forma attiva o passiva. Poi coniuga il verbo al tempo indicato: Passato prossimo (PP), Imperfetto (IM), Passato Remoto (PR) o Futuro (F).*

Bernardo Provenzano, il boss dei boss

Si nascondeva a "casa sua", in un casolare del Corleonese: dopo oltre quarant'anni di latitanza *(PP - prendere)* _____ il boss dei boss Bernardo Provenzano. Ricercato dal 1963, *(IM - considerare)* _____ il numero uno della mafia in Italia.

Provenzano *(PP - trovare)* _____ a pochi chilometri da Corleone nascosto in una masseria, in jeans e maglietta: in tasca aveva alcuni "pizzini", i bigliettini di carta scritti a macchina che inviava ai suoi uomini per dirigere i suoi affari milionari, visto che non *(IM - utilizzare)* _____ mai il telefono o il cellulare per evitare di essere intercettato.

Proprio "intercettando" una serie di pizzini scritti dalla moglie e inviati per mezzo di una serie di complici, la polizia *(PP - arrivare)* _____ a lui. In particolare, *(PP - seguire)* _____ anche due pacchi che, dopo diverse tappe, sono giunti nella masseria situata nelle campagne di Corleone dove si era rifugiato Provenzano. Così *(PP - decidere)* _____ l'irruzione nel cascinale, che ha consentito di trovare e catturare Provenzano. Nell'azione *(PP - identificare)* _____ anche alcuni complici che si occupavano della sua latitanza.

Come si è arrivati alla cattura del boss dei boss? «Lo abbiamo preso - spiega il questore di Palermo, Giuseppe Caruso - grazie a indagini condotte in vecchio stile, attraverso pedinamenti e intercettazioni. A un certo punto abbiamo deciso di agire. Provenzano non *(PP - tradire)* _____ da nessuno, non ci siamo avvalsi di pentiti né di confidenti».

Boss incontrastato della mafia, uomo senza volto, ricercato da mezzo secolo dai reparti speciali di Polizia, Carabinieri e Guardia di Finanza è stato un vero e proprio acrobata della clandestinità.

Dal 17 settembre 1958, giorno in cui *(PR - arrestare)* _____ dalla polizia per l'ultima volta, non esistevano altre sue foto. L'ultimo contatto tra le forze dell'ordine e Provenzano risale al 9 maggio del 1963, quando il boss *(PR - convocato)* _____ nella caserma dei Carabinieri di Corleone per accertamenti: fu l'ultima volta che i militari *(PR - vedere)* _____ il volto del boss dei boss. Inizia quel giorno la lunga, interminabile latitanza di Bernardo Provenzano, che è durata sino ad oggi. A dire il vero, le forze dell'ordine, diverse volte, sono state vicinissime ad arrestarlo, ma lui ogni volta *(PP - riuscire)* _____ a scappare.

Dai mafiosi pentiti *(IM - descrivere)* _____ come un uomo "firrignu", cioè forte, capace di dormire per più notti all'aperto, protetto solo da un sacco a pelo. Era anche un uomo molto prudente. Provenzano infatti non *(IM - usare)* _____ telefoni perché sapeva che ogni segnale avrebbe potuto svelare il suo nascondiglio. Così, per dirigere i suoi affari, il boss usava i cosiddetti "pizzini".

La carriera criminale di Bernardo Provenzano comincia negli anni Cinquanta, quando, insieme con Salvatore Riina, altro boss finito in carcere nel '93, diventa il più fidato luogotenente di Luciano Liggio, allora capo di Cosa nostra. Di lui Liggio diceva «spara come un Dio, ma ha il cervello di una gallina», una definizione che *(F - smentire)* _____ da Provenzano negli anni successivi. Il boss approda ai vertici di Cosa nostra all'inizio degli anni Ottanta, dopo avere fatto uccidere tutti i boss rivali. E da allora è rimasto, fino ad oggi, il capo incontrastato di Cosa Nostra.

da www.corriere.it

▸ Bernando Provenzano

2 *Riscrivi alla* **forma passiva** *le frasi* __sottolineate__, *utilizzando gli ausiliari* **essere**, **venire** *o* **andare**.

1. Mafia e Cosa nostra

Mafia è un termine diffuso ormai a livello mondiale con cui ci si riferisce alle organizzazioni criminali.
__Il termine si è inizialmente utilizzato__ ➜
_____ per indicare una organizzazione criminale nata in Sicilia, più precisamente definita come Cosa nostra, __la cui origine si deve far risalire__ ➜ _____
agli inizi del XIX secolo. Pertanto col nome di "Cosa Nostra" si intende esclusivamente la mafia siciliana (anche per indicare le sue ramificazioni internazionali, specie negli Stati Uniti d'America), per distinguerla dalle altre organizzazioni criminali tanto italiane quanto internazionali, genericamente indicate col termine di "mafie".
(…)

3. La struttura

La struttura di Cosa Nostra è piramidale. Alla base ci sono le famiglie, formate dagli *uomini d'onore*.
La famiglia fa capo ad un unico uomo, il *capofamiglia*, che ha un potere assoluto sugli altri componenti. Ogni famiglia controlla un suo territorio dove niente può avvenire senza il consenso del capo.
Le famiglie si dividono in gruppi di 10 uomini d'onore, le *decine*, comandate da un *capodecina*.
Tre famiglie dal territorio contiguo formano un *mandamento*, al cui comando c'è un *capomandamento*. I vari capimandamento si riuniscono in una commissione o *cupola provinciale*, di cui la più importante è quella di Palermo. __Uno dei capimandamento, che prende il titolo di capo, presiede questa commissione provinciale__. ➜ _____
_____
_____. Ancora più sopra c'è la cupola regionale, detta *interprovinciale*. È

questo l'organo massimo dell'organizzazione, che __i mafiosi chiamano anche la Regione__ ➜ _____
_____
e al quale partecipano tutti i rappresentati delle varie province. In cima alla Regione c'è il capo supremo o boss o padrino, che è il capo della cupola provinciale più potente (in genere Palermo).

4. Il giuramento

Entrare a far parte della mafia equivale a convertirsi ad una religione. Ogni membro che accetta di essere introdotto nell'organizzazione, deve sottoporsi al rituale dell'iniziazione.
__Si conduce il candidato__ ➜ _____
_____ in una stanza alla presenza del rappresentante della famiglia e di altri semplici uomini d'onore. A questo punto il rappresentante della famiglia espone all'iniziato le norme che regolano l'organizzazione, affermando prima di tutto che __quella che normalmente si chiama mafia__ ➜ _____
_____, in realtà si chiama Cosa Nostra e comincia ad elencare gli obblighi che __il nuovo membro dovrà rigorosamente rispettare__ ➜ _____
_____:
"non desiderare la donna di altri uomini d'onore, non rubare, non sfruttare la prostituzione, non uccidere altri uomini d'onore (salvo in caso di assoluta necessità), evitare la delazione alla polizia, dimostrare sempre un comportamento serio e corretto, mantenere con gli estranei il silenzio assoluto su Cosa Nostra…"
Poi il rappresentante invita l'iniziato a sceglersi un padrino tra gli uomini d'onore presenti e comincia la cerimonia del giuramento. Si tratta di domandare al nuovo venuto con quale mano è solito sparare e di incidere sull'indice di questa mano un pic-

colo taglietto per farne uscire una goccia di sangue __con cui si imbratta un'immagine sacra__ ➜ _____
_____.

Quindi __il rappresentante brucia l'immagine__ ➜ _____
_____.

L'iniziato dovrà farla passare da una mano all'altra giurando fedeltà, meritando in caso contrario di bruciare allo stesso modo.
(…)

5. Le donne

Un boss mafioso ha un diritto assoluto a tenere sotto sorveglianza la vita dei suoi uomini. Può accadere, ad esempio, che un mafioso debba chiedere al suo superiore il permesso di sposarsi. È essenziale che in questo caso il singolo mafioso faccia la scelta giusta, non tanto nel suo interesse, quanto e soprattutto nell'interesse superiore dell'organizzazione. È qui allora che __si deve chiedere il parere decisivo del capofamiglia o del padrino__ ➜ _____
_____.

Più ancora degli altri mariti, infatti, i mafiosi hanno il dovere di tenersi buone le loro consorti, perché c'è il rischio che una moglie di mafia, scontenta del comportamento del proprio marito, decida di parlare con la polizia, danneggiando gravemente l'intera famiglia.

3 *Scegli tra* **presente** *e* **futuro narrativo**.

Leonardo Sciascia è stato uno dei più importanti scrittori italiani del '900. Di origine siciliana, Sciascia è conosciuto soprattutto per i suoi romanzi gialli in cui **affronta/affronterà** il tema della mafia.
Il giorno della civetta (1961) **è/sarà** senz'altro il suo romanzo più famoso. Protagonista del libro **è/sarà** un capitano di polizia che **indaga/indagherà** in Sicilia sull'uccisione di un costruttore edile, scontrandosi con un clima di omertà e complicità che **avvolge/avvolgerà** ogni cosa.
Proprio quando la sua indagine **arriva/arriverà** a scoprire le responsabilità di un potente padrino, la politica **blocca/bloccherà** tutto. Alla fine, il capitano **è/sarà** costretto ad arrendersi e a lasciare definitivamente dalla Sicilia.
Va/Andrà ricordato, sempre sullo stesso tema, anche il romanzo *A ciascuno il suo*.

4 *Riscrivi le frasi* **sottolineate**, *usando la* **dislocazione pronominale**, *come nell'esempio.*

Ridere della mafia

Si può fare ironia o addirittura satira su una cosa seria e tragica come la mafia? Si può scherzare sulle migliaia di morti ammazzati, sull'omertà come cultura o sulla vessazione disperante? *Offre la risposta* → *La risposta la offre* il volume *Mafia Cartoon* - pubblicato da Ega Editore - che raccoglie le vignette contro la mafia di famosi disegnatori italiani e stranieri. Il risultato è un libro pieno di ironia e di sarcasmo, che ha l'obiettivo di sbeffeggiare la mafia, tratteggiandone i difetti, mettendone in evidenza le manie, ma anche le prepotenze, i paurosi silenzi, la tragedia.
Ha avuto l'idea → _____

■ Peppino Impastato

Libera, l'associazione di don Luigi Ciotti, da anni attiva nella lotta contro la criminalità mafiosa.
Ci sono ElleKappa e Vauro e poi Altan e Bucchi, Giannelli e Biani, Caviglia, Bozzetto, Paz, Zapiro. Ma anche molti, moltissimi disegnatori e vignettisti stranieri che hanno accettato la sfida di rappresentare la criminalità organizzata nella sua dimensione globale, oltre il luogo comune che la vuole solo siciliana o napoletana o calabrese.
Tra una vignetta e l'altra, tra un disegno e l'altro, le parole di chi *combatte la mafia* → _____, l'ha combattuta, ne è rimasto vittima: il generale Dalla Chiesa, i giudici Borsellino, Falcone e Chinnici, i politici La Torre e Mattarella, i giornalisti Fava e Impastato.
Bisognerebbe distribuire nelle scuole questo libro prezioso → _____
_____.
Per insegnare a combattere la mafia con le armi che teme di più: la forza della parola, dell'intelligenza, della testimonianza civile. E per dimostrare che, con un po' di coraggio, *tutti possiamo trovare queste armi* → _____.

da *unoenessuno.blogspot.com*

■ I giudici Falcone e Borsellino

5 *Trasforma il testo prima dal* **voi** *al* **tu**, *poi dal* **voi** *al* **Lei** *e infine dal* **voi** *al* **noi**, *facendo tutti i cambiamenti necessari.*

Adesso fate una cosa, spegnetela questa radio. Voltatevi pure dall'altra parte, tanto si sa come vanno a finire queste cose, si sa che niente può cambiare. Voi avete dalla vostra la forza del buon senso, quello che non aveva Peppino. Domani ci saranno i funerali, voi non andateci.

6 *Ricostruisci questo pensiero di Giovanni Falcone, il più importante e famoso giudice antimafia, ucciso in un attentato nel 1992.*

affatto - è - invincibile. - La mafia - non

anche - avrà - come tutti - È - i fatti - un inizio e - umano e, - umani, ha - una fine. - un fatto -

La mafia _____

È _____

lingua
NON SOLO PAROLACCE

1 *Coniuga i verbi all'**infinito presente** o **passato** e al **gerundio semplice** o **composto**. Attenzione: quando usi l'infinito devi inserire una preposizione della lista prima del verbo. Le preposizioni sono in ordine.*

a - di - per - da - di non - a

Dire «str...» è offensivo!!!

Il linguaggio comune si è aperto a espressioni sempre più colorite e un tempo ritenute scurrili, ma la parola "str..." resta una vera e propria "ingiuria" e rivolgerla a qualcuno può costare caro. (*Stabilirlo*) _____ è la Corte di Cassazione che ha condannato al pagamento di una multa un carabiniere colpevole (*usarla*) _____ con disinvoltura nei confronti di un immigrato che, (*essere sorpreso*) _____ alla guida di un'automobile malgrado la sospensione della patente, aveva discusso con il pubblico ufficiale, (*protestare*) _____ vivacemente.

Il carabiniere era stato assolto sia in primo che in secondo grado dall'accusa di ingiuria, ma la Cassazione ha ribaltato il verdetto. I giudici di primo e secondo grado avevano stabilito che verso chi usa la parola "str..." bisogna avere una certa tolleranza in quanto il suo intento offensivo è dubbio.

Il carabiniere, secondo i giudici, avrebbe più verosimilmente utilizzato l'espressione "(*indurre*) _____ l'interlocutore a desistere da contestazioni considerate canzonatorie".

Trascorsi solo pochi giorni dalla pubblicazione della sentenza, l'immigrato, Habib H., aveva però presentato ricorso in Cassazione, (*fare*) _____ notare come l'espressione "str..." fosse (*considerare*) _____ altamente offensiva. "I giudici di primo e secondo grado - si legge nelle motivazioni della Corte di Cassazione - riconoscono l'offensività di quell'epiteto ripetutamente proferito dall'imputato nei confronti del suo interlocutore, ma dubitano che fosse inteso effettivamente all'offesa, anche in conside-

razione dell'uso ormai abituale di espressioni simili nel contesto di accese discussioni".

Una tolleranza che la Corte di Cassazione ha ritenuto (*dovere*) _____ avallare, (*sottolineare*) _____ come "in tema di delitti contro l'onore non è richiesta la presenza di un'intenzione ingiuriosa" (…)

In definitiva, per la Cassazione non importa "quali fossero le intenzioni" del carabiniere, l'epiteto "str.." va bandito dal linguaggio corrente, punto e basta.

Difficile dargli torto, almeno (*sfogliare*) _____ il dizionario della lingua italiana, dove alla voce "str..." si legge: "escremento solido di forma cilindrica".

2 *Ricordi questo testo? Nell'unità era alla forma implicita. Qui sotto è stato trasformato alla forma esplicita, ma non sempre la trasformazione è stilisticamente accettabile. Riscrivilo alla **forma implicita**. Attenzione: in due casi devi usare le espressioni della lista (sono in ordine).*

pur   di

Dare del «rompic.» si può

Dare del «rompic...» a chi è troppo insistente si può. Lo ha stabilito la Corte di Cassazione con una sentenza che farà discutere. Infatti, **_anche se_** **_denota_** ➜ _____ «disprezzo per l'interlocutore», l'espressione può essere utilizzata senza incorrere in guai giudiziari (…)

Il via libera arriva dalla Corte di Cassazione che, dopo **_che ha esaminato_** ➜ _____ il caso, ha annullato la condanna per il reato di ingiuria inflitta ad S. S. (…)

S. S., *siccome si era stancato* ➡ _____ delle continue pressioni e delle insistenze di R. T. che lo aveva pure «minacciato di denunciare il fatto alla stampa», per tutta risposta gli aveva dato del «rompic...».

Dopo che era stato denunciato ➡ _____, S. S. era stato ritenuto colpevole di ingiuria dal giu-

dice di Pace di Montegiorgio, nel luglio del 2006, ed era stato pure condannato a risarcire i danni ad R. T. per la sofferenza patita in seguito all'espressione.

Poiché S. S. aveva fatto ➡ _____ ricorso, il caso è passato all'esame della Corte di Cassazione, che adesso con un colpo di scena ha annullato la condanna, *e ha sostenuto* ➡ _____

che le insistenze del motociclista, come pure la «minaccia di denunciare il fatto» alla stampa, rappresentano «circostanze che possono ben determinare uno stato d'ira e dunque la conseguente non punibilità dell'imputato».

E così R. T., che credeva *che aveva avuto* ➡ _____ la meglio, si è visto alla fine dare torto.

▶3 *Completa il cruciverba.*

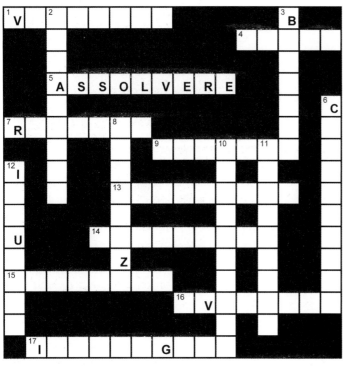

Orizzontali ➡

1 La decisione presa dal giudice dopo un processo.
4 Azione contro la legge.
5 Giudicare non colpevole.
7 Chiedere un nuovo giudizio: fare _____.
9 L'ufficiale pubblico che decide in un processo.
13 Il luogo in cui si svolgono i processi.
14 Lo è chi non ha colpe.
15 Denunciare qualcuno.
16 Appoggiare, sostenere, confermare.
17 Imporre (una pena, un castigo, una sofferenza).

Verticali ⬇

2 Rimborsare.
3 Abolire, eliminare, allontanare.
6 Dichiarare qualcuno colpevole, punire.
8 Il giudizio del giudice.
10 Accusare, portare a conoscenza dell'autorità giudiziaria.
11 La persona responsabile di un reato.
12 La persona giudicata in un processo.

▶4 *Inserisci nella tabella le parole del cruciverba corrispondenti al numero. Poi completa l'altra colonna con il **verbo** o il **sostantivo** corrispondente, come nell'esempio.*

▶ verbo	▶ sostantivo
(5 O) *assolvere*	*assoluzione*
	(7 O)
	(9 O)
(15 O)	
(16 O)	
(2 V)	
(3 V)	
(6 V)	
	(8 V)
(10 V)	
	(12 V)

5 *Coniuga i verbi, decidendo ogni volta se usare la forma **implicita** o **esplicita**.*

Cassazione: dire «mi fai schifo» è reato

I giudici hanno condannato al risarcimento danni un uomo che era stato assolto dal Tribunale d'appello di Monza

ROMA - Se vi arrabbiate molto con qualcuno, d'ora in poi, trattenetevi dal dirgli "mi fai schifo". Potrebbe costarvi il risarcimento danni per reato di ingiuria. Lo *(decidere)* _____ i giudici della V Sezione penale della Cassazione, *(annullare)* _____ la sentenza del Tribunale d'appello di Monza che aveva assolto ("perché il fatto non sussiste") un uomo, Giordano D., accusato di *(offendere)* _____ con questa frase una donna. Il giudice di merito aveva ritenuto che la valenza offensiva della frase era venuta meno perché l'uomo, *(usare)*

◼ Il Palazzo di Giustizia a Roma

_____ la particella pronominale "mi" in luogo della mera espressione "fai schifo", avrebbe manifestato un'opinione soggettiva anziché un'offesa.
I supremi giudici *(ritenere)* _____ questa considerazione una «incongruenza logica palese perché ogni espressione ingiuriosa *(contenere)* _____ in sé un carattere soggettivo.
D'altro canto, *(considerare)* _____ giusta la valutazione del giudice di merito, ne conseguirebbe che sarebbe sufficiente anteporre a qualsiasi espressione ingiuriosa, anche la più graffiante o spregevole, la particella pronominale "mi" per rendere la condotta illecita esente da sanzione penale».
Ma questa è solo l'ultima delle decisioni che sono uscite dai palazzi di giustizia in questi ultimi giorni in materia di ingiurie. Infatti, dopo *(sentenziare)* _____ che le espressioni "vaffa…" o "rompic…" si *(potere)* _____ usare senza rischiare problemi giudiziari, recentemente i giudici hanno anche stabilito che l'espressione "str…" invece è da *(considerare)* _____ estremamente offensiva, e che offendere la Madonna non è reato in quanto non è una divinità.
È ovvio che, nonostante le raffinatissime argomentazioni semantico-grammaticali dei giudici, qualcosa non *(funzionare)* _____, e che in questo

modo si espone ulteriormente la giustizia al ridicolo. Da queste sentenze viene confermata infatti la totale incertezza del diritto in materia di libertà di espressione, di fronte alla quale il cittadino è costretto ad indovinare se ciò che *(dire)* _____ è o meno un crimine. Ma la causa di questa situazione non è certo la mancanza di coerenza da parte dei magistrati; *(essere)* _____ piuttosto delle leggi che essi sono chiamati ad applicare. *(Elaborare)* _____ oltre 70 anni fa in pieno regime fascista (il cosiddetto Codice Rocco), le leggi contro i reati di ingiuria, di oltraggio alle istituzioni o alla religione di Stato sono oggi ancora in vigore, *(finire)* _____ col produrre quei mostri giuridici di cui quasi ogni giorno ci danno notizia i giornali con inevitabile sarcasmo.

da News 24

6 Sostituisci i verbi **sottolineati** nel testo con i **pronominali** della lista A che hanno significato equivalente e inserisci negli spazi _ _ _ _ _ _ _ _ le **espressioni** della lista B.

A: farcela   fregarsene   metterci   non poterne più   prendersela   sentirsela   smetterla

B: come   da quando   è chiaro che   forse   la verità è che   o   o   per esempio   tra le altre cose   quando

Galateo? No grazie!

È incredibile come riescano a farti odiare le buone maniere. È una lunga sequela di divieti che ti viene snocciolata dall'infanzia e non **finisce** ➜ _____ di perseguitarti nemmeno nella vita adulta. _ _ _ _ _ _ _: non mettere i gomiti sul tavolo è una delle più gettonate, e io vorrei sapere perché non si possano mettere i gomiti sul tavolo, a chi arreco danno? Seguono quelle riservate ai bambini, che io detesto sommamente e che fanno apparire i genitori dei pappagalli e i figli dei mocciosi ostinati, però io sono dalla parte di questi ultimi, ingiunzioni _ _ _ _ _ _ _: "di' grazie"; "di' prego"; "saluta"; "ti si deve vedere ma non sentire"; "non toccare"... ascoltate cinquecento volte al giorno porterebbero sull'orlo di una crisi di nervi chiunque.

Io **ho impiegato** ➜ _____ un sacco di tempo a diseducarmi, _ _ _ _ _ _ _

La buona educazione si è ridotta ad una semplice patina che serve a salvare le apparenze.

adesso metto i gomiti sul tavolo, mi gratto la testa (chissà perché ai miei tempi era considerato maleducato), sbadiglio senza mettere la mano davanti, e spesso, se si tratta di qualcuno che continuo a trovarmi di fronte, evito di salutarlo a ripetizione. Cosa che in molti fanno. _ _ _ _ _ _ _ ci sono delle controindicazioni: _ _ _ _ _ _ _ a pranzo mi è scappata di mano la pizza, e un paio di nocciolini delle olive sono finiti nel suo piatto, il mio collega del quarto piano non si

siede più vicino a me alla mensa aziendale, ma sinceramente non è stata una grossa perdita e **sono riuscita** ➜ _____ lo stesso a sopravvivere anche senza la sua compagnia. _ _ _ _ _ _ _ **sono stanca** ➜ _____ dei vari manuali del galateo e del *bon ton* che mi sembrano solo un cumulo di insulsaggini adatte a gente che non ha niente a cui pensare, come i Re e le Regine, o chi ne fa la veci. _ _ _ _ _ _ _ è una mia illusione, ma nella maggior parte dei casi mi sembra che il buon senso o la logica possano bastare. Ma, in fondo, chi **si preoccupa** ➜ _____ di chi deve salutare per primo _ _ _ _ _ _ _ della disposizione delle posate!

E se non capisco cosa mi dicono non **ho la forza** ➜ _____ di far finta di niente, ma chiedo di ripetere. Perché pare una scortesia chiedere di ripetere? Perché la buona educazione si è ridotta ad una semplice patina che serve a salvare le apparenze, _ _ _ _ _ _ _ invece la gran parte della gente gira con un coltello tra i denti, **si offende** ➜ _____ per niente ed è quasi sempre sgarbata? Non so, forse è solo la donna primitiva che è in me che parla, anzi che scrive. _ _ _ _ _ _ _ forse sono solo maleducata.

da *http://butterfreak.blog.tiscali.it*

7 *Completa il dialogo con i* **pronomi** *e le particelle* **ci** *e* **ne***. Attenzione: i pronomi e le particelle da inserire possono essere anche doppi.*

Lei - Ah, finalmente, ti cercavo. Andiamo a prendere un caffè, _____ prego.

Lui - Certo, subito!

Lei - Non... Non posso resistere qui dentro un altro minuto!

Lui - Che è successo? Che hai fatto?

Lei - Usciamo subito, _____ prego. Non _____ faccio più.

Lui - Che è successo? Con chi _____ hai oggi?

Lei - Con chi _____ ho, indovina?

Lui - Sempre _____, la direttrice!

Lei - Eh, sempre _____!

Lui - Che è successo? Dai, di_____ tutto.

Lei - Che è successo?! _____ ha chiamato, prima, nel suo ufficio, perché dovevamo organizzare la riunione di domani, no? Perfetto, stavamo lì, che stavamo scrivendo, le varie cose, le persone che avremmo dovuto coinvolgere e a un certo punto _____ squilla il cellulare... e va be', già questo, però... Non c'è problema, è la direttrice! Risponde, non so bene chi fosse, so solo che lei _____ è arrabbiata in una maniera incredibile.

Lui - Ha cominciato a urlare...

Lei - Ha cominciato a dir_____ di tutti i colori, anche di una volgarità estrema. Non sto qui a ripeter_____ le cose che ha detto perché non _____ sembra il caso.

Lui - _____ sappiamo...

Lei - A un certo punto conclude la telefonata, attacca, _____ guarda e _____ fa: "Va be', a questo punto abbiamo finito, _____ può andare, non... Non deve mica rimanere qui a romper_____ le palle!"

Lui - A te!

Lei - A _____! Cioè, ma _____ che _____ entravo? Non ho capito! Io _____ sono alzata e _____ sono andata. Però non... non _____ sembra un atteggiamento... corretto da parte sua per il ruolo che ricopre, perché, insomma, è la direttrice e anche perché è una donna. Certi... Un certo tipo di linguaggio... probabilmente _____ sono più abituata a sentir_____ ... non lo so, da parte degli uomini. _____ dà fastidio lo stesso, però da parte di una donna _____ dà ancora più fastidio. Sarò... boh, fuori moda, non lo so...

Lui - Secondo me _____ prendi un po' troppo, però, eh?

Lei - Eh, _____ prendo... È l'ennesima volta, non _____ posso passare sopra anche questa volta.

8 *Ricostruisci l'inizio dell'articolo con cui un giornalista del quotidiano "Il sole 24 ore" ha risposto a una famosa dichiarazione del Ministro dell'economia Tommaso Padoa Schioppa (2007), in cui si diceva che i giovani italiani sono tutti "bamboccioni", perché restano in famiglia fino a tarda età.*

andrebbe - Se a questi giovani - bamboccioni! - come succede - di loro - è certo che - invece di insulti, - la maggior parte - Macché - negli altri - offrisse - opportunità pratiche, - Paesi europei. - prima dalla famiglia, - il governo - se ne

Antonio Tabucchi
da *Lettera da Casablanca* in
"Il gioco del rovescio" (1981)

Erri De Luca
da "Tu mio" (1999)

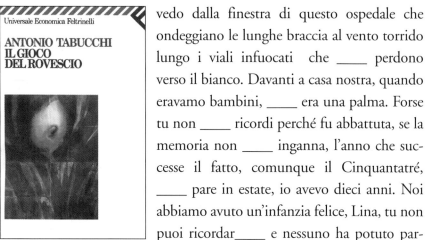

Universale Economica Feltrinelli

ANTONIO TABUCCHI
IL GIOCO
DEL ROVESCIO

1 *Inserisci nel testo di Tabucchi i pronomi negli spazi.*

Cara Lina,
non so perché comincio questa lettera parlando____ di una palma, dopo diciotto anni che non sai più nulla di ____. Forse perché qui ____ sono molte palme, ____ vedo dalla finestra di questo ospedale che ondeggiano le lunghe braccia al vento torrido lungo i viali infuocati che ____ perdono verso il bianco. Davanti a casa nostra, quando eravamo bambini, ____ era una palma. Forse tu non ____ ricordi perché fu abbattuta, se la memoria non ____ inganna, l'anno che successe il fatto, comunque il Cinquantatré, ____ pare in estate, io avevo dieci anni. Noi abbiamo avuto un'infanzia felice, Lina, tu non puoi ricordar____ e nessuno ha potuto parlar____ne, la zia presso la quale sei cresciuta non può saper____, sì, certo, può dir____ qualcosa di papà e mamma, ma non può descriver____ un'infanzia che lei non ha conosciuto e che tu non ricordi.

2 *Scegli l'avverbio più appropriato.*

Lei abitava troppo lontana, ***lassù/laggiù*** nel nord, suo marito era impiegato di banca, si ritenevano superiori alla famiglia di un casellante, non erano ***mica/mai*** venuti a casa nostra. La palma fu abbattuta in seguito a un'ordinanza del ministero dei trasporti ***dove/come*** si sosteneva che essa impediva la visuale dei convogli e poteva provocare un incidente. ***Perché/Chissà*** poi che incidente poteva provocare quella palma cresciuta tutta in altezza, con un ciuffo di rami che spazzolava la nostra finestra al primo piano. Quello che ***mai/semmai*** poteva dare un leggero fastidio, dal casello, era il tronco, un tronco più esile di un palo della luce, e ***chiaro/certo*** non poteva impedire la visuale dei convogli. ***Ad ogni modo/Secondo me*** dovemmo buttarla giù, non c'era ***niente/proprio*** da fare, il terreno non era ***mica/mai*** nostro. La mamma, che a volte aveva le idee in grande, una sera a cena propose di scrivere una lettera al ministro dei trasporti ***in persona/di persona*** firmata da tutta la famiglia, genere petizione.

3 *Riscrivi la parte evidenziata della lettera utilizzando un massimo di 50 parole.*

Egregio Signor Ministro, in relazione alla circolare numero tal dei tali, protocollo tal dei tali, riguardante la palma situata nel piccolo terreno antistante al casello numero tal dei tali della linea Roma – Torino, la famiglia del casellante informa l'Eccellenza Vostra che la suddetta palma non costituisce nessun impaccio alla visuale dei convogli di passaggio.

Si prega dunque di lasciare in piedi la suddetta palma essendo l'unico albero del terreno, a parte una rada pergola di vite che cresce sulla porta ed essendo molto amata dai figli del casellante, facendo specialmente compagnia al bambino che essendo di natura cagionevole è costretto spesso a letto e almeno può vedere una palma nel riquadro della finestra che se no vedrebbe solo aria che dà malinconia, e per testimoniare dell'amore che i figli del casellante hanno per il suddetto albero basta dire che l'hanno battezzata, e non la chiamano palma ma la chiamano Giosefine, dovuto questo nome al fatto che avendoli noi portati una volta al cinema in città a vedere Quarantasette morto che parla con Totò, nel film luce si vedeva la celebre cantante negra francese col suddetto nome che ballava con un copricapo bellissimo fatto con foglie di palma, e allora i nostri bambini siccome quando c'è vento la palma si muove come se ballasse la chiamano la loro Giosefine.

4 *Rimetti in ordine nella prima colonna le porzioni di testo in disordine nella seconda colonna.*

Questa lettera _____ _____, è la brutta copia della petizione che inviammo, _____ _____, e così, per un caso fortuito, quando fui mandato In Argentina me la portai dietro senza saperlo, _____ _____.	**che - della mamma - delle - è una - mi - poche cose - sono restate** **dei temi - di - la - la mamma - mio quaderno - scrisse - sul - suo pugno** **avrebbe costituito - che - il tesoro - immaginare - per me - poi - quella pagina - senza**

5 *Inserisci nel testo di De Luca i verbi della lista al* **passato remoto** *o all'* **imperfetto**. *I verbi sono in ordine.*

1. salutare	2. esserci	3. seguire	4. incontrare	5. spiacere	6. scombinare
7. mancare	8. ricambiare	9. vedere	10. essere	11. stare	12. avere	13. fare
14. salutare	15. sapere	16. alzarsi	17. venire	18. presentare	19. scusarsi	20. potere
21. essere	22. prendere	23. essere	24. essere	25. chiedere	26. alzare
27. .chiedere	28. sorridere	29. salutare	30. incamminarsi

I miei coetanei non mi ¹_____ più. Ma ²_____ tra loro una ragazza di quindici anni che mi ³_____ con gli occhi quando ⁴_____ il loro gruppo. Solo l'estate prima avrei fatto capriole in piazza per una sua attenzione. Mi ⁵_____ quell'errore di tempo che ⁶_____ i desideri senza farli incontrare. Mi sarei voluto spiegare con lei, ma mi ⁷_____ la spinta ad avvicinarmi. Le ⁸_____ gli occhi nei passaggi obbligati dell'isola.
Un pomeriggio la ⁹_____ passare da sola sulla spiaggia dei pescatori. ¹⁰_____ un posto fuori dalle passeggiate, da raggiungere apposta. ¹¹_____ di spalle al mare di fronte a Nicola e la vidi venire guardandosi intorno. ¹²_____ un vestito da campagnola e i sandali da uomo e una nuvola di capelli chiari sciolti, lavati di fresco. Le ¹³_____ un cenno, lei mi ¹⁴_____ fermandosi a distanza. Non ¹⁵_____ che fare, così ¹⁶_____ e lei mi ¹⁷_____ incontro. Le ¹⁸_____ Nicola, "piacere, Eliana", Nicola ¹⁹_____ che non ²⁰_____ darle la mano che ²¹_____ sporca, lei gliela ²²_____, ugualmente sul lato del dorso e ²³_____ chiaro che ²⁴_____ in tre in imbarazzo. ²⁵_____ dov'era diretta, ²⁶_____ le spalle a dimostrare in nessun luogo e prima che potessi augurarle buona passeggiata mi aveva già chiesto di accompagnarla. "Fino a lì?" ²⁷_____, ripetendo il gesto che aveva fatto lei. ²⁸_____ con un sì. ²⁹_____ Nicola e ³⁰_____ verso il castello dove le strade dell'isola finiscono.

6 *Completa il testo con le parole della lista. Attenzione: le parole sono alla forma base. Declina nomi e aggettivi e coniuga i verbi.*

| arruffato | coetaneo | come | dire | fa | festa | frequentare |

| fretta | mano | motorino | potere | pure |

Passammo nei vicoli, io scalzo e _____, lei pulita e diretta. Le spiegai il desiderio che avevo d'imparare la pesca. Le raccontai che _____ i ragazzi più grandi quell'anno perché c'era mio cugino Daniele, ma che _____ lì, come tra i miei _____, non mi trovavo bene. In un momento mi prese la _____ per camminare così. "Non sono buono a reggerti la mano, già te la sporco. Sono cambiato, non so neppure _____. Ho dei pensieri da uomo, avere figli, lavorare, lasciare gli studi. Mi è venuta _____ d'imparare lontano, non _____ venire a prenderti sotto scuola con un _____ che non ho e non desidero. Non posso portarti alle _____ il sabato, farmi conoscere dai tuoi genitori come il tuo ragazzo, sentire che _____ sì, è un bravo ragazzo. Non sono un bravo ragazzo. Solo poco tempo _____ non lo sapevo così bene."

7 *In questo testo ci sono una ragazzo e una ragazza. Il ragazzo scrive e descrive la situazione in prima persona. Trasforma il testo come se fosse la ragazza a scrivere, cambiando solo il necessario, come nell'esempio.*

Guardava davanti intenta in un pensiero che le stringeva le sopracciglia al centro e le incideva la fronte. Lasciò due passi andare in silenzio poi mi rispose che non sapeva cosa le stava succedendo. Mi conosceva da prima, però non aveva pensieri per me, né per altri ragazzi. Disse che le pesava la vita di gruppo dei coetanei, la novità delle dichiarazioni di amore che si moltiplicavano per contagio e concorrenza. Aveva cominciato a guardarmi per bisogno di distogliere lo sguardo e poi i coetanei mi accusavano di fare il grande scegliendo di stare con gli amici di mio cugino.

__Guardavo__ davanti intenta in un pensiero che __mi__ stringeva le sopracciglia al centro e __mi__ incideva la fronte.

_____
_____
_____
_____
_____
_____

8 *Qui sotto c'è la dichiarazione d'amore che lei fa a lui. Come la riporta lui ad un amico? Riscrivila nel **discorso indiretto**.*

"Voglio tentare di stare con te. Voglio credere che è possibile, anche se non per ora, anche da lontano. Ho bisogno che non somigli a nessuno e tu sei questo".

Mi ha detto che _____
_____
_____
_____

9 *Completa il testo con i **pronomi** (anche combinati) dove è necessario, come nell'esempio. Cambia le lettere maiuscole dove serve. Attenzione: i pronomi sono in ordine.*

ti · telo · c' · ne · le · le si · le · la

si

Passeggiammo zitti fino all'ingresso del castello, dove l'isola sporge nel mare con un arrocco. "Ho lasciato un segno di grasso sul palmo, provo a levar." Tra gli scogli dell'istmo era qualche pietra pomice, scesi a prender una. Strofinai il palmo, piano, velarono gli occhi, "Non fa male?", "No". "Allora non essere infelice." "Non sono infelice", caddero le due prime lacrime, che vengono chiamate a coppie e da qui i poeti hanno imparato le rime. raccolsi con la pietra pomice e pulii via il nero dalla mano, "Evviva, funziona" scherzai per far ridere e rise tirando su col naso.

10 *Leggi l'articolo su Erri De Luca e rispondi alla domanda.*

Erri De Luca, confessioni di un «napòlide» che non si è mai pentito

Il dialetto è come lo sport: deve essere appreso in prima età. Contiene destrezze muscolari, abilità, passi e scorciatoie inammissibili fuori dal campo...

È difficile scrollarsi di dosso l'appiccicosa etichetta di "scrittore napoletano": chi è nato ai piedi del Vesuvio fatica ad essere considerato uno scrittore e basta. Le sue storie devono sempre pagare un pedaggio alla città. Da questo vincolo di prigionia, Erri De Luca è ormai libero da tempo. Ma è uno dei pochi. Forse il solo. Anche perché De Luca non si è mai sentito "di Napoli". Tutt'al più "da Napoli", formula che rende tributo alla provenienza, non all'appartenenza. Ora quel complemento da luogo trova una messa a fuoco più precisa nello splendido titolo del suo ultimo libro: *Napòlide* (edizioni Libreria Dante & Descartes). Nel volume, per la prima volta, De Luca raccoglie molti degli scritti dedicati a Napoli negli ultimi anni. E spiega così il conio della parola che annoda i fili di queste storie. «Ho rispetto del diritto di rigurgito che la città applica a chi se ne allontana. Se rispondo di me presso di lei è perché porto i panni dell'ospite, non del cittadino. E se non ho diritto di definirmi apolide, posso dirmi napòlide, uno che si è raschiato dal corpo l'origine, per consegnarsi al mondo. Mai più ho attecchito altrove. Chi si è staccato da Napoli, si stacca poi da tutto: non ha neanche lo sputo per incollarsi a qualcosa, a qualcuno». Sfogliando il libro, ti accorgi di quanto il distacco dalle appartenenze, mai tramutato in disamore, sia la cifra comune di queste e tante altre pagine di Erri De Luca. «Il dialetto è come lo sport: deve essere appreso in prima età. Contiene destrezze muscolari, abi-

↗ Totò insieme ad Eduardo De Filippo

lità, passi e scorciatoie inammissibili fuori dal campo... Chi ha smesso di usare il dialetto è uno che ha rinunciato a un grado di intimità col proprio mondo e ha stabilito distanze». Tuttavia le diverse facce di Napoli riemergono nei brevi ritratti che lo scrittore dedica a Eduardo, Totò, Maradona e Giancarlo Siani (il cronista de Il Mattino ucciso dalla camorra). Perché un addio può scaraventarti lontano, ma non riuscirà mai a rendere straniera la vita che ti sta alle spalle.

da www.corriere.it

Cosa significa "napolide"?

1. La parola è un neologismo creato da *Napoli* + *apolide* e indica una persona che non ha più una vera patria ma non ha perso la sua origine napoletana.

2. La parola è un neologismo creato da *Napoli* + *polo* e indica una persona che non ha sempre vissuto a Napoli.

4 *Inserisci nel testo le parole qui sotto oppure gli **articoli determinativi** e **indeterminativi**.*

ad hoc   basket   look   piercing   slip   teen ager

Moda e lavoro: come si vestono i neo-assunti

NO A ECCESSI E STRAVAGANZE

I pantaloni a vita bassa che scoprono il _____ all'ombelico? Da dimenticare in ufficio! Su questo _____ esperti di selezione del personale sono perentori: sul posto di lavoro si sconsiglia un _____ eccentrico, aggressivo o seduttivo, e si raccomanda invece _____ stile neutro, serio ma non serioso, elegante senza eccedere... Ma provate a spiegare alle orde di _____ e poco più al loro debutto nel mondo del lavoro che lo _____ in bella mostra è qualcosa di stravagante quando per loro è diventato ormai _____ divisa e _____ biancheria sembra strano chiamarla intima.

GIOVANI AMERICANI DISORIENTATI

Ma _____ sfrontatezza ostentata a scuola e per _____ strada si trasforma in incertezza quando si varca _____ soglia dell'ufficio. _____ dato emerge da _____ inchiesta condotta da *Usa Today*. Il quotidiano americano documenta _____ ritorno in auge di _____ antica domanda: come ci si deve vestire per andare a lavorare? Il disorientamento è talmente palpabile che in molte aziende americane sono stati arruolati consulenti _____ per affrontarlo. Sotto accusa sono spesso _____ istituti di provenienza dei giovani, in particolare modo chi fa da ponte tra scuola e mondo del lavoro. Come spiega Gail Madison, di Philadelphia: "Molti ragazzi devono ancora imparare come stare al mondo. Per farmi capire ripeto sempre che se uno vuole giocare a _____ non può farlo senza _____ tenuta adatta e senza conoscere _____ regole". Ma a volte non basta. E molti dei nuovi arrivati risultano ai colleghi ignari o ribelli rispetto alle regole non scritte dell'ufficio.

"C'è _____ diffuso narcisismo in questa generazione" spiega Kelly Lowe, docente alla Mount Union College di Alliance, nell'Ohio: "sono talmente concentrati su loro stessi che parlano al cellulare durante _____ lezioni incuranti di tutto".

5 *Completa il testo. Puoi inserire l'**articolo determinativo**, l'**articolo indeterminativo** oppure lasciare lo **spazio bianco**, senza inserire nulla. Modifica le **preposizioni** se necessario.*

LA RIVINCITA DELLA TRADIZIONE

Il fenomeno imperversa mentre in ____ ambienti di ____ lavoro americani si sta consumando ____ ritorno al look classico (il "business formal") dopo il trionfo dell'informale ("business casual") anche tra ____ manager negli anni '90. Per ____ uomini questo significa giacca e cravatta. Per ____ donne, invece, il discorso è più complicato: il nuovo codice è ancora da definire e ricorrono dilemmi di ____ tipo: "fino a quanti orecchini puoi indossare in ufficio senza apparire troppo eccentrica?"

E LE NON PIÙ GIOVANI?

Il disorientamento riguarda non solo le giovani. *Usa Today* riferisce di ____ donne in ____ età avanzata che si presentano in ufficio come in palestra: pantajazz e magliettina aderente. Di altre che arrivano in ____ ciabattine, minigonne inguinali e top con le bretelline di ____ reggiseno ben in ____ vista. Molte sono impreparate a distinguere tra ____ momento e momento, ma in ____ altre c'è ____ sfrontatezza di chi pensa: "Io sono così, prendere o lasciare".

GIOVANI ITALIANI FLESSIBILI

E in ____ Italia? Da noi le cose sembrano andare in ____ modo molto diverso. Come emerso in ____ recente ricerca condotta da Adecco e da ____ Università Bicocca di Milano i giovani di oggi sono molto pragmatici e si adeguano a ____ mondo del lavoro senza particolari resistenze già prima di aver concluso ____ studi. Conferma Alessia Gozzo, responsabile di ____ selezione del personale di Adecco nell'area lombarda: "La nostra esperienza è quella di ____ ragazzi che si adattano alle regole aziendali senza problemi, anche in ____ abbigliamento".

6 *Metti in ordine i dialoghi presenti nel testo e coniuga tutti i verbi al* **presente** *tranne uno che va all'***imperfetto**. *Attenzione: devi aggiungere 6 volte il pronome spersonalizzante* **si**.

1° non entrare in banca

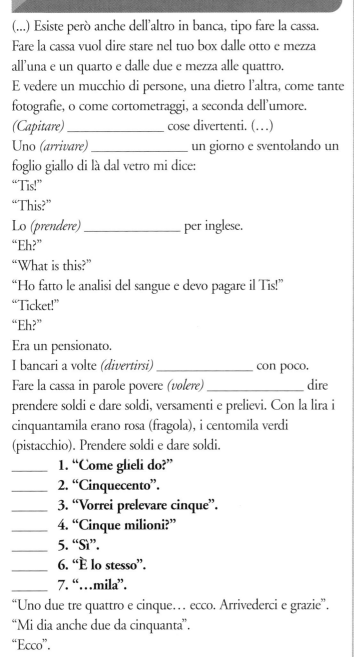

(…) Esiste però anche dell'altro in banca, tipo fare la cassa. Fare la cassa vuol dire stare nel tuo box dalle otto e mezza all'una e un quarto e dalle due e mezza alle quattro. E vedere un mucchio di persone, una dietro l'altra, come tante fotografie, o come cortometraggi, a seconda dell'umore. *(Capitare)* _____ cose divertenti. (…) Uno *(arrivare)* _____ un giorno e sventolando un foglio giallo di là dal vetro mi dice:
"Tis!"
"This?"
Lo *(prendere)* _____ per inglese.
"Eh?"
"What is this?"
"Ho fatto le analisi del sangue e devo pagare il Tis!"
"Ticket!"
"Eh?"
Era un pensionato.
I bancari a volte *(divertirsi)* _____ con poco.
Fare la cassa in parole povere *(volere)* _____ dire prendere soldi e dare soldi, versamenti e prelievi. Con la lira i cinquantamila erano rosa (fragola), i centomila verdi (pistacchio). Prendere soldi e dare soldi.
_____ 1. "Come glieli do?"
_____ 2. "Cinquecento".
_____ 3. "Vorrei prelevare cinque".
_____ 4. "Cinque milioni?"
_____ 5. "Sì".
_____ 6. "È lo stesso".
_____ 7. "…mila".
"Uno due tre quattro e cinque… ecco. Arrivederci e grazie".
"Mi dia anche due da cinquanta".
"Ecco".

Pistacchio e fragola. Non *(essere)* _____ poi così diverso da fare il gelataio. Anche più facile. *(Somigliare)* _____ più al benzinaio: tasto verde super, tasto nero diesel, tasto rosso normale. Roba da scimpanzé.
_____ 1. "Sei".
_____ 2. "Ah già".
_____ 3. "Con quanti zeri *(scrivere)* _____ un milione?"
_____ 4. "Compili il modulo, grazie".
_____ 5. "Mi dia un milione".
(Essere) _____ come dal benzinaio, ma con i falsi. I giovani cassieri sono ossessionati dai falsi. Oddio i falsi! Come faccio a riconoscerli?
E anche i clienti spesso ti chiedono come *(fare)* _____.
"Al tatto vero? Li sente con le dita vero?"
"Eh sì con le dita. E secondo lei quanto tempo impiego a contare le cinquanta banconote del suo versamento se devo controllare al tatto, una per una? No, *(guardare)* _____ la faccia".
"Sì, dalla faccia del cliente…"
"No. *(Mettere)* _____ le banconote tutte dalla stessa parte e *(contare)* _____ in fretta guardando dritto negli occhi Caravaggio[1]. (…) Se *(guardare)* _____ Caravaggio bene in faccia e scorro velocemente le banconote tra le dita mi accorgo subito se si muove. Se si muove è falso".
"Chi si muove?"
"Caravaggio".
"Mi faccia il versamento per piacere".
Comunque *(essere)* _____ vero, per riconoscere i falsi *(guardare)* _____ la faccia. O almeno *(guardare)* _____. Ora sugli euro non c'è più nessun personaggio: bella fregatura.

da Antonio Corba, *1° non entrare in banca*, Stampa Alternativa, 2005

[1] **Caravaggio:** sulle vecchie 100.000 lire era raffigurato il volto del pittore Caravaggio.

arti
SCRITTORI

1 *Scrivi i bigliettini che i grandi scienziati hanno scritto in risposta all'invito al Gran Ballo degli Scienziati, trasformando i discorsi indiretti in possibili **discorsi diretti**, come nell'esempio.*

Nel rispondere ad un invito al Gran Ballo degli Scienziati:

- *Franklin assicurò che sarebbe arrivato in un lampo.*
- Edison scrisse che partecipare sarebbe stata senza dubbio un'esperienza illuminante.
- Il dottor Jekyll scrisse che lui purtroppo non poteva andare ma aggiunse che avrebbe mandato suo "fratello" Hide.
- Marconi scrisse che malauguratamente aveva un altro impegno. Ma che avrebbe comunque inviato un telegramma di ringraziamento.
- Einstein scrisse che sarebbe stato *relativamente* felice di partecipare.
- Meucci scrisse che purtroppo aveva già avuto un invito ad un'altra festa per quel giorno e assicurò che avrebbe telefonato per conferma entro un paio di giorni.
- Volta scrisse che aveva una pila di pratiche da sbrigare e che quindi non sarebbe potuto andare.
- Italo Marchionni chiese se ci sarebbe stato del gelato.

Al Gran ballo degli Scienziati ⊗

Arriverò in un lampo!

Benjamin Franklin
- inventore del parafulmine

Al Gran ballo degli Scienziati ⊗

Thomas Alva Edison
- inventore della lampadina

Al Gran ballo degli Scienziati ⊗

Dott. Henry Jekyll
- medico

Al Gran ballo degli Scienziati ⊗

Guglielmo Marconi
- inventore del telegrafo senza fili

Al Gran ballo degli Scienziati ⊗

Albert Einstein
- scienziato

Al Gran ballo degli Scienziati ⊗

Antonio Meucci
- inventore del telefono

Al Gran ballo degli Scienziati ⊗

Alessandro Volta
- inventore della pila elettrica

⊠ Albert Einstein

Al Gran ballo degli Scienziati ⊗

Italo Marchionni
- inventore del cono gelato (brevetto USA n° 746971)

⊠ Alessandro Volta

2 *Coniuga i verbi al modo e tempo opportuni.*

"L'archeologa"

Ho detto per anni che dopo il liceo *(fare)* _____ l'archeologa: mi sembrava una buona mediazione tra tutto quello che gli altri *(aspettarsi)* _____ da me. Ma non era vero: io *(volere)* _____ fare la commessa come la mamma di Katia.

La commessa alla Upim, part-time. Tutta la vita.

Noi studiavamo la matematica, e poi alle medie la tecnica, e poi al liceo il greco, e lei sempre i giorni dispari a un certo punto *(alzarsi)* _____ e *(andarsi)* _____ a preparare per il lavoro. Io la seguivo in bagno per guardare come *(truccarsi)* _____, ero affascinata dalla procedura.

Katia di là mi chiamava sulle analisi logiche, per lei erano la conquista, la chiave del cambiamento. Io di logico non ci trovavo niente su quei fogli e l'unica cosa che sognavo di cambiare nella mia vita *(essere)* _____ il colore dell'ombretto. Tutti i giorni.

La mamma di Katia si truccava, chiacchierava di cose bellissime, leggere come la cipria.

Cose che non *(andare)* _____ valutate, sulle quali non si reggeva il mondo. Cose che non *(ricordare)* _____ più.

Al loro posto ricordo che il predicativo del soggetto non è quello dell'oggetto, anche se *(potere)* _____ sembrarlo.

Insomma la realtà si poteva scomporre su vari livelli, mentre sulla faccia della mamma di Katia *(ricomporsi)* _____ perfettamente nel *make-up* e, senza che lei lo sapesse, nella sua parola, la parola che portava in un vortice le comari[1], i costumi, le diete, la scopa elettrica.

Poi se ne andava al lavoro e io, se *(potere)* _____ immaginarmi in un modo, mi ci immaginavo così.

Con il camice del negozio a passare per gli scaffali.

"L'archeologa", dicevo sempre, ma gli unici pezzi che *(volere)* _____ inventare erano i saponi, le schiume da barba, quelle per i capelli.

(Volere) _____ togliermi le scarpe sotto la cassa e chiacchierare con i clienti, vedere tutti i giorni le stesse persone per quarant'anni, e a fine giornata lamentarmi del mal di schiena, delle nuove arrivate, del caldo.

"L'archeologa".

Ma tutto quello che di interessante *(esserci)* _____ da disseppellire, da scavare e da scoprire, mi *(stare)* _____ intorno.

da Valeria Parrella, "*Quello che non ricordo più*" in *Mosca più balena*, minimum fax, Roma, 2003

[1] **comari:** donne, amiche. Tipico dell'Italia centromeridionale.

3 *I discorsi diretti della colonna a sinistra sono tratti dal testo di Calvino presente nell'Unità 17. Decidi se la secondaria è anteriore, contemporanea o posteriore rispetto alla principale. Poi trasformali in* **discorsi indiretti**.

discorso diretto	ANT./CONT./POST.	possibile discorso indiretto
Medardo pensava: "Vedrò i turchi!"		
Mio zio disse: "Adesso arrivo lì e li aggiusto io"		
Ogni nave che si vedeva allora, si diceva: "Questo è Mastro Medardo che ritorna"		
L'uomo con la treccia disse: "Voi sapete qual è il prezzo per il trasporto di un uomo in lettiga"		

4 *Quali **che** possono essere eliminati dal testo? E perché? Completa la tabella.*

Alla sera, scesa la tregua, due carri andavano raccogliendo i corpi dei cristiani per il campo di battaglia. Uno era per i feriti e l'altro per i morti. La prima scelta si faceva lì sul campo.

- Questo lo prendo io, quello lo prendi tu -. Dove sembrava **che**[1] ci fosse ancora qualcosa da salvare, lo mettevano sul carro dei feriti; dove erano solo pezzi e brani andava sul carro dei morti, per aver sepoltura benedetta (…). In quei giorni, viste le perdite crescenti, s'era data la disposizione **che**[2] nei feriti era meglio abbondare. Così i resti di Medardo furono consi-derati un ferito e messi su quel carro.

La seconda scelta si faceva all'ospedale (…).

Tirato via il lenzuolo, il corpo del visconte apparve orrendamente mutilato. Gli mancava un braccio e una gamba, non solo, ma tutto quel **che**[3] c'era di torace e d'addome tra quel braccio e quella gamba era stato portato via, polverizzato da quella cannonata presa in pieno. Del capo restavano un occhio, un orecchio, una guancia, mezzo naso, mezza bocca, mezzo mento e mezza fronte: dell'altra metà del capo c'era più solo una zappetta. A farla breve, se n'era salvato solo metà, la parte destra, **che**[4] peraltro era perfettamente conservata, senza neanche una scalfittura, escluso quell'enorme squarcio **che**[5] l'aveva separata dalla parte sinistra andata in bricioli.

da Italo Calvino, *Il visconte dimezzato*, Einaudi, 1952

n°	può essere omesso?		perché?
1	☐ Sì	☐ No	
2	☐ Sì	☐ No	
3	☐ Sì	☐ No	
4	☐ Sì	☐ No	
5	☐ Sì	☐ No	

5 *Ricostruisci con le parole della lista la frase pronunciata da Italo Calvino.*

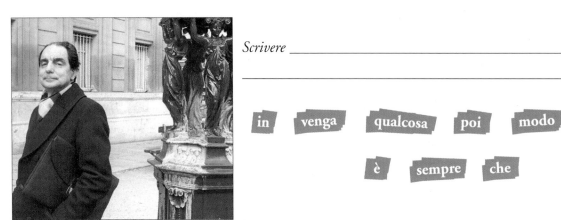

◢ Italo Calvino

Scrivere _____

_____ *scoperto.*

in	venga	qualcosa	poi	modo	nascondere

è	sempre	che

6 *Coniuga i verbi al modo e tempo opportuni e inserisci le quattro citazioni negli spazi _ _ _.*

1. Che distanza abissale dalla stucchevole e ammiccante epica automobilistica dell'ultimo Baricco!	2. triste e inutile come una recensione di Ferroni.	3. dimenticavo tutto: le noie, le mediocrità, gli errori della mia vita; dimenticavo perfino "l'Iliade" di Baricco.	4. questi rettilinei nella pianura, interminabili e pallosi come un articolo di Citati.

Cari critici, ho diritto a una vera stroncatura

ALESSANDRO BARICCO

Questo è un articolo che non *(dovere)* _____ scrivere. Lo so. Me lo dico da me. E lo scrivo. Dunque. La scorsa settimana, su queste pagine, esce un articolo di Pietro Citati. Racconta quanto lo ha deliziato mettersi davanti al televisore e vedere i pattinatori-ballerini delle Olimpiadi. Lo deliziava a tal punto - scrive - che "_ _ _". Io ero lì, innocente, che mi leggevo con piacere l'esercizio di stile sull'argomento del giorno e, trac, mi arriva la coltellata. Va be', dico. E, giusto per mite rivalsa, lascio l'articolo e vado a leggermi l'Audisio[2]. Qualche giorno dopo, però, vedo sull'*Unità* un lungo articolo di Giulio Ferroni sull'ultimo libro di Vassalli. Bene, mi *(dire)* _____. Perché mi *(interessare)* _____ sapere cosa fa Vassalli. Malauguratamente, alcuni dei racconti che *(scrivere)* _____ sono sul rapporto tra gli uomini e l'automobile.

Mentre leggevo la recensione sentivo che *(noi - finire)* _____ pericolosamente in area "Questa storia" (il mio ultimo romanzo, che parla anche di automobili). Con lo stato d'animo dell'agnello a Pasqua vado avanti temendo il peggio. E infatti, puntuale, quel che *(aspettarsi)* _____ arriva. Al termine di una lunghissima frase in cui si tessono (credo giustamente) elogi a Vassalli, *(arrivare)* _____ una bella parentesi. Neanche una frase, giusto una parentesi. Dice così: "_ _ _". E voilà. Con

tanto di punto esclamativo. Ora, nessuno è tenuto a saperlo, ma Citati e Ferroni sono, per il loro curriculum e per altre ragioni per me più imperscrutabili, due dei più alti e autorevoli critici letterari del nostro paese. Sono due mandarini della nostra cultura. Per la cronaca, Citati non *(recensire)* _____ mai _____ la mia "Iliade", e Ferroni non *(recensire)* _____ mai _____ "Questa storia". Il loro alto contributo critico sui miei due ultimi libri è racchiuso nelle due frasette che *(voi - leggere)* _____ appena _____, seminate a infarcire articoli che non hanno niente a che vedere con me. È un modo di fare che *(conoscere)* _____ bene, e che è piuttosto diffuso, tra i mandarini. Si aggirano nel salotto letterario, incantando il loro uditorio con la raffinatezza delle loro chiacchiere, e poi, con un'aria un po' infastidita, *(lasciare)* _____ cadere lì che lo *champagne* che *(stare)* _____ bevendo sa di piedi. Risatine complici dell'uditorio, deliziato. Io sarei lo *champagne*. (…)

Per quello che ne capisco, i miei libri *(essere)* _____ presto dimenticati, e andrà già bene se *(rimanere)* _____ qualche memoria di loro per i film che ci avranno girato su. Così va il mondo. E comunque, lo so, i grandi scrittori, oggi, *(essere)* _____ altri. Ma ho abbastanza libri e lettori alle spalle per poter pretendere dalla critica la semplice osservanza di

comportamenti civili. Lo dico nel modo più semplice e mite possibile: o avete il coraggio e la capacità di occuparvi seriamente dei miei libri o lasciateli perdere e tacete. Le battute da applauso non fanno fare una bella figura a me, ma neanche a voi.

Ecco fatto. Quel che *(avere)* _____ da dire l'*(dire)* _____.

Adesso vi dico cosa *(dovere)* _____ fare, secondo il galateo perverso del mio mondo, invece che scrivere questo articolo. *(Dovere)* _____ stare zitto (magari distraendomi un po' ripassando il mio estratto conto, come sempre mi suggerisce, in occasioni come queste, qualche giovane scrittore meno fortunato di me), e lasciar passare un po' di tempo. Poi un giorno, magari facendo un reportage su, che ne so, il Kansas, staccare lì una frasetta tipo "_ _ _". Il mio pubblico avrebbe gradito. Poi, un mesetto dopo, che so, andavo a vedere la finale di baseball negli Stati Uniti, e *(trovare)* _____ sicuramente _____ il modo di chiosare, in margine, che lì si beve solo birra analcolica, "_ _ _". Risatine compiacenti. Pari e patta. È così che si fa da noi. Pensate che animali siamo, noi intellettuali, e che raffinata lotta per la vita *(affrontare)* _____ ogni giorno nella dorata giungla delle lettere (…)

da www.repubblica.it

[1] **Audisio:** Emanuela Audisio, giornalista del giornale "la Repubblica".

▶ *Completa le frasi coniugando al modo e tempo opportuni i verbi della terza colonna, come negli esempi.*

1. Credo che	oggi *ci sia / ci sarà* il mese scorso *ci sia stato / ci fosse* la prossima settimana *ci sarà / ci sia*	(ESSERCI)	sciopero dell'autobus.
2. Penso che Massimo	un anno fa _____ ieri _____ oggi _____ entro qualche mese _____	(COMPRARE)	una casa.
3. Quando ti abbiamo incontrata non immaginavamo che	proprio quel giorno _____ il giorno prima _____ oggi _____ poche ore prima _____ il giorno dopo _____	(TU - SPOSARSI)	con Andrea.
4. Mi ha detto Marco che Marta	già l'anno scorso _____ il prossimo mese _____ quest'anno _____ domani _____	(ANDARE)	in Grecia.
5. Due anni fa pensavo che	un giorno _____ entro pochi mesi _____ già _____	(TU - LAUREARSI)	a pieni voti.
6. Ieri, quando ci siamo visti, non immaginavo che il tuo cane	dopo un'ora _____ la settimana prima _____ appena entrato in casa _____	(ATTACCARE)	il mio gatto.
7. Licia dice che	domenica prossima _____ oggi _____ ieri _____	(VOLERE)	andare al cinema.
8. Ieri alle 8 sembrava che la partenza dell'aereo	poco prima _____, improvvisamente _____, oggi _____, in quel momento _____,	(ESSERE RIMANDATA)	invece poi siamo partiti in orario.
9. Ho letto da qualche parte che la Sardegna	in tempi remoti _____ prima o poi _____ una volta _____ un giorno _____	(ESSERE)	attaccata all'Italia.
10. Non immaginavo che	l'anno scorso _____ quest'anno _____ il prossimo mese _____ dopo pochi giorni _____	(TU - COMPIERE)	20 anni.

1 *Ricostruisci questa frase di Albert Einstein.*

È	ed avere	ed avere	essere	meglio	ottimisti

pessimisti	piuttosto che	ragione	torto

▸ Albert Einstein

2 *Completa il testo inserendo al posto giusto le espressioni della lista (sono in ordine).*

dopo	ci	più	più	quello	la	sempre	non	non	quello	non	certe	siano	più

L'italiano. Lezioni semiserie

Le regole essenziali dell'italiano nel nuovo libro di Beppe Severgnini

15 anni "L'inglese. Lezioni semiserie", Beppe Severgnini, giornalista del *Corriere della Sera* sempre attento ai fatti di costume, riprova con la lingua italiana.

Con pungente ironia e umorismo il giornalista analizza gli errori grossolani in cui si imbatte l'italiano medio nell'uso parlato e scritto della lingua. Alla ricerca dei "crimini linguistici" diffusi, Beppe Severgnini fa una panoramica degli usi e abusi più comuni della lingua italiana, dagli articoli davanti ai nomi propri, all'incursione delle lingue straniere, all'esagerazione nell'uso delle metafore, all'uso scorretto della punteggiatura.

Capitolo interessante dedicato al congiuntivo, modo verbale cui estinzione non sarebbe causata dall'ignoranza delle regole grammaticali ma da un eccesso di certezze tipico della società italiana attuale. Meno italiani esprimono un dubbio, quasi tutti hanno opinioni certe su un argomento. L'affermazione: "Pensavo che portavi il gelato" solo è scorretta

▸ Beppe Severgnini

ma è anche arrogante, scortese e presuntuosa, presuppone una certezza che lascia spazio al dubbio, alla possibilità. L'assenza di dubbio è la caratteristica della società italiana. Nessuno pensa, crede, ritiene. Tutti sanno e affermano.

Lo spirito del libro però non è dell'insegnante bacchettone.

Sulla scia di quelli che lo stesso autore definisce i suoi maestri, Montanelli e Flaiano, Severgnini propone la via della riabilitazione e dei consigli per sbagliare

Dal "Decalogo diabolico" ai "Sedici semplici suggerimenti", fino ai consigli sull'uso della punteggiatura. Tutto quello che occorre per imparare finalmente a scrivere in italiano. Divertendosi.

più: "Sedici semplici suggerimenti" che possono diventare un modo per imparare divertendosi. Al termine di ogni lezione l'autore propone anche dei simpatici "Sadoquiz" e "Masotest" da "autoinfliggersi" per verificare il nostro livello di ignoranza di regole grammaticali.

Nonostante alcune affermazioni discutibili e dettate dal personale senso estetico dell'autore, il libro di Severgnini si propone come una valida guida all'interno del confuso panorama della lingua italiana e con semplicità affronta uno dei problemi importanti della nostra società: la conoscenza della lingua.

da www.gingergeneration.it

3 *Completa ogni citazione usando una delle parole della lista. Ogni volta decidi se inserire la negazione **non** come nell'esempio.*

niente   nessuno   nemmeno   mai

non

Esempio: Chi **ride** *mai*, non è una persona seria.

(Fryderyk Chopin, musicista)

1. Ricordate: chi scrive difficile, di solito, **ha** _____ da dire.

(Beppe Severgnini, giornalista)

2. Se ritardo d'un paio d'ore succede la fine del mondo, se muoio **se ne accorge** _____.

(Marcello Marchesi, umorista)

3. **C'è** _____ di più pratico di una buona teoria.

(Kurt Lewin, psicologo)

4. Io suono al conservatorio. Sì, ma **mi aprono** _____!

(Groucho Marx, umorista)

5. _____ **fa** niente per niente.

(proverbio)

6. Molti scrittori scrivono libri che essi stessi **leggerebbero** _____.

(Camilla Cederna, scrittrice)

7. **Sono** sincero _____ quando dico che non sono sincero.

(Jules Renard, scrittore)

8. _____ **ottiene** successo come l'eccesso.

(Oscar Wilde, scrittore)

9. **Facciamo** bene _____ finché non smettiamo di pensare al modo di farlo.

(William Hazlitt, saggista e critico)

nuovo magari C1/C2

4 *In questo testo manca 9 volte la negazione **non**. Inseriscila negli spazi giusti.*

Le Amministrazioni pubbliche non sanno comunicare neanche le buone notizie

Michele A. Cortelazo

Il signor Ferrari ha ricevuto dal Settore Edilizia Residenziale del suo Comune questa lettera:

In riferimento al verbale di assegnazione di un alloggio di E.R.P. in data 16.05.1999, considerate le motivazioni, si comunica che si è ritenuta giustificata la Sua richiesta di nuova convocazione per esperire una scelta alternativa di alloggio, risultando effettivamente minimo, rispetto ai parametri di legge, per il Suo nucleo familiare l' alloggio sito in via Milano 37/7 da noi proposto. Si fa riserva di contattarLa per una nuova scelta di alloggio.

Il signor Ferrari dovrebbe essere contento. Ha ottenuto quello che _____ voleva. Aveva chiesto un alloggio di proprietà comunale, il Comune gliene aveva assegnato uno, ma era troppo piccolo per la sua famiglia. Ha protestato, finché il Comune _____ gli ha dato ragione. Come? Con questa lettera.

Ma il signor Ferrari è davvero contento? No, o almeno _____ ancora. _____ Ha infatti capito di doverlo essere. Anzi _____ ha proprio capito che cosa gli succederà. Dovrà "esperire una scelta alternativa di alloggio". È qualcosa che fa male? Boh. Allora telefona all'Ufficio (però dopo aver sudato sette camicie, perché nella lettera _____ c'era nessun numero di telefono al quale chiedere informazioni) e solo in quel momento capisce che fra un po' potrà scegliere una casa più adatta alle esigenze della sua famiglia.

Insomma, _____ ha a che fare con un "Comune amico", un Comune che cerca di soddisfare le legittime esigenze dei suoi cittadini e che si fa in quattro per aiutarli. Ma poi fa di tutto per complicarsi la vita. _____ È in grado di dare chiaramente la buona notizia al cittadino; _____ scrive in *burocratese*, costringe il cittadino a perdere il suo tempo per telefonare e ricevere informazioni più chiare; costringe l'impiegato a perdere a sua volta del tempo, per spiegargli a voce quello che _____ gli aveva già comunicato per scritto.

Ma allora, l'impiegato che ha scritto la lettera è un masochista che gode a ripetere la stessa cosa più volte? No. Si è accorto che la lettera che ha spedito al signor Ferrari _____ funzionava, ma nessuno _____ gli ha insegnato a uscire dalle pessime abitudini linguistiche assunte in anni di lavoro nella amministrazione pubblica. E anche se glielo avessero insegnato, probabilmente _____ gli avrebbero dato il tempo di buttare a mare la lettera che nel suo ufficio si copia ogni volta e di riscri-

verla in modo più chiaro, usando un linguaggio terra terra, così per esempio:

La informiamo che Lei potrà scegliere un alloggio diverso da quello di via Milano 37/7, che Le è stato assegnato con verbale del 16 maggio 1999.

Abbiamo infatti accolto la Sua richiesta, in quanto l'alloggio da noi proposto risulta piccolo, rispetto ai parametri di legge, per il Suo nucleo familiare.

Le comunicheremo la data di convocazione per la nuova scelta dell'alloggio.

Tutto facile? No, ci vuole tempo, perché scrivere bene un testo _____ è un'attività che si fa in quattro e quattr'otto. Bisogna studiare, imparare. Ma _____ è necessario. Perché ci sono tanti signor Ferrari che aspettano una risposta chiara. E che vivono male, finché _____ abitano in una casa troppo piccola.

da Guida agli Enti Locali

5 *Questo testo è la continuazione dell'esercizio 16 dell'Unità 18.*
Segui le indicazioni del testo e riscrivi in un linguaggio più semplice le frasi in burocratese.

6. LIMITATE GLI INCISI

Tra gli intoppi che si frappongono a una lettura lineare di un testo vi sono gli incisi, cioè quelle frasi che, messe tra virgole o tra parentesi, danno delle informazioni aggiuntive o integrative all'argomento centrale della frase. Facciamo subito un esempio: «È stato autorizzato l'utilizzo (fatto salvo il rispetto dell'ordine di punteggio riportato) delle graduatorie generali per l'individuazione dei nuclei familiari interamente composti da extracomunitari».

La frase può essere semplificata spostando l'inciso alla fine:

«_____
_____
_____
_____».

7. EVITATE LE FRASI IMPERSONALI

Il linguaggio amministrativo usa spesso l'impersonale. Questa scelta può essere un modo per segnalare che nelle comunicazioni istituzionali il singolo non scrive per sé, ma per l'amministrazione cui appartiene. Ma ci può anche essere una forma di reticenza, specie quando si danno notizie non gradite: «con la presente si respinge la richiesta della S.V.».

Con che cosa si può sostituire l'impersonale? Con una forma personale che abbia per soggetto il nome dell'ufficio, oppure con una forma verbale di prima persona plurale, senza indicazione del soggetto (quindi:
«_____»,
oppure «_____»).
Questa seconda soluzione coniuga la necessità di non mettere in evidenza la persona dello scrivente, perché scrive non a nome proprio ma a nome dell'amministrazione, con l'opportunità di usare comunque una forma comune e diretta, come può essere la prima persona plurale.

8. PREFERITE I TEMPI E I MODI VERBALI DI PIÙ LARGO USO

L'indicativo è il modo verbale più diffuso e quindi di più facile comprensione. È perciò preferibile al congiuntivo o al condizionale, quando non altera il senso della frase e rispetta la norma grammaticale. Non sempre, però, il congiuntivo è eliminabile; per esempio le proposizioni finali richiedono obbligatoriamente il congiuntivo («Vi inviamo la documentazione richiesta, perché possiate rispondere al cittadino»).

In molti casi, basta però cambiare la congiunzione per poter sostituire il congiuntivo senza infrangere le regole grammaticali. La frase «_____
_____
_____»
è certamente più facile da leggere delle due seguenti, anche se hanno lo stesso significato: «Qualora la morosità sia dovuta a malattia dell'inquilino, l'assegnatario può chiedere una proroga» oppure «Nel caso in cui la morosità fosse dovuta a malattia dell'inquilino, l'assegnatario può chiedere una proroga».

9. PREFERITE PREPOSIZIONI E CONGIUNZIONI SEMPLICI

L'italiano burocratico fa largo uso di preposizioni e congiunzioni complesse, che appesantiscono il testo e non aiutano a rendere trasparente il contenuto. La leggibilità di un testo migliora sensibilmente se vengono usate preposizioni e congiunzioni semplici, più diffuse nel linguaggio quotidiano.

Ad esempio, sono complesse le preposizioni *al fine di, con l'obiettivo di* o *allo scopo di*, tutte sostituibili con *per* (quindi è meglio scrivere «_____
_____
_____»

anziché «Al fine di poter archiviare la pratica, chiediamo di restituirci il documento allegato»).

Sono congiunzioni complesse, invece, *nel caso in cui, sempreché* o *a condizione che*, tutte sostituibili con *se*; pertanto la frase
«_____
_____
_____...»
è preferibile a «Nel caso in cui Lei non abbia questo documento...».

Con le congiunzioni, scegliere la variante semplice ha risvolti positivi anche sul modo verbale, in quanto di solito le congiunzioni complesse richiedono il congiuntivo, mentre quelle semplici l'indicativo.

10. USATE PAROLE COMUNI

Chi legge un testo deve poter capire tutte le parole per riuscire a ricostruirne il senso completo. Ne consegue, da un lato che le parole di uso comune sono preferibili a quelle più rare, dall'altro che le parole meno frequenti e quelle straniere irrinunciabili, una volta introdotte nel testo, devono essere spiegate con parole di uso comune. Vocaboli tipicamente burocratici come *1. rammentare, 2. nulla osta, 3. riscontro, 4. ovvero, 5. erogare* possono essere sostituiti da sinonimi più comuni e semanticamente equivalenti, come *1. _____*,
2. parere favorevole,
3. _____,
4. _____,
5. versare. Allo stesso modo, i documenti amministrativi risultano più chiari se si evitano termini stranieri o latini, per esempio *6. meeting, 7. budget, 8. stage, 9. de facto, 10. de iure*, a vantaggio delle equivalenti parole italiane: *6. _____*,
7. bilancio, 8. tirocinio, 9. di fatto, 10. di diritto.

arti

COMICITÀ

1 *Completa il testo con i verbi al modo e tempo opportuni e inserisci negli spazi* _ _ _ _ _ _ _ _ _ *le parole della lista.*

accertamento   altrimenti   comma   commissario   eccetera

maestranze   pantera   piratessa   piratessa   provvedimento

reiterato   soggiornare   soggiorno

-La signorina emigrò in vari stati poi venne nel nostro sei anni fa, mi corregga se (*sbagliare*) _____. Visse per circa due anni in via dell'Oca 13, ove risiedeva anche lei. Insieme ai signori Nico Perimedes, Statis Eurilokos, eccetera, chi se ne frega. Ecco qui veniamo al punto. Anni fa la signorina presenta a questa questura una domanda di _ _ _ _ _ _ _ _ _ per motivi di studio con documento di iscrizione all'università che in seguito ad _ _ _ _ _ _ _ _ _ risulta contraffatto.

↗ Stefano Benni

- Si è iscritta subito dopo.

- Signor Ulisse, se io le (*sparare*) _____ e subito dopo la pistola si inceppa, lei muore lo stesso. Capisce il paragone?

- Capisco…

- Bravo. Il falso in attestazione consimile comporta, ai sensi della nuova legge, _ _ _ _ _ _ _ _ _ tredici, la perdita del diritto di _ _ _ _ _ _ _ _ in quanto il reato commesso potrebbe essere _ _ _ _ _ _ _ _ e quindi la signorina è da ritenersi potenzialmente pericolosa per l'ordine pubblico del nostro paese. Quindi potrebbe venire espulsa con _ _ _ _ _ _ _ _ _ immediato.

- Potrebbe.

- Potrebbe. E se di mezzo (*esserci*) _____ un generale dell'Arma, questo potrebbe diventa può, e la signorina Pilar se ne torna a casa.

- Ma quale pericolo per l'ordine pubblico! Pilar non ha mai fatto male a nessuno, né fatto politica.

- Ci risulta _ _ _ _ _ _ _ _ _. La signorina Pilar, proprio pochi giorni fa, si mette a fare la sindacalista e viene fotografata davanti a un grande magazzino mentre sobilla le _ _ _ _ _ _ _ _.

Mostrò una foto.

- È questa vicino a quel rompicoglioni di Olivetti, vero? Complimenti, è una bella ragazza. Ma questo non è motivo sufficiente per cui potrebbe restare.

La bufera di condizionali stordì Ulisse per un attimo. Forse aveva capito. Ebbe la visione di Pilar, la dolce Pilar...

- E cosa potrebbe fare allora?

- Il modo ci sarebbe.

- E sarebbe?

- E sarebbe che è legato a quel potrebbe. Se qualcuno (*fare*) _____ qualcosa per cui quel potrebbe potrebbe diventare un non-potrebbe.

La bufera di condizionali stordì Ulisse per un attimo. Forse aveva capito. Ebbe la visione di Pilar, la dolce Pilar, in stivali da _ _ _ _ _ _ _ _, sulla tangenziale notturna, adescando auto blu Maldive, e la _ _ _ _ _ _ _ _ _ degli sbirri passava e commentava: vedi quella? Batte per il _ _ _ _ _ _ _ _.

- Signor commissario - disse Ulisse cercando di essere chiaro - se (*essere*) _____ vero che per far diventare quel potrebbe un non-potrebbe si potrebbero fare delle cose, basta però che non siano cose che potrebbero essere peggio di quel potrebbe.

- Ma se quelle cose si (*fare*) _____ e le (*potere*) _____ fare lei, allora quel potrebbe della sua ragazza potrebbe diventare un non-potrebbe proprio in virtù delle cose che lei farebbe.

Ebbe la visione di Ulisse, il dolce Ulisse, in stivali da _ _ _ _ _ _ _ sulla tangenziale _ _ _ _ _ _ _ _ _.

- Potrebbe essere più chiaro, commissario?

- Prima dovrebbe giurarmi una cosa. Potrebbe darsi che se lei non (*fare*) _____, potrebbe poi ugualmente dire in giro che io le avrei chiesto che lei facesse, e questo potrebbe farmi incazzare moltissimo, perciò quello che potrei dirle ora dovrebbe restare tra noi.

- Questo dovrebbe essere chiaro a tutti.

da Stefano Benni, *Achille piè veloce*, Feltrinelli, Milano, 2003

2 Completa i **periodi ipotetici** del testo con i verbi al modo e tempo opportuni.

Alessandro Bergonzoni

Alessandro Bergonzoni: comico. Per quanto riguarda la posizione religiosa, si dichiara "cattolico effervescente". Di qualsiasi argomento potrebbe parlarne all'infinito ma non lo fa perché "odia Leopardi e tutti i poeti da pelliccia".

Se qualcuno lo (interrogare) _____ sulla lingua italiana, che usa con incurante destrezza, lui (risponde) _____ che l'italiano gli interessa solo perché è la lingua di casa, delle famiglie, come "scrissi e lessi, la famiglia dei passati remoti. C'era anche dissi, che adesso però è uscito". Nei suoi spettacoli e nei suoi libri rifiuta ogni tentazione autobiografica, proclama di non avere nessuna verità da spacciare, ma di cose da dire - da inventare - ne ha moltissime.

Parlando di lui, pare che Umberto Eco abbia confidato: "Se non (fare) _____ il lavoro che faccio, (volere) _____ fare quello che fa lui". (Voi - Scusare) _____ se (essere) _____ poco.

Malgrado ciò, lui si considera poco interessato alle riflessioni sul linguaggio: "Se (esserci) _____ una persona inadatta a spiegare dove sta andando l'italiano, quello (essere) _____ io".

▲ Alessandro Bergonzoni

da il manifesto

3 Le espressioni **sottolineate** sono state usate nel testo dell'attività 9 dell'Unità 19. Non tutte le costruzioni simili però sono possibili. Elimina quelle non accettabili.

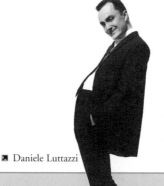

▲ Daniele Luttazzi

Suscitare una risata (R1)	**Stare in scena** (D2)	**Mettere in scena** (R4)
Suscitare compassione	Stare da Dio	Mettere in porto
Suscitare amicizia	Stare a luce	Mettere a soqquadro
Suscitare interesse	Stare in disperazione	Mettere in mutande
Esprimere un giudizio (R1)	**Essere alle prese** (R5)	**Scoppiare a piangere** (R5)
Esprimere una storia	Essere alle mani	Scoppiare a ridere
Esprimere un voto	Essere alle porte	Scoppiare di salute
Esprimere un'opinione	Essere alle prime armi	Scoppiare di malattia

4 *Inserisci nel testo le espressioni della lista.*

che | cioè | contemporaneamente | inoltre | in quanto | la quale | oltre a | poiché

quanto | quindi | sia | sia | siccome | spiegato ciò

Inventiva italiana

Fino a pochi anni fa il servizio militare in Italia era obbligatorio per tutti i maschi al diciottesimo anno di età. Evitare i dodici mesi di leva era per alcuni una necessità, per altri una sfida alle istituzioni. Di seguito una lettera inviata al Ministro della Difesa.

Al Ministro della Difesa
Via XX Settembre 8 - 00187 Roma

Signor Ministro della Difesa, mi permetta di prendere rispettosamente la libertà di esporLe _____ segue e di sollecitare per Sua bene-
volenza lo sforzo necessario al rapido disbrigo della pratica.
Sono in attesa della chiamata alle armi, ho 24 anni e sono sposato con una vedova di 44 anni, _____ ha una figlia di 25 anni. Mio
padre ha sposato tale figlia. _____ attualmente mio padre è diventato mio genero _____ marito di mia figlia.
_____ mia nuora è divenuta mia matrigna in quanto moglie di mio padre.
Mia moglie ed io abbiamo avuto lo scorso gennaio un figlio. È stato così _____ costui è divenuto fratello della moglie di mio padre,
_____ cognato di mio padre.
_____ essere mio zio, in quanto fratello della mia matrigna.
In definitiva mio figlio è mio zio.
La moglie di mio padre a Natale ha avuto un figlio che è _____ mio fratello, in quanto figlio di mio padre, _____ mio
nipote, in quanto figlio della figlia di mia moglie.
Io sono quindi fratello di mio nipote, e _____ il marito della madre di una persona è suo padre, risulta che io sono padre della figlia
di mia moglie e fratello di suo figlio.
Quindi io sono mio nonno.
_____, Signor Ministro, Le chiedo di volermi concedere di essere esentato dal servizio militare, _____ la legge impedisce
che padre, figlio e nipote prestino servizio _____.
Fermamente convinto della vostra comprensione, La prego Signor Ministro di accettare i miei più cordiali saluti.

Vito Laudadio

5 *In ogni riga di questa lettera c'è un errore: una parola sbagliata o mancante. Fai le opportune correzioni, come nell'esempio.*

me

Una lettera

1   Cara mamma, mi dispiace molto doverti dire che ~~mi~~ ne sono andata col mio nuovo ragazzo.
    Ho trovato il vero amore e lui, dovessi vederlo, è così carino con tutti i suoi tatuaggi,
    il *piercing* e quella sua grossa moto veloce! Ma non è tutta, mamma: finalmente sono incinta
    e lui dice che staremo insieme benissimo in sua *roulotte* in mezzo ai boschi. Lui vuole
5   avere tanti altri bambini e questo è anche mio sogno. E dato che ho scoperto che la *marijuana*
    non fa male, noi la coltiveremmo anche per i nostri amici, quando non avranno la cocaina e
    l'*ecstasy* di cui hanno bisogno. Nel frattempo spero che la scienza trova una cura per l'AIDS così il
    mio amore possa stare meglio: se lo merita! Non preoccuparti mamma, ho già 15 anni e so
    badare a me stessa. Spero di venga presto a trovarti così potrai conoscere i tuoi nipotini.
10 Tua adorata bambina.

    PS: tutte palle, mamma! Sono dai vicini. Volevo solo dirti che nella vita sono cose peggiori
    della pagella che ho avuto oggi a scuola. Te l'ho lasciato sul comodino. Ti voglio bene.

6 *Collega le frasi delle due colonne e ricostruisci le battute tratte da alcuni libri di Daniele Luttazzi.*

1. *Ricordo ancora le parole che Barbara mi disse in quella occasione. Era sconvolta. Mi disse: "Promettimi che non mi lascerai mai sola, Daniele. La mia vita è vuota, senza di te."*

2. La prova che esiste Dio è che all'Ultima Cena ha fatto sedere tutti dallo stesso lato del tavolo.

3. Litighiamo così spesso. A volte mi chiedo perché mai ci siamo sposati, anche se so benissimo il perché.

4. Ieri sono entrato in una palestra. Mi hanno dato da compilare il materiale per l'iscrizione.

5. Era così solare.

a. Mi è venuto il fiatone.

b. Parlavi per un'ora con lei, ne uscivi abbronzato.

c. *E io le dissi: "Stai tranquilla, Barbara, non ti lascerò mai. Anche la mia vita è vuota, senza di me."*

d. È la solita legge degli opposti che si attraggono. Lei era incinta, e io no.

e. In modo che Leonardo li potesse dipingere.

7 *Completa la riscrittura delle frasi aggiungendo, almeno una volta in ogni frase, il verbo **fare**. Cerca di mantenere il significato il più vicino possibile all'originale.*

1. Ho riso tantissimo per quello spettacolo.
Quello _____ _____ ridere tantissimo.

2. Oggi Licia ha aiutato suo figlio a mettersi le scarpe da solo per la prima volta.
Oggi Licia ha _____ scarpe da _____ figlio per la prima volta.

3. Roberto ha chiesto ad Anita di telefonare a Costanza.
Roberto _____ telefonare _____ Anita.

4. Ho mandato Francesca a comprare il latte al supermercato.
Ho _____ il _____ Francesca al supermercato.

5. Ho saputo che ieri hai chiesto a Luigi di portarti due bottiglie di vino!
Ho saputo che ieri ti _____ Luigi.

6. Chiediamo al barista di prepararci due panini al prosciutto?
Ci _____ barista?

7. Ieri per colpa di Gianna ho fatto una figuraccia!
Ieri Gianna _____ figuraccia!

8. Brad Pitt ha permesso solo all'inviato della Rai di intervistarlo.
Brad Pitt _____ inviato della Rai.

8 *Ricostruisci la frase di Totò con le parole della lista.*

A _____?

ci | di | da | mangiare | politica, | proposito | qualcosa | sarebbe

storia

1 *Coniuga i verbi al modo e tempo opportuni. Attenzione: a volte devi usare la* **forma passiva**.

Il delitto Matteotti

◢ Giacomo Matteotti

Matteotti sparì il 10 giugno 1924 e il suo cadavere *(ritrovare)* _____ più di due mesi dopo nella macchia della Quartarella, all'estrema periferia di Roma. Il parlamentare *(costringere)* _____ a salire su una macchina mentre *(percorrere)* _____ il Lungotevere Arnaldo da Brescia. Alcuni passanti *(assistere)* _____ al rapimento ed *(annotare)* _____ la targa della vettura, che *(risultare)* _____ appartenere a Filippo Filippelli, stretto collaboratore di Cesarino Rossi, capo dell'ufficio stampa di Mussolini. Il capo del fascismo *(informare)* _____ l'indomani dei dettagli dell'"operazione" e, appreso che la macchina *(individuare)* _____, *(uscirsene)* _____ con la frase: "Idioti! Se l' *(voi - coprire)* _____ con la vostra m..., la targa non si *(vedere)* _____!".
Gli indizi *(essere)* _____ più che significativi e subito *(diffondersi)* _____ voci che *(indicare)* _____ le responsabilità nella stessa presidenza del Consiglio e gli autori materiali in alcuni figuri, notoriamente appartenenti alla cosiddetta Ceka, la polizia segreta a servizio del capo del fascismo, che *(intervenire)* _____ se *(esserci)* _____ lavori "sporchi" da fare e soprattutto in quell'Amerigo Dumini, che *(presentarsi)* _____ aggiungendo al suo nome "diciotto omicidi". Nel rimpallarsi di accuse e contraccuse, *(circolare)* _____ memoriali di collaboratori diretti di

Mussolini con allusioni abbastanza chiare e talvolta trasparenti sulle sue responsabilità. Se si *(trovare)* _____ prove definitive della colpevolezza del capo del fascismo, oggi *(noi - essere)* _____ certi che di lì *(partire)* _____ l'ordine, convinzione comunque più che diffusa. *(Individuare)* _____, invece, gli autori materiali del delitto. Uno di essi, Albino Volpi, interrogato in istruttoria, *(riferire)* _____: "Il contegno di Matteotti è stato assolutamente spavaldo. Mentre lo *(noi - pugnalare)* _____, egli *(essere)* _____ eroico. *(Continuare)* _____ fino alla fine a gridarci in faccia: «Assassini! Barbari! Vigliacchi!».
E mentre noi *(continuare)* _____ nella nostra azione, egli ci *(ripetere)* _____: «*(Uccidere)* _____ me, ma non la mia idea!».
Probabilmente se *(umiliarsi)* _____ un momento e ci *(chiedere)* _____ di salvarlo e *(riconoscere)* _____ l'errore della sua idea, forse non *(compiere)* _____ fino alla fine la nostra operazione. Ma no, fino alla fine, fino che *(avere)* _____ un filo di voce, *(gridare)* _____: «Se *(io - morire)* _____, la mia idea *(sopravvivere)* _____! I lavoratori *(benedire)* _____ il mio cadavere».
(Morire) _____ gridando: «Viva il socialismo!».

da www.anpi.it

◢ Il luogo dove è stato rinvenuto il corpo di Matteotti

2 *Riordina le frasi nella seconda o nella terza colonna coniugando i verbi* **sottolineati** *e utilizzando la* **forma passiva** *dove necessario.*

1924: pensieri dei protagonisti di un anno cruciale per la storia d'Italia. I fascisti ottengono il 65% dei voti alle elezioni, l'opposizione abbandona i lavori della Camera dei deputati, Giacomo Matteotti viene assassinato: inizia la dittatura.		
1. Giacomo Matteotti Deputato socialista assassinato dagli squadristi fascisti	"La vittoria del partito fascista è illegittima perché è dipesa da operazioni elettorali illegali, dalla violenza e dalle intimidazioni."	Giacomo Matteotti desiderava che *(del - fascista - il - non - partito - riconoscere - trionfo)* _____ _____.
2. Luigi Albertini Senatore e direttore de "Il Corriere della Sera"	"Dopo la morte di Matteotti, la cosa più saggia che poteva fare Mussolini era di uscire dal partito e riconoscere le proprie responsabilità."	Luigi Albertini avrebbe preferito che *(a - autorità - dare - delle - disposizione - dimissioni - e - le - mettersi -Mussolini)* _____ _____.
3. Benedetto Croce Filosofo, storico e senatore, firmatario del "Manifesto degli intellettuali antifascisti"	"Sarebbe bene *(a - che - fascismo - inaugurare - il - rinunciare)* _____ _____ una nuova epoca storica."	Per Benedetto Croce il fascismo doveva abbandonare ogni velleità di creazione di un nuovo tipo di Stato.
4. Vittorio Emanuele III Re d'Italia dal 1900 al 1946	"Mi sarebbe piaciuto che *(a - di - dimissioni - essere - l' - le - Mussolini - opposizione - parlamentare - provocare)* _____ _____."	Per Vittorio Emanuele III Mussolini avrebbe dovuto essere eliminato politicamente in Parlamento.
5. Roberto Farinacci Deputato fascista	"A mio giudizio Mussolini non è stato sufficientemente intransigente."	Roberto Farinacci avrebbe preferito che *(Duce - e - eccessivamente - essere - il - liberale - morbido - non)* _____ _____.

3 *Metti al posto giusto nel testo le parole della lista. Le parole sono in ordine. Attenzione: devi coniugare i verbi all'infinito al modo e tempo opportuni. A volte devi usare la* **forma passiva**.

a — che — diventare — giovanili — educati — nera — essere — sbarbato — proprio — tesa — cosiddetto — obbligatorio — lingua — tanti — favorire — nuove — figli — sposati — invitare — purché — tali — ciò

La dittatura fascista ha costretto la maggioranza degli italiani cambiare obbligatoriamente modo di comportarsi, di vestirsi, di parlare, di riunirsi, di studiare.

L'ideologia fascista vuole gli italiani nazionalisti e più militaristi. Perciò non sono amati gli abiti borghesi, a cui vengono preferite divise e stivali. Bambini e ragazzi sono inquadrati in organizzazioni ed alla disciplina militare.

A quattro anni un bambino italiano diventa figlio della lupa e indossa la sua prima camicia, che è l'indumento più appariscente dei fascisti. A otto diventa balilla e a quattordici avanguardista.

Analogamente le ragazze, dopo figlie della lupa, sono organizzate prima nelle Piccole Italiane e poi nelle Giovani Italiane. A loro si richiedono soprattutto esibizioni ginniche.

L'aspetto fisico del perfetto fascista prevede il volto e il corpo asciutto, mantenuto tale da una vita attiva e sportiva. Il modo di camminare deve dare l'impressione di sicurezza: i movimenti devono essere scattanti e veloci. Il fascista ha anche un modo di salutare: con braccio e

mano in avanti. È il saluto romano, nelle circostanze ufficiali e nelle parate.

Il fascismo tenta - ma senza successo - di abolire l'uso della stretta di mano e di imporre l'uso del Voi, al posto del Lei, nella parlata.

La donna fascista ideale deve avere un fisico prestante, essere moglie e madre di figli e deve restare a casa per dedicarsi a loro. Il matrimonio con molti figli in tutti i modi. I padri con famiglie numerose ricevono salari maggiori, le madri sono premiate con nastri, diplomi, medaglie d'argento e d'oro. Alle coppie vengono fatti prestiti pubblici che devono essere restituiti allo Stato solo se non nascono o se ne nascono

pochi. Essere celibi è un ostacolo alla carriera ed è un impedimento assoluto alla promozione per gli impiegati dello Stato. Tutti gli uomini non devono pagare una tassa sul celibato.

Anche sui nomi e sulle parole il fascismo impone la sua ideologia nazionalistica. Gli italiani a far uso di termini nuovi, genuinamente italiani, in sostituzione di quelli di origine straniera o che sembrano. Tutto che è straniero è infatti visto come ostile, nemico, non patriottico. I bar si trasformano in *mescite* e i sandwich in *tramezzini*.

da *http://it.wikipedia.org*

4 *Ricostruisci i tre testi.*

Antonio Gramsci, "Lettera alla madre"	**Teresa Vergalli, "Storia di una staffetta partigiana"**	**Costituzione della repubblica italiana**
Non ho mai voluto mutare le mie opinioni, _____ / _____ / _____ / _____ / _____	Durante la seconda guerra mondiale io ero molto piccola _____ / _____ / _____ / _____ / _____ / _____ / _____ / _____	È vietata la riorganizzazione, _____ / _____ / _____ / _____ / _____ / _____

↗ Antonio Gramsci

1. sotto qualsiasi forma, del disciolto

2. *lampo*. Il mio compito era di

3. 48, sono stabilite con legge, per non oltre un quinquennio

4. al diritto di voto e alla eleggibilità per

5. vogliono conservare il loro onore e la loro dignità di uomini.

6. dall'entrata in vigore della Costituzione, limitazioni temporanee

7. fornire le informazioni ai vari gruppi di partigiani.

8. le scuole elementari. Usavo la cartella per fornire la roba

9. alle loro mamme, se

10. a stare in prigione. Vorrei consolarti di questo dispiacere

11. i capi responsabili del regime fascista.

12. partito fascista. In deroga all'articolo

13. dura, e i figli qualche volta devono dare dei grandi dolori

14. le cartelle dei ragazzi. Io avevo due borsoni: in uno mettevo i vestiti e nell'altro

15. i libri e sotto una pistola carica della quale avrei

16. ai partigiani nelle montagne, perché i tedeschi non guardavano

17. per le quali sarei disposto a dare la vita e non solo

18. ero molto veloce, ero soprannominata

19. fatto uso solo in caso di pericolo. Il mio compito da partigiana era la staffetta e visto che

20. e frequentavo ancora

21. che ti ho dato: ma non potevo fare diversamente. La vita è così, molto

lingua
LINGUA E DIALETTI

1 *Completa il testo con le espressioni della lista. Attenzione: c'è uno spazio in più!*

addirittura · addirittura · anzi · a tale proposito · cioè
come · come · così · in particolare · insomma
man mano · mentre · poiché · pur · secondo

Il tarantismo

_____ la credenza popolare il tarantismo era una malattia causata dal morso della taranta (un piccolo ragno velenoso), che provocava uno stato di malessere generale e che colpiva soprattutto le donne.

Le vittime della taranta cadevano in trance e si muovevano _____ possedute da una forza misteriosa. In realtà il morso era spesso un pretesto per risolvere traumi, frustrazioni e conflitti familiari.

Era _____ un modo in cui le donne, emarginate e sottomesse al potere maschile, manifestavano il loro disagio e il loro desiderio di ribellione. Il fenomeno si manifestava in alcune zone dell'Italia meridionale e _____ nel Salento (Puglia) soprattutto nei mesi estivi durante il periodo della mietitura.

La musica, nel rito terapeutico, era l'elemento più importante: ogni volta che una "tarantata" (_____ una donna morsa dalla taranta) manifestava i sintomi della malattia, si accompagnavano nella sua casa dei musicisti, i quali con tamburelli, violini, organetti ed altri strumenti cominciavano a suonare la pizzica, un ritmo frenetico che _____ aveva lo scopo di far ballare, cantare e sudare la ragazza fino allo sfinimento. Si credeva infatti che, _____ si consumavano le proprie energie nella danza, anche la taranta si consumasse e soffrisse sino ad essere annientata. _____ presentando un carattere molto marcato di leggenda popolare, questo rito può essere in realtà legato anche a una spiegazione strettamente scientifica: il ballo convulso, accelerando il battito cardiaco, favorisce l'eliminazione del veleno e contribuisce ad alleviare il dolore provocato dal morso del ragno e di simili insetti. Il rito ha quindi una vera e propria funzione terapeutica e non solo una valenza pseudoreligiosa o di credenza popolare.

_____, non è da escludere che il ballo venisse utilizzato originariamente come vero e proprio rimedio medico, a cui solo in seguito sono stati aggiunti connotati religiosi ed esoterici.

Il ballo della tarantata si suddivideva di solito in tre fasi: prima la donna si trascinava al suolo e batteva mani e piedi al ritmo della pizzica, muovendosi in modo impudico e disinibito, in alcuni casi arrivando _____ a mostrare le parti intime; quindi si alzava, saltellava e danzava disegnando ampie figure con le braccia, con l'aiuto di un fazzoletto colorato.

Poi il ritmo _____ diminuiva e la tarantata cominciava a barcollare fino a crollare al suolo esausta.

A volte l'esorcismo poteva avvenire _____ nella pubblica piazza, e alla ragazza "pizzicata" si univano spesso altri uomini e donne ad accompagnarne la danza smaniosa.

_____ spesso accade per i rituali a carattere magico e superstizioso, anche a questa tradizione si cercò di dare una "giustificazione" cristiana: _____ si spiega il ruolo di San Paolo, ritenuto il santo protettore di coloro che sono stati "pizzicati" da un animale velenoso, ai quali San Paolo faceva la grazia della guarigione. La scelta del santo non è casuale _____ una tradizione vuole che egli sia sopravvissuto al veleno di un serpente nell'isola di Malta.

Molto famoso _____ era l'esorcismo collettivo che aveva luogo nella cappella di San Paolo a Galatina, durante la festa patronale dei S.S. Pietro e Paolo. Qui convergevano da tutta la Puglia carri carichi di ragazze che si ritenevano possedute e accorrevano ad implorare la grazia al santo.

2 *Completa le citazioni inserendo al posto giusto una delle parole della lista, come nell'esempio.*

alcuni   chiunque   qualche   qualsiasi/qualunque   tutti

Esempio: ▼Rimedi sono peggiori della malattia stessa.
(Publilio Sirio, scrittore)

1. Il disordine dà speranza, l'ordine nessuna.
(Marcello Marchesi, umorista)

2. Alle tre del mattino è sempre troppo presto
o troppo tardi per cosa tu voglia fare.
(Jean Paul Sartre, filosofo)

3. Si nasce tutti pazzi.
Lo restano.
(Samuel Beckett, scrittore)

4. Coloro che vincono, in modo vincano,
non ne riportano mai vergogna.
(Niccolò Machiavelli)

5. Se tu pretendi e ti sforzi di piacere a,
finirà che non piacerai a nessuno.
(Arturo Graf, scrittore)

6. Tutti gli animali sono uguali,
ma sono più uguali degli altri.
(George Orwell, scrittore)

7. Può sbagliare, ma nessuno, se non
è uno sciocco, persevera nell'errore.
(Marco Tullio Cicerone, scrittore)

8. Matrimoni durano pochi mesi, ma non ti illudere:
i più durano una vita.
(Fabio Fazio, umorista)

9. Cosa vada male, c'è sempre
qualcuno che l'aveva detto.
(Arthur Bloch, umorista)

11. Abbia qualcosa che non
usa, è un ladro.
(Mahatma Gandhi, politico)

10. Se vuoi assaporare
la virtù, pecca volta.
(Ugo Ojetti, critico)

3 *Ricostruisci il testo collegando le parti di sinistra (in ordine) con quelle di destra. Inserisci anche gli* **indefiniti** *negli spazi _ _ _ _ _ _ _ e le* **espressioni correlative** *negli spazi _____ , come nell'esempio.*

indefiniti

alcuni - nessuno - nessuno - ogni - ogni - ogni - ogni - ovunque - qualsiasi

espressioni correlative

allo stesso modo - anche - che - ~~dato che~~ - è anche vero che - ma anche - ma quello - né - poiché - quanto piuttosto - sempre di più

(1) "Il contadino che parla il suo dialetto è padrone di tutta la sua realtà". Così scriveva Pier Paolo Pasolini in *Dialetto e poesia popolare*, testo critico del 1951 dedicato alla differenza tra poesia dialettale e poesia popolare. **Certo** non l'unico testo dello scrittore sull'argomento,

(2) Il suo rapporto col dialetto non sarà **né** troppo artificiale

(3) **non solo** col friulano delle poesie giovanili,

(4) **Oltre che** dai dialetti italiani,

(5) E **così come** gli pareva imminente la fine di ogni lingua dei dominati o dei colonizzati,

(6) Pasolini si accostava a _ _ _ _ _ _ _ dialetto come ci si accosta a una lingua straniera; **non tanto** quindi come a un espediente letterario o formale, da sfruttare per aggiungere "colore",

(7) Pertanto vedeva nel dialetto l'ultima sopravvivenza di ciò che ancora è puro e incontaminato. Come tale doveva essere "protetto". Per questo nel 1943, durante la guerra, aprì una scuola per l'insegnamento del friulano accanto alla lingua italiana. Gli alunni apprendevano a scrivere versi **sia** in italiano

(8) A interrompere il progetto intervenne però il Provveditorato di Udine, che chiuse l'istituto vietando il doppio insegnamento. Le lezioni continuarono così in privato. All'interno di un sistema scolastico "purista", come quello italiano, Pasolini sfidava i luoghi comuni, secondo cui il dialetto possono usarlo solo i filologi. Fondò anche una specie di laboratorio linguistico, l'"Academiuta di Lenga Furlana", **e mentre** continuava a registrare gli idiomi locali durante lunghe uscite in bicicletta, curioso di approfondire le sue conoscenze,

(9) In seguito i critici lo attaccheranno per il suo continuo ricorrere - per i contenuti delle poesie, dei romanzi e dei film - agli ambienti del sottoproletariato, considerati "impresentabili" di fronte al consesso internazionale di paesi civili di cui l'Italia aspirava a far parte: il Nord Europa, gli Stati Uniti. **Se è vero che** questo era un metodo seguito anche dai registi neorealisti, come Rossellini e De Sica,

(10) A Roma (1950) Pasolini apprese subito il romanesco della periferia, **non quello** artificiale dei cultori e dei poeti dialettali locali,

(11) La profezia di Pasolini si stava **dunque** lentamente avverando,

(a) _____ in friulano.

(b) Pasolini era attratto _____ dalle lingue e dai dialetti africani e orientali. E accostandosi ad essi ne temeva dolorosamente la fine, anzi la preannunziava. Nei suoi viaggi in Africa e in Oriente lamentava infatti come _ _ _ _ _ _ _ cultura e, in particolare, _ _ _ _ _ _ _ lingua venisse sopraffatta dal modello occidentale.

(c) _____, con l'avvento della televisione, si stava diffondendo _ _ _ _ _ _ _ un italiano omologato e neutro. Ormai l'amato dialetto delle opere giovanili era solo un ricordo.

(d) _____ col romanesco dei romanzi *Ragazzi di vita* e *Una vita violenta* e del film *Accattone*; e restando ancora alla sua produzione cinematografica, col napoletano del *Decameròn* o l'abruzzese del *Vangelo secondo Matteo*.

(e) ***dato che*** Pasolini vi tornerà più volte, tra il 1952 e il 1958.

(f) _____ più genuino degli emigrati meridionali e dei ragazzi di strada. Tuttavia, quando si accorgerà che anche nelle periferie romane _ _ _ _ _ _ _ parlava più il romanesco dei *Ragazzi di vita* e di *Una vita violenta*, abbandonerà il progetto dei romanzi "di borgata" a cui aveva continuato a lavorare fino ai primi anni '60, perfezionando le espressioni gergali, con la "consulenza" dei ragazzi che frequentava.

(g) _____ gli sembrava inevitabile la fine di _ _ _ _ _ _ _ civiltà contadina e artigiana in _ _ _ _ _ _ _ parte del mondo.

(h) _____ con il rispetto che si riserva a una cultura da difendere e salvare dall'aggressione di una barbarie massificata.

(i) _____ si avvicinava alle posizioni del movimento autonomista friulano.

(l) _____ _ _ _ _ _ _ _ lo faceva così "scandalosamente" come lui. In questo, _ _ _ _ _ _ _ scorsero delle affinità con l'opera di Caravaggio, il pittore lombardo che visse a Roma nel '500. E lo stesso Calvino e lo stesso Moravia, che non potevano fare a meno di apprezzarlo per la straordinaria versatilità e per la puntigliosità con cui si sottoponeva al lavoro artistico, erano comunque consapevoli che un abisso li separava.

(m) _____ troppo intellettuale, ma sempre e prima di tutto emotivo:

4 *Ricostruisci le frasi, decidendo l'ordine delle due parti, inserendo al posto giusto la congiunzione **che** e coniugando i verbi all'**indicativo** o al **congiuntivo**. Segui gli esempi.*

Esempio: attraverso il dialetto *(potere)* recuperare le loro radici più autentiche // molti giovani *(essere)* convinti
   Molti giovani **sono** convinti **che** attraverso il dialetto **possono** recuperare le loro radici più autentiche.

Esempio: *(essere)* in molti a pensarlo // il dialetto non *(essere)* solo un fenomeno nostalgico ma un patrimonio
   di ricchezza da non disperdere
   Che il dialetto non **sia** solo un fenomeno nostalgico ma un patrimonio di ricchezza da non disperdere
   sono in molti a pensarlo.

1. il dialetto *(perdere)* la sua vera natura mantenendo solo la forma fonetica e "italianizzando" la sintassi //
   (essere) un rischio reale

2. negli ultimi anni molti studiosi *(scrivere)* // i dialetti in Italia *(stare)* scomparendo, ma questa opinione è
   smentita dalle statistiche, le quali dimostrano come siano ancora usati da circa metà degli italiani

3. *(essere)* un fatto ormai assodato // gli italiani del secolo scorso *(parlare)* dei dialetti che assomigliano poco a
   quelli parlati oggi nelle varie regioni

4. *(essere)* certamente vero // l'avvento della televisione *(portare)* la lingua italiana in tutte le case della Penisola

5. i dialetti *(continuare)* a vivere sfuggendo all'omologazione linguistica e culturale che pervade ogni luogo del
   mondo contemporaneo // *(dovere)* interessare tutti quelli che si battono democraticamente in nome delle
   minoranze e della diversità

6. *(essere)* necessario avere un modello linguistico comune a tutti ovvero una lingua di comunicazione che sia la
   stessa da un capo all'altro della nazione // senza voler nulla togliere all'importanza storica, culturale e
   linguistica dei dialetti, *(bisognare)* dire

5 *Nell'esercizio precedente, in 4 casi era possibile ordinare le due parti in entrambi i modi. Trova le 4 frasi e ordinale in modo diverso rispetto a quanto hai fatto prima, facendo attenzione alla coniugazione dei verbi.*

Andrea De Carlo da "Treno di panna" (1988) | **Primo Levi** da "La tregua" (1963)

Andrea De Carlo
Treno di panna

BOMPIANI

1 *Completa il testo di De Carlo con le parole della lista. Attenzione: i verbi devono essere coniugati.*

assorbirsi · cubicolo · didascaliche · dubitativa · elementare · gettoni · intollerabile · lampeggiare · marcato · riccioluta · scalino · spesse

Madre e figlia che volevano imparare l'italiano per il viaggio erano orribili. La prima volta che le ho viste erano sedute sullo _____ dell'ingresso sul parcheggio; bevevano caffè ricavato da una macchina a _____.
Le loro due figure massicce formavano un unico volume, come una composizione iperrealista.
La madre era grassa e _____, vestita con un paio di calzoni corti e sandali di plastica. Aveva occhi marroni e larghi, che _____ una malizia _____. La figlia sedicenne era anche vestita in calzoni corti, ma le sue gambe _____ erano avviluppate nell'intreccio di stringhe di un paio di sandali alla schiava. In questi sandali appoggiava il piede di piatto, come in un paio di scarpe da tennis. La madre mi ha salutato da seduta, con un'espressione _____; aveva in mano il suo caffè, in un bicchierino di plastica. La figlia invece si è alzata a stringermi la mano. Mi è sembrato che avesse un difetto di pronuncia piuttosto _____, che le faceva strascicare le esse e inceppare le ti. Quando ha aperto la bocca meglio ho visto che portava invece un apparecchio per raddrizzare i denti.
Ho condotto madre e figlia nel _____ che ci avevano assegnato. Ho chiuso la porta; ci siamo seduti ai tre lati di un minuscolo tavolino. Per terra c'era la moquette rossa da motel di terza categoria. Alle pareti erano appese illustrazioni _____, che forse dovevano fornire spunti di conversazione agli insegnanti. Il caldo della giornata _____ nell'edificio piatto e largo della scuola; si condensava nei cubicoli fino a diventare soffocante. Il caldo e la mancanza di spazio mi rendevano quasi _____ la vicinanza di madre e figlia.

2 *Completa la descrizione della lezione con i verbi al **passato prossimo** o all'**imperfetto**.*

(Io - Mettersi) _____ a indicare i pochi oggetti nella stanza; *(scandire)* _____ i nomi in italiano. Madre e figlia *(rispondere)* _____ meccanicamente: all'erta tutte e due a non sbagliare una parola. *(Sforzarsi)* _____ di ripetere i suoni, prima di capirne il significato. *(Arrotare)* _____ la lingua, la *(strusciare)* _____ sulle pareti delle guance, *(soffiare)* _____ aria attraverso le labbra. Niente *(riuscire)* _____ a produrre crepe di interesse nelle loro espressioni. Mi *(guardare)* _____ e *(guardarsi)* _____ tra loro, come a mettere ogni volta in discussione l'autenticità di quello che avevo detto. Madre e figlia non *(tollerare)* _____ di perdere più di qualche minuto su una singola spiegazione; *(cercare)* _____ tutto il tempo di sospingermi avanti. In un'ora e mezza *(esaurire)* _____ tutti i nomi di oggetti che mi *(venire)* _____ in mente. *(Cominciare)* _____ a costruire frasi elementari. Loro *(ripetere)* _____ le frasi e mi *(guatare)* _____, come una coppia di ottusi animali da preda. Anche se ciascuno di noi (essere) _____ seduto a uno dei tre lati liberi del tavolino, *(essere)* _____ straordinario come madre e figlia *(riuscire)* _____ a riformare la loro composizione. *(Spalleggiarsi)* _____ e *(farsi)* _____ forza l'una con l'altra; mi *(fissare)* _____ in una sola direzione, per vedere se qualche volta *(essere)* _____ io a sbagliare.

3 *Leggi l'intervista a Andrea De Carlo e rimetti al giusto posto le domande.*

1. Come le sembra l'Italia d'oggi?

2. Si rende conto che lo dice nell'anno zero dell'era digitale in Europa, alla vigilia della Fiera di Francoforte dove sta per presentare il suo libro?

3. Ha scritto nuovamente una storia d'amore travolgente, stavolta a capitoli alterni - uno dal punto di vista di lei, l'altro di lui. E Facebook è una bestia nera anche del suo protagonista, lo scrittore in crisi Daniel Deserti che va a sbattere (da principio alla lettera, in tangenziale) contro la trentenne Claire.

Il nuovo De Carlo: "L'amore dei trentenni bambini"

Maurizio Bono

Andrea De Carlo, 58 anni portati come 15 di meno, torna con il suo sedicesimo titolo in tre decenni (l'esordio *Treno di Panna* l'aveva scelto Calvino quando lavorava all'Einaudi nel 1981), e lui che era stato tra i primi giovani scrittori italiani a flirtare col cinema (aiuto regista per Fellini, sceneggiatore per Antonioni), con la musica (due balletti scritti con Ludovico Einaudi, due cd in proprio) e la fotografia, ora sta dall'altra parte della barricata: «Da sempre mi interessano anche gli altri linguaggi, ma proprio per questo non mi piace l'idea di far diventare i libri un'altra cosa. La forma del romanzo è perfetta a parole».

_____ «Altroché. Questo e-book ha effetti strani. Alcuni editori e scrittori ci si buttano, altri lo rimuovono dicendosi che all'oggetto libro non si rinuncerà mai.

> «Da sempre mi interessano anche gli altri linguaggi, ma proprio per questo non mi piace l'idea di far diventare i libri un'altra cosa. La forma del romanzo è perfetta a parole»

Io non ne sarei affatto sicuro, se penso a cos'è successo nella musica prima coi cd e poi con i file scaricabili. Ma il punto è che con gli mp3 non abbiamo mica smesso di ascoltare la musica, ci siamo solo scordati dei dischi. Allo stesso modo, quando leggi una storia, all'oggetto che hai in mano non ci pensi più. E se la storia ti prende, ti dimentichi perfino chi sei, figuriamoci del supporto. Altra cosa, molto peggio, è se cambiano i contenuti, se l'autore viene trascinato in una direzione che non è sua per star dietro all'onnipotenza della rete o di Facebook».

_____ «Sì, Lui è addirittura un estremista tecnofobo, io non sono così. Per esempio non mi dà affatto fastidio un "fan site" su Facebook dove so che un amico sta mettendo frasi sparse da Leielui, e tengo un sito ufficiale. Deserti invece l'ho immaginato addirittura vicino all'autodistruzione, disgustato di se stesso e del proprio mestiere. E Claire come una trentenne d'oggi. Il mio sforzo è stato assumere anche il punto di vista di lei».

_____ «Certo è cambiata parecchio, ma non come avrei desiderato. Ho sperato a lungo che si evolvesse in un paese più libero dai lacci che la strangolano, e anche da una politica che si è deteriorata in modo desolante, tanto da non riuscire a immaginare un'alternativa vera».

da la Repubblica

4 *Nel brano qui sotto di Primo Levi ci sono 14 parole __sottolineate__. Copia nella colonna **A1** i sostantivi e nella colonna **B1** gli aggettivi. Poi scrivi per ciascuna parola il verbo da cui deriva, come nell'esempio.*

In una radura del bosco, a metà distanza fra il villaggio e il campo, era il bagno pubblico, che non manca in alcun villaggio russo, e che a Staryje Doroghi funzionava a giorni __alterni__ per i russi e per noi. Era un capannone di legno, con dentro due lunghe panche di pietra, e __sparse__ ovunque tinozze di zinco di varia misura. Alla parete, rubinetti con acqua fredda e calda a volontà. Non era a __volontà__, invece, il sapone, che veniva distribuito con molta parsimonia nello spogliatoio. Il funzionario addetto alla __distribuzione__ del sapone era Irina.

Stava a un tavolino con sopra un panetto di sapone grigiastro e puzzolente, e teneva in mano un coltello. Ci si spogliava, si affidavano gli abiti alla disinfezione, e ci si metteva in fila completamente nudi davanti al tavolo di Irina. In queste sue mansioni di pubblico ufficiale, la ragazza era serissima e incorruttibile: colla fronte __aggrottata__ per l'attenzione e la lingua infantilmente __stretta__ fra i denti, tagliava una fettina di sapone per ogni __aspirante__ al bagno: un po' più sottile per i magri, un po' più spessa per i grassi, non so se a ciò __comandata__, o se __mossa__ da una inconscia __esigenza__ di giustizia distributiva. Neppure un muscolo del suo viso trasaliva alle impertinenze dei clienti più sguaiati.

Dopo il bagno, bisognava ricuperare i propri abiti nella camera di __disinfezione__: e questa era un'altra bella __sorpresa__ del regime di Staryje Doroghi. La camera era scaldata a 120°: quando ci dissero per la prima volta che occorreva entrarvi personalmente a ritirare i panni, ci guardammo perplessi: i russi sono fatti di bronzo, lo avevamo visto in più occasioni, ma noi no, e saremmo andati arrosto. Poi qualcuno provò, e si vide che l'impresa non era terribile come sembrava, purché si adottassero le seguenti precauzioni: entrare ben __bagnati__; sapere già in __precedenza__ il numero del proprio attaccapanni; prendere fiato abbondante prima di passare la porta; e soprattutto fare in fretta.

A1	A2		B1	B2
Sostantivo	Verbo		Aggettivo	Verbo
volontà	*volere*			

5 *Sostituisci gli elementi come indicato e riscrivi il testo qui sotto.*

Il funzionario addetto alla distribuzione del sapone era Irina.
Stava a un tavolino con sopra un panetto di sapone grigiastro e puzzolente, e teneva in mano un coltello. Ci si spogliava, si affidavano gli abiti alla disinfezione, e ci si metteva in fila completamente nudi davanti al tavolo di Irina. In queste sue mansioni di pubblico ufficiale, la ragazza era serissima e incorruttibile: colla fronte aggrottata per l'attenzione e la lingua infantilmente stretta fra i denti, tagliava una fettina di sapone per ogni aspirante al bagno: un po' più sottile per i magri, un po' più spessa per i grassi.

> Irina → io;
> *impersonale* → i prigionieri

Il funzionario addetto alla distribuzione del sapone *ero io* .

_____un coltello.

I prigionieri si _____

_____

_____

_____

_____

_____

_____: un po' più sottile per i magri, un po' più spessa per i grassi.

6 *Completa la prima risposta dell'intervista a Primo Levi con i **pronomi** (anche combinati), la seconda con le **parole** che ti sembrano più pertinenti.*

Mi ha colpito il suo desiderio di rendere testimonianza sulla tragica esperienza nel lager: quando è nato questo desiderio?

Questo desiderio, del resto comune a molti, _____ è nato nel lager. Volevamo sopravvivere anche e soprattutto per raccontare ciò che avevamo visto: questo era un discorso comune, nei pochi momenti di tregua che _____ erano concessi. Del resto è un desiderio umano: _____ non troverà mai un reduce che non racconti. (No, _____ correggo, _____ sono alcuni che non raccontano; _____ sono alcuni che sono stati feriti talmente a fondo che hanno censurato il loro passato, _____ hanno sepolto per non sentir_____ più addosso). In primo luogo c'è il bisogno di scaricar_____, di buttare fuori quello che _____ ha dentro. Poi _____ sono anche altri motivi... c'è forse anche il desiderio di far_____ valere, di far sapere che siamo sopravvissuti a certe prove, che siamo stati più fortunati, o più abili, o più forti.

Quella carica di ribellione che sta alla radice dei primi due libri si è attenuata con gli anni oppure no?

Io contesto "quella carica di ribellione": di indignazione sì; di ribellione purtroppo _____ perché non c'era modo, almeno per _____ era al mio livello.[…] L'indignazione sì persiste, _____ diciamo che si è ramificata. Sarebbe stupido oggi continuare a vedere il _____ solo lì, solo il nazista, anche se a mio _____ è ancora il principale. Però il mondo di _____ è molto più articolato che non quello di una _____. Non erano bei tempi quelli in cui io ero giovane, però avevano il grande _____ che erano netti; l'alternativa amico/nemico era molto netta e la scelta non era difficile. Oggi lo è molto di _____. Perciò anche l'indignazione persiste, ma è... erga omnes. Verso molti, non più verso "quelli".

Test

1 *Completa l'intervista all'architetto Renzo Piano inserendo le domande negli spazi* ...., *le parole della lista negli spazi* _ _ _ _ _, *i* **pronomi** *e le* **particelle pronominali** *negli spazi* ____.

<table>
<tr><td colspan="2">Domande</td></tr>
<tr><td>a. Come comincia il restauro al Ponte Lambro?</td></tr>
<tr><td>b. E i giovani?</td></tr>
<tr><td>c. Che cosa c'entra il Muro di Berlino?</td></tr>
<tr><td>d. Portierato Sociale?</td></tr>
<tr><td>e. Senta, secondo Lei qualche volta abbattere è giusto?</td></tr>
<tr><td>f. E se qualcuno sostenesse che questa è una linea troppo debole?</td></tr>
</table>

spazio   se   tabula rasa   lontano   magari   nel senso

 a   almeno   anche   come   così   dell'idea di   dove   gli abitanti   quanto

Intervista a Renzo Piano: "Vorrei periferie felici."

Elisabetta Rosaspina

1. Renzo Piano non concede possibilità alla demolizione. _ _ _ _ _ *non credesse davvero che non esistono quartieri irrecuperabili, non* ____ *sarebbe buttato tre anni fa nell'avventura del Ponte Lambro che,* _ _ _ _ _ *a cattiva reputazione, ha pochi rivali a Milano.*

Perché? Il Ponte Lambro non è un mostro. Non bisogna distrugger____, bisogna trasformar____. Pensare di rimediare facendo _ _ _ _ _ è uno sbaglio grossolano.

2. ....
Riportando la vita. E la vita non è soltanto dormire e consumare. La vita è produrre. Dunque porteremo attività produttive, laboratori, terziario, artigianato. Vado spesso nel quartiere e ____ piace discutere con _ _ _ _ _ di tutto, anche di orti comuni e del progetto Portierato Sociale.

3. ....
Sì, è un'idea rubata agli inglesi. ____ abbiamo discusso _ _ _ _ _ lungo. Funziona così: ____ uniscono alcuni appartamenti piccoli per far____ uno grande _ _ _ _ _ possono vivere insieme otto o nove anziani assistiti. Ognuno ha la sua stanza, nessuno è solo o abbandonato. Se hai bisogno di qualcosa ____ ____ portano, se devi andare in ospedale per fare una visita medica ____ ____ accompagnano.

4. ....
Arriveranno. Già arrivano. Non è vero che tutti vogliono fuggire dal Ponte Lambro. Occorre portare il lavoro, la vita attiva. ____ ____ porteremo mescolando le funzioni, le classi sociali, le differenti etnie. Facendo _ _ _ _ _ agli interventi privati. Penso a piccoli laboratori, uffici, officine, stamperie. Per fare tutto questo non c'è bisogno di demolire, bastano interventi di microchirurgia. È un processo molto più lento. _ _ _ _ _ fosse stato così anche per il Muro di Berlino.

5. ....
I tedeschi ____ ____ sono liberati in tre mesi. L'hanno fatto a pezzi e venduto _ _ _ _ _ souvenir da tavolo. Io ____ avrei salvato _ _ _ _ _ qualche tratto. La demolizione è punitiva. Non è prendendo a calci i palazzi che ____ risolvono i problemi degli uomini.

6. ....
Il mio atteggiamento è in realtà molto più forte e concreto _ _ _ _ _ risolvere tutto con il piccone. Le periferie sono la grande scommessa urbana del prossimo decennio. Diventeranno o no urbane, _ _ _ _ _ anche di civili? Se non ____ diventeranno, la periferia imbarbarita ucciderà la città.
Bisogna saper riconoscere che cosa non è un inferno _ _ _ _ _ nella peggiore città e dar____ più spazio. La città giusta è quella in cui ____ dorme, ____ lavora, ____ ____ diverte, ____ compra. È la mescolanza di funzioni che rende la città giusta e non malata.
Se si devono costruire nuovi ospedali, meglio far____ in periferia, e _ _ _ _ _ per le sale da concerto, i teatri. Andiamo a fecondare questa periferia, questo grande deserto affettivo.

7. ....
In rari casi: per ragioni igieniche, ambientali o sismiche. La cultura è spesso in periferia. Sono fiero di avere costruito il nuovo auditorium di Roma _ _ _ _ _ dal centro. Perché se la periferia non diventa città, diventerà barbarie. *da www.corriere.it*

▶ **Ogni domanda inserita al posto giusto vale 1 punto** **Tot:** **/6**

▶ **Ogni parola inserita al posto giusto e ogni pronome corretto vale ¹/₂ punto** **Tot:** **/20**

2 *Completa il testo con i verbi alla* **forma passiva**, *coniugati al tempo appropriato dell'indicativo.*
Nel testo sono stati eliminati 11 **che** *e 1* **ciò che**. *Inseriscili al posto giusto.*

Un'emancipazione apparente

Concetta Melchiorre

Nonostante i cambiamenti apparenti dell'immagine femminile nelle pubblicità, le donne (*considerare*) _____ vincenti solo quando scimmiottano gli uomini e se il loro modo di agire rimane fondamentalmente funzionale all'ordine costituito.
Negli anni Sessanta del secolo scorso le pubblicità televisive e quelle pubblicate sulle riviste femminili tendevano ad uniformare gli aspetti cruciali della donna tradizionale, cioè quelli legati alla cura della casa e della propria persona. Le donne (*rappresentare*) _____ o come casalinghe soddisfatte cucinavano, lucidavano i pavimenti o pulivano il bagno usando miracolosi prodotti facilitavano di molto le faccende domestiche, oppure come giovani attraenti che si prendevano scrupolosamente cura del proprio corpo usando cosmetici e vestendo abiti firmati.

Attualmente la condizione delle donne italiane sembra migliorata con il loro massiccio ingresso nel mondo del lavoro e in quello della cultura e con i diritti civili che (*conquistare*) _____ con le battaglie. Nonostante ciò nulla sembra cambiato nell'immagine della donna oggi ci offrono le pubblicità.
Ai due tipi di donna ho descritto prima se ne è aggiunto un altro: quello della donna "impegnata", economicamente indipendente, aggressiva, autonoma nelle sue scelte. Queste istantanee di vita quotidiana femminile oggi ci (*proporre*) _____ mostrano ancora

una volta l'immagine di una società fortemente sessista ha la pretesa di dire alle donne devono o non devono fare: queste ultime devono essere allo stesso tempo sicure di sé e amabili con i loro uomini e i loro figli; devono essere contemporaneamente impegnate sul fronte del lavoro e su quello casalingo con un notevole dispendio di energie e con un elevato tasso di stress.
L'immagine di donna se ne ricava è quella di un'apparente emancipazione però nella realtà non mette in discussione lo *status quo* di un mondo sempre profondamente sessista. Un mondo di maschi impegnati quasi esclusivamente nell'ambito lavorativo e di donne si sobbarcano quasi tutte le fatiche della loro professione e della famiglia.
Le immagini femminili ci (*mostrare*) _____ sono quelle o di donne felici di essere mogli e madri o di donne se vogliono realizzarsi fuori dall'ambiente familiare, devono diventare a "immagine" del maschio. Da qui deriva l'aspetto aggressivo, spavaldo, "virile" delle tante donne mostrate dalla pubblicità.

da *www.womenews.net*

▶ **Ogni verbo corretto e ogni *che/ciò che* inserito al posto giusto vale 1 punto** | **Tot:** | **/17**

---

3 *Ricostruisci con le parole della lista la frase pronunciata dall'architetto Cini Boeri.*

▲ Cini Boeri

architetto   chi   come   preso   cominciare   da   dice:

ho   una

Mi fa imbestialire la ghettizzazione in genere. A _____

_____ *donna.*

▶ **La ricostruzione esatta della frase vale 5 punti** | **Tot:** | **/5**

4 *Completa i testi coniugando i verbi al modo e tempo opportuni.*

24 anni - Storia spregiudicata di un uomo fortunato

Pier Paolo PASOLINI (1 luglio 1959)

Di *Una vita violenta* mi aveva colpito come Pasolini *(riuscire)* _____ a raccontare le borgate romane dopo essere stato tanto intriso del Friuli. Dal dialetto friulano al gergo romanesco. Gli ho chiesto come *(potere)* _____ immedesimarsi in due realtà tanto diverse e quali *(essere)* _____ le sue vere radici. La mia domanda prima lo ha divertito poi lo ha intristito. Mi ha spiegato con dialettica convincente tra paradosso e ragione che riteneva che nessuno di noi *(avere)* _____ radici. Pensava che quello delle radici *(essere)* _____ un luogo comune: "Le radici le germiniamo di giorno in giorno. Chi vive e non vegeta le getta rigogliose, chi non ama la vita le dissecca sul nascere. Io non mi sento radicato in nessun luogo, né a Bologna dove *(nascere)* _____, né in Friuli dove *(conoscere)* _____ giorni chiari e altri scuri, né a Roma dove ora *(vivere)* _____. Mi affianco alle persone sapendo già che non sono legami eterni: cerco di serbare fedeltà all'intelligenza, questo conta per capire, per giudicare, per non essere sconfitto dalle illusioni".

Michelangelo ANTONIONI (12 ottobre 1960)

Ieri sera *(andare)* _____ con Antonioni a vedere *L'avventura*. Persino il suo volto è misterioso nei segni, nelle rughe sulla fronte. Negli occhi vaga una malinconia inspiegata. È voluto *(andare)* _____ a vedere il film di pomeriggio per accompagnarmi poi a cena al ristorante di Piazza del Popolo. *L'avventura* è un film di una intensità straordinaria. Sta appeso a un esile filo di trama, eppure non riesci a distrarti. Ti precipita nel suo buio.

Ermanno OLMI (11 settembre 1961)

Ho conosciuto un altro regista, forse ancor più timido di Pasolini e anche lui al primo esperimento di lungometraggio: Ermanno Olmi. Mi *(invitare)* _____ a vedere il suo film *Il posto*. Dopo il film, prima che *(potere)* _____ dirgli quel che ne pensavo, Olmi mi *(anticipare)* _____: "Non ritengo di aver fatto un film, non ho inventato nulla, ho voluto soltanto raccontare un fatto della vita quotidiana senza attori, con gente incontrata per strada."
Penso che *(fare)* _____ una cosa molto vera ed importante. Mi sembra che nel film *(esserci)* _____ l'innocenza che rompe con i troppi intellettualismi e la sua verità interpreta l'ansia della vita di chi deve camminare soltanto con le sue gambe e resistere con il suo coraggio.

Francesco ROSI (20 febbraio 1963)

Ieri sera a cena Francesco Rosi non ha voluto altri al nostro tavolo, voleva che *(parlare)* _____ a tu per tu. Il suo volto sempre serio *(essere)* _____ più teso del solito. Si trattava del nuovo film che stava preparando. Era un film di denuncia contro la vergogna degli abusi edilizi, il titolo che avrebbe voluto dargli era *Le mani sulla città*. Rosi non *(distrarsi)* _____ un istante né *(preoccuparsi)* _____ delle mie osservazioni quando gli ho detto che così, come mi *(esporre)* _____ la trama, temevo *(essere)* _____ poco spettacolare. (…) Rosi era convinto che *(arrivare)* _____ il momento di parlar chiaro rinunciando anche allo spettacolare e che la forza dei fatti *(dovere)* _____ riuscire a tenere avvinti gli spettatori. (…) Poi *(avanzare)* _____ una proposta che mi intrigava personalmente e mi ha fatto trasalire. Per dare più veridicità alle testimonianze voleva che il film *(interpretare)* _____ da autentici protagonisti della lotta politica. Mi ha chiesto in sostanza di fare l'attore con una parte di rilievo assieme ad altri politici.

da Davide Lajolo, *24 anni - Storia spregiudicata di un uomo fortunato*, Rizzoli, 1981

▶ **Ogni forma corretta vale 1 punto**　　　　　　　　　　　　　　　　　**Tot:**　　/25

5 *Riscrivi il testo trasformando il discorso diretto in **discorso indiretto**, come negli esempi.*

Quando la piazza fu vuota, vuoto era anche l'autobus; solo l'autista e il bigliettaio restavano.

"E che" domandò il maresciallo all'autista "non viaggiava nessuno oggi?"

"Qualcuno c'era" rispose l'autista con faccia smemorata.

"Qualcuno" disse il maresciallo "vuol dire quattro cinque sei persone. Io non ho mai visto quest'autobus partire che ci fosse un solo posto vuoto".

"Non so" disse l'autista, tutto spremuto nello sforzo di ricordare "non so: qualcuno, dico, così per dire; certo non erano cinque o sei, erano di più, forse l'autobus era pieno… Io non guardo mai la gente che c'è: mi infilo al mio posto e via… Solo la strada guardo, mi pagano per guardare la strada".

Il maresciallo si passò sulla faccia una mano stirata dai nervi.

"Ho capito" disse "tu guardi solo la strada; ma tu …" e si voltò inferocito verso il bigliettaio "Tu stacchi i biglietti, prendi i soldi, dai il resto: conti le persone e le guardi in faccia… E se non vuoi che te ne faccia ricordare in camera di sicurezza, devi dirmi subito chi c'era sull'autobus, almeno dieci nomi devi dirmeli… Da tre anni che fai questa linea, da tre anni ti vedo ogni sera al caffè Italia: il paese lo conosci meglio di me…"

"Meglio di lei il paese non può conoscerlo nessuno" disse il bigliettaio sorridendo, come a schernirsi da un complimento.

"E va bene" disse il maresciallo sogghignando "prima io e poi tu: va bene… Ma io sull'autobus non c'ero, ché ricorderei uno per uno i viaggiatori che c'erano: dunque tocca a te, almeno dieci devi nominarmeli." (…)

Dieci minuti dopo il maresciallo aveva davanti il venditore di panelle: la faccia di un uomo sorpreso nel sonno più innocente.

"Dunque," disse con paterna dolcezza il maresciallo "tu stamattina, come al solito, sei venuto a vendere panelle qui: il primo autobus per Palermo, come al solito…".

"Ho la licenza" disse il panellaro.

"Lo so" disse il maresciallo alzando al cielo occhi che invocavano pazienza, "lo so e non me ne importa della licenza; voglio sapere una cosa sola, me la dici e ti lascio subito andare a vendere panelle ai ragazzi: chi ha sparato?".

"Perché," domandò il panellaro meravigliato e curioso "hanno sparato?".

da Leonardo Sciascia, Il giorno della civetta, Einaudi, 1961

Quando la piazza fu vuota, vuoto era anche l'autobus; solo l'autista e il bigliettaio restavano.

Il maresciallo domandò all'autista se *quel giorno* non viaggiasse *nessuno*. L'autista con faccia smemorata rispose che qualcuno _ _ _ _ _ _. Il maresciallo disse che qualcuno voleva dire quattro cinque sei persone e che _ _ _ _ _ _ _ _ _ _ _ non _ _ _ _ _ _ _ _ _ _ _ _ _ _ _ _ _ autobus partire che ci fosse un solo posto vuoto. L'autista tutto spremuto nello sforzo di ricordare, disse che non sapeva, non sapeva, diceva qualcuno così per dire, certo non erano cinque o sei, erano di più, forse l'autobus era pieno. Disse che _ _ _ _ _ _ _ _ _ _ _ non _ _ _ _ _ _ mai la gente che c'era: _ _ _ _ _ _ al _ _ _ _ _ _ _ _ _ _ _ posto e via… Disse che guardava solo la strada e che _ _ _ _ _ _ _ _ _ _ _ _ _ _ _ _ _ per guardare la strada.

Il maresciallo si passò sulla faccia una mano stirata dai nervi. Disse che _ _ _ _ _ _ che l'autista _ _ _ _ _ _ solo la strada, ma che lui, e si voltò inferocito verso il bigliettaio, lui _ _ _ _ _ _ i biglietti, _ _ _ _ _ _ i soldi, dava il resto: contava le persone e le guardava in faccia… disse che se non _ _ _ _ _ _ che gliene facesse ricordare in camera di sicurezza, _ _ _ _ _ _ _ _ _ _ _ _ _ subito chi c'era sull'autobus, almeno dieci nomi doveva _ _ _ _ _ _ _ _ _ _ _… (disse che) da tre anni _ _ _ _ _ _ quella linea, da tre anni _ _ _ _ _ _ _ _ _ _ _ vedeva ogni sera al caffè Italia e che il paese _ _ _ _ _ _ _ _ _ _ _ conosceva meglio di _ _ _ _ _ _ _ _ _ _ _.

Il bigliettaio sorridendo, come a schernirsi da un complimento, disse che meglio del maresciallo il paese non poteva conoscerlo nessuno. Il maresciallo sogghignando disse che andava bene, prima lui e poi il bigliettaio. Ma poi aggiunse che _ _ _ _ _ _ _ _ _ _ _ sull'autobus non _ _ _ _ _ _, ché _ _ _ _ _ _ uno per uno i viaggiatori che c'erano, dunque _ _ _ _ _ _ a _ _ _ _ _ _ _ _ _ _ _, doveva _ _ _ _ _ _ _ _ _ _ _ almeno dieci. (…)

Dieci minuti dopo il maresciallo aveva davanti il venditore di panelle: la faccia di un uomo sorpreso nel sonno più innocente.

Il maresciallo disse con paterna dolcezza che il panellaro _ _ _ _ _ _ _ _ _ _ _ mattina, come al solito, _ _ _ _ _ _ a vendere panelle _ _ _ _ _ _ _ _ _ _ _: il primo autobus per Palermo, come al solito.

Il panellaro disse che _ _ _ _ _ _ la licenza.

Il maresciallo alzò al cielo gli occhi che invocavano pazienza e disse che lo sapeva, lo sapeva e che non _ _ _ _ _ _ _ _ _ _ _ importava della licenza, ma che _ _ _ _ _ _ sapere una cosa sola e che se _ _ _ _ _ _ _ _ _ _ _ diceva l'avrebbe lasciato subito andare a vendere panelle ai ragazzi. _ _ _ _ _ _ sapere chi avesse sparato.

Il panellaro meravigliato e curioso domandò se _ _ _ _ _ _.

▶ **Ogni forma corretta sulle righe** _____ **vale 1 punto** — **Tot:** /17

▶ **Ogni forma corretta sulle righe** _ _ _ _ _ **vale ½ punto** — **Tot:** /10

Totale test: /100

Lo so fare?	Le mie competenze	Non lo sapevo!	Le mie scoperte

Lo so fare?

Dopo queste lezioni sono in grado di:

- riferire le parole o il pensiero di qualcun altro ☐ ☐ ☐
- capire trasmissioni radiofoniche o televisive su argomenti di attualità ☐ ☐ ☐
- discutere dei vantaggi e degli svantaggi di fenomeni sociali ☐ ☐ ☐
- scrivere un breve saggio ☐ ☐ ☐
- utilizzare strutture e forme tipiche della lingua parlata ☐ ☐ ☐
- selezionare articoli di stampa per una ricerca su un tema specifico ☐ ☐ ☐
- leggere testi narrativi contemporanei ☐ ☐ ☐
- riconoscere e capire usi, costumi e problematiche dell'Italia contemporanea ☐ ☐ ☐
- riconoscere offese e imprecazioni ☐ ☐ ☐

Non lo sapevo!

Pensa a quello che hai appreso in queste lezioni e annota…

- 10 parole o espressioni che non conoscevi e che ti sono rimaste impresse:
  _____
  _____
  _____
- una cosa particolarmente difficile:
  _____
  _____
- una curiosità linguistica (qualcosa che non sapevi o che ha rimesso in discussione quello che credevi di sapere):
  _____
  _____
- una curiosità culturale sull'Italia e gli italiani:
  _____
  _____
  _____

Che faccio se…?

Il mio profilo come studente e le mie strategie di apprendimento

1) Rispondi al questionario mettendo una X nella casella che descrive meglio le tue abitudini.
Non esistono risposte giuste o sbagliate, l'importante è rispondere con sincerità!

Quando guardo un film in italiano:	1. preferisco:		2. mi concentro soprattutto:		3. preferisco:	
	a. stare da solo/a per concentrarmi meglio	**b.** stare in compagnia e discuterne dopo	**a.** sulle immagini (gesti, movimenti, ecc.)	**b.** sui dialoghi	**a.** capire la storia per grandi linee; non mi scoraggio se è troppo difficile	**b.** capire bene tutti i dialoghi e se è troppo difficile interrompo la visione
PROFILO						

2) Ora associa i seguenti profili alle risposte del questionario. Poi rifletti sul tuo stile di apprendimento e la tua personalità.

(U) Uditivo: impari facilmente ascoltando conversazioni; ti concentri sulla pronuncia e l'intonazione.
(C) Cinestetico: ti coinvolge ciò che implica movimento fisico, tuo o altrui; la gestualità è importante per te.
(I) Introverso: valuti in modo autonomo e senza bisogno di istruzioni cosa sia più vantaggioso per te.
(E) Estroverso: prediligi il lavoro in gruppo e il confronto con gli altri studenti o con l'insegnante.
(G) Globale: non ti soffermi sul significato preciso delle parole; preferisci cogliere il senso generale di un testo.
(A) Analitico: analizzi sistematicamente la lingua studiata, soffermandoti su singole parole e regole grammaticali.

Soluzioni: 1)a/I, 1)b/E, 2)a/C, 2)b/U, 3)a/G, 3)b/A

test 2

AUTOVALUTAZIONE

1 *Completa il testo inserendo, dove è necessario, gli **articoli determinativi** o **indeterminativi** negli spazi _____. Attenzione: a volte bisogna cambiare le preposizioni semplici in articolate. Dal testo sono state estratte 4 frasi, nella lista seguente. Inseriscile al posto giusto negli spazi ___.*

1. in quelle che riescono a raggiungere le pagine delle riviste patinate
2. poca privacy, troppi rumori e spazio troppo esiguo
3. devono trovare soluzioni quasi agli stessi problemi
4. nello speciale dedicato alle trasformazioni degli uffici
5. quei colori grigi, quel biancore neutro e inoffensivo, quella specie di limbo

In ufficio come allo zoo

Federico Pace

_____ uffici, come sottolinea _____ recente indagine pubblicata su _____ prestigiosa *Harvard Business Review*, sono qualcosa di più di _____ semplice scrivania. Essi devono soddisfare _____ esigenze di _____ attività produttive e di _____ relazioni sociali. Ma svolgono anche _____ funzione simbolica, in cui si afferma _____ personalità e _____ identità di ciascuno.

Su *Business Week*, ___, Judith Heerwagen, studiosa di comportamenti umani e animali e di design, ha sottolineato come _____ designer degli uffici siano simili a quelli che si occupano di zoo.

Perché ___. Impiegati e specie animali,

argomenta Heerwagen, sono chiusi in _____ luoghi artificiali e lì sono chiamati a condurre _____ proprie attività quotidiane. A loro, _____ *designer* devono offrire _____ ambiente il più possibile naturale.

Con _____ differenza, secondo Heerwagen, che chi crea _____ luoghi di lavoro non è ancora riuscito a rispettare a pieno esigenze e dignità dei lavoratori.

Se in _____ zoo, dice Heerwagen, ci sono stati dei diffusi cambiamenti che hanno reso _____ spazi più vicini ad un habitat naturale, _____ posti di lavoro, nel complesso, sono ancora _____ luoghi vissuti con _____ disagio.

Ma quali sono _____ problemi ancora irrisolti? Soprattutto l'assenza di _____ spazi con _____ poco di _____ privacy. Spesso negli *open space* ci si ritrova costretti a parlare a _____ telefono anche quando si ha bisogno di _____ poco di riservatezza. Poi c'è _____ rumore di _____ tante chiacchiere dei colleghi che stanno sempre un po' troppo vicini.

E poi l'assenza di _____ stimoli, anche visivi e tattili. Ci sono ___. Per queste pro-

blematiche, Heerwagen offre anche _____ soluzioni concrete. Tra queste, per quanto riguarda _____ privacy, _____ studiosa suggerisce di creare delle aree dove ciascun dipendente possa fare _____ telefonate private in _____ maniera riservata.

Ovviamente _____ spazio dovrebbe essere piacevole e restituire _____ idea di riposo e anche la luce e la temperatura dovrebbero poter essere controllate agevolmente.

Per evitare di dover sopportare _____ chiacchiere di _____ colleghi, a ciascuno dovrebbe essere data _____ possibilità di muovere agevolmente il proprio pc mobile in altri spazi. E _____ lavoratori, inoltre, dovrebbero poter personalizzare _____ proprio spazio, non solo con _____ immagini o piante, ma anche scegliendo _____ colori della scrivania o della sedia.

Questo e _____ altro, ovviamente dovrebbe accadere non solo in quegli uffici delle aziende modello, ___, questo dovrebbe accadere anche qui. Dovrebbe accadere anche in _____ uffici in cui entriamo tutti _____ giorni.

da http://miojob.repubblica.it

▶**Ogni frase inserita correttamente vale 1 punto** | **Tot:** | **/4**

▶**Ogni scelta corretta nell'uso degli articoli vale ¹/₂ punto** | **Tot:** | **/24**

2 *Completa l'intervista a Dario Fo inserendo le domande negli spazi ...., le parole della lista negli spazi _ _ _ _ _ _ e i verbi (coniugati al modo e al tempo opportuno) negli spazi _____. Attenzione: con alcuni verbi devi utilizzare la costruzione* **fare** *+ infinito.*

Domande

a) *Quale consigli dare ai nuovi talenti della satira?*
b) *Fino a che punto può arrivare la satira?*
c) *Dario, cos'è la satira?*
d) *Quindi la satira può agire anche sulla Storia, in qualche modo?*
e) *Quindi, in realtà, il buon gusto non è un criterio per giudicare la satira?*

addirittura   addirittura   anzi   nessuna   niente   non   non   non   non

Intervista a Dario Fo - Che cos'è la Satira?

Daniele Luttazzi

1. .... Posso dire che è un aspetto libero, assoluto, del teatro. Cioè quando si sente dire, per esempio: "è meglio mettere delle regole, delle forme limitative a certe battute, a certe situazioni", allora mi ricordo una battuta di un grandissimo uomo di teatro il quale diceva: "Prima regola: nella satira _ _ _ _ _ _ _ _ ci sono regole". E questo penso *(essere)* _____ fondamentale. Per di più ti dirò che la satira è un'espressione che è nata proprio in conseguenza di pressioni, di dolore, di prevaricazione, cioè è un momento di rifiuto di certe regole, di certi atteggiamenti.

2. .... Ci sono dei limiti che realizza l'attore. Ma _ _ _ _ _ _ _ per frenare, o per pudori e via dicendo. Lo *(fare)* _____ per una conseguenza di ritmi, di tempi, di andamenti. Tu puoi dire la cosa più triviale e può diventare fine, _ _ _ _ _ _ _ poetica.

3. .... No, _ _ _ _ _ _ _. Che cosa significa "buon gusto" in questo caso? Il buon gusto a mio avviso, se esiste, esiste proprio nella dimensione del banale. Ci sono delle persone che *(raccontare)* _____ storie che in apparenza si limitano al banale e che sono espressioni di un cattivo gusto orrendo.

4. .... Spesso. *(Bastare)* _____ pensare al timore, al panico che hanno avuto sempre i potenti davanti ai problemi della satira. Perché la satira in molti casi ha determinato la presa di coscienza delle persone, soprattutto delle classi inferiori. Gli *(capire)* _____ di avere il potere di ribaltare le situazioni, di avere il coraggio. Quindi, è temuta. Tanto è vero che Federico II di Svevia aveva _ _ _ _ _ _ _ emesso una legge duris-sima, "De contra jugulatores obloquentes", significa "Contro i giullari sparlatori infami". Chi *(sentire)* _____ un giullare prendersela con il potere, poteva tranquillamente bastonare il clown, insultarlo, anche ucciderlo, perché tanto _ _ _ _ _ _ _ c'era _ _ _ _ _ _ _ legge che *(difendere)* _____ i clown. Eppure questi buffoni erano così sostenuti, così amati dal pubblico - erano la coscienza, la connessione - che difficilmente il potere riusciva a farli fuori tanto per farli fuori. Molte volte doveva perdonarli, perché temeva che *(esserci)* _____ delle reazioni grandi.

5. .... È fondamentale considerare la differenza che esiste fra fare satira e fare sfottò. Allora posso dire a un giovane: "Attento. Che giocare esclusivamente sulla pura caricatura legata a un personaggio, anche a un uomo politico, che è grasso, piccolo, magro, magari ha la gobba, _ _ _ _ _ _ _ realizza _ _ _ _ _ _ _".
Questo *(fare)* _____ soltanto una risata fine a se stessa. Ma se non c'è la dimensione morale, se tu attraverso la satira non riesci a *(crescere)* _____ l'intelligenza e la cultura della gente attraverso il significato opposto delle banalità, dell'ovvio, dell'ipocrisia, soprattutto e della violenza che ogni potere *(esprimere)* _____, ebbene il tuo ridere è vuoto, è proprio lo sghignazzo ventrale e non quello dello stomaco e dei polmoni.

da *http://satyricon.interfree.it*

▶**Ogni scelta corretta vale 1 punto**　　　　　　　　　　**Tot:**　　/25

3 *Coniuga i verbi, decidendo ogni volta se usare la* **forma implicita** *o* **esplicita**, **attiva** *o* **passiva**. *In 6 casi devi utilizzare le preposizioni* **a**, **di** *o* **da**.

Stress lavorativo, una parolaccia vi salverà!

Se *(sentire)* _____ imprecare in ufficio non fateci troppo caso: *(esprimere)* _____ i suoi sentimenti, in questo caso la frustrazione, un collega *(ottenere)* _____ solidarietà e *(migliorare)* _____ le sue relazioni sociali. Il linguaggio molto colorito, per non dire scurrile, fa infatti bene all'umore e alla produttività. E questa volta *(sostenere)* _____ questa teoria non è un collega maleducato nel maldestro tentativo *(giustificarsi)* _____, ma un vero e proprio studio *made in England*, secondo il quale l'uso di parole tabù sviluppa uno spirito di gruppo sul posto di lavoro. La ricerca, *(pubblicare)* _____

su *Leadership and Organization Development Journal*, è opera di Yehuda Baruch, professore di management all'Università East Anglia, che, *(criticare)* _____, ha così difeso la sua teoria: "I dipendenti usano continuamente un linguaggio volgare, ma questo non è *(considerare)* _____ necessariamente negativo. Anzi si *(trattare)* _____ di un fenomeno sociale e psicologico non sempre *(condannare)* _____".
La ricerca *(scoprire)* _____ che il linguaggio "colorito" viene utilizzato privatamente tra i colleghi: non in presenza o nelle vicinanze quindi dei clienti.
Dopo *(studiare)* _____ a

lungo il problema delle risorse umane nelle aziende, Baruch ha inoltre scoperto l'esistenza di un collegamento tra età e linguaggio informale: i giovani professionisti sono più tolleranti di fronte all'uso di parolacce e lo considerano un comportamento socialmente accettato. Inoltre gli impiegati ai più bassi livelli dell'organizzazione hanno maggiori probabilità di imprecare mentre i dirigenti sono quelli che *(lasciarsi)* _____ meno andare. "Speriamo che questo studio - ha sostenuto Baruch - *(servire)* _____ non solo *(scoprire)* _____ che ruolo giocano le parolacce nelle nostre vite ma anche *(dimostrare)* _____ che i capi a volte hanno bisogno di pensare diversamente ed essere aperti alle idee intriganti".

da http://qn.quotidiano.net

▶ **Ogni forma corretta vale 1 punto** | **Tot:** | **/17**

4 *Completa il testo mettendo in ordine le parole.*

Che cos'è l'Esperanto?

L'Esperanto è una lingua vivente, nata nel 1887 per iniziativa del medico polacco Ludovico Lazzaro Zamenhof, dal quale indirettamente prende il nome *(lingvo internacia de Doktoro Esperanto =* lingua internazionale del Dottore che spera).
La finalità dell'Esperanto non è quella di sostituire le lingue nazionali. Al contrario, gli esperantisti sono tra i più convinti difensori del valore della diversità delle culture (**della - di - dignità - e - le - lingue - pari - sostenitori - tutte**)
_____

_____
_____.
L'Esperanto si propone, invece, di fornire uno strumento agevole (**a - comprensione**

- discriminatorio - e - internazionale - la - livello - non - per - reciproca)
_____
_____
_____.

Nato da un ideale di pace, collaborazione e intercomprensione tra gli uomini, l'Esperanto si pone al di sopra di ogni differenza etnica, politica, religiosa, e - proprio perché lingua di nessuna nazione e insieme accessibile a tutti su una base di uguaglianza - tutela nei confronti del predominio culturale ed economico dei più forti (**contro - del - di - e - i - mondo -**

monoculturale - rischi - una - visione)

_____

_____

_____.

Ortografia, fonetica, grammatica e sintassi dell'Esperanto (il quale nasce dalla comparazione tra un certo numero di lingue internazionalmente molto diffuse) si basano su principi di semplicità e regolarità: (**ad - ad - corrisponde - e - lettera - lettera - ogni - ogni - sola - solo - suono - un - una**)_____

_____

_____

_____ suono; non esistono consonanti doppie; non esiste differenza tra vocali aperte e chiuse; l'accento cade sempre sulla penultima sillaba; le regole grammaticali sono appena sedici senza eccezioni; vi è una grande libertà di composizione della frase, senza collocazioni obbligate delle varie parti del discorso.

Il lessico dell'Esperanto, tratto anch'esso da una comparazione selettiva, è continuamente arricchito da un utilizzo sempre più diffuso, sia in Europa che in Paesi extraeuropei. Grazie ad un razionale e facilmente memorizzabile sistema di radi-ci, prefissi e suffissi, ed in forza della generale possibilità di creare parole composte che "descrivano" un determinato concetto, si raggiunge, partendo da un numero abbastanza ridotto di radici, (**anche - capace - di - di - esprimere - le - lessicale - pensiero - più - sfumature - sottili - tesoro - un**) _____

_____

_____

in una forma comprensibile a popoli di diverse tradizioni culturali.

da www.esperanto.it

▶**Ogni frase ricostruita in modo corretto vale 3 punti**   **Tot:** **/15**

---

5 _Completa il testo inserendo al posto giusto le parole della lista (sono in ordine). Attenzione: i verbi vanno coniugati._

praticarla — ma — qualche — essere — finire — abbandonare — donna — scrivere — ogni — che — che cosa — sapere — da — dire — pronto

L'ho finita con la psico-analisi. Dopo assiduamente per sei mesi interi sto peggio di prima. Non ho ancora congedato il dottore, la mia risoluzione è irrevocabile. Ieri intanto gli mandai a dire ch'ero impedito, e per giorno lascio che m'aspetti. Se ben sicuro di saper ridere di lui senz'adirarmi, sarei anche capace di rivederlo. Ma ho paura che col mettergli le mani addosso. (...) Se le ore di raccoglimento presso il dottore avessero continuato ad essere interessanti apportatrici di sorprese e di emozioni, non le. Ma ora che sapevo tutto, cioè che non si trattava d'altro che di una sciocca illusione, un trucco buono per commuovere qualche vecchia isterica, come potevo sopportare la compagnia di quell'uomo ridicolo, con quel suo occhio che vuole essere scrutatore e quella sua presunzione che gli permette di aggruppare tutti i fenomeni di questo mondo intorno alla sua grande, nuova teoria? Impiegherò il tempo che mi resta libero. Scriverò intanto sinceramente la storia della mia cura. Ogni sincerità fra me e il dottore era sparita ed ora respiro. Non m'è più imposto alcun sforzo. Non debbo costringermi ad una fede né ho da simulare di averla. Proprio per celare meglio il mio vero pensiero, credevo di dover dimostrargli un ossequio supino e lui ne approfittava per inventarne giorno di nuove. La mia cura doveva essere finita perché la mia malattia era stata scoperta. Non era altra quella diagnosticata a suo tempo dal defunto Sofocle sul povero Edipo: avevo amata mia madre e avrei voluto ammazzare mio padre. (...) Il dottore presta una fede troppo grande anche a quelle mie benedette confessioni che non vuole restituirmi perché le riveda. Dio mio! Egli non studiò che la medicina e perciò ignora

significhi scrivere in italiano per noi che parliamo e non sappiamo scrivere il dialetto. Una confessione in iscritto è sempre menzognera. Con ogni nostra parola toscana noi mentiamo! Se egli come raccontiamo con predilezione tutte le cose per le quali abbiamo pronta la frase e come evitiamo quelle che ci obbligherebbero di ricorrere al vocabolario! È proprio così che scegliamo dalla nostra vita gli episodi notarsi. Si capisce come la nostra vita avrebbe tutt'altro aspetto se nel nostro dialetto. Il dottore mi confessò che, in tutta la sua lunga pratica, giammai gli era avvenuto di assistere ad un'emozione tanto forte come la mia all'imbattermi nelle immagini ch'egli credeva di aver saputo procurarmi. Perciò anche fu tanto a dichiararmi guarito.

da Italo Svevo _La coscienza di Zeno_, Rizzoli, 1923

▶**Ogni parola inserita in modo corretto vale 1 punto**   **Tot:** **/15**

Totale test: **/100**

Lo so fare?   Le mie competenze

Dopo queste lezioni sono in grado di:

- orientarmi all'interno di vari registri linguistici e adattare un linguaggio appropriato al contesto sia scrivendo che parlando ☐ ☐ ☐

- cogliere la differenza tra satira e comicità ☐ ☐ ☐

- riflettere sull'origine della lingua italiana, la sua evoluzione e le sue varianti dialettali ☐ ☐ ☐

- esprimermi in modo spontaneo utilizzando una grande varietà di espressioni idiomatiche ☐ ☐ ☐

- sostenere un colloquio di lavoro rispondendo abilmente alle domande del mio intervistatore ☐ ☐ ☐

- capire testi letterari lunghi e complessi ☐ ☐ ☐

- leggere un testo in "burocratese" ☐ ☐ ☐

Non lo sapevo!   Le mie scoperte

Pensa a quello che hai appreso in queste lezioni e annota…

- 10 parole o espressioni che non conoscevi e che ti sono rimaste impresse:
  _____
  _____
  _____
  _____

- una cosa particolarmente difficile:
  _____
  _____

- una curiosità linguistica (qualcosa che non sapevi o che ha rimesso in discussione quello che credevi di sapere):
  _____
  _____
  _____

- una curiosità culturale sull'Italia e gli italiani:
  _____
  _____
  _____

Che faccio se…

Il mio profilo come studente e le mie strategie di apprendimento

Oggi sei tu l'insegnante! Immagina di dover tenere una lezione introduttiva sull'uso del congiuntivo nella lingua italiana in una classe di livello intermedio. Scegli una **PARTENZA**, segui il percorso che più si adatta alla procedura che seguiresti per impostare la lezione e scopri alla fine di pagina 288 il tuo punto di vista sulla relazione tra studente e grammatica.

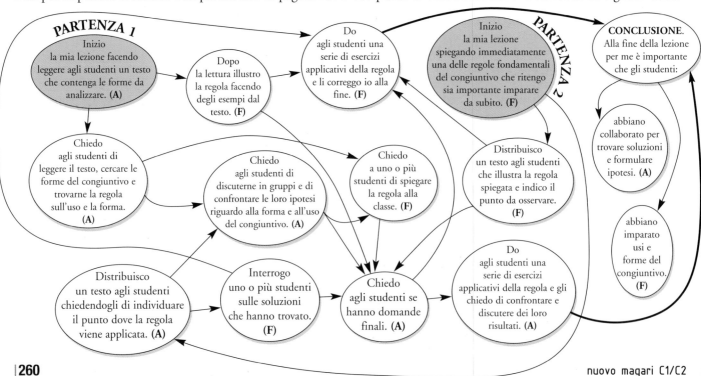

Unità 10

Articoli e preposizioni con le date

Prima di una **data precisa** si usa l'articolo determinativo **il**.
*Sono nato a Roma **il** 17 gennaio 1981.*

Prima di un **anno preciso** si usa la preposizione **nel**.
*Il muro di Berlino è caduto **nel** 1989.*

Prima di un **periodo di anni** (decenni, secoli, millenni, ecc.) si usa la preposizione **in** + *articolo*.
***Negli** anni '60 il cinema italiano ha prodotto molti capolavori. - Siamo **nel** XXI secolo.*

Prima di una **stagione** si usa normalmente la preposizione **in**. Con "inverno" e "estate" si può usare anche la preposizione **di**.
***In** autunno piove molto. - Giulia **d**'inverno va sempre in montagna a sciare.*

Per delimitare un **periodo di tempo** si usano le preposizioni **da... a...**
*Luigi lavora **da** maggio **a** settembre. - **Dal** 10 **al** 30 luglio sono in vacanza.*

Gli avverbi

Gli **avverbi** sono parole invariabili che, aggiunte a un verbo, a un aggettivo o a una frase, servono a definirne meglio il significato.
*La donna <u>piangeva</u> **disperatamente**.*
*È un uomo **molto** <u>ricco</u>.*
***Probabilmente** <u>nel tuo computer c'è un virus</u>.*

Molti avverbi si formano dal femminile dell'aggettivo qualificativo + il suffisso **-mente**.
completa ➡ *completa**mente***

Se l'aggettivo finisce con **-le** o con **-re**, l'avverbio perde la **-e**.
faci<u>le</u> ➡ *facil**mente***
particola<u>re</u> ➡ *particolar**mente***

Di solito gli avverbi che si riferiscono ai verbi vanno <u>dopo il verbo</u>, mentre gli avverbi che si riferiscono agli aggettivi vanno <u>prima dell'aggettivo</u>. Quando l'avverbio si riferisce a un'intera frase la sua posizione è <u>mobile</u>.
*In questo periodo <u>sto dormendo</u> **poco**.*
*Quell'uomo è **completamente** <u>pazzo</u>.*
*L'uomo **inspiegabilmente** <u>non rispose</u>. / **Inspiegabilmente** <u>l'uomo non rispose</u>.*

I contrari

Per fare il **contrario** di un aggettivo, di un nome o di un verbo si usano vari prefissi. Tra i più usati abbiamo **s-**, **dis-** e **anti-** .

fortunato ➡	***s**fortunato*	*attivare* ➡	***dis**attivare*
democratico ➡	***anti**democratico*		

Molto usato è anche il prefisso **in-**, che diventa **im-** con le parole che iniziano con "p" o "m", **il-** con le parole che iniziano con "l", **ir-** con le parole che iniziano con "r".

solito	➡	**in***solito*	*morale*	➡	**im***morale*
logico	➡	**il***logico*	*ragionevole*	➡	**ir***ragionevole*

In altri casi invece si usa la negazione **non**.

    violento   ➡   **non** *violento*

Un altro modo per formare i contrari è "l'alfa privativo", cioè il suffisso **a-** davanti alla parola (**an-** davanti a parola che comincia per vocale).

tipico	➡	**a***tipico*	*affettivo*	➡	**an***affettivo*

In molti casi non si usano prefissi, ma parole di significato opposto.

grande	➡	*piccolo*	*pesante*	➡	*leggero*
apertura	➡	*chiusura*			

▶◼ Unità 11
◼ Forma riflessiva e forma spersonalizzante[9]

La **forma riflessiva** permette di indicare che l'azione del verbo è diretta verso chi la compie.

    Forma riflessiva: *Mario **si lava** le mani.*
    Forma non riflessiva: *Mario **lava** i piatti.*

La **forma con il *si* spersonalizzante** permette di non indicare esplicitamente chi compie l'azione del verbo. Il ***si*** corrisponde a un soggetto generico come "la gente", "le persone", "uno", "qualcuno".

    *Di solito d'estate **si va** al mare. = Di solito d'estate **la gente va** al mare.*

Per l'uso del ***si* spersonalizzante** si devono tenere presenti le seguenti regole:

- ***si* spersonalizzante + tempo composto**: si usa sempre l'ausiliare ***essere***;
    *Ieri sera al ristorante **si è bevuto** un buon vino.*

- ***si* spersonalizzante + verbo (senza oggetto diretto)**: il verbo va alla III persona singolare; nei tempi composti il participio passato termina con **-o** se il verbo ha normalmente l'ausiliare ***avere*** e con **-i** se ha normalmente l'ausiliare ***essere***.
    *In questo letto **si dorme** bene.*
    *Se non **si è dormito** abbastanza, è difficile lavorare.* (Il verbo "dormire" ha normalmente l'ausiliare ***avere***)
    *Se **si è arrivati** in ritardo, bisogna scusarsi.* (Il verbo "arrivare" ha normalmente l'ausiliare ***essere***)

- ***si* spersonalizzante + verbo + oggetto diretto**: il verbo concorda con l'oggetto diretto; nei tempi composti anche il participio passato concorda con l'oggetto e termina con **-o, -a, -i, -e**.
    *A Natale **si mangia** il panettone.*
    *In Italia **si fanno** pochi bambini.*
    *Alla riunione **si è fatta** molta confusione e **si sono prese** decisioni sbagliate.*

- ***si* spersonalizzante + verbo + aggettivo**: l'aggettivo va al maschile plurale (**-i**).
    *Quando **si è stanchi** bisogna riposarsi.*

- ***si* spersonalizzante + verbo + participio passato (in una costruzione passiva)**: il participio passato va al maschile plurale (**-i**).
    *Quando **si è stati lasciati** dal partner è difficile non soffrire.*

- ***si* riflessivo + *si* spersonalizzante + verbo**: si usa il pronome doppio ***ci si*** + verbo.
    *Mi piace la domenica perché **ci si alza** tardi.*

[9]Vedi anche Unità 16.

▶I pronomi combinati

Quando due **pronomi** o **particelle** si uniscono sono possibili più combinazioni.

			Diretti				
Indiretti + Diretti			*III pers. sing. maschile*	*III pers. sing. femminile*	*III pers. plurale maschile*	*III pers. plurale femminile*	*Partitivo*
			lo	*la*	*li*	*le*	*ne*
Indiretti	*I pers. singolare*	*mi*	me lo	me la	me li	me le	me ne
	II pers. singolare	*ti*	te lo	te la	te li	te le	te ne
	III pers. sing. maschile	*gli*	glielo	gliela	glieli	gliele	gliene
	III pers. sing. femminile	*le*					
	I pers. plurale	*ci*	ce lo	ce la	ce li	ce le	ce ne
	II pers. plurale	*vi*	ve lo	ve la	ve li	ve le	ve ne
	III pers. plurale	*gli*	glielo	gliela	glieli	gliele	gliene

			Diretti				
Riflessivi + Diretti			*III pers. sing. maschile*	*III pers. sing. femminile*	*III pers. plurale maschile*	*III pers. plurale femminile*	*Partitivo*
			lo	*la*	*li*	*le*	*ne*
Riflessivi	*I pers. singolare*	*mi*	me lo	me la	me li	me le	me ne
	II pers. singolare	*ti*	te lo	te la	te li	te le	te ne
	III pers. singolare	*si*	se lo	se la	se li	se le	se ne
	I pers. plurale	*ci*	ce lo	ce la	ce li	ce le	ce ne
	II pers. plurale	*vi*	ve lo	ve la	ve li	ve le	ve ne
	III pers. plurale	*si*	se lo	se la	se li	se le	se ne

Diretti + Locativo			Locativo
			ci
Diretti	*I pers. singolare*	*mi*	mi ci
	II pers. singolare	*ti*	ti ci
	III pers. sing. maschile	*lo*	ce lo
	III pers. sing. femminile	*la*	ce la
	I pers. plurale	*ci*	ci
	II pers. plurale	*vi*	vi ci
	III pers. plurale maschile	*li*	ce li
	III pers. plurale femminile	*le*	ce le
	Partitivo	*ne*	ce ne

Diretti + *Si* spersonalizzante			*Si* spersonalizzante
			si
Diretti	*I pers. singolare*	*mi*	mi si
	II pers. singolare	*ti*	ti si
	III pers. sing. maschile	*lo*	lo si
	III pers. sing. femminile	*la*	la si
	I pers. plurale	*ci*	ci si
	II pers. plurale	*vi*	vi si
	III pers. plurale maschile	*li*	li si
	III pers. plurale femminile	*le*	le si
	Partitivo	*ne*	se ne

Indiretti + *Si* spersonalizzante			*Si* spersonalizzante
			si
Indiretti	*I pers. singolare*	*mi*	mi si
	II pers. singolare	*ti*	ti si
	III pers. sing. maschile	*gli*	gli si
	III pers. sing. femminile	*le*	le si
	I pers. plurale	*ci*	ci si
	II pers. plurale	*vi*	vi si
	III pers. plurale	*gli*	gli si

Locativo + *Si* spersonalizzante		*Si* spersonalizzante
		si
Locativo	*ci*	ci si

Si riflessivo + *Si* spersonalizzante		*Si* spersonalizzante
		si
Si riflessivo	*si*	ci si

➤■Unità 12
■Il pronome relativo *che*

Che può avere funzione di aggettivo/pronome interrogativo, di congiunzione o di pronome relativo.

Interrogativo (aggettivo): ***Che** treno hai preso?*   Congiunzione: *Io penso **che** dobbiamo andare a casa.*

Interrogativo (pronome): ***Che** stai facendo?*   Pronome relativo: *Conosco una persona **che** può aiutarti.*

La funzione del **pronome relativo** è duplice: sostituisce un nome e mette in relazione due frasi (la principale e la relativa).

    *Ho conosciuto **un ragazzo**. **Questo ragazzo** fa il d.j. = Ho conosciuto un* ragazzo ◄——— che *fa il d.j.*

Il pronome relativo *che* è invariabile e può essere usato per sostituire un <u>soggetto</u> o un <u>oggetto diretto</u>.

    Soggetto: *Mi hanno regalato <u>un libro</u> **che** parla di economia.*   Oggetto diretto: *Mi hanno regalato <u>un libro</u> **che** ho già letto.*

■I pronomi relativi doppi

Chi è un pronome relativo doppio. Si usa solo con riferimento a <u>esseri animati</u> e sostituisce un pronome dimostrativo (colui, quello, colei, quella) o indefinito (qualcuno, uno…) + *che*.

    ***Chi** pensa troppo ai soldi vive male. = **Colui/Uno che** pensa troppo ai soldi vive male.*

Chi è spesso usato nei proverbi.

    ***Chi** va piano va sano e va lontano.*

Quando *chi* sostituisce un soggetto plurale, la frase è comunque sempre al singolare.

    ***Quelli che** <u>vogliono</u> parlare <u>devono</u> prenotarsi.* ➜ ***Chi** <u>vuole</u> parlare <u>deve</u> prenotarsi.*

Quando ci si riferisce a <u>esseri inanimati</u> non si usa *chi* ma *quello/ciò che*.

    *Ecco **quello che** ho da dirvi.*   ***Ciò che** mi spaventa di più è la violenza.*

■Altri pronomi relativi

Il pronome relativo *cui* è invariabile e si usa per sostituire un <u>oggetto indiretto</u>. Di solito è preceduto da una preposizione.

    *Questo è il libro **di cui** ti avevo parlato.*   *La ragazza **con cui** mi sposo è indiana.*   *La casa **in cui** abita Leo è tutta in legno.*

Quando *cui* ha valore di complemento di termine (con la preposizione *a*) è possibile togliere la preposizione *a* prima di *cui*.

    *È una persona (**a**) **cui** si può dare la massima fiducia.*

Cui può avere valore di <u>possessivo</u>. In questo caso è preceduto dall'articolo determinativo e seguito dall'oggetto "posseduto". L'articolo concorda con l'oggetto.

    <u>Ugo</u>, **le cui** <u>idee</u> *sono sempre interessanti, mi ha proposto di lavorare con lui.*

    <u>*I bambini*</u> **i cui** <u>genitori</u> *non hanno firmato l'autorizzazione non possono partecipare alla gita.*

Quando è preceduto da una preposizione *cui* si può sostituire con il pronome relativo *il quale/la quale/i quali/le quali*.

> *Il medico <u>con</u> **cui/il quale** lavora Paola riceve solo il martedì.*
> *Sono due poveri vecchi, <u>per</u> **cui/i quali** i figli non hanno alcun rispetto.*

Il quale concorda con il nome a cui si riferisce.

> *<u>La mia parrucchiera</u>, **della quale** sono molto amica, ha appena divorziato.*

Il quale può sostituire anche *che* con valore di soggetto (e molto più raramente di oggetto diretto), ma si tratta di usi molto formali.

> *Il capo del governo, **che/il quale** è appena rientrato da un viaggio all'estero, non ha rilasciato dichiarazioni.*

Il pronome relativo *il che* si riferisce a tutto il concetto appena espresso e si usa per introdurre una parentesi o una conclusione, un commento a quanto appena detto. Significa "questa cosa", "questo aspetto".

> *Se guardiamo ai progressi fatti negli ultimi cent'anni nel campo della medicina, notiamo che malattie un tempo considerate mortali oggi sono curabili con un semplice farmaco, **il che** è indubbiamente molto positivo.*

▶ I tempi verbali nella frase scissa

Nella **frase scissa esplicita** il tempo del primo verbo (frase principale) è generalmente al presente mentre il secondo verbo (frase secondaria) è nel tempo dell'azione che si vuole indicare.

Costruzione scissa esplicita		
Tempo dell'azione	Frase principale	Frase secondaria
Presente	*È Luca* (presente)	*che **parte**.* (presente)
Futuro	*È Luca* (presente)	*che **partirà**.* (futuro)
Passato	*È Luca* (presente)	*che **è partito**.* (passato)

Nella **frase scissa implicita** invece il tempo del primo verbo (frase principale) esprime il tempo dell'azione, mentre il secondo verbo (frase secondaria) è all'infinito preceduto dalla preposizione *a*.

Costruzione scissa implicita		
Tempo dell'azione	Frase principale	Frase secondaria
Presente	*È Luca* (presente)	*a **partire**.* (a + infinito)
Futuro	*Sarà Luca* (futuro)	*a **partire**.* (a + infinito)
Passato	*È stato Luca* (passato)	*a **partire**.* (a + infinito)

▶ Unità 13
▶ Il congiuntivo passato e trapassato

Il **congiuntivo passato** si forma con l'ausiliare *essere* o *avere* al congiuntivo presente + il participio passato.
Il **congiuntivo trapassato** si forma con l'ausiliare *essere* o *avere* al congiuntivo imperfetto + il participio passato.

	Congiuntivo passato		Congiuntivo trapassato	
	mangiare	andare	mangiare	andare
io	abbia	sia	avessi	fossi
tu	abbia	sia	avessi	fossi
lui/lei	abbia → mangiato	sia → andato/a	avesse → mangiato	fosse → andato/a
noi	abbiamo	siamo	avessimo	fossimo
voi	abbiate	siate → andati/e	aveste	foste → andati/e
loro	abbiano	siano	avessero	fossero

Grammatica

▶Concordanze[10]: contemporaneità e anteriorità

La scelta del tempo del congiuntivo nella frase secondaria dipende dal rapporto temporale tra la frase principale e la secondaria. Questo può essere un rapporto di **contemporaneità** (l'azione della principale e quella della secondaria si svolgono <u>contemporaneamente</u>), **anteriorità** (l'azione della secondaria si svolge <u>prima</u> di quella della principale) o **posteriorità** (l'azione della secondaria si svolge <u>dopo</u> quella della principale).

Contemporaneità:	*<u>Penso</u> che Elio **arrivi** adesso.*	*<u>Pensavo</u> che Elio **arrivasse** in quel momento.*	
Anteriorità:	*<u>Penso</u> che Elio **sia arrivato** due ore fa.*	*<u>Pensavo</u> che Elio **fosse arrivato** martedì scorso.*	
Posteriorità:	*<u>Penso</u> che Elio **arrivi** domani.*	*<u>Pensavo</u> che Elio **sarebbe arrivato** domani.*	

Ecco lo schema delle concordanze per i casi della **contemporaneità** e dell'**anteriorità** (per i casi della **posteriorità** vedi l'Unità 17).

Tempo della principale	Azione della secondaria contemporanea	Azione della secondaria anteriore
<u>presente</u> *Penso...*	congiuntivo presente *...che Elio **arrivi** adesso.* *...che Elio **sia** malato.*	congiuntivo passato o imperfetto *...che Elio **sia arrivato** due ore fa.* *...che Elio ieri **fosse** malato.*
<u>passato</u> *Pensavo...*	congiuntivo imperfetto *...che Elio **arrivasse** in quel momento.*	congiuntivo trapassato *...che Elio **fosse arrivato** martedì scorso.*

Attenzione: quando il tempo della principale è al presente e l'azione della secondaria è anteriore, la scelta tra congiuntivo passato e imperfetto dipende dal tipo di azione espressa dal verbo: se normalmente all'indicativo per quell'azione si usa il passato prossimo, allora bisogna utilizzare il congiuntivo passato; se invece si usa l'imperfetto, allora si deve utilizzare il congiuntivo imperfetto.

*Elio **è arrivato** due ore fa.* ➡ *Penso che Elio **sia arrivato** due ore fa.*

*Ieri Elio **era** malato.* ➡ *Penso che Elio ieri **fosse** malato.*

▶Il discorso diretto e indiretto

Per riferire le parole o il pensiero di qualcuno ci sono due possibilità:

- <u>**discorso diretto**</u>: riporta direttamente le parole pronunciate, in genere introdotte da virgolette ("..")
    *Mario: **"Voglio mangiare un panino con il prosciutto."***

- <u>**discorso indiretto**</u>: riporta le stesse parole indirettamente, attraverso una frase secondaria introdotta da verbi come *dire*, *pensare*, *aggiungere*, *continuare*, *chiedere*, *domandare*, *rispondere*, ecc. + la congiunzione **che**.
    *Mario <u>dice che</u> **vuole mangiare un panino con il prosciutto**.*

▶I tempi verbali nel discorso indiretto[11]: contemporaneità e anteriorità

Il **discorso indiretto** generalmente è introdotto da un verbo al presente (*dice, sta dicendo* o altri verbi simili) o al passato (*ha detto, diceva* o altri verbi simili).

Se è introdotto da un verbo al <u>presente</u> (o anche al passato prossimo recente) il tempo della secondaria rimane invariato rispetto al discorso diretto:

Discorso diretto:	*Luca: "Non **parlo** molto bene l'inglese."*
Discorso indiretto:	*Luca <u>dice / ha detto</u> che non **parla** molto bene l'inglese.*
Discorso diretto:	*Luca: "Un anno fa non **parlavo** molto bene l'inglese."*
Discorso indiretto:	*Luca <u>dice / ha detto</u> che un anno fa non **parlava** molto bene l'inglese.*

[10]Vedi anche Unità 17.
[11]Vedi anche Unità 17.

Se è introdotto da un verbo al passato (*ha detto*, *diceva* o altri verbi simili) bisogna considerare se la relazione temporale tra la frase principale e la secondaria è di **contemporaneità**, **anteriorità** o **posteriorità** (per la posteriorità vedi l'Unità 17).

Frase principale al passato	Frase secondaria	
	contemporanea	anteriore
Luca **ha detto**...	imperfetto, passato prossimo (o passato remoto) ...che non **parlava** bene inglese. ...che a Londra non **ha parlato** quasi mai inglese.	di solito trapassato prossimo ...che **aveva studiato** l'inglese a scuola in Italia. ...che da piccolo **era stato** in Inghilterra.

Da notare inoltre che, nel discorso indiretto, la secondaria ha spesso valore "descrittivo", quindi la scelta del tempo passato privilegia spesso l'**imperfetto**. L'imperfetto può inoltre sostituire il trapassato prossimo in caso di anteriorità quando il verbo ha un significato "imperfettivo". In questo caso l'anteriorità è espressa da un determinatore temporale.

Ieri Luca mi ha detto che un anno fa non **parlava** *ancora bene l'inglese.*

▶Discorso indiretto introdotto da *di*

Il discorso indiretto può essere introdotto dalla preposizione ***di*** (invece di ***che***). In questo caso la secondaria diventa una frase implicita.

Discorso diretto: *Ugo:"Voglio fare una pausa."*   Discorso indiretto: *Ugo dice* **di** *voler fare una pausa.*

L'uso della preposizione ***di*** è obbligatorio quando nel discorso diretto c'è un verbo all'imperativo.

Discorso diretto: *Ugo: "Maria,* **chiudi** *la finestra!"*   Discorso indiretto: *Ugo dice a Maria* **di** *chiudere la finestra.*

L'uso della preposizione ***di*** è consigliato quando nel discorso diretto c'è una frase secondaria. In questo modo si evita una successione di ***che***.

                    1   2

Discorso diretto: *Ugo: "Penso che andrò al cinema."*   Discorso indiretto: *Ugo dice che pensa* **di** *andare al cinema.*

▶*Venire* e *andare* nel discorso indiretto

Il verbo ***venire*** si usa se c'è un movimento in direzione di chi sta riferendo il discorso.

Discorso diretto: *Mario: "Sono andato a Roma".*
Discorso indiretto: *Mario ha detto che* **è venuto** *a Roma.* (se chi sta riferendo il discorso è nello stesso
                                        luogo, in questo caso Roma)

Il verbo ***andare*** si usa se c'è un movimento di allontanamento da chi sta riferendo il discorso.

Discorso diretto: *Mario: "Sono andato a Roma."*
Discorso indiretto: *Mario ha detto che* **è andato** *a Roma.* (se chi sta riferendo il discorso è in un luogo
                                        diverso, per es. Milano)

▶*Mica*

Mica è un'espressione usata soprattutto nel parlato per rafforzare la negazione *non*. Il suo significato è vicino a "per niente" e di solito si trova dopo il verbo.

Non ho **mica** *capito quello che hai detto, sai?*   *Non siamo* **mica** *stupidi!*

Mica può essere usato prima del verbo, senza la negazione *non* (che in questo caso è sottintesa).

Gli ho parlato a lungo, ma lui **mica** *mi ascoltava!* (= non mi ascoltava **mica**)
Mica *lo so se mi piace.* (= non lo so **mica** se mi piace)

Mica può anche introdurre una supposizione. In questo caso il suo significato è vicino a quello di "forse".

Hai **mica** *visto Antonio?*

Grammatica

▶▬Unità 14
▬Uso del futuro nella narrazione di fatti passati

Quando si vuole creare un effetto stilistico efficace in una narrazione, per riferirsi a <u>fatti accaduti nel passato</u> si può usare anche il **futuro**. Ci si colloca in un momento del passato e si vede come futuro tutto quello che succede dopo.

> *Mussolini da giovane era socialista. Ma più tardi* **fonderà** *il partito fascista e* **prenderà** *il potere diventando il dittatore che conosciamo.*

▬La forma passiva

Una frase può essere **attiva** o **passiva**. In genere la forma attiva si usa per dare rilievo alla persona o alla cosa che fa l'azione, mentre la forma passiva si usa per dare rilievo alla persona o alla cosa che subisce l'azione.

> Forma attiva: <u>*La madre*</u> **veste** *il bambino.*
> Forma passiva: <u>*Il bambino*</u> **è vestito** *dalla madre.*

Di solito la frase passiva ha un soggetto (chi subisce l'azione) e un verbo passivo. Qualche volta, ma non sempre, c'è anche un agente (chi fa l'azione).

soggetto (chi subisce l'azione)	verbo passivo	agente (chi fa l'azione)	
Il governo	*è guidato*	*dal Primo ministro.*	
Il governo	*è guidato*	*X*	*con grande coraggio.*

▬Forma passiva con *essere* e *venire*

Per fare una frase passiva si possono usare gli ausiliari **essere** o **venire** + il participio passato. Gli ausiliari si coniugano allo stesso tempo e modo del verbo della frase attiva.

> *Molti turisti* <u>**visitano**</u> *Roma.*   ➡   *Roma* <u>**è / viene**</u> *visitata da molti turisti.*
> *Penso che molti turisti* <u>**visitino**</u> *Roma.*   ➡   *Penso che Roma* <u>**sia / venga**</u> *visitata da molti turisti.*

L'ausiliare **venire** non può essere usato con i tempi composti (passato prossimo, trapassato prossimo, futuro anteriore, ecc.) ma solo con i tempi semplici. Nei tempi composti bisogna dunque usare l'ausiliare **essere**.

> *L'anno scorso molti turisti* **hanno visitato** *Roma.* ➡ *L'anno scorso Roma* **è stata visitata** *da molti turisti.*
> *Penso che molti turisti* **abbiano visitato** *Roma.* ➡ *Penso che Roma* **sia stata visitata** *da molti turisti.*

L'ausiliare **venire**, rispetto ad **essere**, sottolinea maggiormente l'aspetto dinamico dell'azione. Spesso la scelta tra **essere** e **venire** può dipendere anche dal gusto personale di chi scrive/parla o da ragioni stilistiche.

▬Forma passiva con *andare*

Per fare una frase passiva si può usare anche l'ausiliare **andare** + il participio passato. In questo caso il verbo assume un significato di <u>dovere</u> o necessità.

> *Quel film* <u>**va visto**</u>. (= quel film <u>deve</u> essere visto)
> *La pasta* <u>**andava cotta**</u> *di meno.* (= la pasta <u>doveva</u> essere cotta di meno)

Come **venire**, anche l'ausiliare **andare** può essere usato solo con i tempi semplici.

Imperativo con i pronomi

I **pronomi** in combinazione con l'**imperativo** hanno collocazione diversa a seconda della persona e del tipo di imperativo (positivo o negativo).

	Imperativo positivo	Imperativo negativo
Tu	Prendi**la**!	Non **la** prendere! / Non prender**la**!
Lei (formale)	**La** prenda!	Non **la** prenda!
Noi	Prendiamo**la**!	Non **la** prendiamo! / Non prendiamo**la**!
Voi	Prendete**la**!	Non **la** prendete! / Non prendete**la**!

La dislocazione pronominale

Per **dislocazione** si intende lo spostamento dell'oggetto (diretto o indiretto) alla sinistra o alla destra del verbo, rispetto alla sua naturale posizione nella frase. Al posto dell'oggetto si inserisce un pronome.

Dislocazione a sinistra: si ha dislocazione a sinistra quando l'oggetto (diretto o indiretto) è collocato nella parte iniziale della frase, alla sinistra del verbo.

    *Oggi non mangio **la pasta**.* ➡ ***La pasta** oggi non <u>la</u> mangio.*
    *Telefono dopo a **Pino**, non ora.* ➡ ***A Pino** <u>gli</u> telefono dopo, non ora.*

Dislocazione a destra: si ha dislocazione a destra quando l'oggetto (diretto o indiretto) è collocato nella parte finale della frase, alla destra del verbo.

    *Oggi non mangio **la pasta**.* ➡ *Oggi non <u>la</u> mangio, **la pasta**.*
    *Telefono dopo a **Pino**, non ora.* ➡ *<u>Gli</u> telefono dopo, **a Pino**, non ora.*

La dislocazione è una strategia che si usa per dare più rilievo all'oggetto. È molto usata nella lingua parlata.

La similitudine

La **similitudine** (dal latino *similitudo*, "somiglianza") è un'espressione che permette di dare a una persona, a un animale o a una cosa le qualità o le caratteristiche tipiche di altri. Per fare una similitudine si usa spesso l'avverbio ***come*** o il verbo ***sembrare***.

    *Anna è bella **come** il sole.*   *Lucio mangia **come** un leone.*   *Mio nonno ha 80 anni ma **sembra** un ragazzino.*

Unità 15
L'infinito

Tra le numerose funzioni dell'**infinito** ricordiamo le seguenti:

- può sostituire frasi passive con valore di "dovere", quando è preceduto dalla preposizione ***da***.
    *Questo è un libro **da leggere**.*

- si può usare per esprimere incredulità e sorpresa, preceduto dalla congiunzione ***e***.
    *C'è un sole meraviglioso. **E pensare** che era prevista pioggia!*

- si può usare come prima parte di un discorso ipotetico ("se"), con forte significato modale e limitativo, preceduto dalla preposizione ***a***.
    ***A mangiar** troppo la sera si dorme male.*

- può essere la prima parte di una frase scissa costruita con la forma implicita, preceduto dalla preposizione ***a***.
    *Il governo non si occupa dei problemi reali. **A pensarlo** è la maggioranza degli italiani.*

L'infinito nella frase secondaria si può usare solo quando il soggetto è uguale a quello della principale. In questo caso la costruzione con l'infinito risulta più corretta e scorrevole.

(io) *Penso di* (io) ***prendere*** *il treno delle 4.*

Di solito l'infinito presente nella frase secondaria esprime un'azione **contemporanea** o **posteriore** rispetto a quella della frase principale e l'infinito passato un'azione **anteriore**.

Contemporanea: *Sono contento di **vederti**.*	Anteriore: *L'uomo fermato dalla polizia sostiene di **essere***
Posteriore: *Non penso di **andare** a teatro domani sera*	***tornato** a casa alle 8 di ieri sera.*

◤Il participio passato

Il **participio passato** può avere funzione causale, temporale, concessiva e relativa.

Causale: ***Circondato*** *dall'affetto di tutti, il piccolo Luca cresceva magnificamente.*

Temporale: ***Tornato** a casa, accese la tv.*

Concessiva: *Benché **amato** da tutti, si sentiva profondamente infelice.*

Relativa: *Questa è la carne **cucinata** da Paola.*

In genere il participio passato nella frase secondaria esprime un'azione **anteriore** rispetto a quella della frase principale.

***Spenta** la luce, si addormentò.*

Normalmente la principale e la secondaria devono avere lo stesso soggetto.

***Uscito** con l'idea di fare una passeggiata, <u>Andrea</u> entrò in un bar e ordinò un caffè.*

Nelle frasi con valore temporale o causale ci possono essere soggetti diversi, ma in questo caso il soggetto della secondaria deve essere espresso subito dopo il participio passato.

***Partito** <u>il marito</u>, Maria telefonò subito all'amante.*

Con i **verbi transitivi** (con un oggetto diretto) la vocale finale del participio passato <u>concorda con l'oggetto</u>. Con i **verbi intransitivi** (senza un oggetto diretto) la vocale finale del participio passato <u>concorda con il soggetto</u>.

***Mangiat<u>a</u>** <u>la torta</u>, Ugo ha aperto i regali.*	***Arrivat<u>e</u>** a casa, <u>le due ragazze</u> hanno preparato la cena.*

◤Il gerundio

Le funzioni del **gerundio** sono numerosissime. Tra queste sono molto frequenti la funzione causale, temporale, concessiva, modale e ipotetica.

Causale: ***Essendo** malata, è rimasta a casa.*

Temporale: ***Tornando** a casa, ho incontrato Ida.*

Concessiva: *Pur **avendo studiato** moltissimo, non è riuscito a superare l'esame.*

Modale: *Ho conosciuto mia moglie **andando** in palestra.*

Ipotetica: ***Mangiando** di meno ti sentiresti meglio.*

In genere il gerundio semplice nella frase secondaria esprime un'azione **contemporanea** rispetto a quella della frase principale e il gerundio composto un'azione **anteriore**.

Contemporanea: *Di solito mangio **guardando** la tv.*	Anteriore: ***Avendo incontrato** Nina, l'ho invitata a bere un caffè.*

Generalmente il soggetto del gerundio nella frase secondaria è uguale a quello della frase principale.

(io) ***Dovendo*** *prendere l'aereo alle 4,* (io) *devo partire da casa alle 2.*

Esistono però frasi costruite con il cosiddetto "gerundio assoluto", un gerundio indipendente dal soggetto della frase principale, con <u>un suo soggetto autonomo</u>, che per questo va indicato chiaramente.

***Partendo** <u>l'aereo</u> alle 4, devo uscire di casa alle 2.*

◤I verbi pronominali

Si dicono **verbi pronominali** quei verbi che, uniti a particelle pronominali o riflessive (le particelle ***ci***, ***ne***, ***la***, ***le***, i pronomi riflessivi), subiscono un cambiamento di significato, a volte piccolo (*vestirsi*, *lavarsi*), in altri casi molto marcato (*prendersela*, *uscirsene*).

*Per andare in ufficio **prendo** la macchina.* (infinito: prendere)   *Non **te la prendere**!* (infinito: prendersela = offendersi, arrabbiarsi)

Sono uscito verso le 8. (infinito: uscire)   *Mario se n'è uscito* malissimo. (infinito: uscirsene = intervenire, dire qualcosa in modo inaspettato o poco conveniente)

Nella coniugazione di un verbo pronominale i pronomi riflessivi cambiano in base alla persona a cui si riferiscono, mentre le particelle pronominali (*ci*, *ne*, *la*) rimangono invariate.

Te ne vai tu o *me ne* vado io? (infinito: andar**sene**)   - *Smettila!* - No, *smettila* tu! (infinito: smetter**la**)

▶Ma e *macché*

Come abbiamo visto nell'Unità 6 *ma* può avere una funzione avversativa-sostitutiva o avversativa-limitativa.
*Il mio treno non arriva alle 8 **ma** alle 18!* (avversativa-sostitutiva)
*Non è un libro particolarmente bello, **ma** vale la pena leggerlo.* (avversativa-limitativa)

Quando *ma* ha funzione avversativa-limitativa può anche servire a indicare il passaggio da un argomento a un altro.
*Sì, hai ragione, **ma** adesso per favore andiamo a mangiare.*

Ma può avere anche la funzione di rafforzare un'affermazione, dando maggior enfasi o ironia.
__Ma__ certo che è un bel film, te l'avevo detto!   *__Ma__ dai, non te la prendere, non volevo offenderti.*

Macché significa "per niente", "no", "tutt'altro", e serve a esprimere in modo energico una negazione, un'opposizione a un'affermazione. Può essere usato insieme a un nome (nel senso di "ma quale") o anche da solo (nel senso di "proprio no").
__Macché__ genio! È solo una persona presuntuosa!
- Sei riuscito a lavorare? - __Macché__! Ho avuto per tutto il giorno un terribile mal di denti.

▶Extra uno
▶Il modale nei tempi composti

Quando c'è un verbo modale in un tempo composto, l'ausiliare è sempre quello del verbo all'infinito e non quello del modale.
*Finalmente ieri **ho** potuto <u>incontrare</u> Lucia.* (Il verbo "<u>incontrare</u>" vuole l'ausiliare **avere**)
*Mia figlia **sarebbe** dovuta <u>andare</u> dal medico.* (Il verbo "<u>andare</u>" vuole l'ausiliare **essere**)

▶La costruzione riflessiva con un modale nei tempi composti

Quando c'è una **costruzione riflessiva con un modale**, possono esserci due casi:

1. quando il <u>pronome riflessivo</u> è prima del verbo, l'ausiliare è sempre **essere**.
*<u>Mi</u> **sarei** voluto spiegare con lei.*
*Ieri Francesca non <u>si</u> **è** potuta mettere le scarpe nuove perché pioveva.*

2. quando il <u>pronome riflessivo</u> è attaccato all'infinito, l'ausiliare è **avere**.
__Avrei__ voluto spiegar<u>mi</u> con lei.
*Ieri Francesca non **ha** potuto metter<u>si</u> le scarpe nuove perché pioveva.*

▶Unità 16
▶Altre costruzioni spersonalizzanti

Le **costruzioni spersonalizzanti** permettono di "nascondere" chi o che cosa fa l'azione espressa da un verbo (o perché è ritenuto inutile, o perché non si vuole indicarlo o perché non si sa chi/che cosa sia). Due esempi di costruzione spersonalizzante sono quella con il *si* impersonale e quella con la forma passiva.
*Nei locali pubblici non **si** fuma.*   *Il bagno **è stato pulito** ieri.*

Grammatica

Ma esistono anche altre possibilità di spersonalizzare una frase:

- costruzione con soggetto generico **uno**;
*Quando **uno** ha fretta, di solito va tutto storto.*

- costruzione con soggetto generico alla seconda persona singolare (**tu**);
*Nella vita, quando **pensi** di non farcela, se **sei** credente **chiedi** aiuto a Dio, se **sei** ateo a **te** stesso.*

- costruzione con verbo impersonale.
   ***Sembra** che ci sia ancora molta neve in montagna.*

▶Omissione dell'articolo

Uno degli aspetti più difficili della lingua italiana consiste nel decidere se bisogna o no usare l'articolo. Frasi come "*È **l'**avvocato.*" (con l'articolo determinativo), "*È **un** avvocato.*" (con l'articolo indeterminativo) o "*È avvocato.*" (senza articolo) non sono affatto intercambiabili. Nel primo caso il fatto che la persona sia un avvocato è già nota all'interlocutore; nel secondo caso chi parla fornisce un'informazione nuova sull'identità di una persona rispondendo presumibilmente alla domanda "chi è?"; nel terzo caso l'informazione riguarda il mestiere di una persona che l'interlocutore già conosce o ha visto o che per lo meno è già stata presentata nella discussione.

   *È **l'**avvocato.*   (identità già nota: l'interlocutore conosce la persona e sa che fa l'avvocato)
   *È **un** avvocato.*   (informazione nuova)
   È avvocato.   (informazione sul mestiere di persona già nota)

Oltre che con alcuni nomi geografici, con nomi propri di persona e con alcune determinazioni temporali, l'articolo viene omesso:

- quando corrisponde ad un articolo indeterminativo plurale (a volte formato dalla preposizione articolata: *di* + articolo determinativo);
Ho ancora (dei) dubbi, In Italia ci sono (delle) isole molto belle

- in molte locuzioni avverbiali;
In fondo, di certo, a proposito

- in molti complementi di luogo;
Andare a casa, abitare in città

- in molte locuzioni verbali;
Avere sonno, provare pietà, sentire caldo

- nelle locuzioni in cui un sostantivo si integra con un altro per esprimere un significato unico;
Sala da pranzo, ferro da stiro, pasta di mandorla

- in alcune espressioni di valore modale (*come?*) o strumentale (*con che cosa?*);
In macchina, a piedi, di nascosto

- in espressioni di tipo vocativo nel discorso diretto;
Professore, vorrei dirle una cosa.

- molto spesso dopo la preposizione *di*, con senso di specificazione.
Mi occupo di architettura d'interni.

▶Unità 17
▶I tempi verbali nel discorso indiretto: posteriorità

Se il discorso indiretto è introdotto da un verbo al <u>passato</u> (*ha detto, diceva* o altri verbi simili) e la frase secondaria è **posteriore** rispetto alla principale, il discorso indiretto segue il seguente schema:

Frase principale <u>al passato</u>	Frase secondaria <u>posteriore</u>
*Luca **ha detto**…*	<u>generalmente il verbo va al condizionale composto</u> *…che **avrebbe studiato** l'inglese.* *…che presto **sarebbe andato** in Inghilterra.*

A volte il condizionale composto può essere sostituito dall'**imperfetto**, considerato più leggero ma anche, in alcuni casi, appartenente ad un registro meno accurato.
   *Mario ha detto che **andava** a casa.*

▶Il discorso indiretto con frase principale al condizionale

Quando il discorso indiretto non è un discorso riportato ma è un'ipotesi su quello che "direbbe" una persona in una determinata circostanza, la principale ha un verbo al condizionale semplice o composto. Anche in questo caso bisogna vedere se la relazione temporale tra la frase principale e la secondaria è di **contemporaneità**, **anteriorità** o **posteriorità**.

Frase principale al condizionale	Frase secondaria		
	anteriore	**contemporanea**	**posteriore**
semplice *Luca* **direbbe...**	passato prossimo o imperfetto *...che* **ha studiato / studiava** *l'inglese.*	presente *...che* **studia** *l'inglese.*	futuro semplice *...che* **studierà** *l'inglese.*
composto *Luca* **avrebbe detto...**	trapassato prossimo *...che* **aveva studiato** *l'inglese.*	passato prossimo o imperfetto *...che* **ha studiato / studiava** *l'inglese.*	condizionale composto *...che* **avrebbe studiato** *l'inglese.*

▶Altre variazioni nel passaggio da discorso diretto a discorso indiretto

Nel passaggio dal discorso diretto a quello indiretto il messaggio può subire trasformazioni:

- nei soggetti: *"**Io** vado in macchina."* ➡ *Mauro ha detto che **lui** va in macchina.*

- nei pronomi: *"La montagna d'estate **mi** piace moltissimo!"* ➡ *Giulia ha detto che la montagna d'estate **le** piace moltissimo.*

- negli avverbi di luogo: *"**Qui** non c'è nessuno."* ➡ *Massimo disse che **lì** non c'era nessuno.*
- negli indicatori di tempo:
*"**Ieri sera** ho fatto tardi e quindi **oggi** mi sono svegliato alle 10."* ➡ *Carlo disse che **il giorno prima** aveva fatto tardi e quindi **quella mattina** si era svegliato alle 10.*

- nei possessivi: *"Il **mio** gatto è un persiano"* ➡ *Chiara ha detto che il **suo** gatto è un persiano.*

- nei dimostrativi: *"**Questo** libro è orribile!"* ➡ *Alessandro ha detto che **quel** libro è orribile.*

Inoltre, quando il discorso indiretto è introdotto da verbi come **chiedere** o **domandare** (interrogativa indiretta):

- si usa sempre la congiunzione **se** per domande a cui si può rispondere solo **sì** o **no**;
"Mi presti una penna?" ➡ *Mi chiese **se** le prestavo una penna.*

- per tutte le altre domande si riporta lo stesso **interrogativo**;
"Quando parte il primo treno per Milano?" ➡ *Chiese **quando** partiva il primo treno per Milano.*

- il verbo può essere all'**indicativo** o al **congiuntivo**, a seconda del registro.
"Ti va di vedere un film insieme?" ➡ *Mi chiese se mi **andava** di vedere un film insieme.*
*Mi chiese se mi **andasse** di vedere un film insieme.*

▶L'omissione della congiunzione *che*

La congiunzione **che** si può omettere quando il verbo della frase secondaria è al congiuntivo o al condizionale.
*Pensavo **avessi** capito.*
*Credo **sarebbe** meglio aspettare.*

Inoltre per poter omettere il **che** il <u>soggetto</u> (se espresso) deve seguire il verbo.
Credo sia arrivato <u>Paolo</u>.

Il **che** non si può invece eliminare quando il verbo della secondaria è all'indicativo o quando il soggetto precede il verbo.
*Sono sicuro **che** <u>hai capito</u>.*
*Credo **che** <u>Paolo</u> sia arrivato.*

Grammatica

Concordanze: posteriorità

Ecco lo schema delle concordanze per i casi della **posteriorità**.

Tempo della principale	Azione della secondaria posteriore
presente *Penso...*	congiuntivo presente o futuro semplice *...che Elio **arrivi** domani.* *...che Elio **arriverà** domani.*
passato *Pensavo...* *Avevo pensato...*	condizionale composto *...che Elio **sarebbe arrivato** domani.*

Quando la posteriorità è già evidenziata da un determinatore temporale o è già chiara dal contesto, il condizionale composto può essere sostituito dal **congiuntivo imperfetto**, più leggero e scorrevole.

> *Pensavo che Elio **arrivasse** domani.*

Insomma

L'avverbio ***insomma*** assume significati diversi a seconda della sua posizione nella frase:

- significa "in conclusione", "in definitiva" quando sta tra due virgole;
    > *Se capisco bene, **insomma**, domani tu non verrai.*   *Ma lui, **insomma**, che cosa ti ha detto esattamente?*

- significa "così così", "non molto" quando è usato in risposta a una domanda, in un registro colloquiale;
    > *- Come va? - **Insomma**...*   *- Ti è piaciuto il film? - **Insomma**...*

- esprime impazienza, irritazione quando è usato con valore esclamativo, generalmente ad inizio di frase.
    > ***Insomma**, vieni sì o no?*   ***Insomma**, la vuoi smettere?*

▶ Unità 18

Usi corretti e scorretti di *piuttosto che*

L'espressione ***piuttosto che*** significa "invece di".
> ***Piuttosto che*** *guardare la tv, faresti meglio a studiare.* (= invece di guardare la tv, faresti meglio a studiare)

Negli ultimi anni però si è diffuso un <u>uso scorretto</u> di ***piuttosto che*** nel senso di "o", "oppure".
> *Puoi guardare la tv,* ***piuttosto che*** *andare al cinema,* ***piuttosto che*** *studiare...*(= puoi guardare la tv o andare al cinema o studiare, fare indifferentemente una cosa o l'altra).

Quest'uso è da respingere non solo perché è in contrasto con la tradizione grammaticale ma anche e soprattutto perché può creare ambiguità nella comunicazione. Se per es. dico: *Andrò a Roma in treno* ***piuttosto che*** *in aereo*, chi ascolta capirà che non sto mettendo il treno e l'aereo sullo stesso piano, ma che sto esprimendo una preferenza per il treno. Se invece voglio dire che le due alternative per me sono equivalenti, per non creare equivoci in chi ascolta, dovrò usare la congiunzione **o**: *Andrò a Roma in treno **o** in aereo*.

Piuttosto che può anche essere usato (correttamente) con il significato di "pur di non", "per non".
> ***Piuttosto che*** *lavorare, si farebbe ammazzare.* (= pur di non lavorare, si farebbe ammazzare)

La negazione e il *non* pleonastico

Alcune espressioni negative possono avere o non avere la negazione ***non***:

- con <u>verbo</u> + ***mai***, si usa sempre la negazione ***non*** (o un'altra espressione negativa come *niente, nulla, nessuno*);
    > ***Non*** <u>sei</u> ***mai*** *contento.*   *Qui **nessuno** <u>sa</u> **mai** cosa fare.*

- con ***mai*** + <u>verbo</u> non si usa la negazione ***non***;
    > ***Mai*** *prima di oggi <u>avevo ricevuto</u> un regalo così bello.*

- con <u>verbo</u> + ***niente, per niente, nessuno, nemmeno*** si usa sempre la negazione ***non***;
    > *Oggi **non** <u>ho mangiato</u> **niente**.*   *In casa **non** <u>c'è</u> **nessuno**.*

- con *niente*, *per niente*, *nessuno*, *nemmeno* + <u>verbo</u> non si usa la negazione *non*.
    Niente <u>è</u> come sembra.   *Nessuno mi <u>ha detto</u> che eri partito.*

In alcuni casi il *non* può essere **pleonastico**, non cambia cioè il significato della frase, e dunque può anche essere omesso. Ecco i casi principali:

- nelle frasi **comparative di disuguaglianza**;
    *È un problema **più** semplice **di quanto** tu (**non**) immagini.*

- con *a meno che* e *senza che*;   - con *appena*.
    *Domani andiamo al mare, **a meno che** (**non**) piova.*   *Ti chiamo (**non**) **appena** arrivo a casa.*
    *A mia madre non si può dire qualcosa, **senza che** (**non**) lo sappiano subito tutti.*

Con *finché* la negazione *non* segue una regola particolare:

- quando *finché* significa prevalentemente "fino al momento che (in cui)" il *non* lascia invariato il significato della frase e dunque può anche essere omesso;
    *Ero contento **finché** (**non**) (fino al momento in cui) è arrivata Sonia. (e da quel momento il mio umore è cambiato)*

- quando *finché* significa prevalentemente "per tutto il tempo che (in cui)" il *non* cambia il senso della frase e dunque va usato o non usato in base al senso che si vuole esprimere.
    *Ho guadagnato poco **finché** (per tutto il tempo in cui) ho fatto l'attore. (poi ho cambiato lavoro e ho guadagnato di più)*
    *Ho guadagnato poco **finché non** (per tutto il tempo in cui non) ho fatto l'attore. (poi ho fatto l'attore e ho guadagnato di più)*

▶️ Unità 19
▶️ Il periodo ipotetico con ipotesi nel presente

Il **periodo ipotetico** è una costruzione usata per esprimere ipotesi. Generalmente è formato da *se* + frase che esprime la condizione (protasi) + frase che esprime la conseguenza (apodosi).

se	+	**protasi**	+	**apodosi**
Se		*prendi l'autobus,*		*non hai problemi con il parcheggio.*
Se		*lavorassi di meno,*		*avrei più tempo per me.*
Se		*fossi venuto alla festa,*		*avresti conosciuto Clara.*

Il periodo ipotetico ha due variabili: **il tempo** (ipotesi nel presente o nel passato) e **il significato** (ipotesi reale, possibile o irreale). Ecco lo schema dell'**ipotesi nel presente**[12] (reale, possibile o irreale).

	Ipotesi nel presente	
Realtà	L'ipotesi è nel presente ed è presentata come reale (l'enfasi è sull'automaticità della conseguenza, nel caso in cui l'ipotesi si realizzi). Si forma con l'indicativo presente dopo il *se* e l'indicativo presente nell'apodosi (o il futuro semplice, o l'imperativo). *Se piove resto a casa. Se piove resterò a casa. Se piove resta pure a casa.*	*se* + indicativo presente + indicativo presente (indicativo futuro semplice) (imperativo)
Possibilità	L'ipotesi è nel presente ed è presentata come possibile (l'enfasi è sul fatto che l'ipotesi è possibile, il fatto espresso dall'ipotesi potrebbe o non potrebbe accadere[13]). Si forma con il congiuntivo imperfetto dopo il *se* e il condizionale semplice nell'apodosi (o l'imperativo). *Se partissimo presto domani arriveremmo a Milano per pranzo. Se arrivasse una lettera prendila tu per favore.*	*se* + congiuntivo imperfetto + condizionale semplice (imperativo)
Irrealtà	L'ipotesi è nel presente ed è presentata come irreale (è ovvio dal contesto che l'ipotesi non si potrà mai realizzare). Si forma con il congiuntivo imperfetto dopo il *se* e il condizionale semplice nell'apodosi. *Se fossi donna mi farei rifare il seno. Se avessi un aereo privato farei il giro del mondo.*	

Grammatica

▶La costruzione *fare* + infinito

La costruzione **fare** + infinito serve per centrare l'attenzione su chi/cosa permette ad altri di fare qualcosa.
> *Compro il latte.* (io compio l'azione)
> **Faccio comprare** *il latte* <u>*a Sandro*</u>. (non io ma un altro compie l'azione)

Nella costruzione **fare** + infinito ci sono in pratica due soggetti: il soggetto del verbo **fare** e il soggetto del verbo all'infinito (cioè chi fa effettivamente l'azione).
> **Faccio comprare** *il latte* <u>*a Sandro*</u>. (soggetto di *faccio* = io; soggetto di *comprare* = Sandro)

Mentre il soggetto del verbo **fare** è sempre chiaro, più difficile è capire chi fa l'azione del verbo all'infinito. Ecco le regole principali per orientarsi. La persona che svolge l'azione del verbo all'infinito:

- non viene espressa quando non si vuole esprimere o è sottintesa;
> *Questo film non fa ridere.*

- viene espressa come oggetto diretto quando il verbo all'infinito non ha nessun altro oggetto;
> *La mamma fa mangiare* **il bambino**.

- viene espressa come oggetto indiretto (preposizione **a**) quando il verbo all'infinito ha anche un altro oggetto;
> *Ho fatto preparare* <u>*la cena*</u> **a Francesca**.

- viene introdotta dalla preposizione **da** quando il verbo all'infinito ha anche un oggetto diretto e un oggetto indiretto.
> *Faccio scrivere* <u>*la mail*</u> <u>*alla banca*</u> **dalla segretaria**. ➡ <u>*Gliela*</u> *faccio scrivere* **dalla segretaria**.

> [12]Per l'ipotesi nel passato vedi l'Unità 20.
>
> [13]La differenza tra "realtà" e "possibilità" è una differenza di enfasi. Nel primo caso il centro della comunicazione è la frase reggente (l'apodosi), la sua "realtà" nel caso si verificasse la condizione (*Se domani piove* **io resto a casa**); nel secondo caso l'enfasi è sulla proposizione con il **se**, (la protasi), che esprime appunto la condizione. Il nucleo della comunicazione è quindi il dubbio che esprime la frase, la possibilità (*Se domani* **piovesse** *resterei a casa*).

▶Unità 20
▶Il periodo ipotetico con ipotesi nel passato

Ecco lo schema dell'**ipotesi nel passato** (irreale o possibile).

Ipotesi nel passato		
Irrealtà	L'ipotesi è nel passato ed è presentata come irreale (perché non si è realizzata). Si forma con il congiuntivo trapassato dopo il **se** e il condizionale composto nell'apodosi. *Se fosse stato un grande statista, Mussolini non sarebbe entrato in guerra.* *Se Ugo fosse andato alla festa avrebbe incontrato la sua ex ragazza.* Se la conseguenza ha ripercussioni nel presente, nell'apodosi si usa il condizionale semplice. *Se Carlo avesse preso una pillola per il mal di testa, ora starebbe meglio.*	**se** + congiuntivo trapassato + condizionale composto (condizionale semplice)
Possibilità	Esiste anche il caso di un'ipotesi nel passato presentata come possibile. Questa strategia è usata soprattutto nella narrazione per creare suspense, poiché chi legge o ascolta non ha elementi per sapere se l'ipotesi nel passato si sia realizzata o meno. Si forma con il congiuntivo trapassato dopo il **se** e il condizionale composto nell'apodosi. *Se Mussolini avesse firmato i Patti Lateranensi avrebbe ottenuto un potere enorme. Firmò e divenne l'uomo più potente d'Italia.* *Ugo era incerto. Se fosse andato alla festa avrebbe incontrato la sua ex ragazza. Alla fine decise di andare lo stesso. Quando poi arrivò, lei lo salutò con un sorriso e gli propose di tornare insieme.*	

Concordanze: il condizionale con il congiuntivo

Quando nella frase principale c'è un <u>verbo di desiderio o di volontà</u> al **condizionale**, che nella secondaria richiede il **congiuntivo**, sono possibili le seguenti combinazioni:

Tempo della principale	Azione della secondaria anteriore	Azione della secondaria contemporanea	Azione della secondaria posteriore
<u>condizionale semplice</u> *Vorrei...* *Mi piacerebbe...* *Desidererei...* *Preferirei...*	congiuntivo trapassato *...che tu **avessi detto** la verità.* (prima)	congiuntivo imperfetto *...che tu **dicessi** la verità.* (adesso)	congiuntivo imperfetto *...che tu **dicessi** la verità.* (dopo)
<u>condizionale composto</u> *Avrei voluto...* *Mi sarebbe piaciuto...* *Avrei desiderato...* *Avrei preferito...*	congiuntivo trapassato *...che tu **avessi detto** la verità.* (prima)	congiuntivo imperfetto *...che tu **dicessi** la verità.* (adesso)	congiuntivo imperfetto *...che tu **dicessi** la verità.* (dopo)

Unità 21
Alcune espressioni: *pur, appunto, addirittura, anzi*

Pur significa "anche se", "nonostante sia/siano". Si usa per limitare il valore di un'affermazione con un'altra più importante e di significato opposto.
> *È successo che Mauro, **pur** preparatissimo, non ha superato l'esame.*

> ***Pur*** si usa spesso anche con il gerundio.
> > ***Pur*** <u>mangiando</u> meno, non riesco a dimagrire.*

Appunto è sempre usato in relazione a un'affermazione precedente. Quando è usato in senso assoluto significa "proprio", "precisamente", "esattamente".
> - *Basta, non voglio più lavorare per te!*
> - *Ma io sono l'unico che ti dà così tanto lavoro!*
> - **Appunto**!*

> Quando è usato in una frase, introduce un ampliamento e conferma il senso di quanto è stato appena detto.
> > *Ieri avevo un forte mal di testa. Stavo **appunto** andando in farmacia, quando ho incontrato il mio professore di italiano.*
> > *Si è innamorato di un'altra. È **appunto** questo il motivo per cui Mario ha lasciato Laura.*

Anzi significa che quello che è stato detto immediatamente prima non è corretto, o perché si vuole dire il contrario (esempi 1 e 2) o perché si vuole rafforzare l'affermazione precedente (esempio 3).
> *1. - Hai sonno? - No, **anzi**...*
> *2. Telefona subito a Ugo. **Anzi** no, aspetta.*
> *3. Questo pesce è buono, **anzi** buonissimo. Come l'hai fatto?*

Addirittura può avere diversi significati:

- quello di "perfino". In questo caso si usa per segnalare che quello che stiamo dicendo è molto sorprendente, quasi da non credere;
> *Non solo scrive, ma credo che abbia **addirittura** vinto dei premi.*
> *Per convincermi si è **addirittura** messo in ginocchio... Ma io non ho cambiato idea.*

- quello di "direttamente", "magari", "perché no", "senz'altro", "al limite";
> *Se sei stanco puoi rilassarti un po' o **addirittura** prenderti una vacanza...*
> *Invece di telefonargli, non sarebbe **addirittura** meglio incontrarlo? Così gli faresti la proposta di persona.*

- quello di "fino a questo punto!", "nientemeno!".
> - *Senza di lei non posso vivere!* - *Eh,* **addirittura**! *Scusa, ma credo proprio che tu stia esagerando.*
> - *Non mi parlare di Ugo, lo odio.* - **Addirittura**! *E come mai?*

◤ Aggettivi e pronomi indefiniti

Gli **aggettivi** e i **pronomi indefiniti** si riferiscono a cose o persone la cui identità o quantità non sono specificate.
> *Stasera esco con* **qualche** *amico.*
> *Ho bisogno di parlare con* **qualcuno**.

Alcuni indefiniti hanno <u>solo funzione di aggettivo</u>, sono invariabili e si usano solo al singolare:

- *qualche*: indica una quantità indefinita ma non grande, ha lo stesso significato di "alcuni";
> *Nel frigo c'è solo* **qualche** *mela.*

- *qualunque*, *qualsiasi*: hanno lo stesso significato.
> *Sono disposto a fare* **qualunque/qualsiasi** *lavoro.*

> Se vengono usati dopo il nome hanno un significato limitativo, indicano la mancanza di particolari qualità.
> > *È un <u>libro</u>* **qualunque/qualsiasi**. (non ha particolari qualità, non è eccezionale)
> > *Un* **qualunque/qualsiasi** <u>*libro*</u>. (non importa quale, un libro)

> Quando introducono una frase secondaria sono generalmente seguiti dal congiuntivo;
> > **Qualunque/Qualsiasi** *cosa tu le <u>dica</u>, non va mai bene.*

- *ogni*: ha lo stesso significato di "tutti/tutte".
> *Luisa accompagna* **ogni** *giorno i bambini a scuola.*

Alcuni indefiniti hanno <u>solo funzione di pronome</u> e si usano solo al singolare:

- *chiunque*: ha lo stesso significato di "qualunque/qualsiasi" ma si riferisce solo a persone.
> **Chiunque** *può farlo.*

> Quando introduce una frase secondaria in genere è seguito dal congiuntivo;
> > **Chiunque** <u>*abbia detto*</u> *questo, è uno stupido.*

- *qualcuno/qualcuna*: indica una persona o un gruppo ristretto di persone di identità imprecisata.
> *C'è* **qualcuno** *qui?*

> Seguito da una specificazione, può indicare in modo indeterminato una persona o una cosa o un numero non grande di persone o cose;
> > **Qualcuno** *degli invitati è già arrivato.*

- *ognuno*: è usato in riferimento a persone o cose e significa "tutti", "ogni persona/cosa".
> **Ognuno** *è libero di fare quello che vuole.*

Alcuni indefiniti possono avere <u>funzione di aggettivo o di pronome</u>:

- *alcuno/alcuna/alcuni/alcune*: indica una quantità indefinita ma non grande, ha lo stesso significato di "qualche" ed è usato soprattutto al plurale.
> *Ho letto solo* **alcune** *pagine di quel libro.*

> Nelle frasi negative può sostituire "nessuno".
> > *Non c'è* **alcuna** *possibilità di fargli cambiare idea.*

- *tutto/tutta/tutti/tutte*: indica un'intera quantità. Quando è aggettivo, è sempre seguito dall'articolo.

> *Hai mangiato **tutto**, bravo!*
> *Luisa accompagna **tutti i** giorni i bambini a scuola.*

◢I nessi correlativi

I **nessi correlativi** sono espressioni formate da due elementi "gemelli" che servono a coordinare due frasi o due parti in una frase. I correlativi più comuni sono ***né... né..., sia... sia..., sia... che..., che... o..., non solo... ma anche...*** .

> *Non mi piace **né** come parla **né** come scrive.*
> *È una persona che è disposta **sia** ad ascoltare **sia** a dare consigli.*
> *Mangio **sia** la carne **che** il pesce.*
> ***Che** tu vada al mare **o** in montagna, l'importante è riposarti.*
> *La gente usa la macchina **non solo** per lunghi viaggi **ma anche** per brevi percorsi.*

◢La dislocazione del congiuntivo

In genere la frase secondaria con il congiuntivo viene dopo la frase principale.

> *Non si può negare che questo **sia** un progetto interessante.*

Ma in alcuni casi la secondaria può precedere la principale. Questo uso appartiene a un registro linguistico più ricercato.

> *Che questo **sia** un progetto interessante, non si può negare.*
> *Che **avesse** una moglie così bella, nessuno poteva immaginarlo.*

◢◢Extra due
◢Verbi con doppio ausiliare

Alcuni verbi possono usare ausiliari diversi a seconda di come sono usati nella frase. Verbi come ***finire, aumentare, cambiare, cominciare, continuare, correre, esplodere, fuggire, montare, passare, salire, suonare, toccare*** e altri, prendono l'ausiliare **_essere_** quando sono usati in modo intransitivo (in questo caso spesso il soggetto è inanimato). Questi stessi verbi prendono l'ausiliare **_avere_** quando sono usati in modo transitivo (in questo caso generalmente il soggetto è una persona o un essere animato).

> *Quando la lezione **è finita** ho indicato l'orologio a muro; **Ho finito** l'università nel 2009*
> *Il costo della vita **è aumentato**; **Ho aumentato** il volume della radio*
> *Ieri il tempo **è cambiato** improvvisamente; Finalmente **ho cambiato** macchina*
> *Purtroppo lo spettacolo **è** già **cominciato**; **Hai cominciato** a cucinare?*
> *La serata **è continuata** serenamente; **Ho continuato** il libro anche se non mi piaceva*
> ***Sono corso** a casa; **Ho corso** un bel rischio*
> *La bomba **è esplosa** all'improvviso!; **Ho esploso** un colpo di pistola*
> *Davanti al rischio **sono fuggito**; Non **ho** mai **fuggito** le tentazioni*
> *Lui **è montato** in macchina; Finalmente **ho montato** il nuovo computer!*
> *Molto tempo **è passato**; Antonio **ha passato** tutta la serata da solo*
> ***Sono salito** a casa mia; **Ho salito** tutti gli scalini*
> ***È suonata** la tua ora!; **Abbiamo suonato** una canzone*
> *Oggi **è toccato** a me; Qualcuno **ha toccato** i miei libri!*

Solu zioni

DEGLI ESERCIZI E DEI TEST

Soluzioni

►► **ESERCIZI 10 - STORIA - Roma antica**

1 - **avvers**ario - dis**ubbi**diva - **a**utorizz**a**zione - **m**orte - dis**a**pprova-zione - **div**ieto - **ab**ito - **crav**atta - citt**a**dini - **vom**itare - **cred**en-za - **anfi**teatri - **affoll**ate - assa**ss**ino - **bi**lingue - **min**accia - **pote**-re - **inc**endio - bru**ciando** - so**ccorso** - **colpe**vole - **gov**ernare.

2 - improbabile - moderni - male - violente - disarmati - illegali - ricchi - inesistente - sfortunati - disapprovano - inautentici - permettessero/autorizzassero - vere - mortali.

3 - dal - al - della - il - nel - Negli - nel - con - nei - Negli - per - Il - in - nel - in.

4 - .. Era **veramente** così diversa dalla nostra? - ...case molto **spa-ziose** e confortevoli... - Gli edifici erano arredati **lussuosa-mente** e offrivano... - ...vasche di acqua **fredda** (frigidarium) e vasche di acqua calda (calidarium). - Le terme erano luoghi **particolarmente** allegri e rumorosi... - Il pranzo (prandium) era **molto** leggero. Molto **famosi** erano i banchetti del console Lucullo... - ...amavano **specialmente** le lotte... - L'occupazione di un romano dipendeva **principalmente** dalla sua situazione sociale. - Gli uomini della classe **media**, che potevano permettersi un'istruzione... - I cittadini **poveri**, che vivevano in campagna... - La scuola poteva essere un grande edificio o **semplicemente** una stanza... - Gli insegnanti erano **solitamente** schiavi... - La loro vita era organizzata **diversa-mente**. - ...iniziavano la carriera **militare**.

►► **ESERCIZI 11 - GEOGRAFIA - Mari e monti**

1 - tenere presente; assumere una posizione ad uovo; girare a vuoto; cedere alla tentazione; stare alla larga; si riducono al minimo i rischi.

2 - si parla; si elimina; ci si rivolge; organizza; si può; si hanno; si può; si trova; è; si svolge; si può; ci si stende; si dominano; garantisce; si sposta; si prova; è.

3 - si viaggia; ci si guarda; si incontrano; si ha; si pensa; si è *soli*; si scambiano; ci si ferma *a mangiare da soli*; si va *al ristorante o al bar, accompagnati*; si comprano; si mangia; si incontrano; si sono mangiati; si trovano; si potrebbe.

4 - Me lo; Ti; me ne; Ci; Ci; Te lo; te lo; ci; ci; ce la; lo; Me l'; ti; mi; ci si; ce la; si; si; glielo; glielo/lo; gli; Gli; ce lo; lo; glielo; glielo; lo; ci; ci; glielo; Ci; ti.

5 - Ormai; si può; Si possono; la si; è proprio; Oltre; me le; lo; pro-prio; si risparmiano; però; gli; ci si imbatte; dopo tutto; ve la.

►► **ESERCIZI - 12 SOCIETÀ - Periferia e architettura**

1 - ciò che; chi; che; ciò che; che; che; che; che; chi.

2 - *Vanno scambiate a coppie le parole:* volumi/sale; surreale/armo-niche; teatro/parco; perfezione/realizzazione; ribalta/innova-zione.

3 - Erano migliaia le persone sulle rive a guardare preoccupate; È da 11 anni che Venezia aspetta / Sono 11 anni che Venezia aspetta; Erano ore che la gente aspettava /Era da ore che la gente aspettava; È a mezzanotte che la chiatta "Susanna" fa la sua apparizione; era proprio l'ultima parte a essere la più rischiosa. *Pronomi relativi:* con cui; che; da cui; che; ai quali; del quale; delle quali.

4 - 1. No, è sua sorella che è proprio una stupida/a essere proprio una stupida; 2. No, è Franco che voleva andare in Spagna; 3.

No, sarà la Roma a vincere lo scudetto; 4. No, è stato il cane a mangiare tutto il pesce; 5. No, è Marta che è stata a Corviale ieri; 6. No, è Roma che è la città più grande d'Italia/a essere la città più grande d'Italia; 7. No, è mio fratello che è più picco-lo di me/a essere più piccolo di me; 8. No, sarò io a prendere la macchina; 9. *La costruzione scissa non è possibile;* 10. No, è mia madre che ha visto il mio ex ragazzo.

5 - 9. No, Luisa è stata bocciata.

6 - "...la più bella avventura per un architetto è quella di costrui-re una sala per *concerti*..."

►► **ESERCIZI 13 - ARTI - Cinema**

1 - registi; premi; <u>primi film</u>; film; pubblico; storia; disse; <u>minor numero</u>; <u>grandi città</u>; macchina; diverso; <u>morte violenta</u>.

2 - abbia attraversato; avesse *ormai* superato; fosse giunto; biso-gnasse; trattassero; fosse.

3 - fosse; abbia pensato; fossi; producesse; ci fosse; vedesse; sentis-se; abbia risentito; fosse passato; l'avesse **già** fatto; dessi; venis-se; potessero; fosse **sempre** stato.

4 - *le ragazze in fiore di quarant'anni fa o giù di lì; che dovrebbe spo-sarsi di lì a poco; costruendo attorno alla sua coppia.*

5 - *A bruciapelo mi disse che ancora non riusciva a capire per quale motivo gli veniva da ridere quando mi vedeva; E poi mi chiese di* rifargli un po' quello con gli occhi per aria, di rifargli quell'al-tro...; *mi disse* che ci aveva riflettuto sopra, che il soggetto avrei dovuto scrivermelo (*ma anche:* dovevo scrivermelo) da solo; *mi ordinò* di non scrivere più quelle stronzate e di mettermi sedu-to; *Mi chiese* se avevo fatto il Centro Sperimentale; *Gli risposi di sì, ma che mica* lo sapevo se ero capace.

6 - "*Felliniano*... avevo sempre sognato di fare l'aggettivo".

7 - *Roma città del cinema. Roma sede di una grande Festa Internazionale. Come il sindaco di Roma Walter Veltroni aveva precisato alla presentazione ufficiale della kermesse,* non si sareb-be trattato di un festival tradizionale ma di una vera e propria Festa per il cinema, che avrebbe rappresentato (*ma anche:* rap-presentava) anche un'importante opportunità per fare crescere la ricchezza e l'occupazione nella Capitale. L'auspicio del sin-daco era che Roma diventasse una sorta di capitale anche del cinema, un punto di ritrovo per grandi nomi e per sperimen-tatori, per critici cinematografici e semplici spettatori che potessero ritrovare nella visione di un film un momento di incontro, di svago e di riflessione all'interno della propria città. La volontà degli organizzatori era infatti quella di mettere in piedi un festival internazionale che fosse anche popolare e metropolitano. L'apertura delle celebrazioni e le proiezioni avrebbero avuto luogo entro le sale dell'Auditorium Parco della Musica di Renzo Piano (suo era anche il logo della manifesta-zione) ma sarebbero stati interessati anche diversi altri luoghi simbolo della città: via Veneto, Piazza del Popolo, Fontana di Trevi, via del Corso, nonché Cinecittà e il Centro Sperimentale di Cinematografia. Una diffusione capillare delle iniziative che avrebbe permesso di tenere ben stretti centro e periferia, coin-volgendo gli appassionati e tutti coloro che a un festival cine-matografico non erano mai stati. Le sezioni principali del festival erano tre: *Première, Il lavoro dell'attore* e la *Competizione.* Il programma di *Première* prevedeva 7 serate di

282   nuovo magari C1/C2

gala dedicate ad anteprime europee ed internazionali, incontri con i registi e una lunga serie di eventi speciali. *Il lavoro dell'attore* sarebbe stato l'omaggio offerto dalla città di Roma all'arte della recitazione e ai suoi grandi protagonisti. Il percorso di questa sezione sarebbe stato tracciato da proiezioni, dibattiti, laboratori e workshop. Il cuore della Festa del Cinema era naturalmente lo spazio dedicato alla *Competizione*, con 14 film inediti, provenienti da tutto il mondo. In palio, il premio per il miglior film (al quale sarebbe andato un riconoscimento di 200.000 euro), il miglior attore e la migliore attrice. Ma non ci sarebbe stata nessuna giuria tecnica a giudicarli: i giudici sarebbero stati 50 spettatori scelti dal presidente di giuria, il regista Ettore Scola.

ESERCIZI 14 - STORIA - Cosa Nostra

1 - è stato preso; veniva/era considerato; è stato trovato; utilizzava; è arrivata; sono stati seguiti; è stata decisa; sono stati identificati; è stato tradito; venne/fu arrestato; venne/fu convocato; videro; è riuscito; veniva/era descritto; usava; verrà/sarà smentita.

2 - Il termine è stato inizialmente utilizzato; la cui origine va fatta risalire; Questa commissione provinciale è presieduta da uno dei capimandamento, che prende il titolo di capo; dai mafiosi viene chiamato anche la Regione; Il candidato viene condotto; quella che normalmente viene chiamata mafia; andranno rigorosamente rispettati dal nuovo membro; con cui viene imbrattata un'immagine sacra; l'immagine viene bruciata dal rappresentante; va chiesto il parere decisivo del capofamiglia o del padrino.

3 - affronta; è; è; indaga; avvolge; arriverà; bloccherà; sarà; Va.

4 - *La risposta la offre*; L'idea l'ha avuta; la mafia la combatte; Questo libro prezioso bisognerebbe distribuirlo nelle scuole; queste armi le possiamo/possiamo trovarle trovare tutti.

5 - (**Tu**): Adesso fai/fa' una cosa, spegnila questa radio. Voltati pure dall'altra parte, tanto si sa come vanno a finire queste cose, si sa che niente può cambiare. Tu hai dalla tua la forza del buon senso, quello che non aveva Peppino. Domani ci saranno i funerali, tu non andarci/tu non ci andare.
(**Lei**): Adesso faccia una cosa, la spenga questa radio. Si volti pure dall'altra parte, tanto si sa come vanno a finire queste cose, si sa che niente può cambiare. Lei ha dalla Sua la forza del buon senso, quello che non aveva Peppino. Domani ci saranno i funerali, Lei non ci vada.
(**Noi**): Adesso facciamo una cosa, spegniamola questa radio. Voltiamoci pure dall'altra parte, tanto si sa come vanno a finire queste cose, si sa che niente può cambiare. Noi abbiamo dalla nostra la forza del buon senso, quello che non aveva Peppino. Domani ci saranno i funerali, noi non andiamoci.

6 - *La mafia* non è affatto invincibile. *È* un fatto umano e, come tutti i fatti umani, ha un inizio e avrà anche una fine.

ESERCIZI 15 - Lingua - Non solo parolacce

1- *A* stabilirlo; *di* averla usata; essendo stato sorpreso; protestando; *per* indurre; facendo; *da* considerare; *di non* dover(e); sottolineando; *a* sfogliare.

2 - *pur* denotando; aver(e) esaminato; stancatosi; Denunciato; Avendo S. S. fatto; sostenendo; *di* aver(e) avuto.

3 -

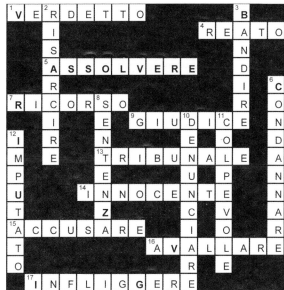

4 - (5 O) *assolvere - assoluzione*; ricorrere - (7 O) ricorso; giudicare - (9 O) giudice; (15 O) accusare - accusa; (16 O) avallare - avallo; (2 V) risarcire - risarcimento; (3 V) bandire - bando; (6 V) condannare - condanna; sentenziare - (8 V) sentenza; (10 V) denunciare - denuncia; imputare - (12 V) imputato.

5 - hanno deciso; annullando; aver(e) offeso; usando; hanno ritenuto; contiene; considerando; aver(e) sentenziato; possono; considerare; funziona; dice; essendo/è; Elaborate; finendo.

6 - la smette; *per esempio*; *come*; ci ho messo; *tra le altre cose*; *È chiaro che*; *da quando*; ce l'ho fatta; *La verità è che*; non ne posso più; *Forse*; se ne frega; *o*; me la sento; *quando*; se la prende; *o*.

7 - ti; ti; ce la; ce l'; ce l'; lei; lei; *di*mmi; Mi; le; si; *dir*ne; *ripeter*ti; mi; Le; mi; mi; se ne; *romper*mi; me; io; c'; mi; me ne; mi; io; *sentir*lo; Mi; mi; te la; me la; ci.

8 - Macché bamboccioni! Se a questi giovani il governo offrisse opportunità pratiche, invece di insulti, è certo che la maggior parte di loro se ne andrebbe prima dalla famiglia, come succede negli altri Paesi europei.

Extra - uno

1 - ti - me - ci - le - si - c' - la - mi - mi - la - te - lo - ti - ti

2 - lassù - mai - dove - Chissà - semmai - certo - Ad ogni modo - niente - mica - in persona

3 - La soluzione è soggettiva.

4 - *Questa lettera* è una delle poche cose che mi sono restate della mamma, *è la brutta copia della petizione che inviammo*, la mamma la scrisse di suo pugno sul mio quaderno dei temi, *e così, per un caso fortuito, quando fui mandato in Argentina me la portai dietro senza saperlo*, senza immaginare il tesoro che poi avrebbe costituito per me quella pagina.

5 - 1 salutavano, 2 c'era, 3 seguiva, 4 incontravo, 5 spiaceva, 6 scombinava, 7 mancava, 8 ricambiavo, 9 vidi, 10 Era, 11 Stavo, 12 Aveva, 13 feci, 14 salutò, 15 sapeva, 16 mi alzai, 17 venne, 18 presentai, 19 si scusò, 20 poteva, 21 era, 22 prese, 23 fu, 24 eravamo, 25 Chiesi, 26 alzò, 27 chiesi, 28 Sorrise, 29 Salutammo, 30 c'incamminammo.

6 - arruffato - frequentavo - pure - coetanei - mano - come - fretta - posso - motorino - feste - dicono - fa.

7 - Lasciai due passi andare in silenzio poi gli risposi che non sapevo cosa mi stava succedendo. Lo conoscevo da prima, però non avevo pensieri per lui, né per altri ragazzi. Dissi che mi pesava la vita di gruppo dei coetanei, la novità delle dichiarazioni di amore che si moltiplicavano per contagio e concorrenza. Avevo cominciato a guardarlo per bisogno di distogliere lo sguardo e poi i coetanei lo accusavano di fare il grande scegliendo di stare con gli amici di suo cugino.

8 - Voleva tentare di stare con me. Voleva credere che fosse possibile, anche se non per allora, anche da lontano. Aveva bisogno che non somigliassi a nessuno, e io ero questo.

9 - Passeggiammo zitti fino all'ingresso del castello, dove l'isola **si** sporge nel mare con un arrocco. "**Ti** ho lasciato un segno di grasso sul palmo, provo a levar**telo**." Tra gli scogli dell'istmo **c'**era qualche pietra pomice, scesi a prender**ne** una. **Le** strofinai il palmo, piano, **le si** velarono gli occhi, "Non fa male?", "No". "Allora non essere infelice." "Non sono infelice", caddero le due prime lacrime, che vengono chiamate a coppie e da qui i poeti hanno imparato le rime. **Le** raccolsi con la pietra pomice e pulii via il nero dalla mano, "Evviva, funziona" scherzai per far**la** ridere e rise tirando su col naso.

10 - 1.

◤◤ ESERCIZI 16 - SOCIETÀ - Vita d'ufficio

1 - *Prima parte:* Insomma; così come; infatti; anche. *Seconda parte:* oltre che; mentre; comunque; Ma; -; anche. *Terza parte:* quindi; mentre; poi; mentre; infine; ...*francesi,* **sebbene** *siano solo mediamente coinvolti...* ; mentre; ma.

2 - a/7, b/6, c/5, d/3, e/2, f/4, g/8, h/1.

3 - *Costruzioni spersonalizzanti:* a (*costruzione con* **si** *spersonalizzante*), c (*costruzione con soggetti indefiniti*), e (*costruzione passiva*), h (*costruzione con verbo impersonale*).

4 - piercing; gli; look; uno; teen ager; slip; una; la; la; la; Il; un'; il un'; ad hoc; gli; basket; la; le; un; le.

5 - negli (in+gli); -; un; i; gli; le; del (di+il); -; -; -; del (di+il); -; -; -; la; -; -; una; dall' (da+l'); al (a+il); gli; della (di+la); -; nell' (in+l').

6 - Capitano; arriva; prendo; si divertono; vuol(e); **3/4/2/7/5/1/6**; è; Somiglia; **5/4/3 si scrive/1/2**; È; si fa; si guarda; Si mettono; si contano; guardo; è; si guarda; si guardava.

◤◤ ESERCIZI 17 - ARTI - Scrittori

1 - *Possibili soluzioni: Franklin: "Arriverò in un lampo!";* Edison: "Sarà senza dubbio un'esperienza illuminante!"; Jekyll: " Purtroppo non posso venire. Ma manderò mio "fratello" Hyde"; Marconi: "Malauguratamente ho un altro impegno. Invierò comunque un telegramma di ringraziamento."; Einstein: "Sarò relativamente felice di partecipare!"; Meucci: "Purtroppo ho già avuto un invito ad un'altra festa per questo giorno. Telefonerò per conferma entro un paio di giorni."; Volta: "Ho una pila di pratiche da sbrigare. Non potrò venire."; Marchionni: "Ci sarà del gelato?".

2 - avrei fatto; si aspettavano; volevo/avrei voluto; si alza; si andava; si truccava; era; andavano; ricordavo; può; si ricomponeva; potevo; avrei voluto/volevo; Volevo/Avrei voluto; c'era; stava.

3 - *Possibili trasformazioni:* Post: Medardo pensava che avrebbe visto i turchi; Post: Mio zio disse che sarebbe arrivato lì e li avrebbe aggiustati lui; Cont: Ogni nave che si vedeva allora, si diceva che quello era Mastro Medardo che tornava; Cont: L'uomo con la treccia disse che loro sapevano (*in realtà nel testo il "Voi" equivale a "Lei" e si riferisce a Medardo, dunque la soluzione corretta è:* lui sapeva) quale fosse il prezzo di un uomo in lettiga.

4 - 1, Sì, perché nella frase secondaria il soggetto (qualcosa) segue il verbo al congiuntivo (ci fosse); 2, No, il verbo della secondaria è all'indicativo (era); 3, No, è un pronome relativo; 4, No, è un pronome relativo; 5, No, è un pronome relativo.

5 - *Scrivere* è nascondere qualcosa in modo che poi venga sempre *scoperto.*

6 - dovrei; 3; dico; interessa; ha scritto (*ma anche:* scrive); finivamo; mi aspettavo; arriva; 1; ha *mai* recensito; ha *mai* recensito; avete *appena* letto; conosco; lasciano; stanno; saranno; rimarrà; sono; avevo; ho detto; avrei dovuto; Avrei dovuto; 4; avrei *sicuramente* trovato; 2; affrontiamo.

7 - 2. un anno fa abbia comprato, ieri abbia comprato, oggi compri/comprerà, entro qualche mese comprerà; 3. proprio quel giorno ti fossi sposata/ti sposassi/ti saresti sposata, il giorno prima ti fossi sposata, oggi ti saresti sposata/ti sposassi; poche ore prima ti fossi sposata, il giorno dopo ti saresti sposata; 4. già l'anno scorso era andata, il prossimo mese andrà/va, quest'anno andrà/va, domani andrà/va; 5. un giorno ti saresti laureato/a, entro pochi mesi ti saresti laureato/a, già ti fossi laureato/a; 6. dopo un'ora avrebbe attaccato, la settimana prima avesse attaccato, appena entrato in casa avrebbe attaccato; 7. domenica prossima vorrebbe, oggi vorrebbe, ieri sarebbe voluta/voleva; 8. poco prima fosse stata rimandata, improvvisamente fosse rimandata, oggi sarebbe stata rimandata, in quel momento fosse stata rimandata; 9. in tempi remoti era, prima o poi sarà, una volta era, un giorno sarà; 10. l'anno scorso avessi compiuto, quest'anno compissi/avessi compiuto, il prossimo mese avresti compiuto, dopo pochi giorni avresti compiuto/compissi.

◤◤ ESERCIZI 18 - LINGUA - Mode e tic verbali

1 - È meglio essere ottimisti ed avere torto piuttosto che pessimisti ed avere ragione.

2 - 15 anni **dopo** "L'inglese. Lezioni semiserie"; ai fatti di costume, **ci** riprova con la lingua italiana; Con pungente ironia e umorismo il giornalista analizza gli errori **più** grossolani; Alla ricerca dei "crimini linguistici" **più** diffusi; Capitolo interessante **quello** dedicato al congiuntivo; modo verbale **la** cui estinzione non sarebbe causata dall'ignoranza; della società italiana attuale. **Sempre** meno italiani esprimono un dubbio; L'affermazione: "Pensavo che portavi il gelato" **non** solo è scorretta ma è anche arrogante; presuppone una certezza che **non** lascia spazio al dubbio, alla possibilità; Lo spirito del libro però non è **quello** dell'insegnante bacchettone; Severgnini propone la via della riabilitazione e dei consigli per **non** sbagliare più; per verificare il nostro livello di ignoranza di **certe** regole grammaticali; Nonostante alcune affermazioni **siano** discutibili; affronta uno dei problemi **più** importanti della nostra società: la conoscenza della lingua.

3 - 1. Ricordate: chi scrive difficile, di solito, *non* ha **niente** da dire. 2. Se ritardo d'un paio d'ore succede la fine del mondo, se muoio *non* se ne accorge **nessuno**. 3. *Non* c'è **niente** di più pratico di una buona teoria. 4. Io suono al conservatorio. Sì**,** ma *non* mi aprono **mai**. 5. **Nessuno** fa niente per niente. 6. Molti scrittori scrivono libri che essi stessi *non* leggerebbero **mai**. 7. *Non* sono sincero **nemmeno** quando dico che non sono sincero. 8. **Niente** ottiene successo come l'eccesso. 9. *Non* facciamo bene **niente** finché non smettiamo di pensare al modo di farlo.

4 - 1. ...finché il Comune **non** gli ha dato ragione; 2. No, o almeno **non** ancora; 3. **Non** ha infatti capito di doverlo essere; 4. Anzi **non** ha proprio capito che cosa gli succederà; 5. ...perché nella lettera **non** c'era nessun numero di telefono...; 6. **Non** è in grado di dare chiaramente la buona notizia al cittadino; 7. ...**non** funzionava, ma nessuno gli ha insegnato...; 8. ...probabilmente **non** gli avrebbero dato il tempo...; 9. ...scrivere bene un testo **non** è un'attività che si fa in quattro e quattr'otto.

5 - *Soluzioni possibili:* 6. "È stato autorizzato l'utilizzo delle graduatorie generali per l'individuazione dei nuclei familiari interamente composti da extracomunitari, fatto salvo il rispetto dell'ordine di punteggio riportato"; 7. "Il nostro ufficio ha respinto la Sua richiesta", "Abbiamo respinto la Sua richiesta"; 8. "Se la morosità è dovuta a malattia dell'inquilino, l'assegnatario può chiedere una proroga"; 9. "Per poter archiviare la pratica, chiediamo di restituirci il documento allegato", "Se Lei non ha questo documento..."; 10. 1. ricordare, 3. risposta, 4. oppure, 6. riunione.

▶ ESERCIZI 19 - ARTI - Comicità

1 - sbaglio; *soggiorno; accertamento;* sparo; *comma; soggiornare; reiterato; provvedimento;* c'è; *altrimenti; maestranze;* facesse; *piratessa; pantera; commissario;* fosse; facessero; potesse; *piratessa; eccetera;* facesse.

2 - interrogasse; risponderebbe; facessi; vorrei; Scusate; è; c'è; sono.

3 - *Costruzioni non accettabili:* Suscitare amicizia; Stare a luce; Stare in disperazione; Mettere in porto; Esprimere una storia; Essere alle mani; Scoppiare di malattia.

4 - quanto; la quale; Quindi; in quanto; Inoltre; che; cioè; Oltre a; sia; sia; siccome; Spiegato ciò; poiché; contemporaneamente.

5 - 2: ~~dovessi~~/dovresti; 3: ~~tutta~~/tutto; 4: ~~in~~/nella; 5: ~~mio~~/il mio; 6: ~~coltiveremmo~~/coltiveremo; 7: ~~trova~~/trovi; 8: ~~possa~~/potrà; 9: ~~venga~~/venire; 10: ~~Tua~~/La tua; 12: ~~sono~~/ci sono; 13: ~~lasciato~~/lasciata.

6 - *1/c;* 2/e; 3/d; 4/a; 5/b.

7 - 1. *Quello* spettacolo mi ha fatto ridere *tantissimo;* 2. *Oggi Licia ha* fatto mettere le *scarpe da* solo a suo *figlio per la prima volta;* 3. *Roberto* ha fatto *telefonare* a Costanza da *Anita;* 4. *Ho* fatto comprare *il* latte da *Francesca al supermercato;* 5. *Ho saputo che ieri ti* sei fatto portare due bottiglie di vino da *Luigi;* 6. *Ci* facciamo fare due panini al prosciutto dal *barista?;* 7. *Ieri Gianna* mi ha fatto fare una *figuraccia!;* 8. *Brad Pitt si* è fatto intervistare solo dall'*inviato della Rai.*

8 - *A proposito di politica, ci sarebbe qualcosa da mangiare?*

▶ ESERCIZI 20 - STORIA - Il fascismo

1 - fu/venne ritrovato; fu/venne costretto; percorreva; assistettero/avevano assistito; annotarono/avevano annotato;

risultò; fu/venne informato; era stata individuata; se ne uscì; aveste coperta; sarebbe vista; erano; si diffusero; indicavano; interveniva; c'erano; si presentava; circolarono; fossero trovate; saremmo certi; era partito; Furono/Vennero individuati; riferì; pugnalavamo; è stato; Ha continuato; continuavamo; ripeteva; Uccidete/Ucciderete; si fosse umiliato; avesse chiesto; avesse riconosciuto; avremmo compiuto; ha avuto; ha gridato; muoio/morirò; sopravviverà; benediranno; È morto.

2 - 1. *Giacomo Matteotti desiderava che* il trionfo del partito fascista non **fosse/venisse riconosciuto**; 2. *Luigi Albertini avrebbe preferito che* Mussolini **avesse dato** le dimissioni e **si fosse messo** a disposizione delle autorità; 3. "*Sarebbe bene* che il fascismo **rinunciasse** a inaugurare *una nuova epoca storica.*"; 4. "*Mi sarebbe piaciuto che* a provocare le dimissioni di Mussolini **fosse stata** l'opposizione parlamentare."; 5. *Roberto Farinacci avrebbe preferito che* il Duce non **fosse stato** eccessivamente liberale e morbido.

3 - 1. **a** cambiare obbligatoriamente modo di comportarsi; 2. L'ideologia fascista vuole **che** gli italiani; 3. **diventino** nazionalisti e più militaristi; 4. sono inquadrati in organizzazioni **giovanili** ed; 5. **educati** alla disciplina militare; 6. camicia **nera**, che è l'indumento più appariscente; 7. dopo **essere state** figlie della lupa; 8. volto **sbarbato** e il corpo asciutto; 9. Il fascista ha anche un **proprio** modo di salutare; 10. mano **tesa** in avanti; 11. È il **cosiddetto** saluto romano; 12. **obbligatorio** nelle circostanze ufficiali; 13. al posto del Lei, nella **lingua** parlata; 14. madre di **tanti** figli e deve restare a casa; 15. Il matrimonio con molti figli **è** *favorito* in tutti i modi; 16. Alle **nuove** coppie vengono fatti prestiti; 17. se non nascono **figli** o se ne nascono pochi; 18. gli uomini non **sposati** devono pagare una tassa sul celibato; 19. Gli italiani *sono invitati* a far uso di termini nuovi; 20. **purché** genuinamente italiani; 21. o che sembrano **tali**; 22. Tutto **ciò** che è straniero è infatti visto come ostile.

4 - *Antonio Gramsci:* 17 / 10 / 21 / 13 / 9 / 5; *Teresa Vergalli:* 20 / 8 / 16 / 14 / 15 / 19 / 18 / 2 / 7; *Costituzione della repubblica italiana:* 1 / 12 / 3 / 6 / 4 / 11.

▶ ESERCIZI 21 - LINGUA - Lingua e dialetti

1 - Secondo; come; insomma; in particolare; cioè; - ; mentre; Pur; Anzi; addirittura; man mano; addirittura; Come; così; poiché; a tale proposito.

2 - 1. Il disordine dà **qualche** speranza, l'ordine nessuna; 2. Alle tre del mattino è sempre troppo presto o troppo tardi per **qualsiasi** cosa tu voglia fare; 3. Si nasce tutti pazzi. **Alcuni** lo restano; 4. Coloro che vincono, in **qualunque** modo vincano, non ne riportano mai vergogna; 5. Se tu pretendi e ti sforzi di piacere a **tutti**, finirà che non piacerai a nessuno; 6. Tutti gli animali sono uguali, ma **alcuni** sono più uguali degli altri; 7. **Chiunque** può sbagliare, ma nessuno, se non è uno sciocco, persevera nell'errore; 8. **Alcuni** matrimoni durano pochi mesi, ma non ti illudere: i più durano una vita; 9. **Qualunque** cosa vada male, c'è sempre qualcuno che l'aveva detto; 10. Se vuoi assaporare la virtù, pecca **qualche** volta; 11. **Chiunque** abbia qualcosa che non usa, è un ladro.

3 - *1/e, dato che;* 2/m, né; 3/d, ma anche; 4/b, anche, *ogni, ogni;* 5/g, allo stesso modo, *ogni, ogni;* 6/h, *qualsiasi,* quanto piut-

Soluzioni

tosto; 7/a, che; 8/i, sempre di più; 9/l, è anche vero che, *nessuno, alcuni*; 10/f, ma quello, *nessuno*; 11/c; poiché, *ovunque*.

4 - 1. *Che* il dialetto **perda** la sua vera natura mantenendo solo la forma fonetica e "italianizzando" la sintassi **è** un rischio reale. / **È** un rischio reale *che* il dialetto **perda** la sua vera natura mantenendo solo la forma fonetica e "italianizzando" la sintassi; 2. Negli ultimi anni molti studiosi **hanno scritto** *che* i dialetti in Italia **stanno** scomparendo, ma questa opinione è smentita dalle statistiche, le quali dimostrano come siano ancora usati da circa metà degli italiani; 3. *Che* gli italiani del secolo scorso **parlassero** dei dialetti che assomigliano poco a quelli parlati oggi nelle varie regioni **è** un fatto ormai assodato. / **È** un fatto ormai assodato *che* gli italiani del secolo scorso **parlassero/parlavano** dei dialetti che assomigliano poco a quelli parlati oggi nelle varie regioni; 4. **È** certamente vero *che* l'avvento della televisione **ha portato** la lingua italiana in tutte le case della Penisola. / *Che* l'avvento della televisione **abbia portato** la lingua italiana in tutte le case della Penisola **è** certamente vero; 5. *Che* i dialetti **continuino** a vivere sfuggendo all'omologazione linguistica e culturale che pervade ogni luogo del mondo contemporaneo **deve** interessare tutti quelli che si battono democraticamente in nome delle minoranze e della diversità, / **Deve** interessare tutti quelli che si battono democraticamente in nome delle minoranze e della diversità *che* i dialetti **continuino** a vivere, sfuggendo all'omologazione linguistica e culturale che pervade ogni luogo del mondo contemporaneo; 6. Senza voler nulla togliere all'importanza storica, culturale e linguistica dei dialetti, **bisogna** dire *che* è necessario avere un modello linguistico comune a tutti ovvero una lingua di comunicazione che sia la stessa da un capo all'altro della nazione.

5 - 1; 3; 4; 5. *Vedi soluzione esercizio 4.*

▶ Extra - due

1 - scalino - gettoni - riccioluta - lampeggiavano - elementare - spesse - dubitativa - marcato - cubicolo - didascaliche - si assorbiva - intollerabile.

2 - Mi sono messo - scandivo - rispondevano - Si sforzavano - Arrotavano - strusciavano - soffiavano -riusciva - guardavano - si guardavano - tolleravano - cercavano - ho esaurito - venivano - Ho cominciato - ripetevano - guatavano - era - era - riuscivano - Si spalleggiavano - si facevano - fissavano - ero.

3 - 2 - 3 - 1

4 -

A1	A2	B1	B2
Sostantivo	Verbo	Aggettivo	Verbo
volontà	*volere*	alterni	alternare
distribuzione	distribuire	sparse	spargere
aspirante	aspirare	aggrottata	aggrottare
esigenza	esigere	stretta	stringere
disinfezione	disinfettare	comandata	comandare
sorpresa	sorprendere	mossa	muovere
precedenza	precedere	bagnati	bagnare

5 - *Il funzionario addetto al sapone ero io.* Stavo a un tavolino con sopra un panetto di sapone grigiastro e puzzolente, e tenevo in mano *un coltello. I prigionieri si spogliavano*, affidavano gli abiti alla disinfezione, e si mettevano in fila completamente nudi davanti al mio tavolo. In queste mie mansioni di pubblico ufficiale, ero serissima e incorruttibile: colla fronte aggrottata per l'attenzione e la lingua infantilmente stretta fra i denti, tagliavo una fettina di sapone per ogni aspirante al bagno: *un po' più sottile per i magri, un po' più spessa per i grassi.*

6 - Questo desiderio, del resto comune a molti, **mi** è nato nel lager. Volevamo sopravvivere anche e soprattutto per raccontare ciò che avevamo visto: questo era un discorso comune, nei pochi momenti di tregua che **ci** erano concessi. Del resto è un desiderio umano: **Lei** non troverà mai un reduce che non racconti. (No, **mi** correggo, **ce ne** sono alcuni che non raccontano; ce ne sono alcuni che sono stati feriti talmente a fondo che hanno censurato il loro passato, **l'**hanno sepolto per non sentir**lo** più addosso). In primo luogo c'è il bisogno di scaricar**si**, di buttare fuori quello che **si** ha dentro. Poi **ci** sono anche altri motivi... c'è forse anche il desiderio di far**si** valere, di far sapere che siamo sopravvissuti a certe prove, che siamo stati più fortunati, o più abili, o più forti.
Io contesto "quella carica di ribellione": di indignazione sì; di ribellione purtroppo **no** perché non c'era modo, almeno per **chi** era al mio livello.[…] L'indignazione sì persiste, **ma** diciamo che si è ramificata. Sarebbe stupido oggi continuare a vedere il **male** solo lì, solo il nazista, anche se a mio **parere** è ancora il principale. Però il mondo di **oggi** è molto più articolato che non quello di una **volta** Non erano bei tempi quelli in cui io ero giovane, però avevano il grande **pregio** che erano netti; l'alternativa amico/nemico era molto netta e la scelta non era difficile. Oggi lo è molto di **meno**. Perciò anche l'indignazione persiste, ma è... erga omnes. Verso molti, non più verso "quelli".

▶ Soluzioni dei test di autovalutazione
TEST DI AUTOVALUTAZIONE 1 - Livello C1

1 - l'; l'; una; Nel *(In+il)*; un; nella *(in+la)*; un; il; una; i; i; nel *(in+il)*; una; - ; la; sull' *(su+l')*; nella *(in+la)*; nelle *(in+le)*; - ; l'; le; le; il; la; la; la; la; la.

2 - dimostrerebbe; tratterebbe; sarebbe; riuscirebbe; consisterebbe; accade; comporterebbe; si manifestano; sarebbe; porterebbe; sarebbe; affermano.

3 - Riga: 44, verbo: sarebbe.

4 - Molti sono i motivi per cui potreste trovarvi nella condizione di cercare casa in una località lontana **da quella** della vostra residenza abituale; Potrebbero essere motivi di necessità come un lavoro temporaneo, **ma** anche motivi di diletto, come una vacanza di qualche settimana; per rispondere a queste esigenze sono nate numerose iniziative organizzate, dedicate allo scambio della casa, che in pratica **significa**: tu vieni a stare a casa mia mentre io vengo a stare a casa tua; Con la diffusione di Internet lo scambio casa ha visto una vera e propria esplosione e **sarebbe** un peccato non approfittarne; Se però superiamo **un po' di** diffidenza iniziale; potremmo fare delle **belle** esperienze ed esserne soddisfatti anche per l'originalità; **Non** è necessario avere una villa da offrire; I lati **positivi** dello scambio casa com-

prendono; I vostri animali saranno accuditi e le vostre piante non **moriranno** di sete; se vi mettete **d'accordo**, potrete scambiare anche l'automobile; A questo punto non vi resta altro da fare che preparare una **breve** descrizione della vostra casa.

5 - seguirono, dovevano, aveva partecipato, disse, Era, erano, stava, spuntarono, era, erano, esitò, campeggiava, diedero/dettero, aveva riconosciuto, aveva riabilitato, diventò/divenne, ebbe, ha accolto/accolse, partivano, si è cicatrizzata.

6 - sia, abbia, passa, c'è, ha, Sono nato, ha inventato, ha avuto, Sono nato, ha toccato, ho sofferto, si accorga, servono, ci siamo battuti, appartenga, significa, vado, sono, è, ci sia, parli, siano, sia, risolve, esista/esiste, parlano.

▶▶▶ TEST DI AUTOVALUTAZIONE 1 - Livello C1

1 - *Domande:* 2 / a; 3 / d; 4 / b; 5 / c; 6 / f; 7 / e. *Parole e pronomi / particelle pronominali da inserire:* 1. Se; **si**; quanto; **-lo; -lo**; tabula rasa; 2. **mi**; gli abitanti; 3. **Ne**; a; **si**; **-ne**; dove; **te**; **la**; **ti**; **ci**; 4. **Ce**; **li**; spazio; Magari; 5. **se**; **ne**; come; **ne**; almeno; **si**; 6. dell'idea di; nel senso; **lo**; anche; **-gli**; **si**; **si**; **ci**; **si**; **si**; **-li/-lo**; così; 7. lontano.

2 - Nonostante i cambiamenti apparenti dell'immagine femminile nelle pubblicità, le donne **vengono/sono considerate** vincenti solo quando scimmiottano gli uomini e se il loro modo di agire rimane fondamentalmente funzionale all'ordine costituito. (…) Le donne **venivano/erano rappresentate** o come casalinghe soddisfatte **che** cucinavano, lucidavano i pavimenti o pulivano il bagno usando miracolosi prodotti **che** facilitavano di molto le faccende domestiche, (…) Attualmente la condizione delle donne italiane sembra migliorata con il loro massiccio ingresso nel mondo del lavoro e in quello della cultura e con i diritti civili che **sono stati conquistati** con le battaglie. Nonostante ciò nulla sembra cambiato nell'immagine della donna **che** oggi ci offrono le pubblicità. Ai due tipi di donna **che** ho descritto prima se ne è aggiunto un altro: quello della donna "impegnata", economicamente indipendente, aggressiva, autonoma nelle sue scelte. Queste istantanee di vita quotidiana femminile **che** oggi ci **vengono/sono proposte** mostrano ancora una volta l'immagine di una società fortemente sessista **che** ha la pretesa di dire alle donne **ciò che** devono o non devono fare (…) L'immagine di donna **che** se ne ricava è quella di un'apparente emancipazione **che** però nella realtà non mette in discussione lo *status quo* di un mondo sempre profondamente sessista. Un mondo di maschi impegnati quasi esclusivamente nell'ambito lavorativo e di donne **che** si sobbarcano quasi tutte le fatiche della loro professione e della famiglia. Le immagini femminili **che** ci **vengono/sono mostrate** sono quelle o di donne felici di essere mogli e madri o di donne **che** se vogliono realizzarsi fuori dall'ambiente familiare, devono diventare a "immagine" del maschio. (…)

3 - *Mi fa imbestialire la ghettizzazione in genere. A cominciare da chi dice: ho preso come architetto una* donna.

4 - fosse riuscito; avesse potuto; fossero; avesse; fosse; sono nato; ho conosciuto; vivo; sono andato; andare; ha invitato; potessi; ha anticipato; abbia fatto; ci sia; parlassimo; era; si è distratto; si è preoccupato; aveva esposto; fosse; fosse arrivato; dovesse; ha avanzato; venisse/fosse interpretato.

5 - *Quando la piazza fu vuota, vuoto era anche l'autobus; solo l'autista e il bigliettaio restavano.*

Il maresciallo domandò all'autista se **quel giorno** *non viaggiasse* **nessuno**. L'autista con faccia smemorata rispose che qualcuno **c'era**. Il maresciallo disse che qualcuno voleva dire quattro cinque sei persone e che **lui** non **aveva mai visto quell'**autobus partire che ci fosse un solo posto vuoto. L'autista tutto spremuto nello sforzo di ricordare, disse che non sapeva, non sapeva, diceva qualcuno così per dire, certo non erano cinque o sei, erano di più, forse l'autobus era pieno. Disse che **lui** non **guardava** mai la gente che c'era: **si infilava** al **suo** posto e via… Disse che guardava solo la strada e che **lo pagavano** per guardare la strada.

Il maresciallo si passò sulla faccia una mano stirata dai nervi. Disse che **aveva capito** che l'autista **guardava** solo la strada, ma che lui, e si voltò inferocito verso il bigliettaio, lui **staccava** i biglietti, **prendeva** i soldi, dava il resto: contava le persone, le guardava in faccia… disse che se non **voleva** che gliene facesse ricordare in camera di sicurezza, **doveva dirgli** subito chi c'era sull'autobus, almeno dieci nomi doveva **dirglieli**… (disse che) da tre anni **faceva** quella linea, da tre anni **lo** vedeva ogni sera al caffè Italia e che il paese **lo** conosceva meglio di **lui**.

Il bigliettaio sorridendo, come a schernirsi da un complimento, disse che meglio del maresciallo il paese non poteva conoscerlo nessuno. Il maresciallo sogghignando disse che andava bene, prima lui e poi il bigliettaio. Ma poi aggiunse che **lui** sull'autobus non **c'era**, ché **avrebbe ricordato** uno per uno i viaggiatori che c'erano, dunque **toccava** a **lui**, doveva **nominargliene** almeno dieci.(…)

Dieci minuti dopo il maresciallo aveva davanti il venditore di panelle: la faccia di un uomo sorpreso nel sonno più innocente.

Il maresciallo disse con paterna dolcezza che il panellaro **quella** mattina, come al solito, **era venuto** a vendere panelle **lì**: il primo autobus per Palermo, come al solito.

Il panellaro disse che **aveva** la licenza.

Il maresciallo alzò al cielo gli occhi che invocavano pazienza e disse che lo sapeva, lo sapeva e che non **gliene** importava della licenza, ma che **voleva** sapere una cosa sola e che se **gliela** diceva l'avrebbe lasciato subito andare a vendere panelle ai ragazzi.

Voleva sapere chi avesse sparato.

Il panellaro meravigliato e curioso domandò se **avessero sparato**.

▶▶▶ TEST DI AUTOVALUTAZIONE 2 - Livello C2

1 - Gli; una; sulla (su+la); una; le; delle (di+le); delle (di+le); una; la; l'; **frase 4**; i; **frase 3**; -; le; i; un; la; i; negli (in+gli) *(ma anche uno è accettabile)*; gli; i; -; -; i; -; un; -; al (a+l); un; il; delle (di+le); -; **frase 5**; -; la; la; le; -; lo; un'; -; dei (di+i); la; i; il; -; i; -; **frase 1**; negli (in+gli); i.

2 - *Domande:* 1/c; 2/b; 3/e; 4/d; 5/a. *Parole e verbi da inserire:* non; sia; *non*; fa; *addirittura*; *anzi*; raccontano; Basti/Basta; **ha fatto** capire; *addirittura*; sentiva; *non*; nessuna; difendesse/difendeva; ci fossero; *non*; *niente*; **fa** fare; **fare/far** crescere; esprime.

3 - sentite; esprimendo; ottiene; migliora; **A** sostenere; **di** giustificarsi; pubblicata; essendo stato criticato; **da** considerare; tratta; **da** condannare; ha scoperto; aver(e) studiato; si lasciano; serva; **a** scoprire; **a** dimostrare.

4 - e sostenitori della pari dignità di tutte le lingue; e non discriminatorio per la comprensione reciproca a livello internazionale; e contro i rischi di una visione monoculturale del mondo; ad ogni suono corrisponde una sola lettera e ad ogni lettera un solo; un tesoro lessicale capace di esprimere anche le più sottili sfumature di pensiero.

5 - Dopo *averla praticata* assiduamente per sei mesi interi sto peggio di prima; Non ho ancora congedato il dottore, **ma** la mia risoluzione è irrevocabile; Ieri intanto gli mandai a dire ch'ero impedito, e per **qualche** giorno lascio che m'aspetti; Se *fossi* ben sicuro di saper ridere di lui senz'adirarmi; Ma ho paura che *finirei* col mettergli le mani addosso; Se le ore di raccoglimento presso il dottore avessero continuato ad essere interessanti apportatrici di sorprese e di emozioni, non le *avrei abbandonate*; un trucco buono per commuovere qualche vecchia **donna** isterica; Impiegherò il tempo che mi resta libero *scrivendo*; lui ne approfittava per inventarne **ogni** giorno di nuove; Non era altra **che** quella diagnosticata a suo tempo dal defunto Sofocle sul povero Edipo; Egli non studiò che la medicina e perciò ignora **che cosa** significhi scrivere in italiano per noi che parliamo e non sappiamo scrivere il dialetto; Se egli *sapesse* come raccontiamo con predilezione tutte le cose per le quali abbiamo pronta la frase; È proprio così che scegliamo dalla nostra vita gli episodi **da** notarsi; Si capisce come la nostra vita avrebbe tutt'altro aspetto se *fosse detta* nel nostro dialetto; Perciò anche fu tanto **pronto** a dichiararmi guarito.

▶ Bilancio 2 - Il tuo profilo

Prevalenza di risposte "F" (insegnamento di tipo "Frontale"): ritieni più utile che la regola grammaticale ti venga fornita fin da subito dall'insegnante; lo scambio con altri studenti ti sembra proficuo a condizione che l'insegnante ti abbia trasmesso in partenza il proprio sapere. Del resto l'insegnante è un madrelingua! Pensi sia importante capire innanzi tutto una regola di grammatica e poi vederla utilizzata in un testo.

Prevalenza di risposte "A" (insegnamento che promuove l'"Autonomia" dello studente): preferisci arrivare da solo alla regola grammaticale, ragionando e formulando ipotesi; se, dopo la tua riflessione da solo o con altri studenti, hai ancora qualche dubbio, chiedi un riscontro all'insegnante, da cui però non ti senti dipendente. La regola grammaticale ti sembra troppo "astratta" se non ne vedi prima l'applicazione in un contesto.

Nessuna prevalenza né di "F" né di "A": il tuo approccio rispetto alla grammatica non è sempre uguale. A volte "ti emancipi" dall'insegnante, a volte hai bisogno che sia lui/lei a guidarti. Non c'è una procedura che tu prediliga rispetto alle altre, quindi ti adatti alle lezioni frontali, ma anche a quelle in cui vieni incoraggiato a svolgere analisi in modo autonomo.

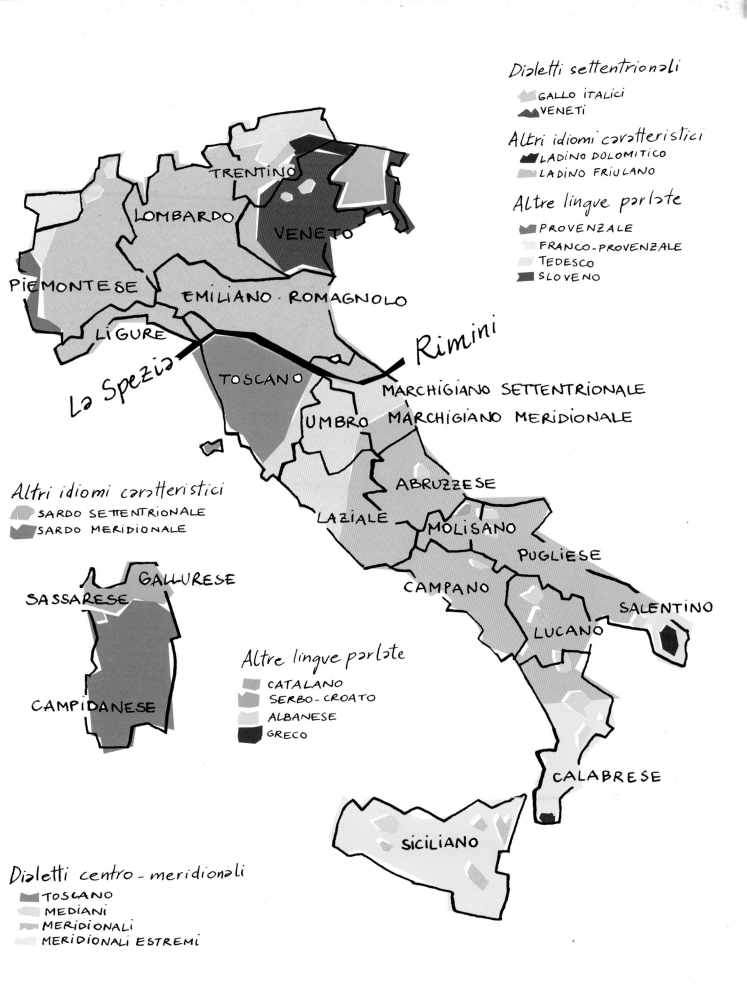

L'Italia dei dialetti

Dialetti settentrionali
- GALLO ITALICI
- VENETI

Altri idiomi caratteristici
- LADINO DOLOMITICO
- LADINO FRIULANO

Altre lingue parlate
- PROVENZALE
- FRANCO-PROVENZALE
- TEDESCO
- SLOVENO

TRENTINO

LOMBARDO

VENETO

PIEMONTESE

EMILIANO-ROMAGNOLO

LIGURE

La Spezia

Rimini

TOSCANO

MARCHIGIANO SETTENTRIONALE

UMBRO

MARCHIGIANO MERIDIONALE

Altri idiomi caratteristici
- SARDO SETTENTRIONALE
- SARDO MERIDIONALE

ABRUZZESE

LAZIALE

MOLISANO

PUGLIESE

GALLURESE

SASSARESE

CAMPANO

SALENTINO

LUCANO

Altre lingue parlate
- CATALANO
- SERBO-CROATO
- ALBANESE
- GRECO

CAMPIDANESE

CALABRESE

SICILIANO

Dialetti centro-meridionali
- TOSCANO
- MEDIANI
- MERIDIONALI
- MERIDIONALI ESTREMI

NUOVO magari C1/C2

con attività video

Nuovo Magari è un corso di lingua italiana per stranieri rivolto a studenti di livello intermedio e avanzato (dal **B2** al **C2** del Quadro Comune Europeo).

Questa nuova edizione di *Magari* propone due volumi divisi per livelli (vol. 1: B2 - vol. 2: C1/C2) ognuno dei quali include le attività per la classe e anche gli esercizi. I contenuti sono stati rinnovati e arricchiti. In particolare:
- alcune unità sono state **sostituite** e altre **riviste** e **aggiornate**;
- alla fine di ogni unità è stata inserita una **sezione Video** con attività didattiche da svolgere in classe utilizzando dei filmati disponibili online sul sito dedicato al libro.
- sono state aggiunte due **sezioni di attività su brani letterari**, una alla fine del livello C1 e una dopo il C2.

Nuovo Magari è particolarmente indicato per quegli studenti che, già in possesso di una discreta conoscenza dell'italiano (livello B1), vogliano **rinfrescare e perfezionare** la loro competenza arrivando a un livello più alto (C2).

Infatti affronta lo studio di forme, costrutti sintattici, stilemi molto diffusi nella lingua e generalmente poco trattati nei testi d'italiano per stranieri. Approfondisce inoltre argomenti più elementari e già noti, inquadrandoli da un diverso punto di vista.

Il corso si caratterizza per un forte taglio culturale, con divisione delle unità in cinque macro-aree tematiche (Geografia, Società, Arti, Lingua, Storia), attraverso le quali viene delineato un profilo ricco, articolato e non banale dell'Italia di ieri e di oggi.

Nuovo Magari C1/C2 comprende:

un **libro dello studente** con
- 12 unità didattiche
- attività video
- esercizi
- sezioni extra di letteratura
- test a punti di autovalutazione
- grammatica
- soluzioni degli esercizi

due **CD audio** con:
- i brani autentici di lingua parlata
- gli esercizi per il lavoro in classe
- i brani musicali

una **guida per l'insegnante** on line

MATERIALI EXTRA (giochi, esercizi, video, audio) SUL SITO DEDICATO A NUOVO MAGARI
www.almaedizioni.it/ minisiti/nuovomagari

ALMA Edizioni
www.almaedizioni.it

APPROVATO
PLIDA
SOCIETÀ DANTE ALIGHIERI

ultima ristampa: aprile 2014
ISBN 978-88-6182-285-6

9 788861 822856